LE CHANT DU ROSSIGNOL

Kristin Hannah, née en 1960 en Californie, a été avocate avant de devenir un écrivain à succès. Elle a écrit plus de vingt romans féminins, tous très populaires dans son pays. *Le Chant du Rossignol* a été un best-seller dès sa parution aux États-Unis.

KRISTIN HANNAH

Le Chant du Rossignol

TRADUIT DE L'ANGLAIS (ÉTATS-UNIS)
PAR MATTHIEU FARCOT

MICHEL LAFON

Titre original :

THE NIGHTINGALE
Publié par St. Martin's Press, 2015.

À Matthew Shear. Ami. Mentor. Champion.
Tu nous manques.
Et à Kaylee Nova Hannah, la nouvelle star
de notre monde : bienvenue, petite fille.

1

9 avril 1995
Côte de l'Oregon

Si j'ai appris une chose dans cette longue vie qui a été la mienne, c'est ceci : dans l'amour, nous découvrons qui nous voulons être ; dans la guerre, nous découvrons qui nous sommes. Les jeunes d'aujourd'hui veulent tout savoir sur tout. Ils pensent qu'il suffit de parler d'un problème pour le résoudre. Mais je suis issue d'une génération plus sobre. Nous comprenons la valeur de l'oubli, l'attrait de la réinvention.

Ces derniers temps, pourtant, je m'étonne de repenser à la guerre et à mon passé, aux gens que j'ai perdus.

Perdus.

Ce mot donne l'impression que j'ai égaré les êtres qui me sont chers ; comme si je les avais laissés à un endroit qui leur était étranger avant de m'éloigner, trop troublée pour retrouver mon chemin.

Ils ne sont pas perdus. Ils ne sont pas non plus dans un monde meilleur. Ils sont partis. Maintenant que la fin de mes jours approche, je sais que le chagrin, tout comme le regret, s'inscrit dans notre ADN et fait à tout jamais partie de nous.

J'ai pris un coup de vieux au cours des mois qui ont suivi la mort de mon mari et l'annonce de mon diagnostic. Ma peau a l'aspect froissé du papier sulfurisé qu'on a essayé de lisser pour le réutiliser. Mes yeux me font souvent défaut – dans l'obscurité, quand je suis face à des phares, quand il pleut. C'est perturbant de ne plus pouvoir me fier à ma vue. C'est peut-être pour ça que je me surprends à jeter un regard en arrière. Le passé a une clarté que je ne peux plus trouver dans le présent.

Je veux imaginer que la paix régnera là où je vais, que je verrai tous les gens que j'ai aimés et perdus. Ou du moins, que mes fautes me seront pardonnées.

Mais je ne suis pas dupe, n'est-ce pas ?

*

Ma maison, nommée Les Cimes par le magnat du bois qui l'a construite il y a plus d'un siècle, est à vendre, et je me prépare à en partir, car mon fils le juge nécessaire.

Il essaie de s'occuper de moi, de montrer à quel point il m'aime dans cette période des plus difficiles, aussi je tolère sa nature autoritaire. Que m'importe l'endroit où je vais mourir. Voilà le fond du problème : je me moque désormais de l'endroit où je vis. Je mets en cartons la vie balnéaire orégonaise que j'ai adoptée il y a près de cinquante ans. Il y a peu d'objets que je souhaite emporter avec moi. Mais il y a une chose.

Je tends le bras pour tirer la poignée à chaîne qui commande l'escalier mobile du grenier. Celui-ci descend du plafond tel un gentleman tendant la main.

Les marches fragiles branlent sous mes pieds lorsque je grimpe dans le grenier où règne une odeur de moisi. Une unique ampoule pendante oscille au-dessus de ma tête. Je tire sur le cordon.

J'ai l'impression d'être dans la cale d'un vieux paquebot à vapeur. Les murs sont lambrissés de grandes planches de bois, entre lesquelles pendent des toiles d'araignée à la teinte argentée. Le plafond est tellement incliné que je ne tiens debout qu'au centre de la pièce.

Je vois le rocking-chair dont je me servais quand mes petits-enfants étaient jeunes, puis un vieux berceau et un cheval à bascule d'aspect miteux monté sur des ressorts rouillés, et le fauteuil que ma fille a retapissé quand elle est tombée malade. Des cartons sont rangés le long du mur, portant les inscriptions « Noël », « Thanksgiving », « Pâques », « Halloween », « Vaisselle », « Sports ». Ces cartons contiennent les objets dont je ne me sers plus beaucoup, mais dont je ne peux me résoudre à me séparer. Pour moi, admettre que je ne vais pas décorer un sapin pour Noël reviendrait à baisser les bras, or renoncer n'a jamais été mon fort. Dans un coin, j'aperçois ce que je cherche : une ancienne malle-cabine recouverte d'autocollants de voyage.

Je traîne péniblement la lourde malle jusqu'au centre du grenier, juste sous l'ampoule suspendue. Je m'agenouille à côté mais, prise d'un vif élancement aux genoux, je me laisse glisser sur mon derrière. Pour la première fois en trente ans, je soulève le couvercle de la malle. Le plateau du dessus est rempli de souvenirs d'enfants : minuscules chaussures, moulages de mains

11

en céramique, dessins au crayon de couleur peuplés de bonhommes bâtons et de soleils souriants, bulletins scolaires et photos de récitals de danse.

Je sors le plateau de la malle et le pose à l'écart.

Les souvenirs conservés au fond de la malle forment un tas chaotique : plusieurs journaux intimes reliés en cuir décoloré ; un paquet de vieilles cartes postales nouées ensemble par un ruban de satin bleu ; une boîte en carton dont l'un des angles est corné ; une collection de petits livres de poésie de Julien Rossignol ; et une boîte à chaussures contenant des centaines de photos en noir et blanc.

Au sommet du tas se trouve un morceau de papier jauni et terni.

Mes mains tremblent en le prenant. C'est une carte d'identité qui date de la guerre. Je vois la petite photo format passeport d'une jeune femme. *Juliette Gervaise*.

— Maman ?

J'entends mon fils qui grimpe les marches en bois grinçantes au rythme des battements de mon cœur. M'appelle-t-il depuis longtemps ?

— Maman ? Tu ne devrais pas monter là-haut. Eh merde ! Les marches sont branlantes.

Il vient se placer debout à côté de moi.

— Une chute et...

Je touche la jambe de son pantalon et secoue douce-ment la tête. Je ne peux pas lever les yeux. « Arrête », c'est tout ce que je parviens à dire.

Il se met à genoux puis s'assied. Je sens le parfum de son après-rasage, subtil et épicé, ainsi qu'un relent de tabac. Il est sorti en douce fumer une cigarette, une habitude qu'il avait perdue il y a des dizaines d'années et qu'il a reprise avec mon récent diagnostic. Je n'ai pas de raison de lui exprimer ma désapprobation : il est médecin. Il sait à quoi s'en tenir.

D'instinct, je jette la carte dans la malle et referme vivement le couvercle pour la cacher une fois encore. C'est ce que j'ai fait toute ma vie.

Mais à présent, je suis en train de mourir. Pas vite, peut-être, mais pas lentement non plus, et je me sens forcée de faire le bilan de ma vie.

— Maman, tu pleures.

— Ah bon ?

J'ai envie de lui dire la vérité, mais je n'y arrive pas. Cet échec m'embarrasse et me fait honte. À mon âge, je ne devrais avoir peur de rien – et sûrement pas de mon propre passé.

Je lui dis seulement :

— Je veux emporter cette malle.

— Elle est trop grosse. Je vais réemballer les choses que tu veux dans un carton plus petit.

Sa tentative de domination me fait sourire.

— Je t'aime et je suis de nouveau malade. Voilà pourquoi je t'ai laissé me bousculer, mais je ne suis pas encore morte. Je veux emporter cette malle avec moi.

— De quoi est-ce que tu peux bien avoir besoin là-dedans ? Il n'y a que nos dessins et d'autres vieilleries.

Si je lui avais dit la vérité il y a bien longtemps, ou si j'avais plus dansé, bu et chanté, peut-être qu'il m'aurait vue *moi*, au lieu d'une mère comme les autres sur qui compter. La personne qu'il aime n'est pas tout à fait moi. J'ai toujours cru que c'était ça que je voulais : être aimée et admirée. Mais je crois maintenant que j'aimerais être connue telle que je suis.

— Considère ça comme ma dernière requête.

Je vois bien qu'il a envie de me dire de ne pas parler ainsi, mais il a peur que sa voix déraille. Il s'éclaircit la gorge :

— Tu as déjà vaincu la maladie deux fois. Tu vas la vaincre encore.

Nous savons tous les deux que ce n'est pas vrai. Je suis chancelante et faible. Je ne peux ni dormir ni manger sans l'aide de médicaments.

— Bien sûr.

— Je veux juste te protéger.

Je souris. Les Américains sont parfois si naïfs.

À une époque, je partageais son optimisme. Je considérais que le monde était sans danger. Mais c'était il y a bien longtemps.

— Qui est Juliette Gervaise ? demande Julien, et je suis un peu déstabilisée d'entendre ce nom sortir de sa bouche.

Je ferme les yeux et, dans une obscurité où règne une odeur de moisissure et de vies lointaines, mon esprit replonge dans le passé, ouvrant une brèche à travers les années et les continents. Contre ma volonté – ou peut-être en accord avec elle, qui sait encore cela ? –, je me souviens.

2

« Les Lumières s'éteignent dans toute
l'Europe ;
Nous ne les reverrons pas s'allumer de
notre vivant. »

*Sir Edward Grey, à propos
de la Première Guerre mondiale*

*Août 1939
France*

Vianne Mauriac abandonna la fraîcheur de la cuisine
aux murs de stuc et sortit dans son jardin. Par cette
belle matinée estivale dans la vallée de la Loire, tout
était en fleurs. Des draps blancs battaient dans la brise
et les roses tombaient comme une cascade de rires le
long du mur de vieilles pierres qui cachait sa propriété
de la route. Deux abeilles industrieuses bourdonnaient
parmi les fleurs ; Vianne entendit au loin le *teuf-teuf*
d'une locomotive puis le rire mélodieux d'une petite
fille.

Sophie.

Vianne sourit. Sa fille de huit ans était sans doute
en train de courir dans la maison et de forcer son père

à être aux petits soins pour elle tandis qu'ils se préparaient pour leur pique-nique dominical.

— Ta fille est un tyran, dit Antoine en apparaissant dans l'embrasure de la porte.

Il s'approcha d'elle, ses cheveux pommadés jetant des reflets noirs sous le soleil. Il avait travaillé sur ses meubles ce matin-là – il avait poncé une chaise déjà douce comme du satin – et une fine couche de sciure constellait son visage et ses habits. C'était un homme massif, grand et large d'épaules, aux traits durs et avec une barbe naissante qu'il s'appliquait à empêcher de trop pousser.

D'un bras, il prit Vianne par la taille et la serra contre lui.

— Je t'aime, V.

— Moi aussi, je t'aime.

C'était la plus grande vérité dans le monde de Vianne. Elle aimait tout chez cet homme, son sourire, sa manière de marmonner dans son sommeil, de rire quand il éternuait et de chanter des airs d'opéra sous la douche.

Elle était tombée amoureuse de lui quinze ans plus tôt, dans la cour de l'école, avant même de savoir ce qu'était l'amour. Il était son premier à tous niveaux : premier baiser, premier coup de cœur, premier amant. Avant lui, c'était une fille maigrichonne, maladroite et angoissée, qui avait tendance à bégayer lorsqu'elle prenait peur, ce qui arrivait souvent.

Une fille orpheline de mère.

Ce sera toi l'adulte désormais, avait dit son père à Vianne quand ils étaient entrés dans cette même maison pour la première fois. Elle avait alors quatorze ans, les yeux bouffis d'avoir trop pleuré, accablée par le chagrin. En un instant, cette maison était passée du statut de maison de vacances familiale à celui de pseudo-prison. Cela faisait moins de deux semaines que Maman était morte quand Papa avait renoncé à son rôle de père. À leur arrivée ici, il ne lui avait pas ouvert les bras, il n'avait pas posé sa main sur son épaule ni même tendu un mouchoir pour qu'elle sèche ses larmes.

M-mais je ne suis qu'une petite fille, avait-elle dit.

Plus maintenant.

Elle avait regardé sa sœur cadette, Isabelle, qui, à quatre ans, suçait encore son pouce et n'avait pas la moindre idée de ce qui se passait. Isabelle demandait sans arrêt quand Maman allait rentrer.

Quand la porte s'était ouverte, une grande femme maigre au nez en forme de robinet et avec des yeux petits et noirs comme des raisins secs était apparue.

Ce sont elles, les filles ? avait demandé la femme.

Papa avait hoché la tête.

Elles ne vous causeront pas d'ennuis.

Ça s'était passé si vite. Vianne n'avait pas bien compris. Papa avait déposé ses filles comme du linge sale et il les avait laissées avec une inconnue. Les deux filles avaient tant d'années d'écart qu'on pouvait croire qu'elles ne venaient pas de la même famille. Vianne avait voulu réconforter Isabelle – sincèrement –, mais elle souffrait alors tellement qu'il lui était impossible de penser à quiconque d'autre, et surtout pas à une enfant aussi entêtée, impatiente et bruyante qu'Isabelle. Vianne se rappelait encore ces premiers jours ici, avec Isabelle qui hurlait et Madame qui lui flanquait des fessées. Vianne avait supplié sa sœur en lui répétant sans cesse : *Mon Dieu, Isabelle, arrête de crier et fais simplement ce qu'elle te dit*, mais même à quatre ans, Isabelle était déjà impossible.

Vianne avait été terrassée par tout cela : le chagrin dû à la mort de sa mère, la douleur causée par l'abandon de son père, leur soudain changement de vie, et la tristesse et le besoin d'attention démesuré d'Isabelle.

C'était Antoine qui avait sauvé Vianne. Lors de ce premier été après le décès de Maman, ils étaient devenus inséparables. Avec lui, Vianne avait trouvé une échappatoire. À seize ans, elle était enceinte ; à dix-sept, elle était mariée et devenait la maîtresse de maison du « Jardin ». Deux mois plus tard, elle faisait une fausse couche et se retrouvait perdue pendant un moment. Il n'y avait pas d'autre mot. Elle s'était enfermée dans son chagrin, de nouveau incapable de s'occuper de quiconque ni de quoi que ce fût – et certainement pas d'une sœur geignarde en manque d'affection.

Mais c'était de l'histoire ancienne. Pas le genre de souvenir qu'elle voulait se remémorer par une belle journée comme celle-là.

Elle s'appuya contre son mari tandis que leur fille accourait vers eux en annonçant :

— Je suis prête. Allons-y !

— Oh ! fit Antoine avec un grand sourire. La princesse est prête, nous devons donc y aller.

Vianne sourit en rentrant dans la maison pour récupérer son chapeau suspendu au crochet à côté de la porte. Avec ses cheveux blond vénitien, sa peau diaphane et ses yeux d'un bleu azur, elle se protégeait toujours du soleil. Le temps qu'elle ajuste son chapeau de paille à large bord et qu'elle ramasse ses gants de dentelle et le panier à pique-nique, Sophie et Antoine avaient déjà franchi le portail.

Vianne les rejoignit sur la route de terre qui passait devant leur maison. Elle était tout juste assez large pour une automobile. De l'autre côté de celle-ci s'étendaient des kilomètres de prairies, dont le vert était parsemé de coquelicots et de bleuets. Il y avait des parcelles de forêts ici et là. Dans ce coin de la vallée de la Loire, le foin poussait plus facilement que le raisin. Bien qu'il fût à moins de deux heures de Paris en train, on aurait cru un tout autre monde. Peu de touristes y venaient, même en été.

De temps en temps, une auto passait, ou un cycliste, ou une charrette tirée par un bœuf mais, en général, ils étaient seuls sur la route. Ils habitaient à près d'un kilomètre et demi de Carriveau, un village de moins de mille âmes principalement connu comme une étape du pèlerinage de sainte Jeanne d'Arc. Il n'y avait aucune industrie et peu d'emplois – à l'exception de ceux du terrain d'aviation qui faisait la fierté de Carriveau. Le seul en son genre à des kilomètres.

Au centre-ville, d'étroites rues pavées serpentaient parmi d'anciens bâtiments en pierre calcaire qui s'appuyaient maladroitement les uns contre les autres. Le mortier s'effritait des murs, le lierre dissimulait le délabrement au-dessous, invisible mais toujours perceptible. Le village s'était construit sans plan d'ensemble – ruelles tortueuses, marches d'escalier irrégulières, impasses – sur un siècle. Des couleurs égayaient les bâtisses : auvents rouges aux structures en métal noir, balcons en ferronnerie décorés de géraniums dans des jardinières en terre cuite. De toutes parts, des produits attiraient le regard : une vitrine de macarons aux couleurs pastel, des paniers rustiques en osier remplis de fromage, de jambon et de saucisson, des cageots de tomates, d'aubergines et de concombres colorés. Les cafés étaient bondés par cette journée ensoleillée. Assis autour de tables en métal, des hommes discutaient bruyamment en buvant leur café et en fumant des cigarettes brunes roulées à la main.

Une journée typique à Carriveau. M. LaChoa balayait la rue devant sa saladerie, Mme Clonet nettoyait la vitrine de son magasin de chapeaux, et une bande d'adolescents flânaient, côte à côte, en donnant des coups de pied dans les ordures qui traînaient et en se passant une cigarette.

Au bout du village, ils tournèrent vers la rivière. À un endroit plat et herbeux sur la rive, Vianne posa son panier et étala une couverture à l'ombre d'un châtaignier. Du panier à pique-nique elle sortit une baguette croustillante, un beau morceau de fromage généreux et onctueux, deux pommes, des tranches extrafines de jambon de Bayonne et une bouteille de Bollinger 36. Elle servit un verre de champagne à son mari et s'assit à côté de lui tandis que Sophie courait vers la berge.

La journée passa dans une brume de bonheur baigné de soleil. Ils parlèrent, rirent et partagèrent leur repas. Ce ne fut que tard dans la journée, quand Sophie était partie avec sa canne à pêche et qu'Antoine confectionnait une couronne de pâquerettes pour leur fille, qu'il dit :

— Hitler va bientôt tous nous entraîner dans cette guerre.

La guerre.

C'était le seul sujet de conversation à cette période, et Vianne n'avait pas envie d'en entendre parler. Surtout pas en cette merveilleuse journée d'été.

Elle mit sa main en visière au-dessus de ses yeux et regarda sa fille. De l'autre côté de la rivière, la verte vallée de la Loire était cultivée avec soin et précision. Il n'y avait ni clôtures ni délimitations, seulement des kilomètres de champs verts bossus, des bosquets et une maison ou une grange en pierre ici et là. De minuscules fleurs blanches flottaient dans l'air tels des bouts de coton.

Elle se leva et tapa dans ses mains.

— Viens, Sophie. Il est temps de rentrer.

— Tu ne peux pas faire comme si de rien n'était, Vianne.

— Je devrais chercher des ennuis ? Pourquoi ? Tu es là pour nous protéger.

Souriante (trop, peut-être), elle remballa le pique-nique, réunit sa famille et la ramena à la route de terre.

En moins d'une demi-heure, ils atteignirent le solide portail en bois du Jardin, la maison en pierre qui appartenait à sa famille depuis trois siècles. Ayant pris une douzaine de nuances de gris avec l'âge, c'était une maison de deux étages avec des volets bleus aux fenêtres qui donnaient sur le verger. Du lierre grimpait sur les deux cheminées et en couvrait les briques. Il ne restait que trois hectares de la parcelle initiale. Les quatre-vingts autres avaient été vendus en l'espace de deux cents ans, au fur et à mesure que la fortune familiale avait fondu. Mais trois hectares étaient bien assez pour Vianne. Elle ne pouvait imaginer avoir besoin de plus.

Vianne referma la porte derrière eux. Dans la cuisine, des casseroles et des poêles en cuivre et en fonte pendaient à un support en fer au-dessus du fourneau. Des bouquets de lavande, de romarin et de thym séchaient, suspendus aux poutres du plafond. L'évier en cuivre, devenu vert avec le temps, était assez grand pour y baigner un petit chien.

Le plâtre des murs intérieurs s'écaillait par endroits, dévoilant des peintures anciennes. Le salon était un mélange éclectique de meubles et de tissus : canapé tapissier, tapis d'Aubusson, porcelaine chinoise ancienne, chintz et toile. Certaines des peintures exposées étaient superbes – et peut-être de valeur –, d'autres étaient l'œuvre d'amateurs. Par son aspect fouillis et disparate, cette pièce évoquait l'argent perdu et les goûts d'autrefois : un peu miteuse, mais confortable.

Vianne s'arrêta dans le salon pour jeter un coup d'œil à travers la porte vitrée donnant sur le jardin de derrière, où Antoine poussait Sophie sur la balançoire qu'il lui avait fabriquée.

Elle suspendit délicatement son chapeau au crochet situé près de la porte, prit son tablier qu'elle attacha, puis se mit à cuisiner. Elle enveloppa un filet de porc rose d'épaisses tranches de lard qu'elle ficela ensemble et fit brunir dans de l'huile chaude. Puis, tandis que le porc rôtissait dans le four, elle prépara les accompagnements. À 20 heures – précises –, elle appela son mari et sa fille à table et ne put s'empêcher de sourire en entendant le tumulte des pas, la conversation animée et le grincement des chaises au sol quand ils s'assirent.

Sophie se trouvait au bout de la table, coiffée de la couronne de pâquerettes que lui avait confectionnée Antoine au bord de la rivière.

Vianne posa le plat, dont le fumet embaumait – porc rôti, lard croustillant et pommes glacées dans une riche sauce au vin, le tout reposant sur un lit de pommes de terre dorées. À côté se trouvait un bol de petits pois frais baignant dans du beurre assaisonné d'estragon du jardin. Et bien sûr, il y avait la baguette que Vianne avait faite la veille au matin.

Comme toujours, Sophie parla durant tout le dîner. À cet égard, elle était comme sa tante Isabelle – une fille qui ne savait pas tenir sa langue.

Quand ils arrivèrent au dessert – des îles flottantes –, un silence satisfait régna autour de la table.

— Bon, dit finalement Vianne en repoussant son assiette à moitié vide, il est temps de faire la vaisselle.

— Oh, maman, geignit Sophie.

— Pas de pleurnichages, dit Antoine. Pas à ton âge.

Comme chaque soir, Vianne et Sophie se rendirent dans la cuisine, prirent chacune son poste – Vianne au profond évier en cuivre, Sophie devant le plan de travail en pierre – et commencèrent à laver et à essuyer la vaisselle. Vianne sentit l'odeur suave et âcre de la cigarette digestive d'Antoine qui flottait dans la maison.

— Papa n'a pas rigolé à une seule de mes histoires aujourd'hui, dit Sophie alors que Vianne rangeait la vaisselle dans le râtelier en bois rudimentaire accroché au mur. Il n'est pas dans son assiette.

— Il n'a pas rigolé ? Eh bien, il y a de quoi s'inquiéter, c'est sûr.

— Il se fait du souci à cause de la guerre.

La guerre. Encore.

Vianne chassa sa fille de la cuisine. À l'étage, dans la chambre de Sophie, elle s'assit sur le lit deux places et écouta la petite jacasser tout en mettant son pyjama, se brossant les dents et se couchant.

Vianne se pencha pour l'embrasser et lui souhaiter bonne nuit.

— J'ai peur, dit Sophie. Est-ce que la guerre arrive chez nous ?

— N'aie pas peur, dit Vianne. Papa va nous protéger.

Mais au moment même où elle prononça ces mots, elle se souvint d'une autre époque où sa mère lui avait dit aussi : *N'aie pas peur.*

C'était quand son père à elle était parti pour la guerre.

Sophie ne sembla pas convaincue.

— Mais…

— Mais rien. Il n'y a aucune raison de s'inquiéter. Maintenant, dors.

Elle embrassa de nouveau sa fille en laissant ses lèvres reposer sur sa joue.

Vianne redescendit et se dirigea vers le jardin de derrière. Dehors, la nuit était étouffante ; l'air sentait le jasmin. Elle trouva Antoine assis sur une des chaises en fer dans l'herbe, les jambes étendues, le corps inconfortablement avachi de côté.

Elle vint près de lui et posa la main sur son épaule. Il exhala de la fumée et tira une autre longue bouffée sur sa cigarette. Puis il leva les yeux vers elle. Au clair de lune, son visage était pâle et sillonné d'ombres. Presque étranger. Il plongea la main dans la poche de son gilet et en sortit un morceau de papier.

— J'ai été mobilisé, Vianne. Comme la plupart des hommes entre dix-huit et trente-cinq ans.

— Mobilisé ? Mais… nous ne sommes pas en guerre. Je ne…

— Je dois prendre mon service mardi.

— Mais… mais… tu es facteur.

Il soutint son regard, et soudain elle eut le souffle coupé.

— Je suis soldat maintenant, apparemment.

3

Vianne connaissait un peu la guerre. Peut-être pas le fracas, la fumée et le sang, mais ses conséquences. Bien qu'elle fût née en temps de paix, ses premiers souvenirs étaient liés à la guerre. Elle se rappelait avoir regardé sa maman pleurer en disant au revoir à Papa. Elle se rappelait avoir eu faim et tout le temps froid. Mais surtout, elle se rappelait combien son père était différent à son retour, comme il boitait, soupirait et restait silencieux. C'était à ce moment-là qu'il s'était mis à boire, à rester dans son coin et à ne plus prêter attention à sa famille. Après cela, elle se rappelait les portes qui claquaient, les disputes qui éclataient et se terminaient dans un silence pesant, et ses parents qui faisaient chambre à part.

Le père qui était revenu de la guerre n'était pas celui qui y était parti. Elle avait essayé de se faire aimer de lui ; surtout, elle avait essayé de continuer à l'aimer, mais au bout du compte ces deux objectifs étaient inatteignables. Au cours des années suivant son exil à Carriveau, Vianne avait fait sa propre vie. Elle envoyait des cartes de Noël et d'anniversaire à son père, mais elle n'en avait jamais reçu en retour, et ils se parlaient rarement. Que restait-il à dire ? Contrairement à Isabelle, qui semblait incapable de lâcher prise, Vianne comprenait – et acceptait – le fait que, à la mort de

Maman, leur famille avait été irrémédiablement brisée. C'était un homme qui refusait simplement d'être un père pour ses enfants.

— Je sais à quel point la guerre t'effraie, dit Antoine.

— La ligne Maginot tiendra bon, affirma-t-elle en s'efforçant d'être convaincante. Tu seras rentré à la maison d'ici Noël.

La ligne Maginot était un ensemble de murs de béton, d'obstacles en barbelés et d'armes, sur des centaines de kilomètres, construit le long de la frontière allemande après la Grande Guerre pour protéger la France. Les Allemands ne pouvaient la percer.

Antoine prit Vianne dans ses bras. Le parfum du jasmin était enivrant, et elle sut soudain, avec certitude, qu'à partir de cet instant-là, chaque fois qu'elle sentirait cette odeur, elle se souviendrait de cet au revoir.

— Je t'aime, Antoine Mauriac, et je compte sur toi pour revenir auprès de moi.

Plus tard, elle ne se souviendrait pas qu'ils étaient rentrés dans la maison, qu'ils avaient monté l'escalier, s'étaient couchés sur le lit et s'étaient déshabillés mutuellement. Elle se rappellerait seulement avoir été nue dans ses bras, couchée sous lui qui lui faisait l'amour comme jamais auparavant, la couvrant de baisers frénétiques et avides et la touchant comme pour la déchirer en morceaux alors même qu'il la tenait entre ses mains.

— Tu es plus forte que tu ne le crois, V, lui dit-il plus tard, quand ils étaient allongés au calme, enlacés.

— Tu te trompes, chuchota-t-elle d'une voix trop basse pour qu'il entende.

*

Le lendemain matin, Vianne eut envie de retenir Antoine au lit toute la journée, voire même de le convaincre qu'ils fassent leurs valises et s'enfuient comme des voleurs dans la nuit. Mais où iraient-ils ? L'ombre de la guerre planait sur toute l'Europe.

Lorsqu'elle eut fini de préparer le petit déjeuner et de faire la vaisselle, elle fut prise d'un mal de tête lancinant à la base du crâne.

— Tu as l'air triste, maman, lui dit Sophie.

— Comment pourrais-je être triste par une superbe journée d'été où nous allons rendre visite à nos meilleurs amis ? répliqua Vianne avec un sourire un peu trop radieux.

Ce fut seulement quand elle se trouva sous un des pommiers du jardin qu'elle se rendit compte qu'elle était pieds nus.

— Maman, appela Sophie impatiemment.

— J'arrive, dit-elle avant de suivre sa fille, passant devant l'ancien pigeonnier (devenu un abri de jardin) et la grange vide. Sophie ouvrit le portillon de derrière et courut dans le jardin voisin bien entretenu en direction d'une petite maison en pierre avec des volets bleus.

Sophie frappa une fois à la porte, ne reçut pas de réponse, et entra.

— Sophie ! cria Vianne d'un ton sec, mais ses remontrances ne furent pas entendues.

Il était inutile de faire des manières chez sa meilleure amie, or Rachel de Champlain était celle de Vianne depuis quinze ans. Elles s'étaient connues un mois seulement après que Papa eut si ignominieusement laissé ses enfants au Jardin.

Elles avaient fait la paire à cette époque : Vianne, menue, pâle et nerveuse, et Rachel, aussi grande que les garçons, avec des sourcils qui poussaient plus vite que du chiendent, et une voix de stentor. Toutes deux des parias, jusqu'à ce qu'elles se rencontrent. Elles étaient devenues inséparables à l'école et étaient restées amies depuis toutes ces années. Elles étaient allées à l'université ensemble et toutes deux étaient devenues institutrices. Elles étaient même tombées enceintes en même temps. À présent, elles enseignaient dans des salles de classe voisines à l'école du village.

Rachel apparut dans l'embrasure de la porte ouverte, avec son fils nouveau-né dans les bras, Ariel.

Elles échangèrent un regard, dans lequel s'exprimèrent tous leurs sentiments et leurs craintes.

Vianne suivit son amie dans un petit intérieur lumineux et impeccable. Un vase rempli de fleurs sauvages ornait la table à tréteaux en bois rustique, entourée de chaises dépareillées. Dans un coin de la salle à manger se trouvait un sac de voyage en cuir sur lequel était posé le feutre mou marron préféré du mari de Rachel, Marc. Rachel alla dans la cuisine chercher une petite assiette en faïence pleine de canelés. Puis les femmes sortirent.

Dans le petit jardin, des roses poussaient le long d'une haie de troènes. Une table et quatre chaises étaient disposées en désordre sur une terrasse en pierre. Des lanternes anciennes étaient suspendues aux branches d'un châtaignier.

Vianne prit un canelé, mordit dedans et savoura le cœur vanillé et crémeux ainsi que la croûte au léger goût de brûlé. Elle s'assit.

Rachel s'installa en face d'elle, son bébé endormi dans les bras. Le silence parut grandir entre elles et s'emplir de leurs peurs et inquiétudes.

— Je me demande s'il connaîtra son père, dit Rachel en regardant son bébé.

— Ils auront changé, dit Vianne en se souvenant.

Son père avait participé à la bataille de la Somme, au cours de laquelle près de quatre cent cinquante mille hommes avaient perdu la vie. Des rumeurs quant aux atrocités commises par les Allemands étaient revenues avec les quelques survivants.

Rachel mit le nourrisson sur son épaule et lui donna de petites tapes apaisantes dans le dos.

— Marc n'est pas doué pour changer les couches. Et Ari adore dormir dans notre lit. Je suppose que ce ne sera plus un problème maintenant.

Vianne sentit un sourire se dessiner sur ses lèvres. Ce n'était pas grand-chose, cette blague, mais ça aidait.

— Antoine ronfle, c'est un enfer. Je vais enfin pouvoir bien dormir.

— Et on pourra manger des œufs pochés au dîner.

— Deux fois moins de linge à laver, renchérit-elle, mais sa voix se brisa. Je ne suis pas assez forte pour ça, Rachel.

— Bien sûr que si. On va surmonter ça ensemble.

— Avant que je rencontre Antoine...

Rachel l'arrêta d'un geste de la main.

— Je sais, je sais. Tu étais maigre comme un clou, tu bégayais quand tu étais mal à l'aise, et tu étais allergique à tout. Je sais. J'étais là. Mais tout cela est fini. Tu seras forte. Tu sais pourquoi ?

— Pourquoi ?

Le sourire de Rachel s'évanouit.

— Je sais que je suis costaude – sculpturale, comme les vendeuses aiment dire quand je leur achète des soutiens-gorge et des bas –, mais là je suis… anéantie, V. Et je vais parfois avoir besoin de m'appuyer sur toi, moi aussi. Pas de *tout* mon poids, bien sûr.

— Pour que nous ne nous effondrions pas toutes les deux en même temps.

— Voilà, acquiesça Rachel. Notre plan. Est-ce qu'on ouvre une bouteille de cognac maintenant, ou du gin ?

— Il est 10 heures du matin.

— Tu as raison. Évidemment. Un French 75.

*

Quand Vianne se réveilla le mardi matin, le soleil dardait ses rayons à travers la vitre et faisait luire les poutres apparentes.

Antoine était assis près de la fenêtre sur le fauteuil à bascule en noyer qu'il avait fabriqué pendant la deuxième grossesse de Vianne. Durant des années, ce fauteuil vide les avait nargués. Les « années de fausses couches », comme elle les appelait désormais. La désolation en terre d'abondance. Trois vies perdues en quatre ans ; minuscules pouls filiformes, mains bleues. Et puis, par miracle, un bébé avait survécu. Sophie. Les fibres de ce fauteuil étaient incrustées de tristes petits fantômes, mais elles renfermaient aussi de bons souvenirs.

— Tu devrais peut-être emmener Sophie à Paris, suggéra-t-il en se redressant. Julien s'occuperait de vous.

— Mon père a déjà exprimé son point de vue quant à la possibilité de vivre avec ses filles. Je ne peux pas espérer qu'il m'accueille à bras ouverts.

Vianne écarta le couvre-lit matelassé et se leva, posant ses pieds nus sur la carpette usée.

— Est-ce que ça va aller ?

— Tout ira bien pour Sophie et moi. De toute façon, tu seras de retour d'ici peu. La ligne Maginot tiendra bon. Et Dieu sait que les Allemands ne font pas le poids.

— Malheureusement, leurs armes le font. J'ai retiré tout notre argent de la banque. Il y a soixante-cinq mille francs sous le matelas. Dépense-le avec parcimonie, Vianne. Avec ton salaire d'institutrice, ça devrait vous durer un bon moment.

Elle eut un élan de panique. Elle en savait trop peu sur leurs finances. C'était Antoine qui les gérait.

Il se leva lentement et la prit dans ses bras. Elle eut envie de mettre en bouteille la sensation de sécurité qu'elle ressentait à cet instant pour pouvoir en boire plus tard quand elle serait assoiffée par la solitude et la peur.

Souviens-toi de ça, pensa-t-elle. La façon dont la lumière se reflétait dans ses cheveux indisciplinés, l'amour dans ses yeux bruns, les lèvres gercées qui l'avaient embrassée seulement une heure plus tôt, dans le noir.

Par la fenêtre ouverte derrière eux, elle entendit les claquements de sabots lents et réguliers d'un cheval qui approchait sur la route et le cliquetis du chariot qu'il tirait.

Ce devait être M. Quillian, en route pour le marché avec ses fleurs. Si elle avait été dans le jardin, il se serait arrêté pour lui en offrir une et dire que cette fleur ne pouvait égaler sa beauté, elle aurait souri, répondu *merci* et lui aurait offert quelque chose à boire.

Vianne se défit de son étreinte à contrecœur. Elle alla à la coiffeuse en bois, versa avec la cruche en faïence bleue de l'eau tiède dans la cuvette et se lava le visage. Dans l'alcôve qui leur servait de garde-robe, derrière une paire de rideaux en toile blanc et or, elle mit un soutien-gorge et enfila sa culotte bordée de dentelle et ses jarretières. Elle déroula les bas en soie sur ses jambes, les attacha à ses jarretières puis se glissa dans une robe en coton cintrée avec un empiècement carré au niveau du col. Lorsqu'elle ferma les rideaux et se retourna, Antoine était parti.

Elle prit son sac à main et parcourut le couloir jusqu'à la chambre de Sophie. Comme la leur, elle était petite et avait un plafond en bois incliné, un parquet de planches larges et une fenêtre qui donnait sur le verger. Un lit en fer, une table de nuit ornée d'une lampe d'occasion et une armoire peinte en bleu remplissaient l'espace. Les murs étaient décorés de dessins de Sophie.

Vianne ouvrit les volets et laissa la lumière inonder la pièce.

Comme d'habitude durant les mois chauds d'été, Sophie avait flanqué le couvre-lit par terre pendant la nuit. Son ours en peluche rose, Bébé, dormait contre sa joue.

Vianne prit l'ours et regarda son visage feutré à force de câlins. L'année précédente, Sophie avait délaissé Bébé sur une étagère près de la fenêtre quand elle s'était intéressée à des jouets plus récents.

Mais à présent, Bébé avait retrouvé sa place.

Vianne se pencha pour embrasser la joue de sa fille.

Sophie se retourna et se réveilla en clignant des yeux.

— Je ne veux pas que papa s'en aille, maman, murmura-t-elle.

Elle tendit le bras vers Bébé et arracha pratiquement l'ours des mains de Vianne.

— Je sais, soupira Vianne. Je sais.

Vianne ouvrit l'armoire et choisit la robe marine qui était la préférée de Sophie.

— Est-ce que je peux porter la couronne de pâquerettes que papa m'a faite ?

La « couronne » de pâquerettes était posée sur la table de nuit, fripée avec ses fleurs fanées. Vianne la ramassa délicatement et la déposa sur la tête de Sophie.

Vianne pensait aller bien, jusqu'à ce qu'elle pénètre dans le salon et voie Antoine.

— Papa ? fit Sophie en touchant la couronne de fleurs flétries avec hésitation. Ne pars pas.

Antoine s'agenouilla et attira Sophie dans ses bras.

— Je dois être soldat pour vous protéger, toi et maman. Mais je reviendrai aussi vite que je suis parti.

Vianne entendit sa voix se casser.

Sophie recula. La couronne de fleurs pendait sur le côté de sa tête.

— Tu promets que tu reviendras ?

Antoine regarda les yeux inquiets de Vianne derrière le visage sérieux de sa fille.

— Oui, répondit-il enfin.

Sophie hocha la tête.

Tous trois étaient silencieux lorsqu'ils quittèrent la maison. Ils gravirent le coteau main dans la main jusqu'à la grange en bois grise. Le monticule était couvert d'une herbe dorée à hauteur de genou, et des buissons de lilas gros comme des chariots de foin poussaient tout autour de la propriété. Il ne restait au monde que trois petites croix blanches pour marquer le souvenir des bébés que Vianne avait perdus. Ce jour-là, elle ne laissa pas un seul instant son regard s'attarder dessus ; elle était déjà suffisamment écrasée par ses émotions. Elle ne pouvait y ajouter le poids de ces souvenirs.

Dans la grange attendait leur vieille Renault verte. Quand ils furent tous dans l'auto, Antoine démarra le moteur, sortit de la grange en marche arrière et gagna la route en roulant sur des bandes d'herbe morte brunissante. À travers la petite vitre poussié-reuse, Vianne regarda la vallée verte défiler dans un méli-mélo d'images familières : toits de tuiles rouges, maisons en pierre, prairies et vignes, forêts d'arbres grêles.

Ils arrivèrent bien trop vite à la gare, près de Tours.

Le quai était bondé de jeunes hommes chargés de valises, de femmes qui les embrassaient et d'enfants qui pleuraient.

Une génération d'hommes partait pour la guerre. À nouveau.

N'y pense pas, se dit Vianne. *Ne repense pas à la dernière fois où les hommes sont revenus boiteux, le visage brûlé, amputés de bras et de jambes…*

Vianne se cramponna à la main de son mari tandis qu'il achetait leurs billets et les faisait monter dans le train. Dans le wagon de troisième classe – d'une chaleur étouffante, les gens entassés comme des roseaux des marais –, elle s'assit, raide, toujours agrippée à la main de son mari, son sac à main sur les genoux.

À leur destination, une douzaine d'hommes descendirent. Vianne, Sophie et Antoine suivirent les autres dans une rue pavée pour pénétrer dans un charmant village semblable à la plupart des petites communes de Touraine. Comment se pouvait-il que la guerre fût sur le point d'éclater et que ce village pittoresque, avec ses cascades de fleurs et ses murs effrités, rassemblât des soldats pour aller se battre ?

Antoine tira la main de Vianne et la remit en mouvement. Quand s'était-elle arrêtée ?

Face à eux, un grand portail en fer récent avait été fixé dans les murs en pierre. Derrière celui-ci se trouvaient plusieurs rangées de logements provisoires.

Le portail s'ouvrit. Un soldat à cheval sortit pour accueillir les nouveaux venus, sa selle en cuir grinçant à chaque pas de l'animal, son visage couvert de poussière et empourpré par la chaleur. Il tira sur les rênes et le cheval s'arrêta en s'ébrouant. Un avion passa au-dessus d'eux dans un vrombissement.

— Messieurs, dit le soldat. Apportez vos papiers au lieutenant là-bas, près du portail. Maintenant. Dépêchez.

Antoine embrassa Vianne avec une telle douceur qu'elle eut envie de pleurer.

— Je t'aime, dit-il contre ses lèvres.

— Moi aussi, je t'aime, répondit-elle, mais ces mots qui semblaient toujours si forts lui parurent ternes à cet instant.

Que valait l'amour face à la guerre ?

— Moi aussi, papa. Moi aussi ! cria Sophie en se jetant dans ses bras.

Ils s'embrassèrent en famille, une dernière fois, jusqu'à ce qu'Antoine se libère de leur étreinte.

— Au revoir…

Vianne ne put lui répondre. Elle le regarda s'éloigner, elle le regarda se mêler à la foule d'hommes qui riaient et discutaient, puis se perdre parmi eux. Les grandes portes en fer se refermèrent, le fracas du métal résonnant dans l'air chaud et chargé de poussière, et Vianne et Sophie se retrouvèrent seules au milieu de la rue.

Juin 1940
France

La demeure médiévale dominait un coteau boisé d'un vert intense. On aurait dit une création dans une vitrine de confiserie : un château sculpté dans du caramel, avec des fenêtres en sucre filé et des volets couleur de pomme d'amour. Bien plus bas, un lac bleu profond absorbait le reflet des nuages. Les jardins impeccables permettaient aux habitants de la maison – et, surtout, à leurs invités – de flâner dans le parc, où l'on ne devait discuter que de sujets « acceptables ».

Dans l'imposante salle à manger, Isabelle Rossignol était assise droite comme un i à la table nappée de blanc qui accueillait aisément vingt-quatre convives. Tout dans cette pièce était clair. Les murs, le sol et le plafond étaient tous faits dans de la pierre aux teintes de coquille d'huître. Le plafond formait une voûte se terminant en pic à près de six mètres de haut. Les sons étaient amplifiés dans cette pièce froide, aussi piégés que ses occupants.

Mme Dufour était debout à l'extrémité de la table, vêtue d'une robe noire sévère qui révélait un creux de la taille d'une cuiller à soupe à la base de son long cou.

Elle portait pour seule parure une broche décorée d'un unique diamant – « Une belle pièce, mesdemoiselles, et choisissez-la bien ; le moindre détail est révélateur, rien ne saute plus aux yeux que la mauvaise qualité. » Son visage étroit se terminait par un menton rond et était encadré par des boucles dont la décoloration était si évidente que l'impression de jeunesse recherchée était totalement ratée – « La ruse, expliquait-elle d'une voix distinguée et d'un ton sec, consiste à ne faire aucun bruit et à passer inaperçue dans votre tâche. »

Chacune des filles assises à la table portait la veste et la jupe en laine bleue ajustées qui composaient l'uniforme de l'école. Ce n'était pas si mal en hiver, mais par ce chaud après-midi de juin, cet ensemble était insupportable. Isabelle sentait qu'elle commençait à suer, et aussi parfumé que fût son savon à la lavande, il ne pouvait masquer l'odeur âcre de sa transpiration.

Elle regarda l'orange intacte placée au centre de son assiette en porcelaine de Limoges. Les couverts étaient disposés d'une manière précise de chaque côté de l'assiette. Fourchette à salade, grande fourchette, couteau, cuiller, couteau à beurre, fourchette à poisson. Et cetera, et cetera.

— Voyons, dit Mme Dufour. Prenez les bons ustensiles – en silence, s'il vous plaît, en silence – et épluchez votre orange.

Isabelle saisit sa fourchette et essaya de planter les dents pointues dans la peau épaisse, mais l'orange roula par-dessus le bord doré de l'assiette dans un tintement de porcelaine.

— Merde, marmonna-t-elle en attrapant l'orange avant qu'elle ne tombe par terre.

— Merde ? reprit Mme Dufour, à côté d'elle.

Isabelle fit un bond sur sa chaise. Mon Dieu, cette femme se déplaçait comme une vipère dans les roseaux.

— Pardon, Madame, dit Isabelle en remettant l'orange à sa place.

— Mademoiselle Rossignol, dit Madame. Comment se peut-il que vous fréquentiez notre établissement depuis deux ans et que vous ayez si peu appris ?

Isabelle donna un nouveau coup de fourchette dans l'orange. Un geste peu élégant, mais efficace. Puis elle sourit à Madame.

— En général, Madame, quand un élève ne parvient pas à apprendre, c'est que le professeur n'est pas parvenu à enseigner.

Toutes les filles autour de la table retinrent leur souffle.

— Ah, dit Madame. C'est donc à cause de nous que vous ne savez toujours pas manger une orange correctement.

Isabelle essaya de trancher la peau – trop violemment, trop vite. La lame en argent ripa sur la peau plissée et heurta l'assiette en porcelaine avec un bruit métallique.

Mme Dufour approcha sa main tel un serpent ; ses doigts s'enroulèrent autour du poignet d'Isabelle.

Des deux côtés de la table, les filles regardaient, pétrifiées.

— Échangez des politesses, mesdemoiselles, dit Madame avec un sourire pincé. Personne ne veut d'une statue pour compagnon de dîner.

Aussitôt, les filles se mirent à discuter entre elles à voix basse de choses qui n'intéressaient pas Isabelle :

jardinage, météo, mode. Des sujets convenables pour les femmes. Isabelle entendit sa voisine dire doucement : « J'aime tellement la dentelle d'Alençon, pas toi ? » et, vraiment, elle eut toutes les peines du monde à se retenir de hurler.

— Mademoiselle Rossignol, dit Madame. Allez voir Mme Allard et dites-lui que notre expérience touche à sa fin.

— Qu'est-ce que ça veut dire ?

— Elle comprendra. Allez-y.

Isabelle quitta rapidement la table, de peur que Madame ne change d'avis.

Le visage de Madame se plissa de déplaisir lorsque les pieds de la chaise produisirent un crissement sonore sur le sol en pierre.

Isabelle sourit.

— Je n'aime pas du tout les oranges, vous savez.

— Vraiment ? fit Madame d'un ton sarcastique.

Isabelle eut envie de s'enfuir de cette pièce étouffante, mais elle avait déjà assez d'ennuis et se força donc à sortir lentement, les épaules en arrière et le menton haut. Arrivée devant l'escalier (qu'elle était capable de gravir avec trois livres en équilibre sur la tête), elle jeta un coup d'œil de chaque côté, vit qu'elle était seule et descendit les marches quatre à quatre.

Dans le hall du rez-de-chaussée, elle ralentit et se redressa. Lorsqu'elle arriva devant le bureau de la directrice, elle ne haletait même plus.

Elle frappa à la porte.

Au « Entrez » plat de Mme Allard, Isabelle ouvrit la porte.

41

Mme Allard était assise derrière un bureau en acajou à bordures dorées. Des tapisseries médiévales pendaient aux murs en pierre de la pièce et une fenêtre cintrée à petits carreaux donnait sur le jardin si ouvragé qu'il relevait plus du domaine de l'art que de celui de la nature. Même les oiseaux s'y posaient rarement ; ils en percevaient sans nul doute l'atmosphère oppressante et passaient leur chemin.

Isabelle s'assit – et se souvint un instant trop tard qu'on ne l'y avait pas invitée. Elle se releva brusquement.

— Pardon, madame.

— Asseyez-vous, Isabelle.

Elle s'exécuta, croisa consciencieusement les chevilles comme doit le faire une dame et joignit les mains.

— Mme Dufour m'a demandé de vous dire que l'expérience touche à sa fin.

Madame tendit la main vers un des stylos à plume en verre de Murano et le prit, puis tapa doucement avec sur le bureau.

— Pourquoi êtes-vous ici, Isabelle ?

— Je déteste les oranges.

— Pardon ?

— Et si je *devais* manger une orange – et sincèrement, madame, pourquoi le ferais-je si je ne les aime pas –, je me servirais de mes mains, comme font les Américains. Comme tout le monde, en fait. Une fourchette et un couteau pour manger une orange ?

— Je voulais dire, pourquoi êtes-vous dans cette école ?

— Oh ! Ça. Eh bien, le couvent du Sacré-Cœur d'Avignon m'a renvoyée. Sans raison, pourrais-je ajouter.

— Et les sœurs de Saint-François ?

— Ah. Elles, elles avaient des raisons de me renvoyer.

— Et l'école précédente ?

Isabelle ne sut quoi répondre.

Madame posa son stylo à plume.

— Vous avez presque dix-neuf ans.

— Oui, madame.

— Je crois qu'il est temps que vous partiez.

Isabelle se leva.

— Dois-je retourner au cours sur les oranges ?

— Vous m'avez mal comprise. Je veux dire que vous devez quitter l'école, Isabelle. Il est clair que ça ne vous intéresse pas d'apprendre ce que nous pouvons vous enseigner.

— Comment manger une orange, quand on peut étaler du fromage et qui est le plus important entre le fils cadet d'un duc, une fille qui ne va pas hériter ou l'ambassadeur d'un pays insignifiant ? Madame, vous ne savez pas ce qui se passe en ce moment dans le monde ?

On avait peut-être relégué Isabelle au fin fond de la campagne, mais elle était tout de même au courant. Même là, barricadée derrière des haies et accablée de leçons de politesse, elle savait ce qui se passait. Le soir dans sa cellule monacale, alors que ses camarades de classe étaient couchées, elle veillait tard dans la nuit pour écouter la BBC sur sa radio de contrebande. La France s'était alliée à la Grande-Bretagne pour déclarer la guerre à l'Allemagne, et Hitler était en marche. À l'autre bout du pays, les gens avaient fait des stocks de nourriture, installé des stores opaques et appris à vivre dans le noir comme des taupes.

Ils s'étaient préparés et inquiétés, et puis… rien.

Mois après mois, rien ne se passait.

Dans un premier temps, tout le monde ne parlait que de la Grande Guerre et des pertes qui avaient touché tant de familles, mais au fur et à mesure que les mois s'écoulaient et que la guerre ne restait qu'un *sujet* de conversation, Isabelle avait entendu ses professeurs la qualifier de *drôle de guerre*. L'horreur véritable se déroulait ailleurs en Europe : en Belgique, en Hollande et en Pologne.

— Les bonnes manières n'auront-elles aucune importance pendant la guerre, Isabelle ?

— Elles n'ont aucune importance *maintenant*, répondit impulsivement Isabelle, regrettant immédiatement de ne pas s'être tue.

Madame se leva.

— Nous n'avons jamais été la bonne école pour vous, mais…

— Mon père me mettrait n'importe où pour se débarrasser de moi, lâcha Isabelle.

Elle préférait la sincérité au mensonge. Elle avait appris de nombreuses leçons dans le défilé d'écoles et de couvents qu'elle avait fréquentés depuis plus de dix ans… mais surtout, elle avait appris qu'elle ne devait compter que sur elle-même. Une chose était sûre, elle ne pouvait attendre quoi que ce soit de son père et de sa sœur.

Madame regarda Isabelle. Ses narines se dilatèrent très légèrement, un signe de désapprobation polie mais peinée.

— C'est dur pour un homme de perdre sa femme.

— C'est dur pour une fille de perdre sa mère, répliqua Isabelle avec un sourire de défi. Mais j'ai perdu mes deux parents, n'est-ce pas ? L'un des deux est mort, et l'autre m'a tourné le dos. Je ne sais pas ce qui fait le plus mal.

— Mon Dieu, Isabelle, êtes-vous obligée de toujours dire tout ce que vous pensez ?

Isabelle avait entendu cette critique toute sa vie, mais pourquoi devrait-elle tenir sa langue ? De toute façon, personne ne l'écoutait jamais.

— Vous allez donc partir aujourd'hui. Je vais envoyer un télégramme à votre père. Tómas vous conduira au train.

— Ce soir ? fit Isabelle en clignant des yeux. Mais… Papa ne voudra pas de moi.

— Ah. Les conséquences…, dit madame. Peut-être que désormais, vous verrez qu'il faut en tenir compte.

*

Isabelle était de nouveau seule dans un train, sans savoir comment elle serait reçue à son arrivée.

À travers la vitre sale et parsemée de taches, elle regardait le paysage vert qui défilait : prairies, toits rouges, maisons en pierre, ponts gris, chevaux. Absolument rien ne semblait avoir bougé, ce qui la surprit. La guerre arrivait, et elle s'était imaginé que le paysage en porterait la marque d'une manière ou d'une autre – que cela aurait changé la couleur de l'herbe, tué les arbres ou fait fuir les oiseaux –, mais à présent, assise dans ce train qui entrait dans Paris en haletant, elle vit que tout semblait entièrement normal.

Dans la gigantesque gare, le train s'arrêta en crachant de la vapeur. Isabelle souleva la petite valise posée à ses pieds et la prit sur ses genoux. Alors qu'elle regardait les passagers passer à côté d'elle d'un pas traînant pour sortir du wagon, la question qu'elle avait éludée jusque-là lui revint.

Papa.

Elle avait envie de croire qu'il l'accueillerait chez lui avec joie, qu'enfin il tendrait les mains et prononcerait son nom de manière affectueuse, comme il l'avait fait avant, quand Maman était le ciment qui les unissait.

Elle baissa les yeux sur sa valise éraflée.

Si petite.

Dans les écoles où elle avait été pensionnaire, la plupart des filles arrivaient avec toute une collection de malles fermées par des lanières en cuir et garnies de clous en laiton. Elles avaient des images sur leur bureau, des souvenirs sur leur table de nuit et des albums photo dans leurs tiroirs.

Isabelle avait une unique photo encadrée d'une femme dont elle voulait se souvenir et n'y parvenait pas. Quand elle essayait, ne lui venaient à l'esprit que des images floues de gens en train de pleurer, d'un médecin qui secouait la tête et de sa mère qui lui disait de bien tenir la main de sa sœur, ou quelque chose comme ça. Comme si ça l'avait aidée. Vianne avait été aussi prompte que Papa à abandonner Isabelle.

Elle se rendit compte qu'il ne restait plus qu'elle dans le wagon. Saisissant sa valise de sa main gantée, elle se leva de son siège en faisant un pas de côté et sortit.

Les quais étaient noirs de monde. Des trains trépidants attendaient côte à côte ; l'air était chargé de fumée crachée vers le haut plafond arrondi. Un sifflet retentit quelque part. Les grandes roues en fer se mirent à tourner. Le quai trembla sous les pieds d'Isabelle.

Son père était reconnaissable de loin, même dans la foule.

Quand il l'aperçut, elle vit l'agacement transformer ses traits, lui donner un air résolu et sévère.

C'était un homme grand, d'au moins un mètre quatre-vingt-dix, mais la Grande Guerre l'avait voûté. Du moins, c'était ce qu'Isabelle se rappelait avoir entendu un jour. Ses larges épaules étaient affaissées, comme si se tenir droit, avec tout ce qui le préoccupait, lui demandait trop d'effort. Ses cheveux clairsemés étaient gris et mal peignés. Il avait un nez large et épaté, semblable à une spatule, et des lèvres fines comme un trait de crayon. Par cette chaude journée d'été, il portait une chemise blanche marquée de plis, les manches retroussées ; une cravate pendait mollement à son col effiloché, et son pantalon en velours côtelé avait besoin d'être lavé.

Elle s'efforça d'avoir l'air… mûr. C'était peut-être ce qu'il attendait d'elle.

— Isabelle.

Elle agrippa la poignée de sa valise des deux mains.

— Papa.

— Tu t'es encore fait renvoyer.

Elle hocha la tête, la gorge serrée.

— Comment est-ce qu'on va te trouver une autre école par les temps qui courent ?

C'était le moment ou jamais :

— Je… veux vivre avec toi, papa.

— Avec moi ?

Il semblait irrité et surpris. Mais n'était-ce pas normal qu'une fille veuille vivre avec son père ?

Elle fit un pas vers lui.

— Je pourrais travailler à la librairie. Je ne te gênerai pas.

Elle prit une grande inspiration et attendit. Les sons s'amplifièrent tout à coup. Elle entendait les gens marcher, les quais qui gémissaient sous leurs pieds, les pigeons qui battaient des ailes au-dessus d'eux, un bébé qui pleurait.

Bien sûr, Isabelle.

Viens à la maison.

Son père soupira d'un air dégoûté, tout en s'éloignant.

— Alors, dit-il en se retournant. Tu viens ?

*

Isabelle était étendue sur une couverture dans l'herbe parfumée, un livre ouvert devant elle. Quelque part à proximité, une abeille butinait laborieusement une fleur en bourdonnant ; on aurait dit une toute petite moto au milieu de tout ce calme. C'était une journée caniculaire, une semaine après son retour à la maison, à Paris. Enfin, pas *à la maison*. Elle savait que son père cherchait toujours un moyen de se débarrasser d'elle, mais elle ne voulait pas penser à ça par une si belle journée, dans l'air chargé d'odeurs de cerises et d'herbe verte et fraîche.

— Tu lis trop, dit Christophe en mâchonnant un brin de foin. C'est quoi, un roman d'amour ?

Elle roula vers lui en fermant le livre d'un coup sec. Celui-ci parlait d'Edith Cavell, une infirmière anglaise pendant la Grande Guerre. Une héroïne.

— Je pourrais être un héros de guerre, Christophe.

Il rigola.

— Une fille ? Un héros ? C'est absurde.

Isabelle se leva d'un bond en attrapant son chapeau et ses gants de chevreau blancs.

— Ne te fâche pas, dit-il en lui adressant un grand sourire. J'en ai simplement marre d'entendre parler de la guerre. Et c'est un fait que les femmes ne servent à rien pendant la guerre. Votre rôle, c'est d'attendre notre retour.

Il posa sa joue dans sa main et regarda Isabelle à travers la crinière de cheveux blonds qui lui tombaient devant les yeux. Dans son blazer style marin et son pantalon blanc à jambes larges, il avait exactement l'allure de ce qu'il était : un étudiant privilégié qui n'était habitué à aucun travail, quel qu'il soit. De nombreux étudiants de son âge avaient quitté l'université pour s'engager comme volontaires dans l'armée. Pas Christophe.

Isabelle gravit la colline d'un bon pas et traversa le verger jusqu'à la butte herbeuse où la Panhard décapotable de Christophe était garée.

Elle était déjà au volant, le moteur lancé, quand Christophe apparut, son visage à la beauté conventionnelle luisant de sueur, le panier à pique-nique vide pendu à son bras.

— Jette donc ça derrière, lui dit-elle avec un sourire rayonnant.

— Ce n'est pas toi qui conduis.

— On dirait bien que si. Maintenant, monte.

— C'est mon auto, Isabelle.

— Eh bien, pour être exacte – et je sais à quel point les faits sont importants pour toi, Christophe –, c'est l'auto de ta mère. Et je crois qu'une voiture de femme doit être conduite par une femme.

Isabelle s'efforça de ne pas sourire quand il leva les yeux au ciel en grommelant un « Bon, d'accord » et se pencha pour poser le panier derrière le siège conducteur. Puis, avec assez de lenteur pour affirmer son autorité, il fit le tour du véhicule par-devant et prit place sur le siège passager.

À peine eut-il fermé la porte qu'elle enclencha une vitesse et écrasa l'accélérateur. L'auto hésita une seconde puis partit d'un bond en crachant un nuage de poussière et de fumée.

— Mon Dieu, Isabelle ! Ralentis !

Elle tenait d'une main son chapeau de paille qui battait dans le vent et se cramponnait de l'autre au volant. Elle ralentit à peine lorsqu'elle doubla d'autres automobilistes.

— Mon Dieu, ralentis ! répéta Christophe.

Il savait à coup sûr qu'elle n'avait nullement l'intention d'obtempérer.

— De nos jours, une femme peut aller à la guerre, déclara Isabelle quand la circulation dans Paris la força finalement à ralentir. Je pourrais peut-être être ambulancière. Ou je pourrais décrypter des codes. Ou charmer l'ennemi pour qu'il m'indique un lieu ou un projet secret. Tu te souviens de ce jeu…

— La guerre n'est pas un jeu, Isabelle.

— Je crois que je sais ça, Christophe. Mais si elle éclate *vraiment*, je peux me rendre utile. C'est tout ce que je dis.

Dans la rue de l'Amiral-de-Coligny, elle dut freiner brusquement pour éviter de heurter un camion. Un convoi de la Comédie-Française sortait du musée du Louvre. En fait, il y avait des camions de toutes parts et des gendarmes en uniforme qui faisaient la circulation. Plusieurs bâtiments et monuments étaient entourés de tas de sacs de sable pour protéger les piétons en cas d'attaque – bien qu'aucune n'ait eu lieu depuis que la France s'était engagée dans la guerre.

Pourquoi y avait-il tant de policiers ici ?

— C'est bizarre, marmonna Isabelle en fronçant les sourcils.

Christophe tendit le cou pour voir ce qui se passait.

— Ils déménagent les trésors du Louvre, dit-il.

Isabelle vit une brèche dans la circulation et accéléra. En un clin d'œil, elle arriva devant la librairie de son père et se gara.

Elle dit au revoir à Christophe de la main et entra rapidement dans le magasin. Celui-ci était long et étroit, rempli de livres du sol au plafond. Au fil des années, son père avait essayé d'agrandir son stock en construisant des bibliothèques sur pied. Résultat de ses « améliorations » : il avait créé un labyrinthe. Les rayonnages menaient dans un sens puis dans l'autre, toujours plus loin. Tout au fond se trouvaient les livres touristiques. Certains rayons étaient bien éclairés, d'autres dans la pénombre. Il n'y avait pas assez d'ouvertures pour exposer tous les coins et recoins à la lumière. Mais son père connaissait chaque titre sur chaque étagère.

— Tu es en retard, dit-il en levant les yeux de son bureau, situé tout au fond.

Il était en train de travailler sur sa presse typographique – sans doute imprimait-il un de ses livres de poésie, que personne n'achetait jamais. Ses doigts aux bouts ronds étaient tachés de bleu.

— Je suppose que les garçons sont plus importants pour toi que ton travail.

Elle se glissa sur le tabouret derrière la caisse. Durant la semaine qu'elle avait vécue avec son père, elle avait mis un point d'honneur à ne pas répondre à ses attaques, même si cela l'insupportait de se soumettre. Elle tapa du pied avec impatience. Des mots, des répliques – des excuses – réclamaient d'être exprimés tout haut. C'était difficile de ne pas lui faire part de ses sentiments, mais elle savait combien il voulait qu'elle parte, aussi tenait-elle sa langue.

— Tu entends ça ? lui dit-il un peu plus tard.

S'était-elle endormie ?

Elle se redressa. Elle n'avait pas entendu son père approcher, mais il était maintenant à côté d'elle, les sourcils froncés.

Il y avait bel et bien un bruit étrange dans la librairie. De la poussière tombait du plafond ; les bibliothèques tremblaient légèrement, produisant une sorte de claquement de dents. Des ombres passaient devant les vitrines à petits carreaux de l'entrée. Par centaines.

Des gens ? En si grand nombre ?

Papa se rendit à la porte. Isabelle descendit de son tabouret et le suivit. Lorsqu'il ouvrit la porte, elle vit une foule qui courait dans la rue et inondait les trottoirs.

— Mais que se passe-t-il ? marmonna Papa.

Isabelle poussa son père pour passer et se fraya un chemin dans la foule. Un homme la bouscula si fort qu'elle fit un faux pas, mais il ne s'excusa même pas. Des gens ne cessaient de défiler à toute vitesse.

— Qu'est-ce que c'est ? Qu'est-ce qui s'est passé ? demanda-t-elle à un homme rougeaud qui respirait bruyamment et essayait de se dégager de la foule.

— Les Allemands entrent dans Paris ! Il faut s'en aller. J'ai vécu la Grande Guerre. Je sais…

— Les Allemands à Paris ? se moqua Isabelle. Impossible.

L'homme partit au pas de course, dodelinant de la tête, et se faufila en serrant et desserrant les poings alternativement.

— Il faut qu'on rentre à la maison, dit Papa en fermant la porte de la librairie.

— Ce n'est pas possible, dit-elle.

— Le pire est toujours possible, répondit Papa d'un air grave. Reste près de moi, ajouta-t-il en avançant dans la foule.

Isabelle n'avait jamais vu une telle panique. Dans toute la rue, des lumières s'allumaient, des autos démarraient, des portières claquaient. Des gens se criaient des choses les uns aux autres et tendaient les bras pour essayer de ne pas être séparés dans la mêlée.

Isabelle restait près de son père. Le chaos qui régnait dans les rues les ralentissait. Les couloirs du métro étaient trop bondés pour se frayer un chemin et ils durent donc faire tout le trajet à pied. La nuit tombait lorsqu'ils arrivèrent enfin chez eux. Il fallut deux tentatives au père d'Isabelle pour ouvrir la porte de leur immeuble tant ses mains tremblaient. Une fois à l'intérieur, ils ignorèrent l'ascenseur grillagé bringuebalant et gravirent à la hâte les cinq volées d'escalier jusqu'à leur appartement.

— Ne mets pas la lumière, lui intima son père en ouvrant la porte.

Isabelle le suivit dans le salon et le doubla pour gagner la fenêtre, où elle souleva le store occultant pour regarder dehors. Elle distingua un lointain vrombissement. Lorsque le bruit s'intensifia, la vitre se mit à vibrer comme de la glace dans un verre. Elle entendit un sifflement aigu, quelques secondes seulement avant de voir l'escadrille noire dans le ciel, tels des oiseaux volant en formation.

Des avions.

— Les Boches, murmura son père.

Les Allemands.

Des avions allemands volaient au-dessus de Paris. Le sifflement s'amplifia, devint semblable à un cri de femme, puis, quelque part – peut-être dans le IIe arrondissement, pensa-t-elle –, une bombe explosa dans un éclair inquiétant et un feu démarra.

L'alerte aérienne retentit. Son père ferma les rideaux d'un geste vif et la fit sortir de l'appartement puis descendre l'escalier. Chargés de manteaux, de bébés et d'animaux, tous les voisins faisaient de même, jusqu'au hall d'entrée, puis ils continuèrent dans l'étroit escalier tournant en pierre qui menait à la cave. Là, ils s'assirent dans le noir, collés les uns aux autres. L'air empestait le moisi, la transpiration et la peur – l'odeur la plus âcre. Les bombardements se poursuivaient, au milieu des vrombissements d'avions et des hurlements de sirène, et les murs de la cave vibraient autour d'eux ; de la poussière tombait du plafond. Un bébé se mit à pleurer sans qu'on puisse l'apaiser.

— Faites taire cet enfant, s'il vous plaît ! aboya quelqu'un.

— J'essaie, monsieur. Il a peur.

— Comme nous tous.

Après ce qui parut durer une éternité, le silence retomba. C'était presque pire que le bruit. Que restait-il de Paris ?

Quand la sirène de fin d'alerte résonna enfin, Isabelle était pétrifiée.

— Isabelle ?

Elle avait envie que son père tende le bras vers elle, lui prenne la main et la réconforte, même si ce n'était que pour un instant, mais il se détourna d'elle et monta le sombre escalier du sous-sol. Dans leur appartement, Isabelle se rendit tout de suite à la fenêtre et scruta l'horizon derrière le rideau pour regarder la tour Eiffel. Elle était toujours là qui s'élevait au-dessus d'un mur de fumée noire.

— Ne reste pas près des fenêtres, dit son père.

Elle se retourna lentement. La seule lumière dans la pièce provenait de sa torche, un mince rayon jaune terne dans l'obscurité.

— Paris ne tombera pas, déclara-t-elle.

Il ne dit rien. Fronça les sourcils. Elle se demanda s'il pensait à la Grande Guerre et ce qu'il avait alors vu dans les tranchées. Peut-être que sa blessure le faisait à nouveau souffrir, en réponse au bruit des bombes larguées et au sifflement des flammes.

— Va te coucher, Isabelle.

— Comment pourrais-je dormir dans un moment pareil ? C'est impossible.

Il soupira.

— Tu apprendras que beaucoup de choses sont possibles.

5

Le gouvernement leur avait menti. On leur avait assuré, à maintes et maintes reprises, que la ligne Maginot retiendrait les Allemands hors de France.

Mensonges.

Ni le béton et l'acier, ni les soldats français ne pouvaient arrêter la marche d'Hitler, et le gouvernement avait fui Paris dans la nuit comme une bande de voleurs. On disait que ses membres étaient à Tours, en train d'élaborer une stratégie, mais à quoi cela pouvait-il servir quand Paris était envahi par l'ennemi ?

— Tu es prête ?

— Je ne pars pas, papa. Je te l'ai dit.

Elle avait mis une tenue de voyage – comme il le lui avait demandé – constituée d'une robe d'été à pois rouges et de chaussures plates.

— On ne va pas reprendre cette conversation, Isabelle. Les Humbert vont bientôt passer te prendre. Ils t'emmèneront jusqu'à Tours. De là, je te laisse te débrouiller pour aller chez ta sœur. Dieu sait que tu as toujours été douée pour filer.

— Alors tu me jettes dehors. Encore une fois.

— Ça suffit, Isabelle. Le mari de ta sœur est au front. Elle est seule avec sa fille. Tu fais ce que je te dis. Tu quittes Paris.

Savait-il à quel point cela lui faisait de la peine ? Est-ce qu'il s'en souciait ?

— Tu ne t'es jamais préoccupé de Vianne ni de moi. Et elle n'a pas plus envie de me voir que toi.

— Tu pars, ordonna-t-il.

— Je veux rester et me battre, papa. Faire comme Edith Cavell.

Il leva les yeux au ciel.

— Tu te rappelles comment elle est morte ? Exécutée par les Allemands.

— Papa, s'il te plaît.

— Ça suffit. J'ai vu de quoi ils sont capables, Isabelle. Pas toi.

— Si c'est si affreux, tu devrais venir avec moi.

— Et leur laisser l'appartement et la librairie ?

Il l'empoigna par la main et l'entraîna hors de l'appartement puis dans l'escalier ; son chapeau de paille et sa valise cognaient contre le mur et elle s'essouffla.

Il ouvrit enfin la porte du hall et la tira dans l'avenue de La Bourdonnais.

Chaos. Poussière. Marée humaine. La rue était un dragon humain vivant qui avançait lentement en crachant de la terre et en donnant des coups de klaxon ; les gens hurlaient à l'aide, les bébés pleuraient et l'odeur de transpiration pesait dans l'air.

La zone était congestionnée de voitures, toutes surchargées de caisses et de sacs. Les gens avaient pris tout ce qu'ils avaient trouvé : des charrettes, des vélos, et même des chariots d'enfants.

Ceux qui n'avaient pas trouvé ou pu acheter d'essence, de voiture ou de vélo marchaient. Des centaines – des milliers – de femmes et d'enfants se tenaient la main et avançaient en traînant les pieds, portant tout ce qu'ils pouvaient. Valises, paniers à pique-nique, animaux de compagnie.

Les plus vieux et les plus jeunes se faisaient déjà distancer.

Isabelle n'avait pas envie de se mêler à cette foule désespérée et désemparée de femmes, d'enfants et de personnes âgées. Pendant que les hommes étaient loin – en train de mourir au front pour eux –, leurs familles fuyaient vers le sud ou l'ouest, sans savoir s'ils seraient plus en sécurité là-bas. Les troupes d'Hitler avaient déjà envahi la Pologne, la Belgique et la Tchécoslovaquie.

La foule les engloutit.

Une femme heurta Isabelle, s'excusa en marmonnant et reprit son chemin.

Isabelle suivit son père.

— Je peux me rendre utile. S'il te plaît. Je serai infirmière ou ambulancière. Je sais faire des pansements et même des points de suture.

À côté d'eux, un klaxon retentit.

Son père regarda derrière Isabelle, et elle vit le soulagement éclairer son visage. Elle reconnut cette expression : elle signifiait qu'il se débarrassait d'elle. Une nouvelle fois.

— Ils sont là, dit-il.

— Ne me chasse pas, implora-t-elle. S'il te plaît.

Il l'entraîna à travers la foule jusqu'à l'endroit où une auto noire poussiéreuse était garée. Un matelas défoncé et taché était sanglé sur le toit, ainsi qu'un jeu de cannes à pêche et une cage à lapin dans laquelle l'animal se trouvait toujours. Le coffre était entrouvert et rabattu par une sangle ; à l'intérieur, elle aperçut un tas de paniers, de valises et de lampes.

Dans la voiture, les doigts blancs boudinés de M. Humbert étaient agrippés au volant comme si l'auto était un cheval pouvant s'emballer à tout instant. C'était un homme grassouillet qui passait ses journées à la boucherie voisine de la librairie de Papa. Sa femme, Patricia, était une femme robuste qui avait cette apparence joufflue et rustaude qu'on voyait si souvent à la campagne. Elle fumait une cigarette et regardait fixement par la fenêtre comme si ce qu'elle voyait n'était pas réel.

M. Humbert abaissa sa vitre et passa la tête dans l'ouverture.

— Bonjour, Julien. Elle est prête ?

Papa fit oui de la tête.

— Elle est prête. Merci, Édouard.

Patricia se pencha pour parler à Papa par la fenêtre ouverte.

— Nous n'allons que jusqu'à Orléans. Et il faut qu'elle paie sa part pour l'essence.

— Bien sûr.

Isabelle ne pouvait partir. C'était lâche. C'était une erreur.

— Papa…

— Au revoir, dit-il avec suffisamment de fermeté pour lui rappeler qu'elle n'avait pas le choix.

Il montra la voiture d'un signe de tête et elle se dirigea vers celle-ci, l'air hébété.

Elle ouvrit la portière arrière et vit trois petites filles sales assises côte à côte, en train de manger des biscuits salés, de boire à même la bouteille et de jouer avec des poupées. Elle n'avait aucune envie de se mêler à elles, mais elle les poussa pour se faire une place parmi ces inconnus qui sentaient vaguement le fromage et la saucisse, et ferma la portière.

Elle se tourna sur son siège et dévisagea son père à travers la lunette arrière. Il ne se détourna pas ; elle vit sa bouche se tordre très légèrement vers le bas, seule indication qu'il la voyait. La foule déferlait autour de lui comme l'eau autour d'un rocher, jusqu'à ce qu'elle ne vît plus que le mur d'inconnus débraillés qui marchaient derrière la voiture.

Isabelle se replaça, le regard vers l'avant. À sa vitre, une jeune femme aux cheveux semblables à un nid d'oiseau et dont un nourrisson tétait le sein la considéra d'un air farouche. Le véhicule avançait lentement, progressant parfois de quelques centimètres et restant parfois de longs moments à l'arrêt. Isabelle regardait ses concitoyens – *concitoyennes* – passer près d'elle, l'air hagard, terrifié et perdu. De temps à autre, l'un d'eux donnait un coup sur le capot ou le coffre de l'auto pour mendier quelque chose. M. et Mme Humbert maintenaient les vitres fermées malgré la chaleur étouffante qui régnait dans l'habitacle.

Au départ, Isabelle était triste de partir, puis elle fut prise d'une colère grandissante, plus brûlante encore que l'air à l'arrière de cette voiture nauséabonde. Elle en avait tellement assez qu'on la considère comme une chose dont on se débarrasse en un claquement de doigts. Son père l'avait d'abord abandonnée, puis Vianne l'avait rejetée. Elle ferma les yeux pour cacher les larmes qu'elle ne pouvait retenir. Dans cette obscurité, avec ces enfants qui se disputaient à côté d'elle, elle se souvint de la première fois qu'on l'avait congédiée.

Le long trajet en train… Isabelle coincée à côté de Vianne, qui ne faisait que renifler, pleurer et faire semblant de dormir.

Puis Madame qui la regardait derrière son nez en forme de tuyau de cuivre et qui disait : *Elles ne vous causeront pas d'ennuis.*

Bien qu'elle fût alors petite – elle avait seulement quatre ans –, Isabelle pensait avoir appris ce qu'était la solitude, mais elle s'était trompée. Durant les trois années où elle avait vécu au Jardin, elle avait au moins *eu* une sœur, même si Vianne n'était jamais là. Isabelle se revoyait à la fenêtre de l'étage en train de regarder Vianne et ses amis au loin, de prier pour qu'on se souvienne d'elle, qu'on l'invite, et puis quand Vianne avait épousé Antoine et renvoyé Madame Malheur (ce n'était pas son vrai nom, bien sûr, mais c'était assurément la vérité), Isabelle avait cru faire partie de la famille. Mais pas pour longtemps. Quand Vianne avait fait sa fausse couche, Isabelle s'était aussitôt vue gratifiée d'un *au revoir.* Trois semaines plus tard – à sept ans –, elle était entrée dans son premier pensionnat. C'est là qu'elle avait vraiment appris ce qu'était la solitude.

— Toi. Isabelle. Est-ce que tu as pris à manger ? demanda Patricia, en torsion sur son siège, tout en dévisageant la jeune femme.

— Non.

— Du vin ?

— J'ai pris de l'argent, des vêtements et des livres.

62

— Des livres, reprit Patricia avec dédain en se retournant. Ça va nous être utile.

Isabelle regarda de nouveau à travers la vitre. Quelles autres erreurs avait-elle commises ?

*

Les heures passèrent. L'automobile poursuivait sa lente et atroce progression vers le sud. Isabelle était heureuse qu'il y ait tant de poussière. Celle-ci tapissait les vitres et masquait l'affreux et déprimant spectacle qui s'offrait à eux.

Des gens. Partout. Devant, derrière, à côté ; la foule était si dense que l'auto ne pouvait avancer que par petits à-coups. Comme s'ils roulaient au milieu d'un essaim d'abeilles qui se scindait pendant une seconde puis se reformait. Le soleil dispensait une chaleur accablante, transformant l'habitacle pestilentiel de la voiture en une vraie fournaise, et ses rayons dardaient sur les femmes qui marchaient péniblement dehors vers… vers quoi ? Personne ne savait ce qui se passait exactement derrière eux ni où ils seraient en sécurité dans la direction qu'ils suivaient.

La voiture fit un bond en avant et s'arrêta net. Isabelle se cogna contre le dossier du siège avant. Les enfants se mirent à pleurer en réclamant leur mère.

— Merde ! grommela M. Humbert.

— Monsieur Humbert, fit Patricia d'un ton guindé, les enfants !

Une vieille femme donna un coup sur le capot en passant.

— Eh bien, ça y est, madame Humbert, dit-il. Nous sommes à court d'essence.

Patricia eut l'air d'un poisson pris à l'hameçon.

— Quoi ?

— Je me suis arrêté à chaque occasion sur le trajet. Vous le savez. Nous n'avons plus d'essence et il n'y en a nulle part.

— Mais… alors… qu'allons-nous faire ?

— Nous allons trouver un endroit pour nous loger. Je peux peut-être convaincre mon frère de venir nous chercher.

M. Humbert ouvrit sa portière en faisant attention de ne heurter aucune des personnes qui passaient et sortit sur la route de terre poussiéreuse.

— Vous voyez. Là. Étampes n'est pas loin devant. Nous allons prendre une chambre, dîner, et tout ira mieux demain matin.

Isabelle se redressa. Elle avait dû s'endormir et rater quelque chose. Allaient-ils tout bonnement abandonner l'automobile ?

— Vous pensez qu'on peut aller jusqu'à Tours à pied ?

Patricia se retourna sur son siège. Elle avait l'air aussi exténuée et bouillante que l'était Isabelle.

— Peut-être qu'un de tes livres peut t'être utile. À coup sûr, c'était un choix plus intelligent que de prendre du pain ou de l'eau. Venez, les filles. Sortons de l'auto.

Isabelle se pencha vers sa valise. Elle était bien coincée et il fallait donc forcer pour la dégager. Avec un grognement résolu, elle réussit finalement à l'extirper, ouvrit la portière et sortit.

Elle fut immédiatement entourée de gens, poussée, bousculée et invectivée.

Quelqu'un essaya de lui arracher sa valise des mains. Elle résista et tint bon. Tandis qu'elle la serrait contre sa poitrine, une femme passa près d'elle en poussant un vélo chargé d'affaires. La femme regarda Isabelle d'un air désespéré, ses yeux sombres révélant son épuisement.

Quelqu'un d'autre buta contre Isabelle ; elle trébucha en avant et faillit tomber. Seule la marée de corps devant elle l'empêcha de finir à genoux dans la poussière et la terre. Elle entendit la personne à côté d'elle s'excuser et s'apprêtait à répondre quand elle se souvint des Humbert.

Elle se fraya un passage jusqu'à l'autre côté de la voiture en appelant : « Monsieur Humbert ! »

Mais elle n'eut pour seule réponse que le martèlement incessant des pieds sur la route.

Elle cria le nom de Patricia, mais son appel se perdit dans le bruit sourd de tous ces pas, de tous ces pneus qui écrasaient la terre. Les gens la bousculaient, la poussaient en passant. Si elle tombait à genoux, elle se ferait piétiner et mourrait là, seule dans la foule de ses concitoyens.

Elle agrippa la poignée en cuir lisse de sa valise et se joignit à la marche en direction d'Étampes.

Des heures plus tard, elle était toujours en train de marcher quand la nuit tomba. Elle avait mal aux pieds ; une ampoule la brûlait à chaque pas. La faim cheminait à côté d'elle et lui donnait de petits coups insistants avec son coude pointu, mais que pouvait-elle y faire ? Elle avait préparé sa valise pour un séjour chez sa sœur, pas pour un exode interminable. Elle avait son exemplaire préféré de *Madame Bovary* et le livre que tout le monde lisait – *Autant en emporte le vent* –, ainsi que quelques vêtements ; ni nourriture ni eau. Elle avait pensé que le trajet ne durerait que quelques heures. Sûrement pas qu'elle devrait *aller à pied* jusqu'à Carriveau.

Au sommet d'une petite côte, elle fit halte. Le clair de lune laissait voir des milliers de personnes en train de marcher à côté d'elle, devant elle, derrière elle ; des gens qui la bousculaient, se cognaient contre elle, la poussaient en avant jusqu'à ce qu'elle n'ait d'autre choix que d'avancer en piétinant avec eux. Des centaines d'autres avaient choisi ce coteau comme lieu de repos. Des femmes et des enfants campaient au bord de la route, dans les champs et les rigoles.

La route de terre était encombrée d'autos en panne et jonchée d'objets personnels ; oubliés, jetés, écrasés, trop lourds à porter. Femmes et enfants étaient couchés dans l'herbe, sous les arbres ou le long des fossés, endormis, enlacés.

Isabelle s'arrêta, épuisée, à la périphérie d'Étampes. La foule se déversait devant elle, trébuchant sur la route conduisant à la ville.

Et elle sut.

Il n'y aurait nulle part où se loger à Étampes et rien à manger. Les réfugiés qui étaient arrivés avant elle avaient dû parcourir la ville comme des sauterelles et acheter toutes les denrées disponibles dans les rayons. Il n'y aurait plus une chambre libre. Son argent ne lui servirait à rien.

Mais alors, que devait-elle faire ?

Se diriger vers le sud-ouest, vers Tours et Carriveau. Que faire d'autre ? Enfant, elle avait étudié des cartes de cette région dans l'intention de retourner à Paris. Elle connaissait ce secteur, si seulement elle parvenait à *réfléchir*.

Elle se dégagea de la foule qui cheminait vers un ensemble de bâtiments en pierre grise au loin et avança avec précaution dans la vallée. Partout autour d'elle, des gens étaient assis dans l'herbe et dormaient sous des couvertures. Elle les entendait bouger, chuchoter. Ils étaient des centaines. Des milliers. Au bout du champ, elle trouva un sentier qui partait vers le sud le long d'un muret en pierre. Elle s'y engagea et fut seule. Elle s'arrêta pour laisser cette sensation s'installer en elle, la calmer. Puis elle reprit sa marche. Au bout d'un kilomètre environ, le sentier la mena à un bosquet d'arbres grêles.

Elle était au fin fond de la forêt – et s'efforçait de ne pas penser à son orteil qui la faisait souffrir, à son ventre qui la tenaillait, à sa gorge sèche – quand elle sentit une odeur de fumée.

Et de viande grillée. La faim lui fit oublier ses résolutions et la rendit négligente. Elle aperçut la lueur orange du feu et s'en approcha. Au dernier moment, elle se rendit compte du risque qu'elle courait et s'arrêta. Une brindille craqua sous son pied.

— Tu ferais aussi bien de venir là, dit une voix d'homme. On dirait un éléphant quand tu te déplaces dans les bois.

Isabelle se figea. Elle savait qu'elle avait été bête. Cette situation pouvait être dangereuse pour une fille seule.

— Si je voulais que tu sois morte, ce serait déjà fait.

C'était certainement vrai. Il aurait pu la surprendre dans le noir et lui trancher la gorge. Elle n'avait prêté attention à rien d'autre qu'à son estomac vide qui criait famine et au fumet de viande grillée.

— Tu peux me faire confiance.

Elle scruta l'obscurité pour tenter de discerner son visage. Sans y parvenir.

— Vous diriez la même chose si vous pensiez le contraire.

L'homme rigola.

— En effet. Maintenant, viens là. J'ai un lapin sur le feu.

Elle enjamba une ravine rocailleuse et grimpa le coteau en direction du rougeoiement du feu. Les troncs d'arbres autour d'elle semblaient argentés dans le clair de lune. Elle se déplaçait lentement, prête à partir en courant à tout instant. Au dernier arbre, entre le feu et elle, elle s'arrêta.

Un jeune homme était assis près du feu, adossé à un tronc rugueux, une jambe étendue et l'autre pliée au niveau du genou. Il n'avait probablement que quelques années de plus qu'Isabelle.

C'était difficile de bien le voir dans l'éclat orange des flammes. Il avait d'assez longs cheveux noirs filasseux qui ne semblaient pas familiers du peigne ni du savon et des vêtements si abîmés et rapiécés qu'il rappelait à Isabelle les réfugiés de guerre qui avaient récemment traîné dans Paris, amassant cigarettes, bouts de papier et bouteilles vides, mendiant de la monnaie ou implorant de l'aide. Il avait le teint pâle et maladif de qui ne savait jamais où il trouverait son prochain repas.

Et pourtant, il lui proposait à manger.

— J'espère que vous êtes un gentleman, dit-elle depuis l'obscurité.

Il rit à nouveau.

— Je veux bien te croire.

Elle avança dans la lumière.

— Assieds-toi, dit-il.

Elle s'assit dans l'herbe à l'opposé de l'endroit où il était. Il se pencha et lui passa une bouteille de vin en contournant le feu. Elle but une longue rasade, si longue qu'il rit encore quand elle lui rendit la bouteille et essuya le vin sur son menton.

— Quelle jolie soûlarde tu fais.

Elle ne savait pas du tout comment répondre à ça.

Il sourit.

— Gaëtan Dubois. Mes amis m'appellent Gaët.

— Isabelle Rossignol.

— Ah, un petit oiseau.

Elle haussa les épaules. Ce n'était pas bien original comme remarque. Maman surnommait Vianne et Isabelle ses rossignols quand elle les embrassait pour leur souhaiter bonne nuit. C'était un des rares souvenirs qu'Isabelle avait d'elle.

— Pourquoi quittez-vous Paris ? Un homme comme vous devrait rester pour se battre.

— Ils ont ouvert la prison. Apparemment, c'est mieux qu'on se batte pour la France plutôt qu'on reste assis derrière des barreaux quand les Allemands débarquent.

— Vous étiez en prison ?

— Ça te fait peur ?

— Non. C'est juste… inattendu.

— Tu devrais avoir peur, dit-il en dégageant ses cheveux rêches de devant ses yeux. Mais bon, tu es plutôt en sécurité avec moi. J'ai d'autres choses en tête. Je vais mettre ma mère et ma sœur à l'abri, puis je trouverai un régiment où m'engager. Je tuerai autant de ces salauds que je pourrai.

— Vous avez de la chance, dit Isabelle en soupirant.

Pourquoi était-ce si facile pour les hommes de faire ce qu'ils voulaient, et si difficile pour les femmes ?

— Viens avec moi.

Isabelle savait qu'elle ne devait pas le croire.

— Vous me le proposez seulement parce que je suis jolie et que vous pensez que je finirai dans votre lit si je reste avec vous, dit-elle.

Il la regarda au-dessus du feu. Celui-ci crépitait et sifflait quand le gras gouttait sur les flammes. Il but une grande gorgée de vin et repassa la bouteille à Isabelle. Près des flammes, leurs mains se touchèrent, leurs peaux s'effleurant à peine.

— Je pourrais t'avoir dans mon lit tout de suite si c'était ce que je voulais.

— Mais pas avec mon consentement, répliqua-t-elle, la gorge serrée, incapable de détourner le regard du sien.

— Avec ton consentement, affirma-t-il d'une manière qui donna la chair de poule à Isabelle et lui fit manquer de souffle. Mais ce n'est pas ce que j'ai voulu dire. Ni ce que j'ai dit. Je t'ai demandé de venir te battre avec moi.

Isabelle eut un sentiment si nouveau qu'elle ne saisit pas bien ce que c'était. Elle savait qu'elle était belle. C'était simplement un fait pour elle. Tous les gens qu'elle rencontrait le lui disaient. Elle voyait la façon dont les hommes la regardaient avec un désir avoué et dont ils lui faisaient des compliments sur ses cheveux, ses yeux verts ou ses lèvres charnues ; la façon dont ils regardaient ses seins. Elle voyait aussi sa beauté reflétée dans le regard des femmes, des filles à l'école qui ne voulaient pas qu'elle reste trop près des garçons qui leur plaisaient et qui la jugeaient arrogante avant même qu'elle ait ouvert la bouche.

La beauté n'était qu'une raison comme une autre de l'ignorer, de ne pas la voir. En grandissant, elle s'était habituée à susciter l'attention par d'autres moyens. Et elle n'était pas totalement innocente non plus en matière de passion. Les sœurs de Saint-François ne l'avaient-elles pas renvoyée parce qu'elle avait embrassé un garçon pendant la messe ?

Mais cette fois, c'était un sentiment différent.

Il voyait sa beauté, même dans la pénombre, elle s'en rendait compte, mais il regardait au-delà. Soit c'était ça, soit il était assez intelligent pour voir qu'elle voulait offrir plus au monde qu'un joli minois.

— Je pourrais accomplir des choses, dit-elle à voix basse.

— Bien sûr. Je pourrais t'apprendre à te servir d'un fusil et d'un couteau.

— Il faut que j'aille à Carriveau pour m'assurer que ma sœur va bien. Son mari est parti au front.

Il la regarda avec attention au-dessus des flammes.

— On va aller voir ta sœur à Carriveau et ma mère à Poitiers, puis on repartira pour participer à la guerre.

Il dit cela comme s'il s'agissait d'une aventure, semblable à une fugue pour entrer dans un cirque, comme s'ils allaient voir en chemin des hommes qui avalaient des épées et de grosses femmes à barbe.

C'était ce qu'elle avait cherché toute sa vie.

— On a un plan, alors, dit-elle, incapable de cacher son sourire.

6

Le lendemain matin, Isabelle se réveilla en clignant des yeux pour voir le soleil dorer les feuilles qui bruissaient au-dessus d'elle. Elle s'assit et lissa sa jupe qui était remontée pendant son sommeil, dévoilant des jarretières en dentelle blanche et des bas de soie délabrés.

— Ne fais pas ça à cause de moi.

Isabelle jeta un coup d'œil à sa gauche et vit Gaëtan qui approchait. Elle le voyait distinctement pour la première fois. Il était grand et maigre, sec comme une apostrophe, et habillé de vêtements qui semblaient sortis de la poubelle d'un mendiant. Sous sa casquette effilochée, son visage était sale et anguleux, mal rasé. Il avait un grand front, un menton prononcé et des yeux gris enfoncés et frangés de cils épais. Le regard dans ces yeux était aussi acéré que la pointe de son menton et laissait voir une sorte de faim clarifiée. La nuit précédente, elle avait cru que c'était sa manière de la regarder. À présent, elle se rendait compte que c'était sa manière de regarder le monde.

Il ne l'effrayait pas du tout. Isabelle n'était pas comme sa sœur, Vianne, qui était encline à la peur et à l'angoisse. Mais elle n'était pas bête pour autant. Si elle devait voyager avec cet homme, il valait mieux qu'elle mette certaines choses au clair.

— Alors, dit-elle. La prison ?

Il la dévisagea, haussa un sourcil noir comme pour demander « Tu as peur, déjà ? ».

— Une fille comme toi ne peut pas imaginer ce que c'est. Je pourrais te raconter que ça a été un séjour à la Jean Valjean et tu trouverais ça romantique.

C'était le genre de choses qu'elle entendait tout le temps. Une remarque liée à son physique, comme la plupart des sarcasmes. Une jolie blonde était forcément superficielle et idiote.

— Est-ce que tu volais de la nourriture pour ta famille ?

Il eut un sourire en coin qui lui tordit le visage, en étirant un côté plus que l'autre.

— Non.

— Est-ce que tu es dangereux ?

— Ça dépend. Qu'est-ce que tu penses des communistes ?

— Ah ! Tu étais donc prisonnier politique.

— Quelque chose comme ça. Mais comme je t'ai dit, une gentille fille comme toi ne peut rien savoir en matière de survie.

— Tu serais étonné des choses que je sais, Gaëtan. Il n'existe pas qu'une sorte de prison.

— Vraiment, ma jolie ? Et qu'est-ce que tu sais ?

— Pourquoi est-ce qu'on t'a condamné ?

— J'ai pris des choses qui ne m'appartenaient pas. C'est suffisant comme réponse ?

Voleur.

— Et tu t'es fait prendre.

— De toute évidence.

— Ce n'est pas vraiment rassurant, Gaëtan. Tu as été négligent ?

— Gaët, corrigea-t-il en s'approchant un peu plus près d'elle.

— Je n'ai pas encore décidé si on est amis.

Il lui toucha les cheveux, laissa quelques mèches s'enrouler autour de son doigt sale.

— On est amis. Compte là-dessus. Maintenant, allons-y.

Lorsqu'il tendit la main vers celle d'Isabelle, elle envisagea de refuser, mais n'en fit rien. Ils sortirent de la forêt et regagnèrent la route pour se mêler à nouveau à la foule, qui s'ouvrit juste assez pour les laisser y pénétrer puis se referma autour d'eux. Isabelle restait cramponnée à Gaëtan d'une main et tenait sa valise de l'autre.

Ils marchèrent durant des kilomètres.

Les autos mouraient autour d'eux. Les roues de charrettes se brisaient. Les chevaux s'arrêtaient et refusaient de repartir. Isabelle se sentait de plus en plus molle et abattue, épuisée par la chaleur, la poussière et la soif. Une femme marchait en boitant à côté d'elle, pleurant des larmes noires de crasse et de poussière, puis cette femme fut remplacée par une autre plus vieille en manteau de fourrure, qui était en nage et semblait porter tous les bijoux qu'elle possédait.

Le soleil tapait de plus en plus fort, dégageait une chaleur suffocante. Les enfants pleuraient, les femmes gémissaient. L'air était chargé des relents âcres et pénétrants des corps et de la sueur, mais Isabelle s'y était déjà tant habituée qu'elle remarquait à peine l'odeur des autres ou la sienne.

Il était presque 15 heures, le moment le plus chaud de la journée, quand ils virent un régiment de soldats français marchant à leurs côtés et traînant leurs fusils. Les soldats allaient de manière désorganisée, ni en formation ni prestement. Un tank passa à côté d'eux avec fracas et écrasa les objets abandonnés sur la route ; sur celui-ci, plusieurs soldats français au teint blafard étaient assis, le dos voûté et la tête pendante.

Isabelle lâcha la main de Gaëtan et traversa la foule en jouant des coudes jusqu'au régiment.

— Vous vous trompez de direction ! cria-t-elle, et elle fut surprise d'entendre comme sa voix était rauque.

Gaëtan sauta sur un soldat et le poussa si fort en arrière que celui-ci fit un faux pas et heurta le tank qui avançait au ralenti.

— Qui se bat pour la France ?

Le soldat aux yeux troubles secoua la tête.

— Personne.

Dans un reflet argenté, Isabelle vit le couteau que Gaëtan mit sous la gorge de l'homme. Le soldat plissa les yeux.

— Vas-y. Fais-le. Tue-moi.

Isabelle tira Gaëtan à l'écart. Dans ses yeux, elle lut une rage si féroce qu'elle eut peur. Il en était capable ; il était capable de tuer cet homme en lui tranchant la gorge. Et elle pensa : *Ils ont ouvert les prisons.* Était-il pire qu'un voleur ?

— Gaët ? fit-elle.

Il reconnut la voix d'Isabelle. Il secoua la tête comme pour s'éclaircir les idées et baissa son couteau.

— Qui se bat pour nous ? questionna-t-il avec amertume, en toussant à cause de la poussière.

— Nous, dit-elle. Bientôt.

Derrière elle, une voiture klaxonna. Isabelle n'y prêta pas attention. Les autos ne valaient désormais pas mieux que la marche – les quelques-unes qui roulaient encore avançaient seulement au gré des gens qui les entouraient, telles des épaves flottantes dans les roseaux d'une rivière vaseuse.

— Viens, dit-elle en l'éloignant du régiment démoralisé.

Toujours main dans la main, ils continuèrent leur périple, mais au fur et à mesure que les heures passèrent Isabelle remarqua un changement chez Gaëtan. Il parlait rarement et ne souriait plus.

À chaque ville, la foule s'éclaircissait. Les gens entraient en titubant dans Artenay, Saran, Orléans, les yeux brillants de désespoir, et ils cherchaient de l'argent dans leurs sacs à main, leurs poches et leurs portefeuilles, qu'ils espéraient pouvoir dépenser.

Mais Isabelle et Gaëtan poursuivaient leur route. Ils marchaient toute la journée, s'écroulaient d'épuisement la nuit venue et se réveillaient le lendemain pour repartir. Au bout du troisième jour, Isabelle était étourdie par la fatigue. Des ampoules rouges suintantes s'étaient formées entre la plupart de ses orteils et sur la plante de ses pieds, rendant chaque pas douloureux. Elle souffrait d'un mal de tête atroce et lancinant en raison de la déshydratation, et la faim tiraillait son ventre vide. La gorge et les yeux encrassés par la poussière, elle toussait continuellement.

Elle passa devant une tombe fraîchement creusée sur le bord de la route, marquée par une croix de bois assemblée grossièrement. Sa chaussure buta contre quelque chose – un chat mort –, elle trébucha et faillit tomber à genoux, mais Gaëtan la retint.

Elle s'agrippa à sa main et resta obstinément debout.

Combien de temps s'écoula avant qu'elle n'entende quelque chose ?

Une heure ? Une journée ?

Des abeilles. Elles bourdonnaient autour de sa tête ; elle battit des mains pour les chasser. Elle lécha ses lèvres sèches et songea à des journées agréables dans le jardin, où des abeilles bourdonnaient.

Mais non.

Ce n'étaient pas des abeilles.

Elle connaissait ce bruit.

Elle s'arrêta, les sourcils froncés. Ses pensées étaient confuses. Qu'était-elle en train d'essayer de se rappeler ?

Le vrombissement s'intensifia et emplit l'air, puis les avions apparurent, une escadrille de six ou sept, semblables à de petits crucifix dans le ciel bleu dégagé.

Isabelle mit sa main en visière sur son front et regarda les avions qui descendaient, s'approchaient…

Quelqu'un cria :

— C'est les Boches !

Au loin, un pont explosa dans une gerbe de flammes, de pierres et de fumée.

Les avions continuèrent de descendre au-dessus de la foule.

Gaëtan jeta Isabelle à terre et couvrit son corps avec le sien. Le monde devint un océan de bruit : le rugissement des moteurs d'avion, le *ta ta ta ta ta* des mitrailleuses, les battements de son cœur, les hurlements autour d'elle. Les balles soulevaient des lignes de mottes d'herbe.

Isabelle vit une femme voler en l'air comme une poupée de chiffon et retomber lourdement au sol.

Des arbres se fendaient en deux et s'effondraient au milieu des cris. Des flammes jaillissaient. L'air était chargé de fumée.

Et puis… le silence.

Gaëtan se laissa rouler à côté d'elle.

— Ça va ? demanda-t-il.

Elle dégagea ses cheveux et se redressa.

De toutes parts, il y avait des corps mutilés, des feux, et une fumée noire qui tournoyait. Des gens criaient, pleuraient, agonisaient.

Un vieil homme gémissait : « Aidez-moi. »

Isabelle se traîna à quatre pattes jusqu'à lui et découvrit en approchant que le sol était imprégné de son sang. Sa chemise en lambeaux laissait voir une blessure béante au ventre ; ses entrailles ressortaient de sa chair déchirée.

— Il y a peut-être un médecin, fut tout ce qu'elle trouva à dire.

Puis elle l'entendit à nouveau. Le vrombissement.

— Ils reviennent.

Gaëtan l'aida à se relever. Elle faillit glisser dans l'herbe inondée de sang. Une bombe tomba non loin et explosa dans un jet de flammes. Isabelle vit un bambin à la couche souillée en train de pleurer debout à côté d'une femme morte.

Elle s'élança péniblement vers l'enfant. Gaëtan la poussa de côté.

— Il faut que je l'aide…

— Tu n'aideras pas ce gosse en mourant, grommela-t-il en la tirant si violemment qu'elle eut mal.

Elle tomba à côté de lui, sonnée. Ils se faufilèrent entre les voitures abandonnées et les corps, dont la plupart étaient déchiquetés et insoignables, dégoulinants de sang, des os faisant saillie à travers les vêtements.

Aux abords de la ville, Gaëtan entraîna Isabelle dans une petite église en pierre. D'autres personnes s'y trouvaient déjà, tapies dans les coins, cachées sous les bancs, serrant leurs proches dans leurs bras.

Des avions passèrent au-dessus d'eux dans des grondements mêlés au crépitement des mitrailleuses. Les vitraux volèrent en éclats ; des morceaux de verre coloré se fracassèrent au sol, transperçant la peau de certains. Les poutres craquèrent, de la poussière et des pierres tombèrent. Des balles traversèrent l'église, clouant bras et jambes au sol. L'autel explosa.

Gaëtan dit quelque chose à Isabelle et elle lui répondit, ou elle crut le faire mais elle n'était pas sûre, et avant qu'elle parvienne à éclaircir ce point, une autre bombe siffla, tomba, et le toit au-dessus de sa tête explosa.

L'école élémentaire n'était pas un grand établissement à l'échelle d'une ville, mais elle était spacieuse et bien agencée, assez vaste pour les enfants de la commune de Carriveau. Avant de devenir une école, le bâtiment avait été l'écurie d'un riche propriétaire terrien, d'où sa forme en U ; la cour centrale avait servi de lieu de rassemblement pour les calèches et les commerçants. L'édifice était doté de murs en pierre grise, de volets bleu vif et de parquet. Le manoir, avec lequel le bâtiment avait autrefois été aligné, avait été bombardé durant la Grande Guerre et n'avait jamais été reconstruit. Comme tant d'écoles dans les petites communes de France, celle-ci se trouvait aux portes de la ville.

Assise derrière son bureau dans sa salle de classe, Vianne regardait les visages luisants des enfants devant elle en tamponnant sa lèvre supérieure avec son mouchoir froissé. Par terre, à côté du pupitre de chaque élève, se trouvait le masque à gaz obligatoire. Les enfants l'emportaient maintenant partout avec eux.

Les fenêtres ouvertes et les épais murs en pierre permettaient d'atténuer l'ardeur du soleil, mais la chaleur était tout de même suffocante. Et Dieu savait qu'il était déjà assez difficile de se concentrer sans ajouter cette contrainte. Les nouvelles de Paris étaient effroyables.

Tout le monde ne parlait que de l'avenir sinistre et de l'odieux présent : les Allemands à Paris. La ligne Maginot brisée. Des soldats français morts dans les tranchées et fuyant le front. Durant les trois dernières nuits – depuis le coup de téléphone de son père –, elle n'avait pas dormi. Isabelle était quelque part entre Paris et Carriveau, et elle n'avait aucune nouvelle d'Antoine.

— Qui veut me conjuguer le verbe « courir » ? demanda-t-elle d'une voix fatiguée.

— Est-ce qu'on ne devrait pas apprendre l'allemand ?

Vianne réalisa enfin ce qu'on venait de lui demander. Les élèves étaient tout à coup intéressés, assis bien droits, les yeux brillants.

— Pardon ? fit-elle en s'éclaircissant la voix pour gagner du temps.

— On devrait apprendre l'allemand, pas le français.

C'était le jeune Gilles Fournier, le fils du boucher. Son père et ses trois frères aînés étaient partis à la guerre, le laissant tenir la boucherie familiale seul avec sa mère.

— Et à tirer, ajouta François en hochant la tête. Ma maman dit qu'on va aussi devoir apprendre à tirer sur les Allemands.

— Ma grand-mère dit qu'on devrait simplement tous partir, répliqua Claire. Elle se souvient de la dernière guerre et elle dit qu'on est des imbéciles si on reste.

— Les Allemands ne vont pas traverser la Loire, n'est-ce pas, madame Mauriac ?

Au premier rang, à la place du milieu, Sophie était assise sur le bord de sa chaise, les mains jointes au-dessus de son pupitre en bois, les yeux grands ouverts. Les rumeurs l'avaient autant bouleversée que Vianne. Elle s'était endormie en larmes deux soirs de suite, tant elle était inquiète pour son père. Maintenant, elle emportait Bébé avec elle à l'école. Sarah était installée au pupitre voisin de celui de sa meilleure amie, l'air tout aussi tourmentée.

— C'est normal d'avoir peur, expliqua Vianne en s'approchant d'elles.

C'était ce qu'elle avait dit à Sophie ainsi qu'à elle-même la veille au soir, mais ces paroles sonnaient faux.

— Je n'ai pas peur, déclara Gilles. J'ai un couteau. Je tuerai tous les sales Boches qui viendront à Carriveau.

Sarah écarquilla les yeux.

— Ils arrivent ici ?

— Non, répondit Vianne avec difficulté, butant sur le mot et l'étirant du fait de sa propre peur. Les soldats français – vos pères, vos oncles et vos frères – sont les hommes les plus courageux du monde. Je suis sûre qu'en ce moment même ils se battent pour Paris, pour Tours, pour Orléans.

— Mais Paris est occupé, dit Gilles. Qu'est-il arrivé aux soldats français sur le front ?

— Pendant les guerres, il y a des batailles et des escarmouches. Et des pertes au cours de celles-ci. Mais nos hommes ne laisseront jamais les Allemands gagner. Nous n'abandonnerons jamais, affirma-t-elle en s'approchant de ses élèves. Mais nous aussi qui sommes restés à l'arrière, nous avons un rôle à jouer. Nous devons également être courageux et forts, et ne pas penser au pire. Nous devons continuer de mener nos vies pour que nos pères, nos frères et nos... maris aient des vies qui les attendent quand ils rentreront, n'est-ce pas ?

— Mais tante Isabelle, alors ? demanda Sophie. Grand-père a dit qu'elle aurait déjà dû arriver.

— Mon cousin aussi a fui Paris, dit François. Et lui non plus, il n'est pas encore arrivé.

— Mon oncle dit que les choses vont mal sur les routes.

La cloche sonna et les élèves bondirent de leurs chaises comme des ressorts. En un instant, la guerre, les avions, la peur étaient oubliés. C'étaient des enfants de huit et neuf ans libérés à la fin d'une journée d'école estivale, et ils se comportaient comme tels. Ils criaient, riaient, parlaient tous en même temps, se poussaient les uns les autres, couraient vers la porte.

Vianne était soulagée que la cloche ait sonné. Elle était institutrice, bon sang. Que pouvait-elle dire sur ces dangers qui les menaçaient ? Comment pouvait-elle apaiser la peur d'un enfant quand elle parvenait à peine à contrôler la sienne ? Elle s'appliqua à des tâches ordinaires : ramasser les détritus que seize enfants laissaient derrière eux, taper les brosses à tableau pour en enlever la craie, ranger les livres. Quand tout fut en ordre, elle rangea ses papiers et ses crayons dans son cartable en cuir et sortit son sac à main du dernier tiroir de son bureau. Puis elle mit son chapeau de paille, l'épingla et quitta la salle de classe.

Elle parcourut les couloirs silencieux, salua de la main les collègues qui étaient encore dans leur classe. Plusieurs des salles étaient fermées maintenant que les hommes enseignants avaient été mobilisés.

Elle s'arrêta devant la classe de Rachel et la regarda mettre son fils dans son landau et pousser celui-ci vers la porte. Rachel n'avait pas prévu de travailler ce trimestre pour rester chez elle avec Ari, mais la guerre avait eu raison de ses projets. À présent, elle n'avait pas d'autre choix que d'amener son bébé à l'école avec elle.

— Tu as l'air dans le même état que celui dans lequel je me sens, dit Vianne quand son amie fut près d'elle.

Les cheveux bruns de Rachel avaient réagi à l'humidité et doublé de volume.

— Ça ne peut pas être un compliment, mais j'ai besoin d'en entendre un à tout prix, alors je vais le prendre comme tel. Tu as de la craie sur la joue, au fait.

Vianne s'essuya distraitement et se pencha sur le landau. Le bébé dormait à poings fermés.

— Comment va-t-il ?

— Pour un bébé de dix mois censé être à la maison avec sa maman mais qui vadrouille à travers la ville sous les avions ennemis et entend des élèves de dix ans qui hurlent toute la journée ? Bien, dit-elle en souriant et en recoiffant une boucle de cheveux humides tandis qu'elles prenaient le couloir. Est-ce que je semble aigrie ?

— Pas plus que le reste d'entre nous.

— Ah ! Ça te ferait du bien d'être aigrie, toi aussi. Je ferais une crise d'urticaire à force de sourire comme toi et de faire comme si tout allait bien.

Rachel fit descendre le landau sur les trois marches en pierre et prit l'allée menant au terrain de jeu herbeux qui avait autrefois servi de manège pour les chevaux et de zone de livraison pour les commerçants. De l'eau gouttait d'une fontaine en pierre vieille de quatre cents ans qui gargouillait au milieu de la cour.

— Allez, les filles ! cria Rachel à Sophie et Sarah, qui s'étaient assises sur un banc du parc.

Les fillettes obéirent immédiatement et se mirent en route devant les deux femmes en bavardant continuellement, la tête penchée l'une vers l'autre, main dans la main. Une seconde génération de meilleures amies.

Elles tournèrent dans une ruelle et ressortirent rue Victor-Hugo, juste en face d'un bistrot où de vieux messieurs étaient installés sur des chaises en fer en train de boire des cafés, de fumer des cigarettes et de parler de politique. Devant elle, Vianne vit trois femmes à la mine défaite qui allaient clopin-clopant dans des vêtements en lambeaux, le visage jaune de poussière.

— Pauvres femmes, dit Rachel en soupirant. Hélène Ruelle m'a dit ce matin qu'au moins une douzaine de réfugiés sont arrivés en ville tard hier soir. Les histoires qu'ils rapportent ne sont pas réjouissantes. Mais personne n'enjolive les choses comme Hélène.

En temps normal, Vianne aurait fait une remarque sur la commère qu'était Hélène, mais elle n'était pas d'humeur bavarde. D'après Papa, cela faisait des jours qu'Isabelle avait quitté Paris. Et elle n'était toujours pas arrivée au Jardin.

— Je suis inquiète pour Isabelle, dit-elle.

Rachel prit Vianne par le bras.

— Tu te rappelles la première fois que ta sœur s'est enfuie de ce pensionnat à Lyon ?

— Elle avait sept ans.

— Elle a fait tout le chemin jusqu'à Amboise. Seule. Sans argent. Elle a passé deux nuits dans les bois et elle a réussi à convaincre des gens de lui payer son billet de train.

Vianne avait presque tout oublié de cette période si ce n'est son propre chagrin. Lorsqu'elle avait perdu le premier bébé, elle avait sombré dans le désespoir. « L'année perdue », comme l'appelait Antoine. C'était aussi comme ça qu'elle la considérait. Quand Antoine lui avait dit qu'il emmenait Isabelle auprès de Papa à Paris, Vianne avait été – que Dieu lui pardonne – soulagée.

Était-il surprenant qu'Isabelle se soit enfuie du pensionnat où on l'avait envoyée ? Vianne éprouvait toujours une honte indélébile quant à la façon dont elle avait traité sa petite sœur.

— Elle avait neuf ans la première fois qu'elle a réussi à monter à Paris, dit Vianne pour tenter de trouver du réconfort dans cette vieille histoire.

Isabelle était solide, impulsive et déterminée ; elle l'avait toujours été.

— Si je ne me trompe pas, elle a été renvoyée deux ans plus tard après avoir fugué du pensionnat pour aller voir un cirque itinérant. Ou était-ce quand elle est descendue par la fenêtre du dortoir du deuxième étage avec des draps ? fit Rachel en souriant. Ce que je veux dire, c'est qu'Isabelle parviendra à venir ici si c'est ce qu'elle veut.

— Je souhaite bien de la chance à qui essaiera de l'en empêcher.

— Elle va arriver d'un jour à l'autre. Je te le promets. À moins qu'elle ait rencontré un prince en exil et qu'elle soit tombée folle amoureuse.

— C'est le genre de chose qui pourrait lui arriver.

— Tu vois ? la taquina Rachel. Tu te sens déjà mieux. Allez, viens chez moi boire une limonade. C'est ça qu'il nous faut par une journée aussi chaude.

*

Après dîner, Vianne mit Sophie au lit et redescendit. Elle était trop inquiète pour se détendre. Le silence qui régnait chez elle lui rappelait sans cesse que personne n'était venu frapper à sa porte. Elle ne tenait pas en place. Malgré sa conversation avec Rachel, elle ne pouvait dissiper son inquiétude – et un très mauvais pressentiment – concernant Isabelle.

Vianne se leva, se rassit, se leva de nouveau et marcha jusqu'à la porte d'entrée qu'elle ouvrit. Dehors, un crépuscule violet et rose éclairait les champs. Son jardin était une suite de formes familières : les pommiers bien entretenus se dressaient tel un rempart entre la maison et le mur en pierre recouvert de rosiers et de vigne, derrière lequel s'étiraient la route conduisant à la ville et des kilomètres de champs, parsemés de bosquets d'arbres aux troncs étroits. À droite se trouvait la forêt plus profonde où Antoine et elle s'étaient souvent esquivés pour être seuls quand ils étaient plus jeunes.

Antoine.

Isabelle.

Où étaient-ils ? Était-il au front ? Était-elle en train de faire le trajet à pied depuis Paris ?

N'y pense pas.

Il fallait qu'elle fasse quelque chose. Jardiner. Se concentrer sur autre chose.

Après avoir pris ses gants usés et enfilé ses bottes près de la porte, elle se rendit au potager situé sur un carré de terre plat entre l'abri et la grange. Pommes de terre, oignons, carottes, brocolis, petits pois, haricots, concombres, tomates et radis poussaient dans ses planches soignées. À flanc de coteau non loin du potager se trouvaient les baies : framboises et mûres en rangs bien taillés. Elle s'agenouilla dans la terre noire et riche et commença à arracher les mauvaises herbes.

Le début de l'été était d'habitude une période prometteuse. Certes, les choses pouvaient mal tourner en cette saison caniculaire, mais si l'on restait régulier et calme et qu'on ne se dérobait pas aux tâches capitales qu'étaient le désherbage et l'éclaircissage, les plantes pouvaient être guidées et domptées. Vianne veillait toujours à ce que les planches soient bien alignées et entretenues d'une main ferme mais douce. Mais ce qui comptait plus encore que ce qu'elle donnait à son potager, c'était ce que celui-ci lui donnait. Elle y trouvait le calme.

Peu à peu, elle se rendit compte de quelque chose d'anormal. D'abord, elle perçut un bruit inhabituel, une vibration, une résonance sourde, puis un bourdonnement. Vinrent ensuite les odeurs : quelque chose qui ne s'accordait pas du tout avec le doux parfum de son jardin, quelque chose d'âcre et de piquant qui lui fit penser à de la pourriture.

Vianne s'essuya le front, consciente qu'elle s'étalait de la terre sur le visage, et se leva. Elle glissa ses gants sales dans les poches arrière béantes de son pantalon et se dirigea vers le portail. Avant qu'elle ne l'ait atteint, trois femmes apparurent, comme sculptées dans les ténèbres. Elles étaient agglutinées sur la route juste derrière son portail. Une vieille femme en haillons tenait les deux autres contre elle : une jeune femme avec un nouveau-né dans les bras et une adolescente qui avait une cage à oiseaux vide dans une main et une pelle dans l'autre. Toutes avaient le regard vide et semblaient fiévreuses ; la jeune maman tremblait. Leurs visages ruisselaient de sueur et affichaient un air de défaite. La vieille femme tendit des mains sales et vides.

— Auriez-vous un peu d'eau ? demanda-t-elle, mais elle posa la question sans conviction, abattue.

Vianne ouvrit le portail.

— Bien sûr. Voulez-vous entrer ? Vous asseoir, peut-être ?

La vieille femme fit non de la tête.

— Nous sommes devant les autres. Il n'y a rien pour ceux qui sont derrière.

Vianne ne comprit pas ce qu'elle voulait dire, mais peu importait. Elle voyait bien que ces femmes souffraient d'épuisement et de faim.

— Un instant.

Elle rentra dans la maison et leur emballa du pain, des carottes crues et un petit morceau de fromage. Tout ce qu'elle pouvait se permettre de donner. Elle remplit une bouteille de vin avec de l'eau et revint pour leur offrir ces provisions.

— Ce n'est pas grand-chose, dit-elle.

— C'est plus que ce qu'on a eu depuis Tours, indiqua la jeune femme d'une voix blanche.

— Vous étiez à Tours ? demanda Vianne.

— Bois, Sabine, dit la vieille femme en portant la bouteille d'eau aux lèvres de l'adolescente.

Vianne allait leur demander si elles avaient vu Isabelle quand la vieille femme dit brusquement :

— Ils sont là.

La jeune maman poussa un gémissement et serra le bébé dans ses bras, qui était si calme – et son tout petit poing si bleu – que Vianne eut le souffle coupé.

Le bébé était mort.

Vianne connaissait bien ce genre de chagrin griffu qui refusait de lâcher prise ; elle avait sombré dans cet abîme gris qui pervertissait l'esprit et faisait qu'une mère continuait de s'accrocher encore longtemps après que tout espoir eut disparu.

— Rentrez chez vous, dit la vieille femme à Vianne. Et enfermez-vous.

— Mais…

D'un pas titubant, les trois femmes déguenillées reculèrent comme si l'haleine de Vianne était devenue nocive. Puis elle vit la masse de silhouettes noires qui traversaient le champ et arrivaient par la route.

L'odeur les précédait. La sueur, la crasse et les émanations corporelles. Lorsqu'ils approchèrent, le magma noir se dissocia. Vianne vit des gens sur la route et dans les champs qui venaient vers elle en clopinant. Certains poussaient des vélos ou des landaus, d'autres tiraient des chariots. Des chiens aboyaient, des bébés pleuraient. Ils toussaient, se raclaient la gorge, gémissaient. Ils avançaient à travers les champs et sur la route, ils approchaient inexorablement en se poussant les uns les autres et leurs voix étaient de plus en plus fortes.

Vianne ne pouvait pas aider tant de gens. Elle rentra précipitamment chez elle et ferma la porte à clé. Elle alla ensuite de pièce en pièce pour verrouiller les portes donnant sur le jardin et fermer les volets. Quand elle eut fini, elle resta figée dans le salon, indécise, le cœur battant.

La maison se mit à trembler légèrement. Les fenêtres vibraient, les volets cognaient contre les murs en pierre. De la poussière pleuvait des poutres du plafond.

Quelqu'un frappa à la porte. Le martèlement se prolongea à n'en plus finir, les poings donnaient de grands coups, qui faisaient tressaillir Vianne.

Sophie descendit l'escalier à toutes jambes en serrant Bébé contre sa poitrine.

— Maman !

Vianne ouvrit les bras et Sophie accourut pour s'y réfugier. Vianne enlaça sa fille tandis que l'attaque s'intensifiait. Quelqu'un frappa sur la porte donnant sur la cuisine. Les casseroles et les poêles en cuivre suspendues s'entrechoquèrent, produisant un bruit de cloches. Vianne entendit le grincement aigu de la pompe extérieure. Ils puisaient de l'eau.

Elle dit à Sophie :

— Attends ici une minute. Assieds-toi sur le divan.

— Ne me laisse pas !

Vianne se dégagea de l'étreinte de sa fille et la força à s'asseoir. Puis elle prit un tisonnier sur le côté de la cheminée et monta prudemment l'escalier. De la chambre où elle était en sécurité, elle jeta un coup d'œil par la fenêtre en veillant à rester cachée.

Il y avait des dizaines de personnes dans son jardin, principalement des femmes et des enfants qui se déplaçaient comme une meute de loups affamés. Leurs voix se mêlaient pour ne former qu'un unique grondement désespéré.

Vianne recula. Et si les portes ne résistaient pas ? Une telle foule pouvait les enfoncer, voire abattre des murs.

Terrifiée, elle redescendit et ne respira pas avant de voir Sophie toujours hors de danger sur le divan. Vianne s'assit à côté d'elle, la prit dans ses bras et la laissa se pelotonner comme une toute petite fille. Elle caressa ses cheveux bouclés. Une meilleure mère, une mère plus solide, aurait tout de suite trouvé une histoire à raconter, mais Vianne avait si peur qu'elle était sans voix. Elle n'avait à l'esprit qu'une prière sans fin ni commencement. *Pitié.*

Elle serra Sophie contre elle et dit :

— Dors, Sophie. Je suis là.

— Maman, fit-elle, d'une voix presque inaudible dans le bruit des coups à la porte. Et si tante Isabelle était dehors ?

Vianne baissa les yeux sur le petit visage grave de sa fille, désormais luisant de sueur et couvert de poussière. « Que Dieu lui vienne en aide » fut tout ce qu'elle trouva à dire.

*

À la vue de la maison en pierre grise, Isabelle fut submergée par l'épuisement. Ses épaules s'affaissèrent. Les ampoules qu'elle avait aux pieds devinrent insupportables. Devant elle, Gaëtan ouvrit le portail. Elle entendit le bois craquer et vit que le battant penchait sur le côté.

Prenant appui sur son compagnon de route, elle se traîna jusqu'à la porte d'entrée. Elle frappa deux fois

en grimaçant chaque fois que ses articulations ensanglantées tapaient le bois.

Personne ne répondit.

Elle martela la porte des deux poings en essayant de
crier le prénom de sa sœur, mais elle était trop enrouée
pour donner un tant soit peu de voix. Elle recula d'un
pas chancelant et faillit tomber à genoux de découragement.

— Où peux-tu dormir ? lui demanda Gaëtan, qui
la maintenait debout en la tenant par la taille.

— Derrière. La pergola.

Il l'aida à faire le tour de la maison jusqu'au jardin
de derrière. Dans l'obscurité de la tonnelle luxuriante
aux senteurs de jasmin, elle s'écroula à genoux. Elle
se rendit à peine compte qu'il était parti, puis il revint
avec de l'eau tiède dans ses mains, qu'elle but à grosses
gorgées. Ce n'était pas assez. La faim lui tordait le
ventre et la faisait souffrir au plus profond d'elle-même.
Cependant, quand il se redressa pour repartir, elle le
retint et le supplia dans un marmonnement de ne pas la
laisser seule. Il s'affaissa à côté d'elle et étendit le bras
pour qu'elle puisse y appuyer sa tête. Ils se couchèrent
côte à côte dans la terre chaude et regardèrent le ciel à
travers la treille noire qui s'enroulait autour des poutres
et tombait en cascades jusqu'au sol. Avec ses arômes
grisants de jasmin, de rosiers en fleur et de terre riche,
la tonnelle constituait un abri magnifique. Pourtant,
même là, dans ce calme, il était impossible d'oublier
ce qu'ils venaient d'endurer... et les changements qui
arrivaient dans leur sillage.

Chez Gaëtan aussi, elle avait remarqué un changement ; elle avait observé sa colère et sa rage impuissante

effacer la compassion dans ses yeux et le sourire sur ses lèvres. Il n'avait pratiquement pas dit un mot depuis les bombardements, et son ton avait été sec et cassant les rares fois où il avait ouvert la bouche. Ils en savaient tous les deux plus sur la guerre à présent, sur ce qui s'annonçait.

— Tu pourrais être en sécurité ici, avec ta sœur, dit-il.

— Je ne veux pas être en sécurité. Et ma sœur ne voudra pas de moi.

Elle le regarda attentivement. Dessinant des motifs de dentelle, le clair de lune illuminait ses yeux et sa bouche, mais son nez et son menton étaient dans le noir. Il était encore différent, il semblait déjà plus vieux depuis ces quelques jours seulement, rongé de soucis, fâché. Il sentait la sueur, le sang, la boue et la mort, mais elle savait qu'elle dégageait la même odeur.

— Tu as entendu parler d'Edith Cavell ? lui demanda-t-elle.

— Est-ce que j'ai l'air d'un homme cultivé ?

Elle réfléchit pendant un instant puis répondit :

— Oui.

Il garda le silence assez longtemps pour qu'elle sache qu'elle l'avait surpris.

— Je sais qui c'est. Elle a sauvé la vie de centaines de pilotes alliés pendant la Grande Guerre. Elle est célèbre pour avoir dit que « le patriotisme ne suffit pas ». Et c'est ton héroïne, une femme exécutée par l'ennemi.

— Une femme qui a changé les choses, précisa Isabelle en le scrutant. Je compte sur toi, un criminel et un communiste, pour m'aider à changer les choses à mon tour. Peut-être que je suis aussi folle et impulsive qu'on le dit.

— C'est qui, « on » ?

— Tout le monde.

Elle marqua une pause et sentit que ses espérances se renforçaient. Elle s'était juré de ne jamais faire confiance à quiconque, et pourtant elle croyait Gaëtan. Il la regardait comme si elle comptait pour lui.

— Tu m'emmèneras. Comme tu me l'as promis.

— Tu sais comment on conclut ce genre de marchés ?

— Comment ?

— D'un baiser.

— Arrête de me taquiner. C'est sérieux.

— Qu'y a-t-il de plus sérieux qu'un baiser à la veille de la guerre ?

Il souriait, mais pas tout à fait. Cette colère contenue se lisait à nouveau dans ses yeux, ce qui effraya Isabelle et lui rappela qu'elle ne le connaissait pas du tout, en réalité.

— Je veux bien embrasser un homme s'il est assez courageux pour m'emmener au combat avec lui.

— Je pense que tu ne sais absolument pas ce que c'est qu'embrasser, dit-il en soupirant.

— Ne parle pas de ce que tu ne connais pas.

Elle s'écarta de lui, mais son contact lui manqua aussitôt. Avec une attitude désinvolte, elle revint face à lui et sentit son souffle sur ses cils.

— Tu peux m'embrasser, alors. Pour sceller notre accord.

Il approcha lentement sa main, prit Isabelle par la nuque et l'attira à lui.

— Tu es sûre ? demanda-t-il alors que leurs lèvres se touchaient presque.

Elle ne savait pas s'il parlait de partir à la guerre ou du fait de l'embrasser, mais là, à cet instant, cela n'avait pas d'importance. Isabelle avait échangé des baisers avec des garçons comme s'il s'agissait de piécettes abandonnées sur le banc d'un parc ou perdues sous les coussins d'un fauteuil – insignifiants. Jamais auparavant, pas une fois, elle n'avait réellement désiré un baiser.

— Oui, chuchota-t-elle en se penchant vers lui.

Lorsqu'il l'embrassa, quelque chose s'ouvrit dans le creux du cœur éraflé et vide d'Isabelle, se déploya. Pour la première fois, ses romans d'amour lui semblaient sensés ; elle se rendait compte que l'âme d'une femme pouvait changer aussi vite qu'un monde en guerre.

— Je t'aime, murmura-t-elle.

Elle n'avait pas prononcé ces mots depuis ses quatre ans, alors à l'intention de sa mère. À cette déclaration, l'expression de Gaëtan changea, se durcit. Le sourire qu'il lui adressa était si pincé et forcé qu'elle ne pouvait en saisir la signification.

— Quoi ? J'ai fait quelque chose de mal ?

— Non. Bien sûr que non, la rassura-t-il.

— On a de la chance de s'être trouvés, dit-elle.

— On n'a pas de chance, Isabelle. Crois-moi, dit-il avant de l'embrasser de nouveau.

Elle s'abandonna aux sensations de ce baiser, le laissa devenir l'univers tout entier, et elle sut enfin ce que cela faisait de suffire à quelqu'un.

*

Lorsqu'elle se réveilla, Vianne remarqua d'abord le calme. Un oiseau chantait quelque part. Elle resta parfaitement immobile dans le lit et écouta. À côté d'elle, Sophie ronflait et grognait dans son sommeil.

Vianne alla à la fenêtre et releva le store.

Dans son jardin, les branches des pommiers pendaient comme des bras cassés ; le portail pendait de travers, deux gonds sur trois étaient arrachés. De l'autre côté de la route, la prairie était aplatie, les fleurs écrasées. Les réfugiés qui étaient passés avaient laissé des affaires et des déchets dans leur sillage : valises, landaus, manteaux trop lourds à porter et trop chauds, taies d'oreillers et chariots.

Vianne descendit et ouvrit prudemment la porte d'entrée. Tendant l'oreille – et n'entendant aucun bruit –, elle souleva le loquet et tourna la poignée.

Ils avaient détruit son potager, arraché tout ce qui semblait comestible en laissant des tiges brisées et des monceaux de terre.

Tout était dévasté, anéanti. Démoralisée, elle fit le tour de la maison jusqu'au jardin de derrière, ravagé lui aussi. Elle s'apprêtait à rentrer dans la maison quand elle entendit un bruit. Un gémissement. Peut-être un bébé qui pleurait.

Et voilà que ça recommençait. Est-ce que quelqu'un avait laissé un nourrisson ?

Elle traversa le jardin à pas de loup jusqu'à la pergola en bois tapissée de roses et de jasmins.

Isabelle était roulée en boule par terre dans sa robe en lambeaux, le visage couvert d'entailles et de bleus, l'œil gauche gonflé et presque fermé, un bout de papier épinglé à son corsage.

— Isabelle ! s'écria Vianne.

Le menton de sa sœur se releva légèrement ; elle ouvrit un œil injecté de sang.

— V, dit-elle d'une voix cassée et rauque. Merci de m'avoir enfermée dehors.

Vianne s'approcha de sa sœur et s'agenouilla près d'elle.

— Isabelle, tu es couverte de sang et de bleus. Est-ce qu'on t'a…

Isabelle ne parut pas comprendre pendant un instant.

— Oh. Ce n'est pas mon sang. Pour la plupart, en tout cas, indiqua-t-elle en regardant autour d'elle. Où est Gaët ?

— Quoi ?

Isabelle se leva en chancelant, manquant de perdre l'équilibre.

— Est-ce qu'il m'a abandonnée ? Oui, constata-t-elle en se mettant à pleurer. Il m'a abandonnée.

— Viens, lui dit gentiment Vianne.

Elle conduisit sa sœur dans la maison fraîche, où Isabelle enleva d'un coup de pied ses chaussures maculées de sang qui claquèrent contre le mur et retombèrent bruyamment. Des empreintes de pieds ensanglantées les suivirent jusqu'à la salle de bains nichée sous l'escalier.

Pendant que Vianne faisait chauffer de l'eau et remplissait la baignoire, Isabelle resta assise par terre, les jambes écartées, les pieds tachés de sang, à marmonner entre ses dents et essuyer ses larmes qui se changeaient en boue sur ses joues.

Quand le bain fut prêt, Vianne revint auprès d'elle et la déshabilla avec douceur. Isabelle était comme une enfant, docile, et geignait de douleur.

Vianne déboutonna la robe autrefois rouge d'Isabelle dans le dos et la lui ôta avec la crainte que le moindre souffle puisse faire tomber sa sœur. Ses sous-vêtements en dentelle étaient tachés de sang par endroits. Vianne délaça la partie centrale corsetée de son combiné et le lui enleva délicatement.

Isabelle serra les dents et entra dans la baignoire.

— Laisse-toi aller.

Isabelle obéit et Vianne lui versa de l'eau chaude sur la tête en prenant garde de ne pas lui en mettre dans les yeux. Pendant tout le temps où elle lava les cheveux sales et le corps contusionné d'Isabelle, elle fredonna des paroles apaisantes et dénuées de sens dans le but de la réconforter.

Elle l'aida ensuite à sortir de la baignoire et sécha son corps à l'aide d'une serviette blanche et douce. Isabelle la fixait d'un regard vide, la mâchoire pendante.

— Que dirais-tu de dormir un peu ? proposa Vianne.

— Dormir, marmotta Isabelle, la tête penchée sur le côté.

Vianne lui apporta une chemise de nuit qui sentait la lavande et l'eau de rose et l'aida à l'enfiler. Isabelle pouvait à peine garder les yeux ouverts quand Vianne la guida jusqu'à la chambre à l'étage et l'installa sous une couverture légère. Elle s'endormit avant même que sa tête ne touche l'oreiller.

*

Isabelle se réveilla dans le noir. Elle avait le souvenir de la lumière du jour.

Où était-elle ?

Elle se redressa si vite qu'elle eut le tournis. Elle prit quelques courtes inspirations puis regarda autour d'elle.

La chambre de l'étage au Jardin. Son ancienne chambre. Cela ne lui fit pas chaud au cœur. Combien de fois Madame Malheur l'avait-elle enfermée dans cette pièce « pour son bien » ?

— Ne pense pas à ça, dit-elle à voix haute.

Un souvenir pire encore suivit : Gaëtan. Il l'avait abandonnée ; cela la plongeait dans un état de profonde déception qu'elle connaissait si bien.

N'avait-elle *rien* appris de la vie ? Les gens vous abandonnaient. Elle le savait. Et les gens l'abandonnaient surtout elle.

Elle enfila la robe d'intérieur bleue informe que Vianne avait laissée pendue au pied du lit. Puis elle descendit l'étroit escalier à petites marches en se tenant à la rampe en fer. Chaque douloureux pas était un triomphe.

En bas, il n'y avait pas un bruit, excepté le son grésillant d'une radio à bas volume. Elle était à peu près sûre que Maurice Chevalier chantait une chanson d'amour. *Parfait*.

Vianne se trouvait dans la cuisine, revêtue d'un tablier vichy sur une robe jaune pâle. Ses cheveux étaient couverts d'un fichu fleuri. Elle épluchait des pommes de terre avec un économe. Derrière elle, une casserole en fonte produisait un joyeux petit bouillonnement.

Les arômes mirent l'eau à la bouche d'Isabelle.

Vianne se précipita pour tirer une chaise à la petite table dans le coin de la cuisine.

— Tiens, assieds-toi.

Isabelle se laissa tomber sur la chaise. Vianne lui apporta une assiette déjà prête. Un gros morceau de pain encore chaud, une tranche de fromage, une cuillerée de pâte de coings et quelques tranches de jambon.

Isabelle prit le pain dans ses mains rouges et écorchées et le leva à son visage pour en respirer l'odeur de levure. D'un geste tremblant, elle prit un couteau et étala du fromage et de la pâte de fruits dessus. Le couteau fit un bruit métallique lorsqu'elle le reposa. Elle prit la tartine et mordit dedans ; la meilleure bouchée de nourriture de sa vie. La croûte dure du pain, sa mie moelleuse, le fromage fondant et la pâte de fruits s'associèrent tous pour la faire pratiquement défaillir. Elle dévora le reste comme une folle, remarquant à peine la tasse de café noir que sa sœur avait posée près d'elle.

— Où est Sophie ? demanda Isabelle, les joues gonflées de nourriture.

C'était difficile d'arrêter de manger, même pour être polie. Elle prit une pêche, palpa sa chair tendre et sa peau duveteuse, puis elle mordit dedans. Du jus lui dégoulina le long du menton.

— Elle est chez les voisins, elle joue avec Sarah. Tu te souviens de mon amie, Rachel ?

— Oui, je me souviens, répondit Isabelle.

Vianne se servit une petite tasse de café et l'apporta à la table, où elle s'assit.

Isabelle rota et se couvrit la bouche.

— Pardon.

— Je crois que je peux fermer les yeux sur un petit écart de conduite, indiqua Vianne avec un sourire.

— Tu n'as pas rencontré Mme Dufour. Tu peux être sûre qu'elle m'aurait tapée avec une brique pour cette faute !

Isabelle soupira. Elle avait mal au ventre, maintenant ; elle avait un peu envie de vomir. Elle essuya son menton humide avec sa manche.

— Quelles sont les nouvelles de Paris ?

— Le drapeau à croix gammée flotte sur la tour Eiffel.

— Et papa ?

— Il dit que ça va.

— Il s'inquiète pour moi, j'imagine, dit Isabelle avec amertume. Il n'aurait pas dû me chasser. Mais est-ce qu'il a déjà fait autre chose ?

Elles échangèrent un regard. C'était un des quelques souvenirs qu'elles partageaient, cet abandon, mais manifestement Vianne n'avait pas envie de se le remémorer.

— On raconte qu'il y avait plus de dix millions de personnes comme toi sur les routes.

— Le pire, ce n'était pas les foules. Nous étions pour la plupart des femmes et des enfants, V, et des vieillards et de jeunes garçons. Et ils nous ont tout simplement… décimés.

— Dieu merci, c'est terminé à présent, dit Vianne. Mieux vaut se concentrer sur les bonnes choses. Qui est Gaëtan ? Tu as parlé de lui dans ton délire.

Isabelle gratta une des éraflures sur le dos de sa main et se rendit compte un instant trop tard qu'elle n'aurait pas dû. La croûte se détacha et une goutte de sang perla.

— Il a peut-être quelque chose à voir avec ça, dit Vianne quand le silence se prolongea.

Elle tira un bout de papier froissé de la poche de son tablier. C'était le mot qui était épinglé au corsage d'Isabelle. Le papier était maculé de traces de doigts sales et ensanglantées. Il était écrit : *Tu n'es pas prête.*

Isabelle sentit le monde se dérober sous elle. C'était une réaction de petite fille, ridicule et excessive, et elle le savait, mais cela la blessait tout de même profondément. Il avait voulu l'emmener avec lui jusqu'au baiser. Durant lequel il avait perçu, d'une manière ou d'une autre, qu'il manquait quelque chose à Isabelle.

— Ce n'est personne, dit-elle d'un air sévère en prenant le mot et le chiffonnant. Juste un garçon aux cheveux noirs et au visage anguleux qui dit des mensonges. Il n'est rien, ajouta-t-elle avant de regarder Vianne. Je pars à la guerre. Je me moque de ce que les gens pensent. Je conduirai une ambulance ou je ferai des pansements. N'importe quoi.

— Oh, pour l'amour du Ciel, Isabelle. Paris est occupé. Les nazis contrôlent la ville. Qu'est-ce qu'une fille de dix-huit ans peut faire à tout ça ?

— Pas question que je reste planquée à la campagne pendant que les nazis détruisent la France. Et regardons les choses en face, tu ne m'as jamais vraiment aimée comme une sœur, dit-elle en crispant son visage endolori. Je partirai dès que je pourrai marcher.

— Tu seras en sécurité ici, Isabelle. C'est ça qui compte. Tu dois rester.

— En sécurité ? cracha Isabelle. Tu crois que c'est ça qui compte maintenant, Vianne ? Laisse-moi te raconter ce que j'ai vu. Les troupes françaises en fuite devant l'ennemi. Les nazis qui assassinent des innocents. Peut-être que toi, tu peux fermer les yeux là-dessus, mais moi non.

— Tu vas rester ici en sécurité. Un point, c'est tout.

— Quand est-ce que j'ai déjà été en sécurité avec toi, Vianne ? demanda Isabelle, et elle vit la peine éclore dans les yeux de sa sœur.

— J'étais jeune, Isabelle. J'ai essayé d'être une mère pour toi.

— Oh, pitié. Ne commençons pas par un mensonge.

— Après que j'ai perdu le bébé…

Isabelle tourna le dos à sa sœur et partit en boitant avant qu'elle dise quelque chose d'impardonnable. Elle joignit ses mains pour calmer ses tremblements. C'était pour *ça* qu'elle n'avait pas voulu revenir ici voir sa sœur et qu'elle avait gardé ses distances depuis des années. Il y avait trop de souffrance entre elles. Elle mit la radio plus fort pour noyer ses pensées.

Une voix grésilla sur les ondes : « Ici le maréchal Pétain… »

Isabelle fronça les sourcils. Pétain était un héros de la Grande Guerre, un dirigeant français apprécié. Elle monta davantage le volume.

Vianne apparut à côté d'elle.

« … j'assume à partir d'aujourd'hui la direction de la France… »

Des crépitements couvrirent sa voix grave.

Impatiente, Isabelle donna un coup sur le poste.

« … notre admirable armée qui lutte, avec un héroïsme digne de ses longues traditions militaires, contre un ennemi supérieur en nombre et en armes… »

Crépitements. Isabelle tapa à nouveau sur la radio en murmurant un « Zut ».

« … En ces heures douloureuses, je pense aux malheureux réfugiés, qui, dans un dénuement extrême, sillonnent nos routes. Je leur exprime ma compassion et ma sollicitude. C'est le cœur serré que je vous dis aujourd'hui qu'il faut cesser le combat. »

— On a gagné ? dit Vianne.

— Chuuut, fit sèchement Isabelle.

« … me suis adressé cette nuit à l'adversaire pour lui demander s'il est prêt à rechercher avec nous, entre soldats, après la lutte et dans l'honneur, les moyens de mettre un terme aux hostilités. »

Le vieil homme poursuivit son discours monotone, l'émaillant de formules comme « dures épreuves », « fassent taire leur angoisse » et, pire que tout, « destin de la patrie ». Puis il prononça le mot qu'Isabelle pensait ne jamais entendre en France.

Capitulation.

Prise d'un soudain besoin d'air, incapable de respirer convenablement, Isabelle quitta la pièce en clopinant sur ses pieds blessés et sortit dans le jardin de derrière.

Capitulation. De la France. Devant Hitler.

— Ce doit être pour le mieux, dit calmement sa sœur.

Quand Vianne était-elle sortie ?

— Tu as entendu parler du maréchal Pétain. C'est un héros sans égal. S'il dit que nous devons arrêter de nous battre, c'est que c'est vrai. Je suis sûre qu'il va raisonner Hitler, dit Vianne en tendant la main vers sa sœur.

106

Isabelle s'écarta brusquement. Elle fut écœurée à la pensée du contact réconfortant de Vianne. Elle tourna péniblement sur elle-même pour lui faire face.

— On ne *raisonne* pas un homme comme Hitler.

— Alors maintenant, tu en sais plus que nos héros ?

— Je sais qu'on ne devrait pas abandonner.

Vianne poussa un petit murmure de déception.

— Si le maréchal Pétain pense que le mieux pour la France est de capituler, c'est le cas. Point. Au moins la guerre sera finie et nos hommes rentreront.

— Tu es une imbécile.

— Très bien, répondit Vianne, et elle rentra dans la maison.

Isabelle mit sa main en visière et regarda le ciel clair et dégagé. Combien de temps restait-il avant que cet océan bleu soit rempli d'avions allemands ?

Elle ne savait pas combien de temps elle était restée là, à imaginer le pire – à se rappeler la manière dont les soldats allemands avaient ouvert le feu sur des femmes et des enfants innocents à Tours et les avaient décimés, leur sang faisant virer l'herbe au rouge.

— Tante Isabelle ?

La jeune femme entendit la petite voix timide comme si elle provenait de loin. Elle se retourna lentement.

Une belle fille se tenait devant la porte du Jardin. Elle avait la même peau que sa mère, pâle comme de la porcelaine fine, et des yeux expressifs qui semblaient noirs à cette distance, aussi foncés que ceux de son père. Elle aurait pu sortir tout droit d'un conte de fées – *Blanche-Neige* ou *La Belle au bois dormant*.

— Tu ne peux pas être Sophie, déclara Isabelle. La dernière fois que je t'ai vue… tu suçais ton pouce.

— Ça m'arrive encore parfois, avoua Sophie avec un sourire de conspiratrice. Tu ne le répéteras pas ?

— Moi ? Personne ne sait mieux garder un secret.

Isabelle s'approcha d'elle en se disant : *Ma nièce.* La famille.

— Est-ce que tu veux connaître un secret sur moi, juste pour qu'on soit quittes ?

Sophie hocha la tête avec ferveur, les yeux écarquillés.

— Je peux me rendre invisible.

— Non, c'est pas possible.

Isabelle vit Vianne apparaître à la porte.

— Demande à ta maman. Je me suis glissée dans des trains, échappée par des fenêtres et enfuie de cachots de couvents. Tout ça parce que je peux disparaître.

— Isabelle, dit sévèrement Vianne.

Sophie dévisagea Isabelle, extasiée.

— Vraiment ?

Isabelle jeta un coup d'œil vers Vianne.

— C'est facile de disparaître quand personne ne te regarde.

— Moi, je te regarde, dit Sophie. Est-ce que tu vas te rendre invisible maintenant ?

Isabelle rigola.

— Bien sûr que non ! Pour qu'un tour de magie fonctionne au mieux, il faut qu'il soit inattendu. Tu n'es pas d'accord ? Et si on faisait une partie d'échecs ?

La capitulation était une pilule dure à avaler, mais le maréchal Pétain était un homme honorable. Un héros de la dernière guerre contre l'Allemagne. Certes, il était vieux, mais Vianne était d'avis que cela ne faisait que lui offrir un meilleur point de vue pour juger de la situation. Il avait trouvé un moyen pour que leurs hommes rentrent chez eux et que la Grande Guerre ne se répète pas.

Vianne comprenait ce qu'Isabelle ne pouvait saisir : Pétain avait capitulé au nom de la France afin de sauver des vies et de préserver leur nation et leur mode de vie. Il était vrai que les termes de cette capitulation étaient rudes : la France avait été divisée en deux zones. La zone occupée – la moitié nord du pays et les régions côtières (y compris Carriveau) – devait passer sous le contrôle des nazis pour qu'ils la gouvernent. L'autre partie du pays, le territoire situé au sud de la ligne de démarcation jusqu'à la mer, formerait la zone libre, sous l'autorité du nouveau gouvernement français à Vichy, dirigé par le maréchal Pétain lui-même, en collaboration avec les nazis.

Dès la capitulation de la France, la nourriture se fit rare. Le savon à lessive : introuvable. On ne pouvait compter sur les tickets de rationnement. Les services téléphoniques n'étaient plus fiables, de même que la poste. Les nazis avaient efficacement coupé la communication entre les villes. Les seuls courriers autorisés étaient les cartes postales allemandes officielles. Mais pour Vianne, ce n'étaient pas là les pires des changements.

Isabelle devenait invivable. À plusieurs reprises depuis la capitulation, tandis que Vianne peinait à replanter son potager et à soigner ses arbres fruitiers endommagés, elle avait fait une pause dans son travail et vu Isabelle debout près du portail, en train de regarder le ciel comme si une chose sinistre et affreuse arrivait par ici.

Isabelle ne parlait que de l'attitude monstrueuse des nazis et de leur détermination à tuer les Français. Elle était incapable – bien sûr – de tenir sa langue, et puisque Vianne refusait de l'écouter, Sophie était devenue l'auditoire d'Isabelle, sa disciple. Elle bourrait le crâne de la pauvre petite d'atroces images pour décrire ce qui allait se passer, à tel point que l'enfant en faisait des cauchemars. Vianne n'osait pas les laisser toutes les deux seules, aussi ce jour-là, comme tous les précédents, elle les emmena en ville pour voir ce qu'elles obtiendraient en échange de leurs tickets de rationnement.

Elles faisaient la queue devant la boucherie depuis déjà deux heures. Isabelle s'était plainte presque tout le temps. Elle ne voyait apparemment pas l'intérêt de trouver de la nourriture.

— Vianne, regarde, dit Isabelle.

Encore des histoires.

— Vianne. *Regarde*.

Elle se retourna – pour faire taire sa sœur – et les vit. Les Allemands.

Partout dans la rue, les fenêtres et les portes se fermèrent. Les gens disparurent si vite que Vianne se trouva soudain seule sur le trottoir avec sa sœur et sa fille. Elle attrapa Sophie et la tira contre la porte fermée de la boucherie.

Isabelle descendit sur la chaussée avec une attitude de défi.

— Isabelle, souffla Vianne, mais celle-ci se campa, ses yeux verts luisants de haine, son beau visage pâle et délicat marqué d'éraflures et de bleus.

Le camion qui se trouvait en tête s'arrêta devant Isabelle. À l'arrière, des soldats étaient assis face à face sur des bancs, leurs fusils posés négligemment sur leurs genoux. Ils semblaient jeunes, bien rasés et enthousiastes sous leurs casques tout neufs, avec leurs médailles qui brillaient sur leurs uniformes gris-vert. Mais surtout jeunes. Ce n'étaient pas des monstres ; juste des garçons, en fait. Ils tendirent le cou pour voir ce qui avait arrêté la circulation. En apercevant Isabelle debout au milieu de la rue, les soldats se mirent à rire et à lui faire signe.

Vianne empoigna la main d'Isabelle et la tira sur le côté.

Le convoi militaire passa devant elles, une file de véhicules, de motos et de camions couverts de filets de camouflage. Des chars blindés parcoururent la rue pavée dans un vacarme tonitruant. Puis vinrent les soldats.

En deux longues colonnes, ils entraient au pas dans la ville.

Isabelle remonta effrontément la rue Victor-Hugo à côté d'eux. Les Allemands la saluaient de la main, faisant plus penser à des touristes qu'à des conquérants.

— Maman, tu ne peux pas la laisser partir toute seule, dit Sophie.

— Et merde !

Vianne saisit la main de sa fille et elles coururent après Isabelle. Elles la rattrapèrent au pâté de maisons suivant.

La place principale, qui grouillait habituellement de monde, était presque déserte. Seuls quelques habitants osaient rester tandis que les véhicules allemands s'arrêtaient devant l'hôtel de ville et se garaient.

Un officier apparut – du moins Vianne présuma que c'était un officier car il se mit à aboyer des ordres. Les soldats firent le tour de la grande place pavée au pas et en prirent possession de leur présence écrasante. Ils arrachèrent le drapeau français et le remplacèrent par le drapeau nazi : une immense croix gammée noire sur un fond rouge et noir. Lorsqu'il fut en place, les soldats s'arrêtèrent comme un seul homme, tendirent le bras droit et crièrent : « *Heil Hitler !* »

— Si j'avais un pistolet, dit Isabelle, je leur montrerais qu'on n'a pas tous voulu capituler.

— Chuuut, fit Vianne. Tu vas tous nous faire tuer à force de trop parler. Allons-nous-en !

— Non. Je veux…

Vianne se retourna vivement vers Isabelle.

— Ça suffit. Tu ne vas *pas* attirer l'attention sur nous. C'est clair ?

Isabelle jeta un dernier regard haineux vers les soldats puis se laissa entraîner par Vianne.

Elles quittèrent la rue principale en se glissant dans une ouverture sombre entre les murs, qui conduisait à une ruelle derrière la chapellerie. Elles entendirent les soldats chanter. Puis un coup de feu retentit. Et un autre. Quelqu'un hurla.

Isabelle s'arrêta.

— Je t'interdis, dit Vianne. *En avant !*

Elles restèrent dans les venelles obscures, se réfugiant dans les embrasures de portes quand elles entendaient des voix venant dans leur direction. Il leur fallut plus longtemps que d'habitude pour traverser la ville, mais elles finirent par rejoindre la route de terre. Elles marchèrent en silence le long du cimetière puis jusqu'à la maison. Une fois à l'intérieur, Vianne claqua la porte derrière elle et la ferma à clé.

— Tu vois ? dit immédiatement Isabelle.

Elle avait de toute évidence attendu pour lâcher la question.

— Va dans ta chambre, ordonna Vianne à Sophie.

Quoi qu'Isabelle s'apprêtât à dire, Vianne ne voulait pas que l'enfant entende. Elle ôta doucement son chapeau et posa son panier vide. Ses mains tremblaient.

— Ils sont là à cause de l'aérodrome, dit Isabelle en faisant les cent pas. Je ne pensais pas que ça arriverait si vite, même avec la capitulation. Je ne croyais pas… Je pensais que nos soldats se battraient quand même. Je pensais…

— Arrête de te ronger les ongles. Tu vas finir par saigner.

Isabelle avait l'air d'une folle, avec sa natte blonde et longue jusqu'à la taille qui se défaisait et son visage contusionné tordu de rage.

— Les nazis sont *là*, Vianne. À Carriveau. Leur drapeau flotte sur l'hôtel de ville de même que sur l'Arc de triomphe et la tour Eiffel. Ça ne faisait pas cinq minutes qu'ils étaient en ville qu'il y a eu un coup de feu.

— La guerre est terminée, Isabelle. Le maréchal Pétain l'a dit.

— La guerre est terminée ? La guerre est *terminée* ? Est-ce que tu les as *vus* là-bas, avec leurs armes, leurs drapeaux et leur arrogance ? Il faut qu'on parte d'ici, V. On va emmener Sophie et quitter Carriveau.

— Et pour aller où ?

— N'importe où. À Lyon, peut-être. En Provence. Quelle est cette ville en Dordogne où maman est née ? Brantôme. On pourrait retrouver son amie, cette femme basque, comment elle s'appelait ? Elle pourrait nous aider.

— Tu me donnes mal à la tête.

— Avoir mal à la tête, c'est bien le dernier de tes problèmes, dit Isabelle en arpentant toujours la pièce.

Vianne s'approcha d'elle.

— Tu ne vas rien faire d'insensé ou de stupide. C'est clair ?

Isabelle grogna d'agacement et monta à l'étage d'un air furieux puis claqua la porte derrière elle.

Capitulation.

Le mot restait ancré dans les pensées d'Isabelle. Ce soir-là, alors qu'elle était étendue sur le lit de la chambre d'amis au rez-de-chaussée, les yeux rivés sur le plafond, elle sentit la frustration s'installer si profondément en elle qu'elle n'avait plus les idées claires.

Était-elle censée attendre dans cette maison que la guerre passe, comme une quelconque fille sans défense, à faire la lessive, faire la queue pour recevoir à manger et balayer le sol ? Devait-elle rester là et regarder l'ennemi tout prendre à la France ?

Elle s'était toujours sentie seule et frustrée – du moins elle avait eu ce sentiment d'aussi loin qu'elle se souvienne –, mais jamais avec une telle intensité. Elle était coincée là, à la campagne, sans amis et sans rien à faire.

Non.

Il y avait forcément quelque chose à faire. Même là, même maintenant.

Cacher les objets de valeur.

Ce fut tout ce qui lui vint à l'esprit. Les Allemands allaient piller les maisons du coin, elle n'avait aucun doute là-dessus, et quand ils le feraient ils prendraient tout ce qui avait de la valeur. Son propre gouvernement – lâche comme il était – l'avait vu venir. C'était pour ça qu'il avait vidé une bonne partie du Louvre et accroché de fausses peintures aux murs du musée.

— Pas formidable, comme projet, marmonna-t-elle.

Mais c'était mieux que rien.

Le lendemain, dès que Vianne et Sophie partirent à l'école, Isabelle se mit à l'œuvre. Elle passa outre à la requête de Vianne, qui lui avait demandé d'aller chercher de la nourriture en ville. Elle ne pouvait supporter de voir les nazis, et un jour sans viande n'importait guère. Elle parcourut donc la maison pour fouiller les placards, les tiroirs et regarder sous les lits. Elle récupéra tous les objets de valeur et les réunit sur la table à tréteaux de la salle à manger. Il y avait beaucoup d'affaires de famille. Des dentelles en frivolité confectionnées par son arrière-grand-mère, une salière et une poivrière assorties en argent massif, un plat en porcelaine de Limoges à bordure dorée qui avait appartenu à leur tante, plusieurs petits tableaux impressionnistes, une magnifique nappe ivoire en point d'Alençon, plusieurs albums photo, un portrait de Vianne, Antoine et Sophie bébé dans un cadre en argent, les perles de sa mère, la robe de mariage de Vianne et d'autres choses. Isabelle prit une malle en cuir garnie de bois et y mit tout ce qui tenait dedans, puis elle la traîna dans l'herbe piétinée en grimaçant chaque fois qu'elle raclait une pierre ou qu'elle heurtait quelque chose. Lorsqu'elle arriva enfin à la grange, elle était haletante et en nage.

La grange était plus petite que dans son souvenir. Le grenier à foin – qui à une époque avait été le seul endroit au monde où elle fût heureuse – n'était en fait qu'une petite plate-forme au premier étage, un bout de plancher perché au sommet d'une échelle branlante, sous le toit, entre les lattes duquel on voyait le ciel. Combien d'heures avait-elle passées là-haut, seule avec ses livres d'images, à faire comme si quelqu'un se souciait assez d'elle pour venir la chercher ? À attendre sa sœur, qui était toujours en vadrouille avec Rachel ou Antoine.

Elle écarta ce souvenir.

La grange ne faisait pas plus de dix mètres de large en son milieu. Elle avait été construite par son arrière-grand-père pour y entreposer des bogheis – à une époque où la famille avait de l'argent. Désormais, il n'y avait qu'une vieille Renault garée au centre. Les boxes étaient pleins de pièces de tracteur, d'échelles en bois couvertes de toiles d'araignée et d'outils agricoles rouillés.

Elle ferma la grange et alla vers l'auto. La portière du côté conducteur s'ouvrit avec un grincement de réticence. Elle grimpa dedans, démarra le moteur, avança de deux mètres environ puis remit le frein à main.

La trappe était à présent accessible. D'environ un mètre cinquante sur un mètre vingt et constituée de planches liées entre elles par des lanières de cuir, elle était presque indiscernable, surtout maintenant qu'elle était couverte de poussière et de vieux foin. Isabelle souleva l'abattant, l'appuya contre le pare-chocs cabossé de la voiture et scruta l'espace obscur qui sentait le renfermé.

Retenant la malle par sa sangle, elle alluma sa lampe de poche, la coinça sous son bras libre et descendit lentement l'échelle en faisant glisser la malle, barreau après barreau, jusqu'à ce qu'elle arrive en bas. Le coffre se posa bruyamment sur le sol en terre battue à côté d'elle.

Tout comme le grenier à foin, cette cachette lui avait paru plus grande étant petite. Garnie d'étagères d'un côté et d'un vieux matelas à même le sol, elle mesurait environ deux mètres cinquante sur trois. Les étagères avaient servi à entreposer des tonneaux à vin, mais il ne restait plus qu'une lanterne sur l'une d'elles.

Elle poussa la malle dans un coin tout au fond, puis retourna dans la maison, où elle rassembla quelques conserves, des couvertures, du matériel médical, le fusil de chasse de son père et une bouteille de vin, qu'elle alla ranger sur les étagères.

Lorsqu'elle remonta à l'échelle, elle trouva Vianne dans la grange.

— Qu'est-ce que tu fabriques là ?

Isabelle essuya ses mains pleines de poussière sur le coton usé de sa jupe.

— J'ai caché tes objets de valeur et mis des provisions en bas, au cas où on devrait se cacher des nazis. Viens voir. J'ai fait du bon boulot, je crois.

Elle redescendit à l'échelle et Vianne la suivit dans le noir. Isabelle alluma la lanterne et montra fièrement à sa sœur le fusil de Papa, les denrées alimentaires et le matériel médical.

Vianne se dirigea immédiatement vers la boîte à bijoux de leur mère et l'ouvrit.

Celle-ci contenait des broches, des boucles d'oreilles et des colliers – principalement des bijoux fantaisie. Mais au fond, sur le velours bleu, se trouvaient les perles que Grand-Mère avait portées pour son mariage puis données à Maman pour le sien.

— Il faudra peut-être que tu les vendes un jour, dit Isabelle.

Vianne referma le coffret.

— Ce sont des bijoux de famille, Isabelle. Pour le mariage de Sophie… et pour le tien. Jamais je ne les vendrai, déclara-t-elle avec un soupir impatient. Qu'est-ce que tu as pu récupérer à manger en ville ?

— J'ai fait ça à la place.

— Évidemment. C'est plus important de cacher les perles de maman que de trouver à manger pour ta nièce. Franchement, Isabelle.

Vianne gravit l'échelle en exprimant son mécontentement par de petits murmures de dégoût.

Isabelle sortit de la cave et remit la Renault en place au-dessus de la trappe. Puis elle dissimula les clés derrière une planche cassée dans un des boxes. En dernier lieu, elle coupa l'allumage de la voiture en retirant la tête de Delco, qu'elle cacha avec les clés.

Quand elle rentra enfin dans la maison, Vianne était dans la cuisine en train de faire revenir des pommes de terre dans une sauteuse en fonte.

— J'espère que tu n'as pas faim.

— Non, je n'ai pas faim, dit-elle en passant à côté de Vianne, croisant à peine son regard. Oh, et j'ai caché les clés et la tête de Delco dans le premier box, derrière une planche cassée.

Dans le salon, elle alluma la radio et en approcha un fauteuil, espérant entendre des actualités de la BBC.

Il y eut des grésillements, puis une voix inconnue dit : « Vous êtes sur la BBC. Ici le général de Gaulle. »

— Vianne ! cria Isabelle vers la cuisine. C'est qui, le général de Gaulle ?

Vianne la rejoignit dans le salon en se séchant les mains sur son tablier.

— Qu'est-ce qui…

— Chut, la coupa Isabelle.

« Les chefs qui, depuis de nombreuses années, sont à la tête des armées françaises, ont formé un gouvernement. Ce gouvernement, alléguant la défaite de nos armées, s'est mis en rapport avec l'ennemi pour cesser le combat. »

Isabelle fixait du regard le petit poste de radio en bois, captivée. Cet homme dont elles n'avaient jamais entendu parler s'adressait directement aux Français, non pas sur un ton péremptoire comme l'avait fait Pétain, mais avec passion.

— Alléguant la défaite. Je le *savais* !

« … Certes, nous avons été, nous sommes, submergés par la force mécanique, terrestre et aérienne, de l'ennemi. Infiniment plus que leur nombre, ce sont les chars, les avions, la tactique des Allemands qui nous font reculer. Ce sont les chars, les avions, la tactique des Allemands qui ont surpris nos chefs au point de les amener là où ils en sont aujourd'hui. Mais le dernier mot est-il dit ? L'espérance doit-elle disparaître ? La défaite est-elle définitive ? »

— Mon Dieu, dit Isabelle.

C'était ce qu'elle avait attendu d'entendre. Il y avait *bel et bien* quelque chose à faire, un combat dans lequel s'engager. La capitulation n'était pas définitive.

« … Quoi qu'il arrive, la flamme de la résistance française ne doit pas s'éteindre et ne s'éteindra pas. »

Isabelle se rendit à peine compte qu'elle pleurait. Les Français n'avaient pas baissé les bras. Tout ce qu'il lui restait à faire maintenant, c'était de trouver comment répondre à cet appel.

*

Deux jours après l'invasion de Carriveau par les nazis, ceux-ci convoquèrent une assemblée en fin d'après-midi. Tout le monde devait y assister. Sans exception. Malgré cela, Vianne avait dû batailler avec Isabelle pour la faire venir. Comme d'habitude, Isabelle considérait que le droit commun ne la concernait pas et voulait montrer son mécontentement en refusant d'obéir. Comme si les nazis se préoccupaient de ce qu'une fille impétueuse de dix-huit ans pensait du fait qu'ils occupaient son pays.

— Attendez là, dit Vianne avec impatience quand elle eut enfin réussi à sortir Isabelle et Sophie de la maison.

Elle ferma délicatement le portail, qui émit un déclic. Quelques instants plus tard, Rachel apparut sur la route avec le bébé dans les bras et Sarah à son côté.

— Voici ma meilleure amie, Sarah, dit Sophie en levant les yeux vers Isabelle.

— Isabelle, fit Rachel avec un sourire. Ça me fait plaisir de te revoir.

— Vraiment ? dit Isabelle.

Rachel s'approcha d'elle.

— C'était il y a longtemps, dit Rachel d'une voix douce. On était jeunes, bêtes et égoïstes. Je suis désolée qu'on se soit mal comportées avec toi. Qu'on t'ait ignorée. Ça a dû te faire beaucoup de peine.

La bouche d'Isabelle s'ouvrit, se referma. Pour une fois, elle n'avait rien à dire.

— Allons-y, dit Vianne, agacée que Rachel ait dit à Isabelle ce qu'elle-même n'avait jamais réussi à dire. Il ne faut pas être en retard.

Même à cette heure avancée de la journée, il faisait encore anormalement chaud et, en un rien de temps, Vianne sentit qu'elle commençait à transpirer. Une fois en ville, elles se mêlèrent à la foule mécontente qui remplissait l'étroite rue pavée d'une devanture à l'autre. Les magasins étaient fermés ainsi que les volets aux fenêtres, la chaleur serait insupportable quand les gens rentreraient chez eux. La plupart des vitrines étaient vides, ce qui n'était guère surprenant. Les Allemands mangeaient tellement ; ils laissaient même de la nourriture dans leurs assiettes au café. C'était méprisant et cruel, alors que tant de mères commençaient à compter les bocaux dans leurs caves afin d'en distribuer chaque précieuse bouchée à leurs enfants. La propagande nazie était partout, sur les devantures et les murs des boutiques ; des affiches montraient des soldats allemands tout sourire entourés d'enfants français avec des slogans visant à encourager les Français à accepter leurs conquérants et à devenir de bons citoyens du Reich.

À l'approche de l'hôtel de ville, les ronchonnements de la foule cessèrent. En situation, cela semblait encore pire de devoir suivre ces instructions et pénétrer aveuglément en un lieu aux portes gardées et aux fenêtres cadenassées.

— On ne devrait pas entrer, dit Isabelle.

Rachel, qui se trouvait entre les deux sœurs qu'elle dominait d'une tête, poussa un murmure désapprobateur. Elle recala le bébé dans ses bras et lui tapota le dos suivant un rythme apaisant.

— On nous a convoqués.

— Raison de plus pour se cacher, répliqua Isabelle.

— Sophie et moi, on y va, dit Vianne, bien qu'elle dût reconnaître qu'elle était pleine d'appréhension.

— J'ai un mauvais pressentiment, dit Isabelle entre ses dents.

Tel un immense mille-pattes, la foule avançait dans le grand hall. Des tapisseries avaient décoré ces murs, trésors hérités du temps des rois où la vallée de la Loire avait été le terrain de chasse royal, mais tout avait désormais disparu. À la place, les murs étaient recouverts de croix gammées, d'affiches de propagande – *Faites confiance au Reich !* – et d'un immense portrait peint d'Hitler.

Sous celui-ci se tenait un homme vêtu d'une veste d'officier noire décorée de médailles et de croix de fer, d'un pantalon bouffant et de bottes lustrées. Un brassard orné d'une croix gammée rouge entourait son biceps droit.

Quand le hall fut bondé, les soldats fermèrent les portes en chêne, qui grincèrent en signe de protestation. L'officier qui se trouvait au bout du hall se tourna vers les habitants, tendit le bras droit en l'air d'un geste vif et cria :

— *Heil Hitler !*

Les gens murmurèrent entre eux dans la foule. Que devaient-ils faire ? « *Heil Hitler* », répétèrent quelques-uns avec réticence. La pièce commençait à sentir la sueur, le cirage et la fumée de cigarette.

— Je suis le Sturmbannführer Weldt de la Geheime Staatspolizei. La Gestapo, traduisit l'homme à l'uniforme noir dans un français teinté d'un fort accent. Je suis là pour appliquer les termes de l'armistice au nom de la patrie et du Führer. Cela causera peu de désagréments à ceux qui obéiront aux règles, indiqua-t-il, puis il s'éclaircit la voix. Les règles : tous les postes de radio doivent nous être immédiatement remis à l'hôtel de ville, de même que toutes les armes, explosifs et munitions. Tous les véhicules en état de marche seront confisqués. Toutes les fenêtres doivent être équipées de dispositifs occultants, que vous devrez utiliser. Un couvre-feu à 21 heures entre en vigueur immédiatement. Aucune lumière ne doit être allumée après la tombée de la nuit. Nous aurons le contrôle sur toute la nourriture, qu'elle soit de votre production ou importée.

Il marqua une pause et jeta un regard circulaire sur la foule qui se trouvait devant lui.

— Pas si terrible, vous voyez ? Nous allons vivre ensemble en harmonie, n'est-ce pas ? Mais sachez ceci.

Tout acte de sabotage, d'espionnage ou de résistance sera jugé rapidement et sans pitié. Ce type d'agissements est puni par la peine de mort.

Il tira un paquet de cigarettes de sa poche de poitrine et en sortit une. Il l'alluma et scruta la foule avec une telle intensité qu'il avait l'air de mémoriser chaque visage.

— Par ailleurs, bien qu'un grand nombre de vos lâches soldats déguenillés soient sur le chemin du retour, nous devons vous informer que les hommes que nous avons faits prisonniers resteront en Allemagne.

Vianne sentit une vague de confusion dans l'auditoire. Elle regarda Rachel, dont le visage carré était marbré par endroits – un signe d'anxiété.

— Marc et Antoine vont rentrer, affirma obstinément Rachel.

Le Sturmbannführer continua :

— Vous pouvez partir, maintenant que je suis sûr que nous nous comprenons. Des officiers seront présents ici jusqu'à 20 h 45 ce soir. Ils recueilleront vos objets illicites. Ne soyez pas en retard. Et..., fit-il avec un sourire bon enfant, ne risquez pas vos vies pour garder une radio. Tout ce que vous garderez, ou cacherez, nous le trouverons, et si nous le trouvons... C'est la mort.

Il dit cela avec une telle désinvolture et avec un sourire si radieux que sa remarque ne fit pas son effet tout de suite.

Les gens restèrent là un moment, ne sachant pas s'il était prudent de bouger. Personne ne voulait être vu en train de faire le premier pas, et puis soudain la foule se mit en mouvement, telle une meute, en direction des portes ouvertes qui menaient dehors.

— Les salauds ! fit Isabelle alors qu'elles s'engageaient dans une ruelle.

— Et j'étais tellement persuadée qu'ils nous laisseraient garder nos armes, dit Rachel, qui alluma une cigarette, prit une grosse bouffée et recracha vite la fumée.

— Je vais garder notre fusil, je peux te le dire, déclara Isabelle d'une voix forte. Et notre radio.

— Chut ! fit Vianne.

— Le général de Gaulle pense…

— Je ne veux pas entendre ces bêtises. On doit faire profil bas jusqu'au retour de nos hommes, dit Vianne.

— Mon Dieu, répliqua Isabelle d'un ton sec. Tu crois que ton mari peut régler ça ?

— Non, répondit Vianne. Je crois que *vous* allez régler ça, toi et ton général de Gaulle, dont personne n'a jamais entendu parler. Allez, viens. Pendant que tu élabores un plan pour sauver la France, moi je dois m'occuper de mon potager. Viens, Rachel, partons, nous les nullardes.

Vianne serra la main de Sophie dans la sienne et partit à grandes enjambées. Elle ne se donna pas la peine de se retourner pour voir si Isabelle suivait. Elle savait que sa sœur était derrière en train de clopiner sur ses pieds meurtris. En temps normal, Vianne serait allée à la même allure que sa sœur, par politesse, mais à cet instant, elle était trop furieuse pour se soucier d'elle.

— Ta sœur n'a peut-être pas si tort, fit remarquer Rachel alors qu'elles passaient devant l'église romane à la sortie de la ville.

— Si tu prends son parti à ce sujet, je serai peut-être forcée de te faire du mal, Rachel.

— N'empêche que ta sœur n'a peut-être pas tout à fait tort.

Vianne soupira.

— Ne lui dis pas ça. Elle est déjà insupportable.

— Elle va devoir apprendre à se tenir.

— Tu lui apprendras, toi. Elle s'est montrée singulièrement hostile à l'idée de s'améliorer ou d'entendre raison. Elle a fréquenté deux écoles de savoir-vivre et elle ne sait toujours pas tenir sa langue ni échanger des politesses. Il y a deux jours, au lieu d'aller en ville chercher de la viande, elle a caché nos objets de valeur et créé une cachette pour nous. Juste au cas où.

— Je devrais sans doute cacher les miens aussi. Même si je suis loin d'en avoir beaucoup.

Vianne pinça ses lèvres. Ça ne servait rien de continuer cette discussion. Bientôt, Antoine rentrerait et il l'aiderait à faire obéir Isabelle.

Au portail du Jardin, Vianne dit au revoir à Rachel et ses enfants, qui poursuivirent leur route.

— Pourquoi est-ce qu'on doit leur donner notre radio, maman ? demanda Sophie. C'est celle de papa.

— On ne va pas la leur donner, déclara Isabelle en arrivant à côté d'elles. On va la cacher.

— Non, on ne va pas la cacher, répliqua sévèrement Vianne. On va obéir aux ordres et se tenir tranquilles, et bientôt Antoine sera rentré et il saura quoi faire.

— Bienvenue au Moyen Âge, Sophie, dit Isabelle.

Vianne ouvrit le portail d'un coup sec, se rappelant une seconde trop tard que les réfugiés l'avaient cassé. Le pauvre portail craqua sur son unique gond restant. Vianne dut déployer toute sa force d'âme pour faire comme si de rien n'était. Elle marcha d'un pas énergique jusqu'à la maison, ouvrit la porte et alluma immédiatement la lumière de la cuisine.

— Sophie, dit-elle en enlevant les épingles de son chapeau. Tu veux bien mettre la table, s'il te plaît ?

Vianne ne prêta pas attention aux ronchonnements de sa fille – c'était prévisible. En seulement quelques jours, Isabelle avait appris à sa nièce à braver son autorité.

Vianne alluma le poêle et prépara le dîner. Quand une soupe crémeuse de pommes de terre et lardons fut sur le feu, elle commença à tout nettoyer. Évidemment, Isabelle n'était pas là pour l'aider. Avec un soupir, Vianne remplit l'évier pour faire la vaisselle. Elle était si absorbée par sa tâche qu'il lui fallut un moment pour se rendre compte que quelqu'un frappait à la porte d'entrée. Elle se tapota les cheveux et entra dans le salon où elle trouva Isabelle qui se levait du divan, un livre entre les mains. Elle lisait pendant que Vianne cuisinait et faisait le ménage. Naturellement.

— Tu attends quelqu'un ? demanda Isabelle.

Vianne fit non de la tête.

— Peut-être qu'on ne devrait pas ouvrir, dit Isabelle. Faire comme si on n'était pas là.

— Il y a de grandes chances que ce soit Rachel.

On frappa à nouveau.

Lentement, la poignée tourna et la porte s'ouvrit en grinçant.

Oui. Bien sûr que c'était Rachel. Qui d'autre aurait pu...

Un soldat allemand pénétra dans sa maison.

— Oh, mes excuses, dit l'homme dans un français effroyable.

Il ôta sa casquette militaire, la coinça sous son bras et sourit. C'était un bel homme – grand et large d'épaules, les hanches étroites, la peau blanche et les yeux gris clair. Vianne lui donna à peu près le même âge qu'elle. Son uniforme d'officier était bien repassé et paraissait tout neuf. Une croix de fer décorait son col droit. Des jumelles pendaient à une lanière autour de son cou, et un gros ceinturon en cuir lui enserrait la taille. Derrière lui, à travers les branchages du verger, elle vit sa moto garée sur le bord de la route. Un side-car y était fixé, équipé de mitrailleuses.

— Mademoiselle, dit-il à Vianne en la saluant d'un rapide hochement de tête et en faisant claquer ses talons l'un contre l'autre.

— Madame, le corrigea-t-elle d'un ton qu'elle espérait hautain et impassible, mais elle entendit elle-même la peur dans sa voix. Madame Mauriac.

— Je suis *der Hauptmann*, le capitaine, Wolfgang Beck, indiqua-t-il en lui tendant un morceau de papier. Mon français n'est pas très bon. Je vous prie d'excuser mon incompétence.

Lorsqu'il sourit, de profondes fossettes se creusèrent sur ses joues.

Elle prit le papier et le regarda en fronçant les sourcils.

— Je ne sais pas lire l'allemand.

— Que voulez-vous ? demanda Isabelle avec autorité en venant se poster à côté de Vianne.

— Votre maison est vraiment très belle et tout près de l'aérodrome. Je l'ai remarquée à notre arrivée. Combien de chambres avez-vous ?

— Pourquoi ? questionna Isabelle en même temps que Vianne répondait « Trois ».

— Je vais cantonner ici, dit le capitaine dans son mauvais français.

— Cantonner ? fit Vianne. Vous voulez dire… loger ?

— Oui, madame.

— Cantonner ? Vous ? Un homme ? Un *nazi* ? Non. Non, dit Isabelle en secouant la tête. *Non.*

Le sourire du capitaine ne faiblit pas.

— Vous étiez en ville, dit-il en regardant Isabelle. Je vous ai vue quand nous sommes arrivés.

— Vous m'avez remarquée ?

Il sourit à nouveau.

— Je suis sûr que tous les hommes au sang chaud de mon régiment vous ont remarquée.

— C'est drôle que vous parliez de sang, dit Isabelle.

Vianne donna un coup de coude à sa sœur.

— Je suis désolée, capitaine. Ma sœur cadette est parfois têtue. Mais je suis mariée, voyez-vous, mon mari est au front, et ma sœur et ma fille vivent ici, vous devez donc comprendre comme ce serait déplacé de vous loger ici.

— Ah, alors vous préférez me laisser la maison. Ce doit être extrêmement dur pour vous.

— Vous laisser la maison ? dit Vianne.

— Je crois que tu n'as pas bien compris le capitaine, dit Isabelle sans quitter celui-ci des yeux. Il s'installe dans notre maison, il se l'approprie, en fait, et ce morceau de papier est un ordre de réquisition qui permet cela. Ainsi que l'armistice de Pétain, bien sûr. Soit nous lui faisons une place, soit nous abandonnons une maison qui est dans notre famille depuis des générations.

Le capitaine eut l'air mal à l'aise.

— C'est malheureusement la situation. Beaucoup d'autres villages font face au même dilemme, hélas.

— Si nous partons, est-ce qu'on récupérera notre maison ? demanda Isabelle.

— Je ne pense pas, madame.

Vianne osa un pas vers lui. Elle pouvait peut-être lui faire entendre raison.

— Mon mari va rentrer d'un jour à l'autre, je crois. Vous pouvez peut-être attendre son retour ?

— Je ne suis pas le général, hélas. Je ne suis qu'un simple capitaine de la Wehrmacht. J'obéis aux ordres, madame, je ne les donne pas. Et on m'a ordonné de cantonner ici. Mais je vous assure que je suis un gentleman.

— On va partir, dit Isabelle.

— Partir ? dit Vianne à sa sœur, incrédule. C'est chez moi, ici. Puis-je compter sur vous pour être un gentleman ? demanda-t-elle au capitaine.

— Bien sûr.

Vianne regarda Isabelle, qui secoua lentement la tête.

Vianne savait qu'elle n'avait pas vraiment le choix. Elle devait protéger Sophie jusqu'au retour d'Antoine, qui réglerait alors ce désagrément. Il allait forcément rentrer bientôt, maintenant que l'armistice avait été signé.

— Il y a une petite chambre en bas. Vous y serez bien.

Le capitaine hocha la tête.

— Merci, madame. Je vais chercher mes affaires.

*

Dès que la porte se ferma derrière le capitaine, Isabelle dit :

— Tu es folle ? On ne peut pas vivre avec un nazi !

— Il a dit qu'il était de la Wehrmacht. Est-ce que c'est la même chose ?

— Leur hiérarchie m'intéresse peu. Tu n'as pas vu ce qu'ils sont prêts à nous faire, Vianne. Moi, oui. On va partir. On ira chez Rachel. On pourra vivre avec elle.

— C'est trop petit pour nous tous chez Rachel, et je ne vais pas abandonner ma maison aux Allemands.

Isabelle n'avait rien à répondre à cela.

Vianne sentit que sa gorge la grattait sous l'effet de l'angoisse. Un vieux réflexe nerveux revenait.

— Pars si tu le dois, mais moi j'attends Antoine. On a capitulé, il va rentrer bientôt.

— Vianne, s'il te plaît…

Quelqu'un donna un grand coup à la porte. Puis frappa à nouveau.

Vianne s'en approcha d'un air morne. D'une main tremblante, elle tourna la poignée et ouvrit la porte.

Le capitaine Beck se tenait là avec sa casquette dans une main et une petite valise en cuir dans l'autre. Il dit « Rebonjour, madame », comme s'il était parti un long moment.

Vianne se gratta le cou, prise d'un sentiment d'extrême vulnérabilité sous le regard de cet homme. Elle recula rapidement et dit :

— Par ici, Herr Capitaine.

Quand elle se retourna, elle vit le salon qui avait été décoré par trois générations des femmes de sa famille. Les murs en stuc doré, couleur de brioche à peine sortie du four, les sols en pierre grise recouverts de tapis anciens d'Aubusson, le mobilier en bois finement sculpté et garni de mohair et de tapisserie, les lampes en porcelaine, les rideaux de toile or et rouge, les antiquité et les trésors datant de l'époque où les Rossignol avaient été de riches commerçants. Jusque récemment, des œuvres d'art avaient orné les murs. Il ne restait désormais que les pièces de moindre valeur. Isabelle avait caché les plus belles.

Passant au milieu de tout cela, Vianne se dirigea vers la petite chambre d'amis nichée sous l'escalier. Devant la porte fermée, à gauche de la salle de bains qui avait été ajoutée au début des années 1920, elle marqua un temps d'arrêt. Elle entendit la respiration du capitaine derrière elle.

Elle ouvrit la porte et dévoila une pièce étroite avec une grande fenêtre encadrée de rideaux bleu-gris qui tombaient sur le plancher. Une cruche et une aiguière étaient posées sur une commode peinte. Dans le coin se dressait une vieille armoire en chêne aux portes garnies de miroirs. À côté du lit à deux places se trouvait une table de chevet ; sur celle-ci, une pendule ancienne en similor. Les vêtements d'Isabelle gisaient de toutes parts, comme si elle préparait ses bagages pour des vacances prolongées. Vianne les ramassa en vitesse, ainsi que la valise. Quand elle eut fini, elle se retourna.

Le capitaine laissa tomber lourdement sa valise. Vianne le regarda et se sentit obligée, par simple politesse, de lui offrir un sourire crispé.

— Vous ne devez pas vous inquiéter, madame, dit-il. On nous a ordonné de nous conduire en gentlemen. Ma mère exigerait la même chose, et, à vrai dire, elle me fait plus peur que mon général.

C'était une remarque si banale que Vianne fut décontenancée.

Elle ne savait pas du tout comment répondre à cet inconnu qui portait les vêtements de l'ennemi tout en ayant l'apparence d'un jeune homme qu'elle aurait pu rencontrer à l'église. Et quel serait le prix à payer si elle disait ce qu'il ne fallait pas ?

Il resta là où il était, à distance respectable d'elle.

— Je m'excuse pour le dérangement que je peux vous causer, madame.

— Mon mari va bientôt rentrer.

— Nous espérons tous rentrer bientôt.

Un autre commentaire troublant. Vianne hocha poliment la tête et le laissa seul dans la chambre, fermant la porte derrière elle.

— Dis-moi qu'il ne va pas rester, dit Isabelle en se précipitant sur elle.

— Il dit que si, répondit Vianne d'une voix lasse en dégageant ses cheveux vers l'arrière.

Elle se rendit compte, à cet instant seulement, qu'elle tremblait.

— Je sais ce que tu ressens vis-à-vis de ces nazis. Fais juste en sorte qu'il ne le sache pas. Je ne vais pas te laisser mettre Sophie en danger à cause de ton esprit rebelle puéril.

— Mon esprit rebelle puéril ! Est-ce que tu…

La porte de la chambre d'amis s'ouvrit, ce qui fit taire Isabelle.

Le capitaine Beck se dirigea vers elles d'un pas assuré, un grand sourire aux lèvres. Puis il vit la radio dans la pièce et s'arrêta.

— Ne vous en faites pas, mesdames. Ce sera un plaisir pour moi de remettre votre radio au Kommandant.

— Vraiment ? fit Isabelle. Vous considérez que c'est une gentillesse ?

Vianne sentit sa poitrine se serrer. Isabelle était en ébullition. Ses joues étaient devenues pâles, ses lèvres pincées ne formaient plus qu'un fin trait sans couleur, et ses yeux plissés foudroyaient l'Allemand comme si elle allait le tuer d'un regard.

— Bien sûr, dit-il en souriant, l'air un peu déconcerté.

Le silence soudain parut le perturber. Tout à coup, il déclara :

— Vous avez de beaux cheveux, mademoiselle.

Voyant Isabelle froncer les sourcils, il ajouta :

— C'est un compliment convenable, n'est-ce pas ?

— Vous trouvez ? dit Isabelle à voix basse.

— Vraiment magnifiques, précisa Beck en souriant.

Isabelle partit dans la cuisine et en revint avec une paire de grands ciseaux.

Le sourire de Beck s'évanouit.

— Me suis-je mal fait comprendre ? demanda-t-il.

Vianne dit « Isabelle, non » juste au moment où sa sœur rassemblait ses épais cheveux blonds et les empoignait. Puis elle fixa d'un air sévère le beau visage du capitaine Beck, coupa ses cheveux et lui tendit la longue queue blonde.

— Ce doit être *verboten* pour nous d'avoir de belles choses, n'est-ce pas, capitaine Beck ?

Vianne eut le souffle coupé.

— S'il vous plaît, monsieur. Ne faites pas attention à elle. Isabelle est une fille stupide et arrogante.

— Non, dit Beck. Elle est en colère. Or les gens en colère font des erreurs à la guerre et meurent.

— De même que les soldats conquérants, répliqua Isabelle.

Beck rigola.

Isabelle émit un bruit proche du rugissement et pivota sur ses talons. Puis elle gravit l'escalier d'un pas énergique et claqua la porte si fort que la maison trembla.

*

— Il faut lui parler maintenant, croyez-moi, dit Beck en regardant Vianne comme s'ils se comprenaient. Un tel... numéro au mauvais endroit pourrait être extrêmement dangereux.

Vianne le laissa debout dans son salon et monta à l'étage. Elle trouva Isabelle assise sur le lit de Sophie, si furieuse qu'elle tremblait. Ses joues et sa gorge portaient encore des écorchures ; un souvenir de ce qu'elle avait vu et dont elle avait réchappé. Et désormais ses cheveux étaient grossièrement coupés, les pointes inégales.

Vianne jeta les affaires d'Isabelle sur le lit défait et ferma la porte derrière elle.

— Qu'est-ce qui t'est passé par la tête, bon sang ?

— Je pourrais le tuer dans son sommeil, lui trancher simplement la gorge.

— Et tu crois qu'ils ne viendraient pas chercher un capitaine qui a reçu l'ordre de cantonner ici ? Mon Dieu, Isabelle, fit Vianne avant de prendre une profonde inspiration pour calmer ses nerfs à vif. Je sais qu'il y a des problèmes entre nous, Isabelle. Je sais que je me suis mal conduite envers toi enfant – j'étais trop jeune et j'avais trop peur pour t'aider –, et papa encore plus mal. Mais maintenant il ne s'agit pas de nous, et tu ne peux plus faire la fille impulsive. Il s'agit à présent de ma fille. Ta nièce. On doit la protéger.

— Mais…

— La France a capitulé, Isabelle. Ce fait ne t'a tout de même pas échappé.

— Tu n'as pas entendu le général de Gaulle ? Il a dit…

— Et qui est ce général de Gaulle ? Pourquoi devrait-on l'écouter ? Le maréchal Pétain est un héros de guerre et notre dirigeant. Nous devons faire confiance à notre gouvernement.

— Tu plaisantes, Vianne ? Le gouvernement de Vichy collabore avec Hitler. Comment peux-tu ne pas comprendre ce danger ? Pétain a tort. Est-ce qu'on doit suivre son dirigeant aveuglément ?

Vianne s'approcha lentement d'Isabelle, qui lui faisait désormais un peu peur.

— Tu ne te souviens pas de la dernière guerre, dit-elle en joignant ses mains pour les immobiliser. Moi oui. Je me souviens des pères, des frères et des oncles qui ne sont jamais rentrés. Je me souviens d'avoir entendu certains de mes camarades de classe pleurer sans bruit quand une mauvaise nouvelle arrivait par télégramme. Je me souviens des hommes qui sont revenus avec des béquilles, une jambe de leur pantalon vide et battant au vent, ou un bras en moins, ou le visage ravagé. Je me souviens de papa avant la guerre – et de ce qu'il était devenu quand il est rentré, comme il buvait, comme il claquait les portes et nous criait dessus, puis quand il a arrêté. Je me souviens des histoires sur Verdun et la Somme, des millions d'hommes mourant dans des tranchées inondées de sang. Et les atrocités des Allemands, n'oublie pas cette partie. Ils étaient *cruels*, Isabelle.

— C'est bien ça le problème. On doit…

— Ils étaient cruels, parce qu'on était en guerre contre eux, Isabelle. Pétain nous a évité de revivre ça. Il nous a protégés. Il a mis fin à la guerre. À présent, Antoine et tous nos hommes vont rentrer.

— Dans un monde où on doit dire *Heil Hitler* ? répliqua Isabelle d'un air méprisant. « La flamme de la résistance française ne doit pas s'éteindre et ne s'éteindra pas. » C'est ce que de Gaulle a dit. Nous devons nous battre par tous les moyens possibles. Pour la France, V. Pour que la France reste la France.

— Ça suffit, dit Vianne.

Elle s'approcha suffisamment pour pouvoir murmurer à l'oreille d'Isabelle ou l'embrasser, mais elle n'en fit rien. D'une voix ferme et posée, elle ajouta :

— Tu prendras la chambre de Sophie à l'étage et elle s'installera avec moi. Et souviens-toi bien, Isabelle, il pourrait nous tuer. *Nous tuer*, et tout le monde s'en moquerait. Tu ne provoqueras pas ce soldat dans ma maison.

Elle vit qu'elle avait fait mouche. Isabelle se raidit.

— Je vais essayer de tenir ma langue.

— Ne te contente pas d'essayer.

Vianne ferma la porte de la chambre et s'appuya contre celle-ci en essayant de se calmer. Elle entendait Isabelle arpenter la pièce derrière elle, se déplacer dans une colère qui faisait vibrer le plancher. Combien de temps Vianne resta-t-elle seule ainsi, tremblante, à tenter de maîtriser ses nerfs ? Elle eut l'impression que des heures s'écoulèrent pendant lesquelles elle luttait contre sa peur.

En temps normal, elle aurait trouvé la force de parler de façon rationnelle avec sa sœur, de dire certaines des choses qui n'avaient pas été évoquées depuis longtemps. Vianne aurait dit à Isabelle à quel point elle était désolée de la manière dont elle l'avait traitée petite. Elle aurait peut-être réussi à se faire comprendre d'Isabelle.

Vianne avait été si désemparée après la mort de Maman. Quand Papa les avait envoyées vivre dans cette petite ville, sous le regard froid et austère d'une femme qui n'avait montré aucun amour aux filles, Vianne avait… craqué.

À un autre moment, elle aurait peut-être pu faire part à Isabelle de ce qu'elles avaient en commun, lui dire combien la mort de Maman l'avait anéantie, combien le rejet de Papa lui avait brisé le cœur. Ou lui raconter la façon dont il l'avait traitée à seize ans, quand elle était venue le voir, enceinte et amoureuse… et qu'il l'avait giflée en lui disant : « Tu me fais honte ! » Et qu'Antoine avait violemment repoussé Papa et dit : « Je vais l'épouser. »

Et la réponse de Papa : « Très bien, elle est tout à toi. Je vous laisse la maison. Mais tu prends aussi sa brailleuse de sœur. »

Vianne ferma les yeux. Elle avait horreur de repenser à tout cela ; pendant des années, elle avait presque oublié. Mais comment pouvait-elle écarter ça maintenant ? Elle avait fait à Isabelle exactement ce que leur père leur avait fait. C'était le plus grand regret de Vianne.

Mais ce n'était pas le moment de réparer ce tort.

Dans l'immédiat, elle devait faire tout ce qui était en son pouvoir pour protéger Sophie jusqu'au retour d'Antoine. Il fallait simplement qu'elle fasse comprendre ça à Isabelle.

Elle poussa un soupir et descendit pour jeter à un œil au dîner.

Dans la cuisine, elle trouva sa soupe de pommes de terre qui bouillonnait un petit peu trop fort, aussi enleva-t-elle le couvercle et baissa-t-elle le feu.

— Madame ? Êtes-vous optimiste ?

Elle tressaillit en entendant sa voix. Quand était-il entré ? Elle prit une grande inspiration et remit ses cheveux en place. Ce n'était pas le mot qu'il cherchait. Son français était vraiment atroce.

— Ça sent délicieusement bon, dit-il en arrivant derrière elle.

Elle posa la cuiller en bois sur le support à côté du poêle.

— Puis-je voir ce que vous préparez ?

— Bien sûr, dit-elle, tous deux faisant comme si les souhaits de Vianne importaient. C'est une simple soupe de pommes de terre.

— Ma femme n'est, hélas, pas une grande cuisinière.

Il était désormais juste à côté d'elle, à la place d'Antoine, un homme qui avait faim et venait jeter un œil au dîner qui se préparait.

— Vous êtes marié, dit-elle, rassurée, bien qu'elle ne puisse dire pourquoi.

— Et un bébé doit naître bientôt. Nous comptons l'appeler Wilhelm, même si je ne serai pas là pour sa naissance, et bien sûr, ce genre de décision revient inévitablement à sa mère.

C'était une remarque tellement… humaine. Elle se surprit à se tourner légèrement vers lui pour le regarder. Il faisait sa taille, presque exactement, ce qui la troubla ; elle se sentait vulnérable lorsqu'elle le regardait droit dans les yeux.

— Si Dieu le veut, nous serons bientôt tous chez nous, dit-il.

Il veut lui aussi que tout cela se termine, pensa-t-elle avec soulagement.

— C'est l'heure du dîner, Herr Capitaine. Voulez-vous vous joindre à nous ?

— Ce serait un honneur, madame. Mais vous serez heureuse d'apprendre que la plupart des soirs, je travaillerai tard et je partagerai donc mon dîner avec les officiers. Je vais aussi souvent partir pour des campagnes. Parfois, vous remarquerez à peine ma présence.

Vianne le laissa dans la cuisine et apporta le couvert dans la salle à manger, où elle faillit percuter Isabelle.

— Tu ne devrais pas être seule avec lui, souffla Isabelle.

Le capitaine arriva dans la pièce.

— Vous ne pouvez pas penser que j'accepterais votre hospitalité pour ensuite vous faire du mal ? Prenez ce soir, par exemple. Je vous ai apporté du vin. Un merveilleux sancerre.

— Vous nous avez apporté du vin, répéta Isabelle.

— Comme le ferait tout invité respectable, répondit-il.

Vianne se dit *oh, non*, mais elle ne pouvait rien faire pour empêcher Isabelle de parler.

— Vous savez ce qui s'est passé à Tours, Herr Capitaine ? demanda Isabelle. Comment vos Stukas ont tiré sur des femmes et des enfants innocents en fuite pour échapper à la mort et largué des bombes sur nous ?

— Nous ? dit-il d'un air pensif.

— J'y étais. Vous voyez les marques sur mon visage.

— Ah, dit-il. Ça a dû être fort déplaisant.

Isabelle se figea. Le vert de ses yeux parut flamboyer en contraste avec les marques rouges et les bleus sur son visage pâle.

— Déplaisant, reprit-elle.

— Pense à Sophie, lui rappela Vianne d'une voix égale.

Isabelle serra les dents puis afficha un sourire forcé.

— Venez, capitaine Beck, laissez-moi vous montrer où vous asseoir.

Pour la première fois depuis au moins une heure, Vianne put prendre une vraie respiration. Puis, lentement, elle se dirigea vers la cuisine pour aller chercher le dîner.

*

Vianne servit les assiettes en silence. L'atmosphère à la table était aussi lourde que de la suie de charbon se déposant sur chacun d'eux. Dehors, le soleil commençait à se coucher ; une lumière rose filtrait à travers les fenêtres.

— Voulez-vous du vin, mademoiselle ? demanda Beck à Isabelle en se servant un grand verre de sancerre.

— Si les familles françaises ordinaires ne peuvent se permettre d'en boire, Herr Capitaine, comment pourrais-je l'apprécier ?

— Une petite gorgée ne serait peut-être pas…

Isabelle termina sa soupe et se leva.

— Excusez-moi. J'ai mal au ventre.

— Moi aussi, dit Sophie.

Elle se leva à son tour et quitta la pièce à la suite de sa tante, tête baissée, tel un chiot derrière le chien de tête.

Vianne resta immobile, sa cuiller à soupe en suspens au-dessus de son assiette creuse. Elles la laissaient seule avec lui.

Son souffle était saccadé. Elle posa sa cuiller avec précaution et se tamponna la bouche avec sa serviette.

— Pardonnez ma sœur, Herr Capitaine. Elle est impétueuse et entêtée.

— Ma fille aînée est pareille. Nous n'attendons rien d'autre que des ennuis quand elle sera un peu plus grande.

Cela surprit tellement Vianne qu'elle se tourna vers lui.

— Vous avez une fille ?

— Gisela, dit-il avec un sourire aux lèvres. Elle a six ans, et sa mère n'arrive déjà pas à compter sur elle pour faire les choses les plus simples – se brosser les dents, par exemple. Notre Gisela préférerait construire un fort que lire un livre, expliqua-t-il en soupirant mais toujours souriant.

Vianne était troublée de savoir cela à propos de lui. Elle chercha quelque chose à répondre, mais elle était trop sur les nerfs. Elle ramassa sa cuiller et se remit à manger.

Le repas parut durer une éternité, dans un silence qui l'anéantissait. Dès qu'il termina et dit « Un repas merveilleux. Je vous remercie », elle se leva et commença à débarrasser la table.

Heureusement, il ne la suivit pas dans la cuisine. Il resta dans la salle à manger, seul à table, à boire le vin qu'il avait apporté et qui, elle le savait, devait avoir des parfums d'automne – poires et pommes.

Lorsqu'elle eut terminé de nettoyer la vaisselle, de l'essuyer et de la ranger, la nuit était tombée. Elle sortit dans le jardin illuminé par les étoiles pour un moment de paix. Sur le mur en pierre, une ombre bougea ; c'était peut-être un chat.

Derrière elle, elle entendit des pas puis le craquement d'une allumette et elle sentit une odeur de souffre.

Elle recula en silence, avec l'envie de se fondre dans l'obscurité. Si elle arrivait à se déplacer assez discrètement, elle pourrait peut-être rentrer par la petite porte latérale sans qu'il s'aperçoive de sa présence. Elle marcha sur une brindille, l'entendit craquer sous son talon et resta figée.

Il sortit du verger.

— Madame, dit-il. Alors vous aussi, vous aimez profiter de la lumière des étoiles. Je suis désolé de vous déranger.

Elle avait peur de bouger.

Il se rapprocha, vint à côté d'elle comme si c'était sa place et regarda au loin derrière le verger.

— On ne penserait jamais que nous sommes au milieu d'une guerre, dit-il.

Sa voix parut triste à Vianne, ce qui lui rappela qu'ils étaient quelque part dans une situation semblable, tous deux loin de ceux qu'ils aimaient.

— Votre… supérieur… il a dit que tous les prisonniers de guerre vont rester en Allemagne. Qu'est-ce que ça veut dire ? Et nos soldats, alors ? Vous ne les avez quand même pas *tous* capturés.

— Je n'en sais rien, madame. Certains vont rentrer. Beaucoup d'autres, non.

— Eh bien. N'est-ce pas un charmant petit moment partagé entre nouveaux amis, dit Isabelle.

Vianne sursauta, horrifiée à l'idée de se faire surprendre là avec un Allemand, l'ennemi, un homme.

Isabelle se tenait sous le clair de lune, vêtue d'un ensemble caramel ; elle avait sa valise dans une main et le plus beau Deauville de Vianne dans l'autre.

— Tu as mon chapeau, dit Vianne.

— Je vais peut-être devoir attendre le train. Mon visage est encore fragile à cause de l'attaque nazie.

Elle prononça cette phrase en souriant à Beck. Ce n'était pas vraiment un sourire.

Beck fit un bref hochement de tête.

— De toute évidence, vous devez parler de certaines choses entre sœurs. Je vais prendre congé.

Avec un nouveau signe de tête poli, il retourna dans la maison et ferma la porte derrière lui.

— Je ne peux pas rester ici, dit Isabelle.

— Bien sûr que si.

— Ça ne m'intéresse pas de me lier d'amitié avec l'ennemi, V.

— Bon sang, Isabelle. Je t'interdis…

Isabelle s'approcha.

— Je vais vous mettre en danger, Sophie et toi. Tôt ou tard. Tu le sais. Tu m'as dit qu'il fallait que je protège Sophie. C'est la seule façon pour moi d'y arriver. Je sens que je vais exploser si je reste, V.

La colère de Vianne retomba, et elle ressentit une fatigue indicible. Cette différence fondamentale avait toujours existé entre elles. Vianne la disciplinée et Isabelle la rebelle. Même enfants, dans le chagrin, elles avaient exprimé leurs émotions différemment. Vianne avait gardé le silence après la mort de Maman et essayé de cacher sa douleur quand Papa les avait abandonnées, alors qu'Isabelle avait piqué des colères, fugué et réclamé de l'attention. Maman avait juré qu'un jour elles seraient les meilleures amies du monde. Jamais cette prédiction n'avait semblé moins vraisemblable.

Mais à cet instant, Isabelle avait raison. Vianne aurait continuellement peur de ce que sa sœur pourrait dire ou faire en présence du capitaine, et sincèrement, elle n'avait pas la force pour cela.

— Comment vas-tu partir ? Et où ?

— En train. À Paris. Je t'enverrai un télégramme une fois arrivée à bon port.

— Sois prudente. Ne fais pas de bêtises.

— Moi ? Tu me connais.

Vianne serra fort Isabelle dans ses bras puis la laissa partir.

*

La route conduisant à la ville était si obscure qu'Isabelle ne voyait pas ses pieds. Il régnait un calme quasi surnaturel, chargé de suspens, comme lorsque l'on retient son souffle, jusqu'à ce qu'elle arrive à l'aérodrome. Elle entendit alors des hommes en brodequins marchant au pas sur la terre tassée, des motos et des camions roulant le long de l'écheveau de fils barbelés qui protégeaient désormais le dépôt de munitions.

Un camion surgit de nulle part sur la route, tous feux éteints, son moteur grondant ; Isabelle fit un écart brusque pour l'éviter et trébucha dans le fossé.

En ville, il n'était pas plus facile de s'orienter avec les magasins fermés, les réverbères éteints et les fenêtres occultées. Le silence était sinistre et perturbant. Elle avait l'impression de faire trop de bruit en marchant. À chaque pas, elle se rappelait qu'un couvre-feu était en vigueur et qu'elle le violait.

Elle s'enfonça dans une des ruelles et avança à tâtons sur le trottoir raboteux en laissant traîner le bout de ses doigts sur les devantures pour se repérer. Dès qu'elle entendait des voix, elle se figeait puis se tapissait dans le noir jusqu'à ce que le silence revienne. Elle eut l'impression de mettre une éternité à atteindre sa destination : la gare à la sortie de la ville.

— *Halt !*

Isabelle entendit le mot au même moment qu'un projecteur l'éclairait d'une lumière blanche. Elle était une ombre recroquevillée sous celle-ci.

Un factionnaire allemand avança vers elle, son fusil dans les bras.

— Tu n'es qu'une jeune fille, dit-il en s'approchant davantage. Tu es au courant du couvre-feu, *ja* ? demanda-t-il.

Elle se releva lentement et lui fit face avec un courage dont elle se sentait dépourvue.

— Je sais qu'on n'a pas le droit d'être dehors si tard. Mais c'est une urgence. Je dois aller à Paris. Mon père est malade.

— Où est ton *Ausweis* ?

— Je n'en ai pas.

Il fit glisser son fusil de son épaule et le prit dans ses mains.

— On ne voyage pas sans *Ausweis*.

— Mais...

— Rentre chez toi, petite, avant qu'on te fasse mal.

— Mais...

— *Tout de suite*, avant que je décide de ne pas faire comme si je ne t'avais pas vue.

Isabelle hurlait de rage au fond d'elle-même. Il lui fallut faire un effort considérable pour s'éloigner du factionnaire sans rien dire.

Sur le chemin du retour, elle ne se cacha même pas dans l'obscurité. Elle faisait parade de son mépris pour le couvre-feu, les mettait au défi de l'arrêter à nouveau.

Elle avait quelque part envie de se faire attraper pour pouvoir laisser libre cours au flot d'invectives qui grondait dans sa tête.

Cette vie ne pouvait pas être la sienne. Prise au piège dans une maison avec un nazi, dans une ville qui avait abdiqué sans la moindre protestation. Vianne n'était pas la seule à vouloir faire comme si la France n'avait ni capitulé ni été conquise. En ville, les commerçants et les cafetiers souriaient aux Allemands, leur servaient du champagne et leur vendaient les meilleures pièces de viande. Les villageois, des paysans pour la plupart, haussaient les épaules et continuaient de vivre leur vie ; oh, ils marmonnaient d'un air désapprobateur, secouaient la tête et donnaient de mauvaises indications quand un Allemand leur demandait son chemin, mais au-delà de ces petits actes de rébellion, il n'y avait rien. Pas étonnant que les soldats allemands fussent bouffis d'arrogance. Ils avaient pris cette ville sans devoir se battre. Grand Dieu, ils avaient fait la même chose à toute la France.

Mais Isabelle ne pouvait oublier ce qu'elle avait vu dans le champ près de Tours.

À la maison, quand elle fut à nouveau à l'étage, dans la chambre qui avait été la sienne enfant, elle claqua la porte derrière elle. Quelques instants plus tard, elle sentit des effluves de cigarette, ce qui la mit dans une telle rage qu'elle eut envie de hurler.

Il était en bas, en train de fumer. Le capitaine Beck, avec son visage taillé à coups de serpe et son sourire hypocrite, pouvait toutes les mettre à la porte de cette maison à son gré. Pour n'importe quelle raison ou même sans raison aucune. Son amertume se transforma en une colère comme elle n'en avait jamais connu. Elle avait l'impression que ses entrailles étaient une bombe qui avait besoin d'éclater. Un mouvement – ou un mot – de travers et elle pouvait exploser.

Elle marcha d'un pas énergique jusqu'à la chambre de Vianne et ouvrit la porte.

— Il faut un laissez-passer pour quitter la ville, dit-elle dans une colère de plus en plus grande. Ces salauds refusent de nous laisser prendre un train pour voir notre famille.

Dans le noir, Vianne dit :

— Alors c'est comme ça.

Isabelle ne sut pas si c'était du soulagement ou de la déception qu'elle perçut dans la voix de sa sœur.

— Demain matin, tu iras en ville à ma place. Tu feras la queue pendant que je serai à l'école et tu récupéreras ce que tu peux.

— Mais…

— Pas de mais, Isabelle. Tu es ici maintenant, et tu restes. Il est temps que tu fasses ta part du travail. Je dois pouvoir compter sur toi.

*

Durant la semaine suivante, Isabelle s'efforça de se conduire de son mieux, mais c'était impossible avec cet homme qui vivait sous le même toit. Nuit après nuit, elle ne dormait pas. Elle restait étendue sur son lit, seule dans le noir, à imaginer le pire.

Mais ce matin-là, bien avant l'aube, elle arrêta de se trouver des excuses et sortit de son lit. Elle se lava le visage, enfila une robe en coton uni et enveloppa ses cheveux ravagés dans un foulard en descendant l'escalier.

Vianne était assise sur le divan en train de tricoter, une lampe à huile allumée à côté d'elle. Dans le cercle de lumière qui la séparait de l'obscurité, elle avait le teint pâle et maladif ; elle non plus n'avait pas beaucoup dormi cette semaine-là, de toute évidence. Elle leva les yeux vers Isabelle, l'air étonné.

— Tu te lèves tôt.

— Une longue journée à faire la queue m'attend. Autant m'y mettre, répondit Isabelle. Les premiers de la queue récupèrent les meilleurs produits.

Vianne mit son tricot de côté et se leva. Elle lissa sa robe (rappelant ainsi une nouvelle fois qu'*il* était dans la maison : aucune des deux ne descendait en chemise de nuit), alla dans la cuisine et en revint avec des tickets de rationnement.

— C'est de la viande aujourd'hui.

Isabelle prit les tickets à Vianne et sortit de la maison pour se plonger dans l'obscurité d'un monde soumis au couvre-feu.

Le jour se leva au fil de sa marche, illuminant un monde dans un monde – un monde qui avait l'apparence de Carriveau mais semblait totalement étranger. Alors qu'elle longeait l'aérodrome, une petite voiture verte ornée des lettres POL passa à côté d'elle.

Gestapo.

L'aérodrome grouillait déjà d'activité. Elle vit quatre gardes en faction : deux devant le portail d'entrée nouvellement construit et deux devant la double porte du bâtiment. Les drapeaux nazis claquaient dans la brise matinale. Plusieurs avions étaient prêts à décoller

– pour lâcher des bombes sur l'Angleterre et à travers l'Europe. Des gardes marchaient au pas devant des panneaux rouges qui indiquaient : VERBOTEN. DÉFENSE D'ENTRER SOUS PEINE DE MORT.

Elle continua son chemin.

Quatre femmes faisaient déjà la queue devant la boucherie quand elle arriva. Elle prit place au bout de la file.

Ce fut à ce moment-là qu'elle vit un morceau de craie sur la route, coincé contre le bord du trottoir. Elle sut immédiatement comment l'utiliser. Elle jeta un coup d'œil autour d'elle, mais personne ne la regardait. Pourquoi la regarderait-on quand il y avait des soldats allemands partout ? Des hommes en uniforme arpentaient la ville comme des paons, achetant tout ce qui attirait leur attention. Exubérants, bruyants et rieurs. Ils étaient polis en toutes circonstances, ils ouvraient les portes aux dames et tiraient leur casquette, mais Isabelle n'était pas dupe.

Elle se baissa, prit le morceau de craie dans le creux de sa main et le cacha dans sa poche. Elle ressentit une merveilleuse sensation de danger du simple fait de l'avoir sur elle. Elle tapa impatiemment du pied après cela, en attendant son tour.

— Bonjour, dit-elle en tendant son ticket de rationnement à la bouchère, une femme à l'air fatigué, aux cheveux clairsemés et aux lèvres très fines.

— Du jarret de porc, deux livres. C'est ce qu'il reste.

— Des os ?

— Les Allemands prennent toute la bonne viande, mademoiselle. Vous avez de la chance, à vrai dire. Le porc est *verboten* pour les Français, vous savez, mais ils ne veulent pas des jarrets. Alors, vous les voulez, oui ou non ?

— Moi, je les prends, dit quelqu'un derrière elle.

— Moi aussi ! cria une autre femme.

— Je vais les prendre, dit Isabelle.

Elle récupéra le petit paquet de papier froissé fermé par de la ficelle.

De l'autre côté de la rue, elle entendit le bruit de bottes cavalières allant au pas sur les pavés, le cliquetis de sabres dans leurs fourreaux, le rire d'hommes et le roucoulement des Françaises qui réchauffaient leurs lits. Trois soldats allemands étaient assis à la table d'un bistrot non loin.

— Mademoiselle ? appela l'un d'eux avec un signe de main. Venez boire un café avec nous.

Elle agrippa son panier en osier qui renfermait des trésors enveloppés de papier, aussi petits et insuffisants qu'ils fussent, et ignora les soldats. Elle tourna rapidement au coin et s'engagea dans une ruelle étroite et tortueuse, comme tous les passages semblables en ville. Leurs entrées étaient petites et, de la rue, elles ressemblaient à des impasses. Les gens d'ici savaient s'y orienter aussi facilement qu'un batelier dans une rivière marécageuse. Elle avança sans se faire remarquer. Les magasins de la ruelle avaient tous été fermés.

Sur la vitrine de la chapellerie abandonnée, une affiche montrait un vieil homme tout tordu avec un énorme nez crochu, l'air cupide et malfaisant, qui portait un sac rempli d'argent et laissait des traînées de sang et des corps derrière lui. Elle vit le mot *Juif* et s'arrêta.

Elle savait qu'elle devait continuer son chemin. Ce n'était que de la propagande, après tout, la méthode maladroite de l'ennemi pour tenter de tenir les juifs pour responsables des malheurs du monde, et de cette guerre.

Et pourtant.

Elle jeta un coup d'œil à gauche. À moins de quinze mètres se trouvait la rue La Grande, une des artères principales qui traversaient la ville ; à sa droite, la ruelle formait un coude.

Elle plongea la main dans sa poche et sortit le morceau de craie. Quand elle fut sûre que le champ était libre, elle traça un immense V de victoire sur l'affiche, recouvrant l'image autant qu'elle put.

Quelqu'un lui saisit le poignet avec une telle force qu'elle eut le souffle coupé. Son morceau de craie tomba, rebondit sur les pavés et roula dans un des interstices.

— Mademoiselle, dit un homme en la plaquant contre l'affiche qu'elle venait de dégrader en lui appuyant la joue contre le papier afin qu'elle ne puisse pas le voir, savez-vous que c'est *verboten* de faire ça ? Et passible de la peine de mort ?

Vianne ferma les yeux et pensa : *Dépêche-toi de rentrer, Antoine.*

C'était tout ce qu'elle s'autorisait, juste cette petite prière. Comment pouvait-elle faire face à tout cela – la guerre, le capitaine Beck et Isabelle – seule ?

Elle avait envie de rêver, de faire comme si son monde tenait debout au lieu d'être écroulé ; comme si la porte fermée de la chambre d'amis ne signifiait rien, comme si Sophie était restée avec elle la nuit précédente parce qu'elles s'étaient endormies en lisant, comme si Antoine était dehors par ce petit matin baigné de rosée, en train de couper du bois pour un hiver qui n'arriverait que dans plusieurs mois. Bientôt, il rentrerait et dirait : « Bon, je pars pour ma journée de distribution de courrier. » Peut-être lui parlerait-il de son dernier cachet de poste – une lettre venue d'Afrique ou d'Amérique – et lui inventerait-il une histoire romantique pour l'accompagner.

Mais au lieu de tout cela, elle rangea son tricot dans le panier à côté du divan, enfila ses bottes et sortit pour couper du bois. L'automne allait revenir incessamment, puis l'hiver, et son jardin dévasté par les réfugiés lui avait rappelé à quel point sa survie tenait à un fil. Elle leva la hache et frappa.

Empoigner. Lever. Maintenir. Couper.

Chaque coup se répercutait dans ses bras et faisait naître une douleur grandissante dans les muscles de ses épaules. La sueur coulait de ses pores et humidifiait ses cheveux.

— Permettez-moi de faire ça pour vous, s'il vous plaît.

Vianne se figea, la hache en suspens.

Beck était tout près dans son pantalon bouffant et ses bottes, le torse couvert seulement d'un fin tee-shirt blanc. Ses joues pâles étaient rougies par sa séance de rasage du matin, et ses cheveux blonds étaient mouillés. Des gouttelettes tombaient sur son tee-shirt, dessinant un motif de petits soleils gris.

Elle se sentit extrêmement mal à l'aise dans sa robe et ses bottes, ses cheveux épinglés en boucles. Elle abaissa la hache.

— Il y a certaines choses qu'un homme fait dans la maison. Vous êtes bien trop fragile pour couper du bois.

— Je peux le faire.

— Bien sûr que vous le pouvez, mais pourquoi le feriez-vous ? Allez-y, madame. Occupez-vous de votre fille. Je peux faire cette petite chose pour vous. Sinon ma mère va me battre à coups de cravache.

Elle eut l'intention de bouger mais, sans savoir pourquoi, elle n'en fit rien, et bientôt il se trouva à côté d'elle en train de lui prendre doucement la hache de la main. Elle résista d'instinct pendant un instant.

Leurs regards se croisèrent, ils se fixèrent.

Elle lâcha prise et recula si vite qu'elle trébucha. Il l'attrapa par le poignet, la retint. Elle marmonna un merci, se retourna et s'éloigna de lui en gardant le dos aussi droit que possible. Elle dut rassembler le peu de courage qu'elle avait pour se retenir d'accélérer. Malgré cela, quand elle arriva à la porte, elle eut l'impression d'avoir couru depuis Paris. D'un coup de pied, elle enleva ses bottes de jardinage trop grandes, les vit cogner le mur de la maison avec un bruit mat et tomber en tas. La dernière chose qu'elle voulait, c'était de la gentillesse de la part de cet homme qui avait envahi son foyer.

Elle claqua la porte derrière elle et se rendit à la cuisine, où elle alluma le poêle et mit une casserole d'eau à bouillir. Puis elle alla au pied de l'escalier et appela sa fille pour le petit déjeuner.

Elle dut s'y reprendre à deux fois – puis la menacer – avant que Sophie ne descende en traînant les pieds, les cheveux en désordre, l'air renfrogné. Elle portait sa robe marine – encore. Au cours des dix mois écoulés depuis le départ d'Antoine, celle-ci était devenue trop petite pour elle, mais elle refusait d'en changer.

— Je suis levée, dit-elle en marchant péniblement jusqu'à la table où elle s'assit à sa place.

Vianne posa une assiette de bouillie de farine de maïs devant sa fille. Elle avait fait une folie ce matin-là et ajouté une cuiller à soupe de confiture de pêches dessus.

— Maman ? Tu n'entends pas ? Il y a quelqu'un qui frappe à la porte.

Vianne secoua la tête (tout ce qu'elle avait entendu, c'était le *boum boum boum* de la hache), se leva et ouvrit la porte.

Elle trouva Rachel avec le bébé dans les bras et Sarah collée à son côté.

156

— Tu donnes cours avec tes cheveux épinglés aujourd'hui ?

— Oh !

Vianne se sentit bête. Qu'est-ce qui n'allait pas chez elle ? C'était le dernier jour d'école avant les vacances d'été.

— Allons-y, Sophie. On est en retard.

Elle retourna rapidement à l'intérieur et débarrassa la table. Sophie avait nettoyé son assiette à coups de langue, et Vianne la mit donc simplement dans l'évier en cuivre pour la laver plus tard. Elle couvrit la casserole contenant les restes de bouillie et rangea la confiture. Puis elle monta en vitesse pour se préparer.

En un rien de temps, elle avait retiré les épingles et coiffé et lissé ses cheveux ondulés. Elle prit son chapeau, ses gants et son sac à main et sortit de la maison pour rejoindre Rachel et les enfants qui attendaient dans le verger.

Le capitaine Beck était là aussi, près de l'abri de jardin. Son tee-shirt blanc était trempé par endroits et collait à son torse, révélant le tapis de poils au-dessous. Il avait la hache posée nonchalamment sur une épaule.

— Ah, mes salutations, dit-il.

Vianne sentit le regard scrutateur de Rachel.

Beck abaissa la hache.

— Cette dame est une amie à vous, madame ?

— Rachel, répondit Vianne d'une voix tendue. Ma voisine. Voici Herr Capitaine Beck. C'est lui qui… cantonne chez nous.

— Mes salutations, répéta Beck en inclinant poliment la tête.

Vianne mit une main dans le dos de Sophie et la poussa doucement, sur quoi elles s'éloignèrent péniblement dans les hautes herbes du verger puis s'engagèrent sur la route poussiéreuse.

— Il est beau, dit Rachel quand elles arrivèrent à l'aérodrome qui grouillait d'activité derrière les rouleaux de barbelé. Tu ne m'avais pas dit ça.

— Tu trouves ?

— Je suis presque sûre que tu sais qu'il l'est, et ta question est donc intéressante. Comment est-il ?

— Allemand.

— Les soldats cantonnés chez Claire Moreau ressemblent à des saucisses sur pattes. Apparemment, ils boivent le vin comme des templiers et ils ronflent comme des cochons. Tu as de la chance, je suppose.

— C'est toi qui as de la chance, Rachel. Personne n'est venu s'installer chez toi.

— Il y a enfin un avantage à être pauvre, dit-elle en passant son bras sous celui de Vianne. Ne prends pas cet air affligé, Vianne. J'ai entendu dire qu'ils ont pour ordre d'être « corrects ».

Vianne regarda sa meilleure amie.

— La semaine dernière, Isabelle s'est coupé les cheveux devant le capitaine en disant que la beauté devait être *verboten*.

Rachel ne parvint pas à réprimer totalement son sourire.

— Oh !

— C'est vraiment pas drôle. Elle pourrait nous faire tuer avec son tempérament.

Le sourire de Rachel s'effaça.

— Est-ce que tu peux lui parler ?

— Oh oui, je peux lui parler. Mais quand a-t-elle jamais écouté qui que ce soit ?

*

— Vous me faites mal ! dit Isabelle.

L'homme la tira dans la rue si vite qu'elle devait courir à côté de lui ; elle se cognait à chaque pas contre le mur en pierre de la ruelle. Lorsqu'elle buta contre un pavé et faillit tomber, il resserra son étreinte et la maintint debout.

Réfléchis, Isabelle. Il n'était pas en uniforme et devait donc être de la Gestapo. C'était mauvais signe. Et il l'avait vue en train de dégrader l'affiche. Était-ce considéré comme un acte de sabotage, d'espionnage ou de résistance pour l'occupant allemand ?

Ce n'était pas aussi grave que de faire sauter un pont ou de vendre des secrets à la Grande-Bretagne.

Je faisais un dessin… ça devait être un vase plein de fleurs… Pas un V pour « victoire », un vase. Ne pas résister, juste faire l'idiote qui dessinait sur le seul morceau de papier qu'elle avait trouvé. Je n'ai même jamais entendu parler du général de Gaulle.

Et s'ils ne la croyaient pas ?

L'homme s'arrêta devant une porte en chêne ornée d'un heurtoir en forme de lion noir au centre.

Il donna quatre coups secs.

— Où… où est-ce que vous m'emmenez ?

Était-ce une porte secrète menant au siège de la Gestapo ? Des bruits couraient au sujet des interrogateurs de cette police. On racontait qu'ils étaient sans pitié et sadiques, mais personne n'en était sûr.

La porte s'entrouvrit lentement pour révéler un vieil homme coiffé d'un béret. Une cigarette roulée pendaient entre ses lèvres charnues et parsemées de taches brunes. Il vit Isabelle et fronça les sourcils.

— Ouvre, grogna l'homme qui se trouvait à côté d'Isabelle, et le vieil homme s'écarta.

Isabelle fut entraînée dans une pièce enfumée. Les yeux irrités, elle regarda autour d'elle. C'était un bazar abandonné où l'on avait autrefois vendu des bonnets pour femmes et des articles de mercerie. Dans la lumière brumeuse, elle vit des présentoirs vides qu'on avait poussés contre les murs, et des porte-chapeaux en métal empilés dans un coin. La devanture avait été murée, et la porte de derrière, qui faisait face à la rue La Grande, était cadenassée de l'intérieur.

Il y avait quatre hommes dans la pièce : un grand type grisonnant en haillons, debout dans un coin ; un jeune garçon assis à côté du vieil homme qui avait ouvert la porte, et un beau jeune homme vêtu d'un pull en loques, d'un pantalon élimé et de bottes éraflées, assis à une table de café.

— Qui est-ce, Didier ? demanda le vieil homme.

Isabelle put bien voir son ravisseur pour la première fois : il était grand et costaud, avec les muscles gonflés d'un hercule de foire, une puissante mâchoire et une énorme tête.

Les épaules en arrière et le menton levé, elle se faisait aussi grande que possible. Elle savait qu'elle avait l'air ridiculement jeune dans sa jupe écossaise et son corsage ajusté, mais elle ne daigna pas leur faire le plaisir de leur montrer qu'elle avait peur.

160

— Je l'ai trouvée en train de faire des V à la craie sur des affiches allemandes, expliqua l'homme basané qui l'avait attrapée.

Didier.

Isabelle serra le poing droit et essaya de frotter la poussière de craie orange sans qu'ils le remarquent.

— Vous n'avez rien à dire ? lança le vieil homme debout dans le coin.

Le chef, de toute évidence.

— Je n'ai pas de craie.

— Je l'ai vue en action.

Isabelle tenta sa chance.

— Vous n'êtes pas allemand, dit-elle au costaud. Vous êtes français. Je suis prête à le parier. Et vous, dit-elle au vieil homme assis à côté du garçon, vous êtes le charcutier.

Elle ne prêta aucune attention au garçon, mais au beau jeune homme aux vêtements abîmés, elle dit :

— Vous avez l'air d'avoir faim, et je pense que vous portez les vêtements de votre frère, ou des vêtements que vous avez trouvés suspendus à une corde à linge quelque part. Communiste.

Il lui adressa un grand sourire et changea totalement de comportement.

Mais c'était l'homme qui se trouvait dans le coin qui l'intéressait. Celui qui commandait. Elle fit un pas vers lui.

— Vous pourriez être aryen. Peut-être que vous forcez les autres à être ici.

— Je le connais depuis toujours, mademoiselle, indiqua le charcutier. Je me suis battu au côté de son père, et du vôtre, dans la Somme. Vous êtes Isabelle Rossignol, n'est-ce pas ?

Elle ne répondit pas. Était-ce un piège ?

— Pas de réponse, dit le bolchevik.

Il se leva de son siège et s'approcha d'elle.

— Bonne réaction. Pourquoi dessiniez-vous un V sur cette affiche ?

Isabelle garda à nouveau le silence.

— Je suis Henri Navarre, annonça-t-il, désormais assez près pour la toucher. Nous ne sommes pas allemands, et nous ne travaillons pas non plus avec eux, mademoiselle, dit-il avec un regard éloquent. Nous ne restons pas tous les bras croisés. Alors, pourquoi dessiniez-vous sur leurs affiches ?

— C'est tout ce que j'ai trouvé, dit-elle.

— C'est-à-dire ?

Elle expira lentement.

— J'ai entendu le discours de De Gaulle à la radio.

Henri se tourna vers le fond de la pièce et jeta un regard au vieil homme. Elle observa les deux hommes échanger une conversation entière sans prononcer un mot. À la fin de celle-ci, elle sut qui était le chef : le beau communiste. Henri.

Henri finit par se retourner et lui demanda :

— Si tu pouvais en faire plus, tu le ferais ?

— Comment ça ? demanda-t-elle.

— Il y a un homme à Paris…

— Un groupe, en fait, du musée de l'Homme… corrigea le costaud.

Henri leva une main.

— On n'en dit pas plus que nécessaire, Didier. Je disais, il y a un homme, un imprimeur, qui risque sa vie pour faire des tracts que nous pouvons distribuer.

Si on réussit à faire prendre conscience aux Français de ce qui se passe, on a une chance.

Henri plongea la main dans un sac en cuir suspendu à sa chaise et en tira une liasse de papiers. La manchette sauta aux yeux d'Isabelle : « Vive le général de Gaulle. »

Le texte était une lettre ouverte au maréchal Pétain, critiquant la capitulation. Elle se terminait par : « Nous sommes pour le général de Gaulle. »

— Alors ? fit Henri à voix basse, et dans ce seul mot, Isabelle entendit l'appel aux armes qu'elle avait attendu. Tu vas les distribuer ?

— Moi ?

— Nous sommes communistes et radicaux, dit Henri. Ils nous surveillent déjà. Tu es une fille. Et jolie, qui plus est. Personne ne te soupçonnera.

Isabelle n'hésita pas.

— Je vais le faire.

Les hommes commencèrent à la remercier ; Henri les fit taire.

— L'imprimeur risque sa vie en écrivant ces tracts, et quelqu'un d'autre risque sa vie en tapant les textes à la machine. Nous risquons nos vies en les apportant ici. Mais toi, Isabelle, c'est toi qui te feras attraper en train de les distribuer, si tu te fais attraper. Ne fais pas d'erreur. Il ne s'agit plus de faire un V sur une affiche. Ce qu'on te demande est passible de la peine de mort.

— Je ne me ferai pas attraper, déclara-t-elle.

Cette affirmation fit sourire Henri.

— Quel âge as-tu ?

— Presque dix-neuf ans.

— Ah, fit-il. Et comment une si jeune personne peut-elle cacher cela à sa famille ?

— Le problème, ce n'est pas ma famille, répondit Isabelle. Ils ne font pas attention à moi. Mais… il y a un soldat allemand cantonné chez moi. Et je vais devoir violer le couvre-feu.

— Ce ne sera pas facile. Je comprends que tu aies peur, dit Henri avant de commencer à se détourner.

Isabelle lui prit les papiers d'un geste vif.

— J'ai dit que j'allais le faire.

*

Isabelle était aux anges. Pour la première fois depuis l'armistice, elle n'était pas seule à avoir envie de faire quelque chose pour la France. Les hommes lui parlèrent de dizaines de groupes semblables au leur à travers le pays, qui organisaient une résistance pour suivre de Gaulle. Plus ils en parlaient, plus elle était excitée à la perspective de se joindre à eux. Oh, elle savait qu'elle devait avoir peur. (Ils le lui rappelaient assez souvent.)

Mais c'était ridicule que les Allemands la menacent de mort pour avoir distribué quelques bouts de papier. Elle s'en sortirait au baratin s'ils l'attrapaient, elle en était sûre. Non pas qu'elle se ferait attraper. Combien de fois s'était-elle enfuie d'une école fermée à clé ou avait-elle pris le train sans billet ou encore avait-elle évité des ennuis grâce à son bagout ? Sa beauté lui avait toujours permis d'enfreindre facilement les règles sans en payer le prix.

— Quand on en aura d'autres, comment pourra-t-on te contacter ? demanda Henri en ouvrant la porte pour la laisser partir.

Elle jeta un coup d'œil dans la rue.

— L'appartement au-dessus de la chapellerie de Mme La Foy. Il est toujours vide ?

Henri hocha la tête.

— Ouvrez les rideaux quand vous aurez les papiers. Je repasserai dès que possible.

— Frappe quatre coups. Si on ne vient pas t'ouvrir, va-t'en.

Après une pause, il ajouta :

— Sois prudente, Isabelle.

Il ferma la porte entre eux.

De nouveau seule, elle baissa les yeux sur son panier. Les tracts étaient cachés sous un torchon à carreaux rouges et blancs. Par-dessus trônaient les jarrets de porc enveloppés dans du papier de boucher. Ce n'était pas un très bon camouflage. Il faudrait qu'elle trouve mieux.

Elle parcourut la ruelle et tourna dans une rue passante. Le ciel s'assombrissait. Elle avait passé la journée avec les hommes. Les magasins fermaient ; les seules personnes à traîner étaient les soldats allemands et les quelques femmes qui avaient choisi de leur tenir compagnie. Les terrasses des cafés étaient remplies d'hommes en uniforme qui mangeaient la meilleure nourriture et buvaient les meilleurs vins.

Elle dut faire appel à tout son sang-froid pour marcher lentement. Dès l'instant où elle fut hors de la ville, elle se mit à courir. Lorsqu'elle approcha de l'aérodrome, elle était en sueur et hors d'haleine, mais elle ne ralentit pas. Elle courut encore jusqu'à maison. Quand le portail se referma derrière elle, elle se pencha en avant, suffocante, une main sur son point de côté, et essaya de reprendre son souffle.

— Mademoiselle Rossignol, ça ne va pas ?

Isabelle se redressa brusquement.

Le capitaine Beck apparut à côté d'elle. Était-il là avant qu'elle arrive ?

— Capitaine, dit-elle en s'efforçant de calmer son cœur battant. Un convoi est passé… je… euh, me suis dépêchée pour ne pas être sur son passage.

— Un convoi ? Je ne l'ai pas vu.

— C'était il y a un moment. Et je suis… bête parfois. Je n'ai pas vu passer le temps, je discutais avec une amie, et donc…

Elle lui adressa son plus charmant sourire et recoiffa ses cheveux ravagés comme si c'était important pour elle d'être belle pour lui.

— Comment étaient les files d'attente aujourd'hui ?

— Interminables.

— S'il vous plaît, permettez-moi de porter votre panier jusqu'à la maison.

Elle regarda dans le panier, aperçut un minuscule coin de papier blanc visible sous le linge.

— Non, je…

— Ah, j'insiste ! Nous sommes des gentlemen, vous savez.

Ses longs doigts bien manucurés se refermèrent sur l'anse en osier. Lorsqu'il se tourna vers la maison, elle resta à côté de lui.

— J'ai vu un grand groupe qui se rassemblait à l'hôtel de ville cet après-midi. Que vient faire la police de Vichy ici ?

— Ah. Rien d'inquiétant pour vous.

Il attendit qu'elle ouvre la porte. Elle manipula nerveusement la poignée ronde située au centre, la tourna et ouvrit. Bien qu'il eût tous les droits d'entrer à sa guise, il attendit qu'elle l'y invite, comme s'il était un invité.

— Isabelle, c'est toi ? Où étais-tu ? demanda Vianne en se levant du divan.

— Les files d'attente ont été atroces aujourd'hui.

Sophie se leva d'un bond près de la cheminée, où elle était en train de jouer par terre avec Bébé.

— Qu'est-ce que tu rapportes ?

— Des jarrets de porc, dit Isabelle en jetant un coup d'œil inquiet sur le panier dans la main de Beck.

— C'est tout ? fit Vianne. Et l'huile de cuisson ?

Sophie se laissa retomber sur le tapis, clairement déçue.

— Je vais mettre les jarrets dans le garde-manger, dit Isabelle en tendant la main vers le panier.

— S'il vous plaît, permettez-moi, dit Beck.

Il dévisageait Isabelle, l'observait avec attention. Ou peut-être n'était-ce qu'une impression.

Vianne alluma une bougie et la passa à Isabelle.

— Ne la gaspille pas. Dépêche-toi.

Beck se montra très galant lorsqu'il traversa la cuisine sombre et ouvrit la porte du cellier.

Isabelle descendit la première pour éclairer l'escalier. Les marches en bois craquèrent sous ses pieds jusqu'à ce qu'elle les pose sur le sol en terre tassée et baigne dans la fraîcheur souterraine. Les étagères parurent se resserrer autour d'eux quand Beck arriva à côté d'elle. La flamme de la bougie projeta une lumière sautillante devant eux.

Elle s'efforça de réprimer le tremblement dans sa main en la tendant vers les jarrets enveloppés de papier.

Elle les posa sur l'étagère à côté de leurs provisions de plus en plus maigres.

— Remonte trois pommes de terre et un navet, cria Vianne, ce qui fit sursauter légèrement Isabelle.

— Vous avez l'air nerveuse, dit Beck. Est-ce le bon mot, mademoiselle ?

La bougie crépita entre eux.

— Il y avait beaucoup de chiens en ville aujourd'hui.

— La Gestapo. Ils adorent leurs bergers. Vous n'avez pas de raison de vous inquiéter.

— J'ai peur… des gros chiens. Je me suis fait mordre une fois. Quand j'étais petite.

Beck lui fit un sourire qui fut déformé par la lumière. *Ne regarde pas le panier.* Mais c'était trop tard. Elle vit un peu plus les papiers cachés qui dépassaient.

Elle se força à sourire.

— Vous savez comment nous sommes, nous les filles. Nous avons peur de tout.

— Ce n'est pas comme ça que je vous décrirais, mademoiselle.

Elle tendit doucement la main vers le panier et le lui prit d'un coup sec. Sans le quitter des yeux, elle posa le panier sur l'étagère, à l'écart de la lumière de la bougie. Quand il fut à l'abri, dans le noir, elle souffla enfin.

Ils se dévisagèrent dans le silence pesant.

Beck inclina la tête.

— Et maintenant, je dois partir. Je ne suis repassé ici que pour récupérer des papiers pour une réunion ce soir.

Il se retourna vers les marches et commença à les grimper.

Isabelle suivit le capitaine dans l'escalier étroit. Quand elle émergea dans la cuisine, elle trouva Vianne qui l'attendait les bras croisés et les sourcils froncés.

— Où sont les pommes de terre et le navet ? demanda-t-elle.

— J'ai oublié.

Vianne soupira.

— Va les chercher, ordonna-t-elle.

Isabelle fit volte-face et redescendit dans le cellier. Après avoir pris les pommes de terre et le navet, elle alla vers le panier et leva la bougie afin d'exposer son contenu à la lumière. Elle vit alors le minuscule triangle de papier blanc qui dépassait. Elle sortit rapidement les tracts et les glissa dans sa gaine-culotte. Sentant les papiers contre sa peau, elle remonta avec le sourire.

*

Au dîner, tandis qu'elle mangeait une soupe claire et du pain de la veille avec sa sœur et sa nièce, Isabelle chercha quelque chose à dire, mais rien ne lui vint. Sophie, qui parut ne pas s'en apercevoir, ne cessait de raconter histoire après histoire. Isabelle tapait nerveusement du pied et guettait le bruit d'une moto approchant de la maison, celui des bottes allemandes sur l'allée de devant, les coups secs et impersonnels à la porte. Son regard ne cessait d'errer vers la cuisine et la porte du cellier.

— Tu te comportes bizarrement ce soir, dit Vianne.

Isabelle ne prêta pas attention à la remarque de sa sœur. Quand le repas fut enfin terminé, elle se leva d'un bond et dit :

— Je vais faire la vaisselle, V. Pourquoi ne pas finir votre partie de dames avec Sophie ?

— Tu vas faire la vaisselle ? reprit Vianne en lançant un regard suspicieux à Isabelle.

— Arrête, ce n'est pas la première fois que je te le propose, dit Isabelle.

— Dans mon souvenir, si.

Isabelle rassembla les assiettes à soupe vides et les couverts. Elle n'avait pris cette initiative que pour s'occuper, pour faire quelque chose de ses mains.

Après cela, elle ne trouva rien à faire. La soirée n'en finissait pas. Elle joua à la belote avec Vianne et Sophie, mais elle n'arrivait pas à se concentrer tant elle était tendue et excitée. Elle prétexta qu'elle était fatiguée pour se retirer du jeu avant la fin. Une fois dans sa chambre, elle s'étendit sur les couvertures, tout habillée. Et attendit.

Il était minuit passé quand elle entendit Beck rentrer et s'arrêter dans le jardin ; puis elle sentit la fumée de sa cigarette qui montait. Il entra ensuite dans la maison – et fit du remue-ménage pendant un moment avec ses bottes –, mais à 1 heure, le silence était revenu. Cependant, elle attendit encore. À 4 heures du matin, elle se leva de son lit et se vêtit d'un lourd tricot noir en laine peignée et d'une jupe en tweed. Elle défit une couture de son manteau d'été et y glissa les tracts, puis elle l'enfila et noua la ceinture à sa taille. Elle mit les tickets de rationnement dans sa poche de devant.

En descendant l'escalier, elle grimaça à chaque grincement. Elle eut l'impression de mettre une éternité pour atteindre la porte d'entrée, plus qu'une éternité, mais elle y parvint enfin, ouvrit la porte sans bruit et la referma derrière elle.

Il faisait noir et froid en ce petit matin. Un oiseau poussa un cri quelque part, sans doute dérangé dans son sommeil par le bruit de la porte. Elle respira le parfum des roses et fut stupéfaite de constater comme celui-ci lui parut quelconque à cet instant.

À partir de là, elle ne pourrait plus faire machine arrière.

Elle marcha jusqu'au portail encore cassé en jetant de fréquents coups d'œil en arrière sur la maison aux fenêtres occultées, s'attendant à voir Beck dans ses bottes, les bras croisés, dans une posture de guerrier, en train de la regarder.

Mais elle était seule.

Elle s'arrêta d'abord chez Rachel. Le courrier n'était presque plus jamais distribué à cette période, mais les femmes comme Rachel, dont les hommes étaient partis, regardaient leurs boîtes aux lettres tous les jours, espérant recevoir des nouvelles.

Isabelle enfonça la main dans son manteau, chercha la fente dans sa doublure en soie et en sortit un morceau de papier. D'un geste, elle ouvrit la boîte, glissa le tract dedans et referma le battant sans bruit.

Une fois revenue sur la route, elle regarda alentour et ne vit personne.

Elle l'avait fait !

Elle passa ensuite à la ferme du vieux Rivet. C'était un communiste jusqu'au bout des ongles, un homme de la révolution, et il avait perdu un fils au front.

Elle poursuivit ainsi sa tournée. Arrivée à son dernier tract, elle se sentait invincible. Le jour se levait à peine ;

la pâle lumière du soleil donnait une teinte dorée aux bâtiments en pierre calcaire de la ville.

Elle fut la première à faire la queue devant le magasin ce matin-là et, grâce à cela, elle reçut une ration entière de beurre. Cent cinquante grammes pour le mois. Les deux tiers d'une tasse.

Un trésor.

Chaque jour de cet été long et chaud, une liste de tâches ménagères attendait Vianne à son réveil. Elle – avec l'aide de Sophie et d'Isabelle – replanta et agrandit le potager et transforma deux bibliothèques en cages à lapins. Elle clôtura la pergola avec du grillage. Désormais, l'endroit le plus romantique de la propriété empestait le fumier – fumier qu'elles récupéraient pour leur potager. Elle s'occupait de la lessive du fermier qui habitait plus loin sur la route – le vieux Rivet – en échange de nourriture pour les animaux. Le seul moment où elle se détendait vraiment et où elle se retrouvait était le dimanche matin, quand elle emmenait Sophie à l'église – Isabelle refusait d'assister à la messe – puis allait prendre un café chez Rachel, à l'ombre dans son jardin, juste deux meilleures amies qui bavardaient, riaient, plaisantaient. Isabelle venait parfois, mais elle préférait jouer avec les enfants que discuter avec les femmes – ce qui convenait bien à Vianne.

Ses tâches ménagères étaient nécessaires, bien sûr – une nouvelle manière de se préparer pour un hiver qui paraissait loin, mais qui arriverait comme un hôte indésirable. Mais surtout, elles lui occupaient l'esprit. Quand elle travaillait dans son jardin, qu'elle préparait

de la confiture de fraises ou des conserves de cornichons, elle ne pensait pas à Antoine ni à tout le temps
qui s'était écoulé depuis la dernière fois qu'elle avait eu
de ses nouvelles. C'était l'incertitude qui la rongeait :
était-il prisonnier de guerre ? Était-il blessé quelque
part ? Mort ? Ou lèverait-elle un jour les yeux pour le
voir arriver par cette route, tout sourire ?

Penser à lui. Souffrir de son absence. S'inquiéter
pour lui. Voilà quelles étaient ses errances nocturnes.

Dans un monde désormais accablé par les mauvaises nouvelles et le silence, la seule bonne nouvelle
était que le capitaine Beck avait passé la plus grande
partie de l'été ailleurs, pour des campagnes ici et là. En
son absence, une sorte de routine s'était installée à la
maison. Isabelle faisait tout ce que Vianne lui demandait sans se plaindre.

C'était à présent le mois d'octobre et il faisait frais.
Vianne rencontra un problème en rentrant de l'école
avec Sophie. Elle sentit qu'un de ses talons se déta-
chait, ce qui la déséquilibrait un peu. Ses oxfords
en cuir de chevreau noires n'étaient pas faites pour
le type d'utilisation quotidienne auquel elles étaient
soumises depuis quelques mois. La semelle commençait à se décoller au niveau de l'orteil, ce qui la faisait
souvent trébucher. Le souci de devoir remplacer certaines choses comme une paire de chaussures n'était
jamais très loin. Ce n'était pas parce qu'on avait un
ticket de rationnement qu'il y avait des chaussures
– ou de la nourriture – à vendre.

Vianne avait une main sur l'épaule de Sophie, à la
fois pour se stabiliser et pour tenir sa fille près d'elle.
Il y avait des soldats nazis partout, en camion, sur des

side-cars équipés de mitrailleuses. Ils marchaient au pas sur la place et chantaient des airs triomphaux avec ferveur.

Un camion militaire les klaxonna et elles s'écartèrent davantage sur le trottoir tandis que passait un convoi. Encore des nazis.

— C'est tante Isabelle ? demanda Sophie.

Vianne regarda là où Sophie pointait du doigt. En effet, Isabelle sortait d'une ruelle, cramponnée à son panier. Elle avait l'air… « furtive » fut le seul mot qui vint à l'esprit de Vianne.

Furtive. À cette pensée, un ensemble de petites choses s'éclaircirent. De petites bizarreries qui commencèrent à faire sens. Isabelle avait souvent quitté le Jardin aux petites heures du matin, bien plus tôt que nécessaire. Elle avait des dizaines d'excuses interminables pour ses absences, auxquelles Vianne s'était à peine intéressée. Des talons cassés, des chapeaux qui s'envolaient dans le vent et qu'il fallait rattraper, un chien qui l'avait effrayée et qui lui avait bloqué le passage.

Est-ce qu'elle s'éclipsait pour voir un garçon ?

— Tante Isabelle ! cria Sophie.

Sans attendre une réponse – ou la permission –, Sophie s'élança dans la rue. Elle esquiva un groupe de trois Allemands qui jouaient avec un ballon.

— Merde, marmonna Vianne. Pardon, fit-elle en contournant les soldats, puis elle traversa la rue pavée à grands pas.

— Qu'est-ce que tu as récupéré aujourd'hui ? entendit-elle Sophie demander à Isabelle en même temps que sa fille tendait la main vers le panier en osier.

Isabelle lui donna une tape. Fort.

Sophie cria et retira sa main.

— Isabelle ! dit Vianne d'un ton sévère. Qu'est-ce qui te prend ?

Isabelle eut la pudeur de rougir.

— Je suis désolée. C'est juste que je suis fatiguée. J'ai fait la queue toute la journée. Et pour quoi ? Un os à moelle de veau avec presque aucune viande dessus et une boîte de lait. C'est démoralisant. Mais je ne devrais pas être brusque. Je suis désolée, Soph.

— Peut-être que si tu ne filais pas en douce si tôt le matin, tu ne serais pas fatiguée, rétorqua Vianne.

— Je ne file pas en douce. Je vais aux magasins pour chercher à manger. Je croyais que tu voulais que je fasse ça. Et d'ailleurs, il nous faut un vélo. Ces trajets en ville avec de mauvaises chaussures sont en train de me tuer.

Vianne aurait voulu connaître assez bien sa sœur pour déchiffrer son regard. Était-ce de la culpabilité ? De l'inquiétude ou de la bravade ? Si elle n'avait pas été plus avisée, elle aurait dit que c'était de la fierté.

Sophie prit Isabelle par le bras et elles se mirent toutes les trois en route vers la maison.

Vianne s'efforçait de ne pas prêter attention aux changements à Carriveau : les nazis qui prenaient tant de place, les affiches sur les murs (les nouveaux tracts antijuifs étaient révoltants), et les drapeaux rouge et noir ornés d'une croix gammée qui pendaient au-dessus des portes et aux balcons. Des gens avaient commencé à quitter la ville, abandonnant leurs foyers aux Allemands. On racontait qu'ils se rendaient dans la zone libre, mais personne n'en était sûr. Les magasins fermaient et ne rouvraient pas.

Vianne entendit des pas derrière elle et dit d'une voix égale :

— Marchons plus vite.

— Madame Mauriac, puis-je vous demander un instant ?

— Mon Dieu, est-ce qu'il te *suit* ? demanda Isabelle entre ses dents.

Vianne se retourna lentement.

— Herr Capitaine, dit-elle.

Des passants dévisagèrent Vianne en plissant les yeux d'un air désapprobateur.

— Je voulais vous prévenir que je vais rentrer tard ce soir et que je ne serai tristement pas là pour le dîner, indiqua Beck.

— Quel dommage, dit Isabelle d'une voix aussi douce et amère que du caramel brûlé.

Vianne essaya de sourire, mais elle ne comprenait vraiment pas pourquoi il l'avait arrêtée.

— Je vous mettrai quelque chose de côté…

— *Nein. Nein.* Vous êtes trop gentille, dit-il, puis il se tut.

Vianne fit de même.

Finalement, Isabelle poussa un profond soupir.

— Nous sommes en train de rentrer, Herr Capitaine.

— Y a-t-il quelque chose que je puisse faire pour vous, Herr Capitaine ? demanda Vianne.

Beck s'approcha d'elle.

— Je sais à quel point vous vous faites du souci pour votre mari, et j'ai donc fait quelques recherches.

— Oh !

— Ce n'est pas une bonne nouvelle que j'ai le regret de vous rapporter. Votre mari, Antoine Mauriac, a été capturé avec un grand nombre des hommes de votre ville. Il est dans un camp de prisonniers de guerre, dit-il en lui tendant une liste de noms et une liasse de cartes postales officielles. Il ne va pas rentrer.

*

Vianne se rappela à peine le chemin du retour. Elle savait qu'Isabelle avait marché à côté d'elle pour la soutenir et la pousser à mettre un pied devant l'autre, et que Sophie avait marché à côté d'elle en enchaînant des questions plus pressantes les unes que les autres. *Qu'est-ce qu'un prisonnier de guerre ? Qu'a voulu dire Herr Capitaine quand il a dit que papa n'allait pas rentrer ? Jamais ?*

Vianne sut quand elles étaient arrivées à la maison car elle fut accueillie par les senteurs bienveillantes du jardin. Elle cligna des yeux et se sentit un peu comme quelqu'un qui vient de se réveiller d'un coma pour découvrir un monde métamorphosé.

— Sophie, dit Isabelle d'un ton ferme. Va préparer une tasse de café pour ta mère. Ouvre une boîte de lait.

— Mais…

— Vas-y, ordonna Isabelle.

Quand Sophie fut partie, Isabelle se tourna vers Vianne et prit son visage entre ses mains froides.

— Tout va bien se passer pour lui.

Vianne eut la sensation de se désagréger peu à peu, de perdre son sang et ses os tandis qu'elle se tenait là, en train d'envisager une chose à laquelle elle avait toujours soigneusement évité de songer : une vie sans lui. Elle se mit à trembler et à claquer des dents.

— Entre boire un café, dit Isabelle.

Dans la maison ? *Leur* maison ? Son fantôme serait partout : un creux dans le divan où il s'asseyait pour lire, la patère à laquelle il accrochait son manteau. Et le lit.

Elle secoua la tête, elle voulait pleurer, mais elle n'avait plus de larmes en elle. Cette nouvelle l'avait vidée. Elle n'arrivait même plus à respirer.

Soudain, elle n'eut plus qu'une chose en tête : le pull d'Antoine qu'elle portait. Elle se mit à se déshabiller, enleva à la hâte son manteau et son gilet – sans tenir compte du *NON !* crié par Isabelle –, tira violemment le pull au-dessus de sa tête et enfonça son visage dans la laine douce pour essayer de sentir son odeur – son savon préféré, *lui*.

Mais il n'y avait aucune autre odeur que la sienne. Elle écarta le pull en boule de son visage et le regarda en tentant de se rappeler la dernière fois qu'il l'avait porté. Elle tira sur un bout de fil qui dépassait ; la laine s'effila dans sa main et forma un serpentin ondulé couleur lie-de-vin. Elle coupa le fil avec ses dents et fit un nœud pour sauver le reste de la manche. La laine était un bien précieux par les temps qui couraient.

Les temps qui couraient.

Où le monde était en guerre, où tout était rare et où votre mari était parti.

— Je ne sais pas comment faire toute seule.

— Comment ça ? On a été seules pendant des années. Depuis le moment où maman est morte.

Vianne cligna des yeux. Elle entendait les paroles de sa sœur de manière un peu confuse, comme si elles ne lui parvenaient pas à la bonne vitesse.

— Toi, tu étais seule, dit-elle. Moi jamais. J'ai rencontré Antoine à quatorze ans, je suis tombée enceinte à seize et j'avais à peine dix-sept quand je l'ai épousé. Papa m'a donné cette maison pour se débarrasser de moi. Alors, tu vois, je n'ai *jamais* été seule. C'est pour ça que tu es si forte et moi non.

— Tu vas devoir l'être, dit Isabelle. Pour Sophie.

Vianne prit une profonde inspiration. C'était là tout le problème. La raison pour laquelle elle ne pouvait pas manger un bol d'arsenic ni se jeter sous un train. Elle prit le petit morceau de fil torsadé et l'attacha à une branche de pommier. Sa couleur bordeaux ressortait sur le fond vert et marron. Désormais, chaque jour dans son potager, quand elle irait à son portail ou quand elle ramasserait des pommes, elle passerait devant cette branche, verrait ce bout de fil et penserait à Antoine. Et chaque fois, elle prierait – Antoine et Dieu – *Reviens-nous vite.*

— Viens, dit Isabelle en prenant Vianne par les épaules et en la serrant contre elle.

Dans la maison résonnait la voix d'un homme qui n'était pas là.

*

Vianne était devant la petite maison en pierre de Rachel ; au-dessus de sa tête, le ciel était couleur de fumée en cette froide fin d'après-midi. Les feuilles des arbres, aux teintes jaunes de souci, mandarine et écarlates, commençaient juste à s'assombrir sur les bords. Bientôt, elles tomberaient.

Vianne, qui regardait fixement la porte, aurait voulu ne pas devoir être là, mais elle avait lu les noms dont Beck lui avait donné la liste. Marc de Champlain y figurait également.

Quand elle trouva enfin le courage de frapper, Rachel vint lui ouvrir presque aussitôt dans une vieille robe d'intérieur et des bas en laine tombants. Elle portait aussi un cardigan de guingois et mal boutonné. Cela lui donnait une apparence bizarre, inclinée.

— Vianne ! Entre. On était en train de faire un gâteau de riz avec Sarah, avec essentiellement de l'eau et de la gélatine, bien sûr, mais j'ai utilisé un peu de lait.

Vianne parvint à sourire. Elle se laissa entraîner dans la cuisine par son amie et servir une tasse du seul ersatz âpre de café qu'elles pouvaient se procurer. Vianne faisait une remarque sur le gâteau de riz – elle ne savait même plus quoi – quand Rachel se tourna vers elle et lui demanda :

— Qu'est-ce qui ne va pas ?

Vianne regarda son amie dans les yeux. Elle voulait être forte – pour une fois –, mais elle ne put retenir les larmes qui inondaient ses yeux.

— Reste dans la cuisine, dit Rachel à Sarah. Si tu entends ton frère se réveiller, va le chercher. Toi, dit-elle à Vianne, viens avec moi.

Elle prit Vianne par le bras et la guida à travers le petit salon pour l'emmener dans sa chambre. Vianne s'assit sur le lit et leva les yeux vers son amie. Sans un mot, elle lui tendit la liste de noms que Beck lui avait donnée.

— Ils sont prisonniers de guerre, Rachel. Antoine, Marc et tous les autres. Ils ne vont pas rentrer.

*

Trois jours plus tard, un samedi matin glacial, Vianne se trouvait dans sa salle de classe face au groupe de femmes assises à des bureaux trop petits pour elles. Elles semblaient fatiguées et un peu méfiantes. Personne n'était à l'aise à l'idée de se réunir en cette période. La limite de ce qui était *verboten* dans les conversations sur la guerre n'était jamais tout à fait claire, et les femmes de Carriveau étaient épuisées. Elles passaient leurs journées à faire la queue pour des quantités de nourriture insuffisantes, et quand elles ne faisaient pas la queue, elles battaient la campagne en quête de denrées comestibles ou essayaient de vendre leurs chaussures de danse ou leur écharpe en soie à un prix suffisant pour acheter une miche de pain. Au fond de la salle, tapies dans le coin, Sophie et Sarah étaient adossées l'une à l'autre, les genoux repliés, en train de lire.

Rachel changea d'épaule son fils endormi et ferma la porte de la salle.

— Merci à toutes d'être venues. Je sais à quel point c'est difficile en ce moment de faire quoi que ce soit qui n'est pas absolument nécessaire.

Un murmure approbateur parcourut la salle.

— Pourquoi est-ce qu'on est là ? demanda Mme Fournier d'une voix lasse.

Vianne avança d'un pas. Elle ne s'était jamais sentie totalement à l'aise avec certaines des femmes, dont beaucoup ne l'avaient pas aimée quand elle était arrivée là, à quatorze ans. Quand Vianne avait « mis le grappin » sur Antoine – le plus beau jeune homme de la ville –, elles l'avaient encore moins appréciée. Tout cela remontait à loin, bien sûr, et Vianne s'entendait maintenant bien avec ces femmes, elle faisait classe à leurs enfants et fréquentait leurs magasins, néanmoins les douleurs de l'adolescence avaient laissé un reste de gêne.

— J'ai reçu une liste de prisonniers de guerre français de Carriveau. Je suis navrée… vraiment navrée… de vous annoncer que vos maris – et le mien, et celui de Rachel – sont sur cette liste. On m'a dit qu'ils ne vont pas rentrer.

Elle marqua une pause pour permettre aux femmes de réagir. Le chagrin et le sentiment de vide transformèrent les visages autour de Vianne. Elle savait que cette souffrance reflétait la sienne. Mais c'était tout de même difficile à regarder, et sa vision se brouilla de nouveau. Rachel s'approcha d'elle et lui prit la main.

— J'ai récupéré des cartes postales, dit Vianne. Des cartes officielles. Pour qu'on puisse écrire à nos hommes.

— Comment avez-vous fait pour récupérer autant de cartes ? demanda Mme Fournier en s'essuyant les yeux.

— Elle a demandé un service à son Allemand, dit Hélène Ruelle, la femme du boulanger.

— Ce n'est pas vrai ! Et ce n'est pas « mon » Allemand, répliqua Vianne. C'est un soldat qui a réquisitionné ma maison. Est-ce que je devrais simplement laisser le Jardin aux Allemands ? M'en aller sans rien ? Ils se sont installés dans toutes les maisons ou les hôtels de la ville qui avaient une chambre libre. Mon cas n'a rien de particulier.

À nouveau, des chuchotements. Certaines femmes hochèrent la tête, d'autres la secouèrent.

— Je me tuerais plutôt que de laisser l'un d'eux s'installer chez moi, déclara Hélène.

— Ah oui, Hélène ? Vraiment ? fit Vianne. Et tu tuerais tes enfants avant ou est-ce que tu les jetterais dans la rue pour qu'ils survivent par leurs propres moyens ?

Hélène détourna les yeux.

— Ils occupent mon hôtel, indiqua une femme. Et ce sont des gentlemen, pour la plupart. Un peu grossiers, peut-être. Et gaspilleurs.

— Des *gentlemen*, cracha Hélène. Nous sommes des porcs à abattre. Vous verrez. Des porcs qui ne se battent absolument pas.

— Je ne vous ai pas vue à ma boucherie récemment, dit Mme Fournier à Vianne d'un ton critique.

— Ma sœur vient à ma place, répondit Vianne.

Elle savait que c'était la raison de leur désapprobation : elles avaient peur que Vianne obtienne – et accepte – des privilèges qu'on leur refuserait.

— Je n'accepterais pas de nourriture – ni quoi que ce soit d'autre – de la part de l'ennemi.

Elle eut soudain le sentiment d'être revenue à l'école et de se faire persécuter par les filles populaires.

— Vianne essaie de nous aider, dit Rachel sur un ton assez sévère pour les faire taire.

Elle prit les cartes postales à Vianne et commença à les distribuer.

Vianne s'assit et regarda sa carte vierge.

Elle entendit le grattement d'autres crayons sur d'autres cartes et, lentement, elle se mit à écrire.

Antoine chéri,

Nous allons bien. Sophie se porte à merveille, et même avec tant de tâches ménagères, nous avons trouvé un peu de temps cet été pour aller à la rivière.

*On – je – pense à toi à chaque instant et prie pour tu
ailles bien. Ne t'inquiète pas pour nous, et reviens vite.*

Je t'aime, Antoine.

Son écriture était si petite qu'elle se demanda s'il
arriverait à la lire.

Ou s'il la recevrait.

Ou s'il était en vie.

Nom d'un chien, elle *pleurait*.

Rachel revint près d'elle et lui posa une main sur
l'épaule.

— On ressent toutes la même chose, dit-elle doucement.

Quelques instants plus tard, les femmes se levèrent
une par une. Sans un mot, elles s'approchèrent d'un
pas traînant et donnèrent leurs cartes postales à
Vianne.

— Ne les laisse pas te blesser, lui dit Rachel. Elles
ont simplement peur.

— Moi aussi, j'ai peur, répondit Vianne.

Rachel pressa sa carte contre sa poitrine, les doigts
écartés sur le petit rectangle de papier, comme si elle
avait besoin d'en toucher chaque coin.

— Comment ne pas avoir peur ?

*

Plus tard, quand elles rentrèrent au Jardin, le side-car
de Beck avec sa mitrailleuse était garé dans l'herbe
devant le portail.

Rachel se tourna vers Vianne :

— Tu veux qu'on entre avec toi ?

Vianne lut l'inquiétude dans le regard de Rachel, et elle sut que si elle lui demandait de l'aide, elle en recevrait, mais comment pouvait-on l'aider ?

— Non, merci. Ça va aller. Il a sans doute oublié quelque chose et il repartira bientôt. Il est rarement là, ces temps-ci.

— Où est Isabelle ?

— Bonne question. Elle sort en douce tous les vendredis matin avant le lever du jour, expliqua Vianne, puis elle s'approcha de Rachel et chuchota : Je crois qu'elle voit un garçon.

— Tant mieux pour elle.

Vianne ne trouva pas de réponse à cela.

— Est-ce qu'il va envoyer les cartes pour nous ? demanda Rachel.

— Je l'espère, répondit Vianne et elle fixa un peu plus longtemps son amie du regard, puis elle dit : Enfin, on ne va pas tarder à le savoir, et elle rentra dans la maison avec Sophie.

Une fois à l'intérieur, elle ordonna à sa fille de monter lire dans leur chambre. Celle-ci était habituée à ce genre de directives et cela ne la dérangeait pas. Vianne s'efforçait de tenir autant que possible sa fille à distance de Beck.

Il était assis à la table de la salle à manger avec des papiers étalés devant lui. Il leva les yeux lorsqu'elle pénétra dans la pièce. Une goutte d'encre tomba de la pointe de son stylo à plume et fit une tache en forme d'étoile bleue sur la feuille blanche devant lui.

— Madame. Formidable ! Je suis ravi que vous soyez rentrée.

Elle s'approcha prudemment en serrant le paquet de cartes postales dans sa main. Elle les avait attachées ensemble avec un morceau de ficelle.

— J'ai… j'ai des cartes postales… écrites par des amies de la ville… à nos maris… mais on ne sait pas où leur envoyer. J'espérais… que peut-être vous pourriez nous aider.

Mal à l'aise et prise d'un sentiment d'extrême vulnérabilité, elle se balançait d'un pied à l'autre.

— Bien sûr, madame. Je serais heureux de vous rendre ce service. Même si cela va me demander beaucoup de temps et de recherches pour y arriver, dit-il en se levant poliment. Il se trouve que je suis en train de concocter une liste pour mes supérieurs à la kommandantur. Ils doivent connaître les noms de certains des enseignants de votre école.

— Oh, fit-elle, sans savoir au juste pourquoi il lui disait cela.

Il ne parlait jamais de son travail. Certes, ils ne parlaient pas souvent de quoi que ce soit.

— Juifs. Communistes. Homosexuels. Francs-maçons. Témoins de Jéhovah. Connaissez-vous ces gens ?

— Je suis catholique, Herr Capitaine, comme vous le savez. Nous ne parlons pas de ce genre de choses à l'école. Je ne suis même pas sûre de savoir qui est homosexuel ou franc-maçon, de toute façon.

— Ah. Alors vous connaissez les autres.

— Je ne comprends pas…

— Je ne suis pas clair. Mes excuses. Je vous serais sévèrement reconnaissant si vous me donniez les noms des professeurs dans votre école qui sont juifs ou communistes.

— Pourquoi avez-vous besoin de ces noms ?

— C'est simplement administratif. Vous savez comme nous sommes, nous les Allemands : des faiseurs de listes, dit-il en souriant et en tirant une chaise pour elle.

Vianne regarda la feuille blanche sur la table ; puis les cartes postales dans sa main. Si Antoine en recevait une, il pourrait peut-être lui répondre. Elle pourrait enfin savoir s'il était en vie.

— Ce ne sont pas des informations secrètes, Herr Capitaine. N'importe qui peut vous donner ces noms.

Il s'approcha d'elle.

— En me donnant un peu de peine, madame, je pense que je peux trouver l'adresse de votre mari et lui faire aussi parvenir un colis de votre part. Serait-ce optimiste ?

— « Optimiste » n'est pas le bon mot, Herr Capitaine. Vous voulez me demander si ça me plairait.

Elle essayait de gagner du temps et elle le savait. Et elle était à peu près sûre qu'il le savait aussi.

— Ah. Merci beaucoup de me corriger dans votre belle langue. Mes excuses, dit-il en lui tendant un stylo. Ne vous en faites pas, madame. C'est purement administratif.

Vianne avait envie de refuser d'écrire le moindre nom, mais à quoi bon ? Il n'aurait pas de mal à obtenir ces renseignements en ville. Tout le monde savait quels noms devaient figurer sur cette liste. Et Beck pouvait l'expulser de sa propre maison pour un tel acte de défi – et que ferait-elle si ça arrivait ?

Elle s'assit, prit le stylo et commença à écrire des noms. Ce fut seulement à la fin de la liste qu'elle marqua un temps d'arrêt et décolla la pointe du stylo du papier.

— J'ai fini, indiqua-t-elle d'une voix douce.

— Vous avez oublié votre amie.

— Ah bon ?

— Je suis sûr que vous comptiez être exacte.

Elle se mordit nerveusement la lèvre et regarda la liste de noms. Elle fut tout à coup certaine qu'elle n'aurait pas dû faire cela. Mais avait-elle eu le choix ? C'était lui qui commandait dans sa maison. Que se passerait-il si elle le défiait ? Lentement, écœurée, elle inscrivit le dernier nom sur la liste.

Rachel de Champlain.

12

Un matin particulièrement froid de fin novembre, Vianne se réveilla avec des larmes sur les joues. Elle avait encore rêvé d'Antoine.

Elle soupira et glissa hors du lit en prenant garde à ne pas réveiller Sophie. Vianne avait dormi tout habillée, avec un gilet de laine, un chandail à manches longues, des bas de laine, un pantalon de flanelle (appartenant à Antoine, coupé pour aller à Vianne), un bonnet en tricot et des moufles. Ce n'était même pas Noël, mais il était déjà de rigueur de multiplier les couches. Elle enfila un cardigan en plus, mais elle avait toujours froid.

Elle enfonça ses mains gantées dans l'interstice au pied du matelas et en sortit la bourse en cuir qu'Antoine lui avait laissée. Il ne restait plus beaucoup d'argent. Bientôt, elles devraient se contenter de son salaire d'institutrice pour vivre.

Elle rangea l'argent (le compter était devenu une obsession depuis que le froid était arrivé) et descendit au rez-de-chaussée.

Elles manquaient désormais de tout. Les tuyaux gelaient la nuit, si bien qu'il n'y avait pas d'eau jusqu'à la mi-journée. Vianne avait pris l'habitude de laisser des seaux d'eau près du poêle et des cheminées pour qu'elles puissent se laver. Le gaz et l'électricité étant rares, de même que l'argent pour les payer, elle usait des deux avec parcimonie. Les flammes de son poêle étaient si faibles qu'elle pouvait tout juste faire bouillir de l'eau. Et elles allumaient rarement les lumières.

Elle fit un feu, s'emmitoufla dans un épais édredon et s'assit sur le divan. À côté d'elle se trouvait un sac de laine qu'elle avait récupérée en détricotant un de ses vieux chandails. Elle confectionnait une écharpe pour l'offrir à Sophie à Noël, et ces heures du petit matin étaient les seules qu'elle pouvait trouver.

En compagnie des seuls grincements de la maison, elle se concentrait sur la laine bleu clair et sur la manière dont les aiguilles à tricoter s'enfonçaient dans les boucles molles et en ressortaient, créant à chaque instant une chose qui n'existait pas auparavant. Ce rituel matinal autrefois normal calmait ses nerfs. Si elle laissait libre cours à ses pensées, elle pouvait revoir sa mère assise à côté d'elle, qui lui apprenait en lui expliquant : « Une maille à l'endroit, deux mailles à l'envers, c'est ça… Bravo… »

Ou Antoine, descendant l'escalier sans chaussures, tout sourire, et lui demandant ce qu'elle lui fabriquait…

Antoine.

La porte d'entrée s'ouvrit lentement, laissant s'engouffrer un grand courant d'air glacial et une rafale de feuilles. Isabelle apparut vêtue du vieux manteau de laine d'Antoine, de bottes remontant aux genoux et d'une écharpe enroulée autour de sa tête et de son cou, qui masquait tout sauf ses yeux. Elle vit Vianne et s'arrêta en sursaut.

— Oh ! Tu es levée.

Elle enleva l'écharpe et suspendit son manteau. Elle avait l'air coupable, à n'en pas douter.

— J'étais sortie voir comment vont les poulets.

Les mains de Vianne s'immobilisèrent, et les aiguilles restèrent en suspens.

— Autant me dire qui est ce garçon pour lequel tu n'arrêtes de sortir en douce.

— Qui irait retrouver un garçon par ce froid ?

Isabelle vint vers Vianne, l'aida à se lever et l'emmena près du feu.

Au contact soudain de la chaleur, Vianne frissonna. Elle ne s'était pas rendu compte du froid qui l'avait pénétrée.

— Toi, dit-elle, surprise que cela la fasse sourire. Toi, tu sortirais en douce dans le froid pour retrouver un garçon.

— Il faudrait que ce soit un sacré garçon. Clark Gable, peut-être.

Sophie arriva précipitamment dans la pièce et vint se blottir contre Vianne.

— Ça fait du bien, dit-elle en tendant les mains au-dessus du feu.

Pendant un beau moment de tendresse, Vianne oublia ses soucis, puis Isabelle dit :

— Bon, je ferais mieux d'y aller. Il faut que je sois la première de la queue à la boucherie.

— Il faut que tu manges quelque chose avant de partir, dit Vianne.

— Donne ma part à Sophie, répondit Isabelle en remettant son manteau et son écharpe autour de sa tête.

Vianne accompagna sa sœur à la porte, la regarda s'enfoncer dans l'obscurité, puis elle retourna à la cuisine, alluma une lampe à huile et descendit au cellier, où des étagères garnissaient les murs. Deux ans plus tôt, ce cellier avait été plein à craquer de jambons fumés dans la cendre et de bocaux de graisse de canard rangés à côté de chapelets de saucisses, de bouteilles de vieux vinaigre de champagne, de boîtes de sardines, de pots de confiture.

À présent, il ne leur restait presque plus de chicorée. Le bocal de sucre ne contenait plus qu'un fond blanc scintillant, et la farine était plus précieuse que l'or. Dieu merci, le potager avait donné une bonne récolte de légumes malgré le saccage des réfugiés de guerre. Elle avait mis en conserve le moindre fruit ou légume, aussi petit fût-il.

Elle prit un morceau de pain complet sur le point de rassir. Pour une petite fille en pleine croissance, un œuf dur et un morceau de pain grillé constituaient un maigre petit déjeuner, mais ça pourrait être pire.

— J'en veux encore, dit Sophie quand elle eut fini.

— Je ne peux pas, répondit Vianne.

— Les Allemands prennent toute notre nourriture, dit Sophie juste au moment où Beck sortait de sa chambre dans son uniforme gris-vert.

— Sophie, gronda Vianne.

— Eh bien, c'est vrai, jeune fille, que nous autres soldats allemands prenons une grande partie de la nourriture que la France produit, mais les hommes qui se battent ont besoin de manger, n'est-ce pas ?

Sophie le regarda en fronçant les sourcils.

— Est-ce que tout le monde n'a pas besoin de manger ?

— En effet, mademoiselle. Et nous, les Allemands, nous ne faisons pas que prendre, nous rendons à nos

193

amis, déclara-t-il avant de plonger la main dans la poche de son uniforme et d'en sortir une barre de chocolat.

— Du chocolat !

— Sophie, non, dit Vianne, mais Beck charmait sa fille et la taquinait en faisant disparaître et réapparaître la barre de chocolat avec dextérité. Finalement, il la donna à Sophie, qui poussa un cri aigu et déchira le papier.

Beck s'approcha de Vianne.

— Vous avez l'air… triste ce matin, dit-il doucement.

Vianne ne sut quoi répondre.

Il sourit et partit. Dehors, elle entendit sa moto démarrer et s'éloigner en pétaradant.

— Cha ch'est du 'on cho'olat, fit Sophie en se léchant les babines.

— Tu sais, ç'aurait été une bonne idée d'en manger un petit morceau tous les soirs plutôt que de tout engloutir d'un coup. Et je ne devrais pas avoir besoin de parler des vertus du partage.

— Tante Isabelle dit qu'il vaut mieux être culotté que trop sage. Elle dit que si on saute d'une falaise, au moins on vole avant de tomber.

— Ah, oui. C'est le genre de choses que dit Isabelle. Mais tu devrais peut-être lui demander de te raconter la fois où elle s'est cassé le poignet en sautant d'un arbre sur lequel elle n'aurait pas dû grimper. Allez, en route pour l'école !

Dehors, elles attendirent Rachel et ses enfants sur le bord de la route boueuse et verglacée. Ensemble, elles partirent pour le long et froid trajet jusqu'à l'école.

— Je n'ai plus de café depuis quatre jours, dit Rachel. Au cas où tu te serais demandé pourquoi je suis si grincheuse en ce moment.

— C'est moi qui suis soupe au lait ces derniers temps, reprit Vianne.

Elle attendit que Rachel conteste, mais celle-ci la connaissait assez pour savoir quand une simple déclaration n'était pas si simple.

— C'est que… certaines choses me préoccupent.

La liste. Elle avait écrit les noms des semaines plus tôt, et il ne s'était rien passé. Mais cela continuait de l'inquiéter.

— Antoine ? La famine ? Mourir de froid ? demanda Rachel avec un sourire. Quel petit souci t'a obnubilée cette semaine ?

La cloche de l'école sonna à toute volée.

— Dépêche-toi, maman, on est en retard, dit Sophie en la tirant par le bras.

Vianne se laissa entraîner jusqu'au sommet du perron. Sophie, Sarah et Vianne tournèrent dans leur salle de classe, qui était déjà remplie d'élèves.

— Vous êtes en retard, madame Mauriac, dit Gilles avec un sourire. Un avertissement pour vous.

Tout le monde rigola.

Vianne ôta son manteau et le suspendit.

— Tu es très drôle, Gilles, comme d'habitude. Voyons voir si tu souris toujours après notre contrôle d'orthographe.

Cette fois-ci, ils grognèrent et Vianne ne put se retenir de sourire en voyant leurs visages dépités. Ils avaient tous l'air si abattu ; c'était difficile, honnêtement, de ne pas l'être dans cette pièce froide aux fenêtres occultées où il n'y avait pas assez de lumière pour dissiper les ténèbres.

— Oh, et puis zut, il fait froid ce matin. Peut-être que ce qu'il nous faut pour activer notre circulation, c'est jouer à chat.

Un tonnerre d'acclamations éclata dans la salle. Vianne eut à peine le temps d'attraper son manteau avant qu'une marée d'enfants en joie ne l'entraîne avec elle.

Cela ne faisait que quelques instants qu'ils étaient dehors quand Vianne entendit le bruit de voitures venant en direction de l'école.

Les enfants ne remarquèrent rien – ils ne remarquaient que les avions ces derniers temps, semblait-il – et continuèrent de jouer.

Vianne marcha jusqu'au bout du bâtiment et regarda derrière le coin.

Une Mercedes-Benz noire arrivait sur l'allée de terre, ses ailes décorées de petits drapeaux à croix gammée qui battaient dans le froid. Elle était suivie par une voiture de police française.

— Les enfants, dit Vianne en revenant à la hâte dans la cour, venez ici. Restez près de moi.

Deux hommes tournèrent au coin et apparurent. Elle n'avait jamais vu l'un d'eux : c'était un grand blond élégant, presque décadent, vêtu d'un long manteau en cuir noir et de bottes astiquées. Une croix de fer décorait son col droit. En revanche, elle connaissait l'autre homme : il était policier à Carriveau depuis des années. Paul Jeauelere. Antoine avait souvent fait remarquer qu'il avait un côté méchant et lâche.

— Madame Mauriac, dit le policier français avec un hochement de tête zélé.

Elle n'aimait pas son regard. Il lui rappelait la manière dont les garçons se regardaient parfois quand ils s'apprêtaient à martyriser un enfant plus faible.

— Bonjour, Paul.

— Nous sommes ici pour certains de vos collègues. Vous n'avez aucune raison de vous inquiéter, madame. Vous n'êtes pas sur notre liste.

Liste.

— Qu'est-ce que vous leur voulez, à mes collègues ? s'entendit-elle demander, mais sa voix était presque inaudible, bien que les enfants fussent silencieux.

— Certains enseignants vont être renvoyés aujourd'hui.

— Renvoyés ? Pourquoi ?

L'agent nazi fit un petit geste de sa main pâle, comme s'il chassait une mouche.

— Juifs, communistes et francs-maçons. D'autres, dit-il avec un air méprisant, qui ne sont plus autorisés à enseigner, à travailler dans la fonction publique ni dans le système judiciaire.

— Mais…

Le nazi fit un signe de tête au policier français, et les deux hommes se retournèrent simultanément et entrèrent au pas dans l'école.

— Madame Mauriac ? fit quelqu'un en tirant sur sa manche.

— Maman ? dit Sophie en pleurnichant. Ils ne peuvent pas faire ça, si ?

— Bien sûr que si, dit Gilles. Salauds de nazis !

Vianne aurait dû le punir pour ce langage, mais elle ne pouvait plus penser qu'à une chose : la liste de noms qu'elle avait donnée à Beck.

*

Vianne se débattit avec sa conscience pendant des heures. Elle avait continué à donner cours pendant la plus grande partie de la journée, même si elle ne se rappelait pas comment. Tout ce qu'elle revoyait, c'était le regard que Rachel lui avait adressé en sortant de l'école avec les autres profs renvoyés. Mais à midi, bien qu'ils fussent déjà en sous-effectif à l'école, Vianne avait fini par demander à un de ces collègues de s'occuper de sa classe.

À présent, elle se trouvait à l'entrée de la place principale.

Durant tout le trajet jusque-là, elle avait préparé ce qu'elle allait dire, mais quand elle avait vu le drapeau nazi qui flottait sur l'hôtel de ville, sa détermination avait fléchi. Partout où elle regardait, il y avait des soldats allemands qui marchaient par deux, montaient de superbes chevaux bien nourris ou filaient à travers les rues dans des Citroën noires rutilantes. De l'autre côté de la place, un nazi donna un coup de sifflet et se servit de son fusil pour forcer un vieil homme à s'agenouiller.

Vas-y, Vianne.

Elle gravit les marches en pierre jusqu'aux portes en chêne fermées où un jeune garde au visage juvénile l'arrêta et lui demanda ce qu'elle voulait.

— Je suis là pour voir le capitaine Beck, expliqua-t-elle.

— Ah.

Le garde ouvrit la porte et lui montra le haut du grand escalier en pierre en indiquant le chiffre deux avec ses doigts.

Vianne pénétra dans la salle principale de l'hôtel de ville. Elle était pleine d'hommes en uniforme. Essayant de ne croiser aucun regard, elle se dépêcha de traverser le hall vers l'escalier qu'elle monta sous l'œil vigilant du

Führer, dont le portrait recouvrait une grande partie du mur.

Au deuxième étage, elle trouva un autre homme en uniforme et lui demanda :

— Le capitaine Beck, s'il vous plaît ?

— Oui, madame.

Il l'accompagna jusqu'à une porte au bout du couloir et frappa des petits coups secs. Lorsqu'on répondit à l'intérieur, il ouvrit la porte.

Beck était assis derrière un bureau ornementé noir et or – évidemment saisi dans une des demeures grandioses du secteur. Derrière lui, un portrait d'Hitler et un ensemble de cartes étaient accrochés aux murs. Sur son bureau se trouvaient une machine à écrire et une ronéo. Dans le coin se dressait une pile de radios confisquées, mais le pire était la nourriture. Il y avait des caisses et des caisses de denrées, des tas de viande séchée, des meules de fromage empilées contre le mur du fond.

— Madame Mauriac, dit Beck en se levant rapidement. Quelle agréable surprise, fit-il en venant vers elle. Que puis-je faire pour vous ?

— C'est au sujet des professeurs que vous avez renvoyés de l'école.

— Ce n'est pas moi, madame.

Vianne jeta un coup d'œil vers la porte ouverte derrière eux et fit un pas vers lui puis baissa la voix pour lui dire :

— Vous m'aviez dit que la liste de noms était de nature purement administrative.

— Je suis désolé. Sincèrement. C'est ce qu'on m'avait dit.

— Nous avons besoin d'eux à l'école.

— Votre présence ici, c'est… peut-être dangereux, dit-il en fermant le petit écart entre eux. Il ne faut pas attirer l'attention sur vous, madame Mauriac. Pas ici. Il y a un homme…

Il jeta un regard vers la porte et s'interrompit.

— Partez, madame.

— Si seulement vous ne m'aviez pas demandé.

— Je le regrette aussi, madame, dit-il avec un regard compréhensif. Maintenant, partez. S'il vous plaît. Vous ne devriez pas être ici.

Vianne se détourna du capitaine Beck – ainsi que de toute cette nourriture et de la photo du Führer – et quitta le bureau. Quand elle descendit l'escalier, elle vit la manière dont les soldats l'observaient en se souriant et en plaisantant, sans aucun doute à propos de cette Française de plus qui avait tenté de séduire un fringant soldat allemand, lequel venait de lui briser le cœur. Mais ce fut seulement lorsqu'elle ressortit dans la lumière du soleil qu'elle se rendit pleinement compte de son erreur.

Plusieurs femmes étaient sur la place ou à proximité et la virent sortir du repaire des nazis.

L'une d'entre elles était Isabelle.

Vianne descendit rapidement les marches en direction d'Hélène Ruelle, la femme du boulanger, qui livrait du pain à la kommandantur.

— On se fait des amis, madame Mauriac ? dit Hélène avec condescendance quand Vianne passa près d'elle au pas de course.

Isabelle traversa la place presque en courant vers elle. Avec un soupir de découragement, Vianne s'arrêta et attendit que sa sœur la rattrape.

— Qu'est-ce que tu fabriquais là-dedans ? lui demanda Isabelle d'une voix trop forte, ou peut-être n'était-ce qu'aux oreilles de Vianne.

— Ils ont renvoyé les profs aujourd'hui. Non. Pas tous, juste les juifs, les francs-maçons et les communistes.

Le souvenir lui revint et lui donna mal au cœur. Elle se rappela le couloir silencieux et la confusion parmi les enseignants qui étaient restés. Personne ne savait quoi faire, comment défier les nazis.

— *Juste* eux, hein ? fit Isabelle, le visage crispé.

— Ce n'est pas ce que je voulais dire. Je voulais juste être plus claire. Ils n'ont pas renvoyé tous les profs.

Cette excuse étant peu convaincante même à ses propres oreilles, elle se tut.

— Mais ça n'explique en rien ta présence à leur siège.

— Je… je me suis dit que le capitaine Beck pourrait nous aider. Aider Rachel.

— Tu es allée voir Beck pour lui demander une faveur ?

— Il le fallait.

— Les Françaises ne demandent pas d'aide aux nazis, Vianne. Mon Dieu, tu dois bien le savoir.

— Je le sais, dit Vianne d'un ton de défi. Mais…

— Mais quoi ?

Vianne ne tenait plus.

— Je lui ai donné une liste de noms.

Isabelle s'immobilisa. Pendant un instant, elle eut l'air de ne pas respirer. Le regard qu'elle lança à Vianne fut plus cinglant qu'une claque dans la figure.

— Comment as-tu pu faire ça ? Tu lui as donné le nom de Rachel ?

— Je… je ne savais pas, bégaya Vianne. Comment pouvais-je savoir ? Il m'a dit que c'était administratif, s'excusa-t-elle en saisissant la main d'Isabelle. Pardonne-moi, Isabelle. Je t'en supplie. Je ne savais pas.

— Ce n'est pas mon pardon que tu dois chercher, Vianne.

Vianne eut un profond et cuisant sentiment de honte. Comment avait-elle pu être aussi bête, et comment pourrait-elle bien se racheter ? Elle jeta un coup d'œil à sa montre. Les cours se termineraient bientôt.

— Va à l'école, dit Vianne. Récupère Sophie, Sarah, et ramène-les à la maison. J'ai quelque chose à faire.

— Quoi que ce soit, j'espère que tu as bien réfléchi à ce que tu faisais.

— Vas-y, dit Vianne d'une voix lasse.

*

La chapelle Sainte-Jeanne était une petite église normande en pierre située aux abords de la ville. Derrière celle-ci, et dans ses remparts médiévaux, se trouvait le couvent des sœurs de Saint-Joseph, des religieuses qui dirigeaient à la fois un orphelinat et une école.

Vianne entra dans l'église, ses pas résonnant sur le sol froid ; elle crachait des panaches de vapeur devant elle. Elle ôta ses moufles juste assez longtemps pour toucher du bout des doigts l'eau bénite gelée. Elle fit le signe de croix et s'approcha d'un banc libre, puis s'agenouilla. Elle ferma ensuite les yeux et baissa la tête pour prier.

Elle avait besoin de conseils – et qu'on lui pardonne –, mais pour la première fois de sa vie elle ne trouvait pas de mots pour sa prière. Comment pouvait-on lui pardonner un acte aussi idiot et inconsidéré ?

Dieu verrait sa culpabilité et sa peur, et Il la jugerait. Elle abaissa ses mains jointes et se releva pour s'asseoir sur le banc en bois.

— Vianne Mauriac, c'est vous ?

La Mère supérieure Marie-Thérèse s'assit à côté de Vianne. Elle attendit que Vianne prenne la parole. Il en avait toujours été ainsi entre elles. La première fois que Vianne était venue demander conseil à la Mère, elle avait seize ans et était enceinte. C'était la Mère qui avait réconforté Vianne après que Papa l'eut traitée de honte de la famille ; la Mère qui avait organisé un mariage précipité et convaincu Papa de laisser le Jardin à Vianne et Antoine ; la Mère qui avait promis à Vianne qu'un enfant était toujours un miracle et qu'un amour de jeunesse pouvait durer.

— Vous savez qu'il y a un Allemand cantonné chez moi, finit par dire Vianne.

— Ils sont dans toutes les grandes maisons et tous les hôtels.

— Il m'a demandé qui était juif, communiste ou franc-maçon parmi les professeurs.

— Ah. Et vous lui avez répondu.

— Ce qui fait de moi l'idiote qu'Isabelle voit en moi, n'est-ce pas ?

— Vous n'êtes pas idiote, Vianne, dit la Mère en la regardant. Et votre sœur est prompte à juger. Ça, je m'en souviens.

— Je me demande s'ils auraient trouvé ces noms sans mon aide.

— Ils ont destitué des juifs de leurs emplois partout en ville. Vous n'êtes pas au courant ? M. Penoir n'est plus receveur des postes, et le juge Braias a été remplacé. J'ai reçu des nouvelles de Paris, où la directrice du collège Sévigné a été forcée de démissionner, de même que tous les chanteurs juifs à l'Opéra de Paris. Peut-être qu'ils avaient besoin de votre aide, peut-être pas. Mais à coup sûr, ils auraient trouvé ces noms sans votre aide, dit la Mère d'une voix à la fois douce et sévère. Mais ce n'est pas ça qui importe.

— Comment cela ?

— Je crois qu'au fur et à mesure que cette guerre va se poursuivre, nous allons devoir nous interroger davantage. Ces questions ne portent pas sur eux, mais sur *nous*.

Vianne sentit des larmes lui piquer les yeux.

— Je ne sais plus quoi faire. Antoine s'occupait toujours de tout. La Wehrmacht et la Gestapo, ça me dépasse complètement.

— Ne pensez pas à qui ils sont. Pensez à qui *vous* êtes, aux sacrifices que vous pouvez supporter et à ce qui vous détruirait.

— Mais *tout* me détruit. Il faut que je sois plus comme Isabelle. Elle est si certaine de tout. Pour elle, tout est soit noir soit blanc dans cette guerre. Rien ne semble lui faire peur.

— Isabelle va aussi avoir sa crise de doute. Comme chacun de nous. J'ai déjà connu ce que nous traversons, durant la Grande Guerre. Je sais que les épreuves ne font que commencer. Vous devez rester forte.

— En croyant en Dieu.

— Oui, bien sûr, mais pas *seulement* en croyant en Dieu. Les prières et la foi ne vont pas suffire, je le crains. La voie de la vertu est souvent dangereuse. Soyez prête, Vianne. Ceci n'est que votre première épreuve. Tirez-en des leçons.

La Mère prit Vianne dans ses bras. Vianne la serra fort, le visage appuyé contre l'habit de laine rêche.

Lorsqu'elle relâcha son étreinte, elle se sentait un peu mieux.

La Mère supérieure se leva, prit la main de Vianne et l'aida à se relever.

— Vous pourriez peut-être trouver le temps de rendre visite aux enfants cette semaine pour leur donner un cours ? Ils adoraient quand vous leur appreniez à peindre. Comme vous pouvez l'imaginer, beaucoup se plaignent d'avoir le ventre vide en ce moment. Dieu merci, les sœurs ont un excellent potager, et le lait et le fromage de chèvre sont une bénédiction. Malgré cela…

— Oui, dit Vianne.

Tout le monde savait comme il était pénible de se serrer la ceinture, surtout pour les enfants.

— Vous n'êtes pas seule, et vous n'êtes pas responsable, dit la Mère avec douceur. Demandez de l'aide quand vous en avez besoin, et donnez-en quand vous le pouvez. Je pense que c'est comme ça qu'on sert Dieu – et qu'on se sert les uns les autres et soi-même – dans les moments aussi sombres que ceux que nous vivons.

*

Vous n'êtes pas responsable.

Vianne songea aux paroles de la Mère durant tout le trajet du retour.

Elle avait toujours trouvé beaucoup de réconfort dans sa foi. Quand Maman avait commencé à tousser, puis quand cette toux s'était transformée en violentes crises qui laissaient des gouttelettes de sang sur ses mouchoirs, Vianne avait prié Dieu pour tout ce dont elle avait besoin. De l'aide. Des conseils. Un moyen de tromper la mort qui était venue leur rendre visite. À quatorze ans, elle avait fait toutes les promesses possibles à Dieu, si seulement Il pouvait épargner la vie de sa maman. Quand ses prières étaient restées inexaucées, elle était revenue vers Dieu et avait prié pour qu'Il lui donne la force de supporter les suites de cette tragédie – sa solitude, les silences mornes et pleins de colère de Papa, ses crises de fureur éthyliques, le besoin permanent d'attention d'une Isabelle gémissante.

Maintes et maintes fois, elle était revenue vers Dieu pour implorer Son aide et Lui promettre sa foi. Elle avait voulu croire qu'elle n'était ni seule ni responsable, mais plutôt que sa vie se déroulait comme Il l'avait prévu, même si elle ne pouvait pas le vérifier.

Mais à présent, un tel espoir semblait aussi mince qu'une plaque de fer-blanc.

Elle *était* seule et il n'y avait aucun autre responsable, aucun sauf les nazis.

Elle avait commis une effroyable erreur. Elle ne pouvait l'effacer, malgré tout l'espoir qu'elle pourrait nourrir de voir une telle occasion se présenter ; elle ne pouvait revenir en arrière, mais une femme bien devait accepter sa responsabilité – ainsi que le prix à payer – et s'excuser. Quoi qu'elle puisse être ou ne pas être d'autre, quels que fussent ses défauts, elle avait l'intention d'être une femme bien.

Et elle savait par conséquent ce qu'elle devait faire.

Elle le savait, et pourtant quand elle arriva au portail de la maison de Rachel, elle se trouva tétanisée. Ses pieds étaient lourds, son cœur plus encore.

Elle prit une grande inspiration et frappa à la porte. Elle entendit le bruit d'une démarche traînante à l'intérieur, puis la porte s'ouvrit. Rachel tenait son fils endormi dans un bras et avait une salopette suspendue à l'autre.

— Vianne, dit-elle en souriant. Entre.

Vianne faillit céder à la lâcheté. *Oh, Rachel, je suis juste passée pour te saluer.* Mais au lieu de cela, elle respira à fond et suivit son amie dans la maison. Elle prit sa place habituelle dans le confortable fauteuil rembourré niché près du feu.

— Prends Ari, je vais nous préparer du café.

Vianne tendit les bras vers le bébé endormi et le prit. Il se blottit contre elle, et elle lui caressa le dos en l'embrassant sur l'arrière de la tête.

— On a entendu dire que la Croix-Rouge remettait des colis de provisions aux prisonniers de guerre dans les camps, dit Rachel quelques instants plus tard, en revenant dans la pièce avec deux tasses de café.

Elle en posa une devant Vianne.

— Où sont les filles ?

— Chez moi, avec Isabelle. Sans doute en train d'apprendre à se servir d'un fusil.

Rachel rigola.

— Ce n'est pas la pire des compétences.

Elle tira la salopette posée sur son épaule et la jeta sur un panier de paille avec le reste de sa couture. Puis elle s'assit face à son amie.

Vianne inspira profondément l'odeur suave et pure du bébé. Quand elle leva les yeux, Rachel la fixait du regard.

— C'est un de ces mauvais jours ? demanda-t-elle doucement.

Vianne eut un sourire mal assuré. Rachel savait comme Vianne pleurait parfois ses bébés perdus et combien elle avait prié pour avoir d'autres enfants. Cela avait été difficile entre elles – pas très, mais un peu – quand Rachel était tombée enceinte d'Ari. Rachel avait connu la joie… et Vianne une pointe de jalousie.

— Non, répondit-elle en levant lentement le menton pour regarder sa meilleure amie dans les yeux. J'ai quelque chose à te dire.

— Quoi ?

Vianne inspira.

— Tu te souviens du jour où on a écrit les cartes postales ? Et où le capitaine Beck m'attendait chez moi quand on est rentrées ?

— Oui. Je t'ai proposé de t'accompagner à l'intérieur.

— Je regrette que tu ne l'aies pas fait, même si je ne pense pas que ça aurait changé quelque chose. Il aurait simplement attendu que tu partes.

Rachel commença à se lever.

— Est-ce qu'il…

— Non, non, fit-elle rapidement. Pas ça. Il travaillait à la table de la salle à manger ce jour-là, il écrivait quelque chose quand je suis rentrée. Il… m'a demandé une liste de noms. Il voulait savoir qui était juif ou communiste parmi les profs de l'école, expliqua-t-elle avant de marquer une pause. Il m'a aussi demandé qui était homosexuel et franc-maçon, comme si les gens parlaient de ce genre de choses.

— Tu lui as dit que tu ne savais pas.

Vianne détourna les yeux de honte, mais seulement une seconde. Elle se força à dire :

— Je lui ai donné ton nom, Rachel. Ainsi que celui des autres.

Rachel se figea ; son visage blêmit, ce qui fit ressortir ses yeux sombres.

— Et ils nous ont renvoyés.

La gorge serrée, Vianne hocha la tête.

Rachel se leva et passa devant Vianne sans s'arrêter ni prêter attention à son implorant *S'il te plaît, Rachel*, en faisant un écart pour qu'elle ne puisse pas la toucher. Elle alla dans la chambre et claqua la porte.

Le temps s'écoula lentement, ponctué de longues inspirations, de prières étouffées et des grincements du fauteuil. Vianne regardait tourner les minuscules aiguilles noires de la pendule de la cheminée. Elle donnait de petites tapes dans le dos du bébé au rythme des minutes qui passaient.

Puis la porte s'ouvrit enfin. Rachel revint dans la pièce. Elle avait les cheveux ébouriffés, comme si elle se les était frottés ; ses joues étaient couvertes de marbrures, dues soit à la contrariété, soit à la colère. Peut-être aux deux. Elle avait les yeux rouges d'avoir trop pleuré.

— Je suis vraiment désolée, dit Vianne en se levant. Pardonne-moi.

Rachel s'arrêta devant elle et la regarda. Ses yeux lui lancèrent des éclairs, puis ceux-ci s'éteignirent et laissèrent place à la résignation.

— Tout le monde en ville sait que je suis juive, Vianne. J'en ai toujours été fière.

— Je sais. C'est ce que je me suis dit. Mais je n'aurais quand même pas dû l'aider. Je suis désolée. Je ne te ferais de mal pour rien au monde. J'espère que tu le sais.

— Bien sûr que je le sais, répondit Rachel d'une voix douce. Mais V, il faut que tu sois plus prudente. Je sais que Beck est jeune, beau, gentil et poli, mais c'est un nazi, et les nazis sont dangereux.

*

Personne n'avait jamais connu d'hiver aussi froid que celui de 1940. La neige tombait jour après jour, recouvrant les champs et les arbres ; des stalactites scintillantes pendaient aux branches affaissées.

Néanmoins, Isabelle se réveillait des heures avant l'aube tous les vendredis matin et distribuait ses « journaux terroristes », comme les nazis les appelaient désormais. Le tract de la semaine précédente suivait les opérations militaires en Afrique du Nord et prévenait les Français que la pénurie de vivres hivernale n'était pas due au blocus britannique – comme l'affirmait la propagande nazie –, mais au fait que les Allemands pillaient tout ce que la France produisait.

Isabelle distribuait ces bulletins depuis maintenant des mois et, honnêtement, elle ne voyait pas quel impact ils avaient sur les habitants de Carriveau. Beaucoup d'entre eux soutenaient toujours Pétain. Plus encore s'en fichaient. Un nombre inquiétant de ses voisins considéraient les Allemands en se disant « Si jeunes, encore adolescents » et continuaient de mener péniblement leur vie, tête baissée, en essayant juste de rester hors de danger.

Les nazis s'étaient aperçus de l'existence des tracts, bien sûr. Des Français et des Françaises saisissaient n'importe quel prétexte pour se faire bien voir – et donner aux nazis les tracts qu'ils trouvaient dans leurs boîtes aux lettres était un début.

Isabelle savait que les Allemands recherchaient ceux qui imprimaient et distribuaient ces bulletins, mais ils ne se donnaient pas trop de peine. Surtout pas en ces jours de neige où le Blitz de Londres était le seul sujet de conversation. Peut-être que les Allemands savaient que des mots sur un bout de papier ne suffisaient pas à inverser le cours d'une guerre.

Ce jour-là, Isabelle était allongée sur le lit, avec Sophie pelotonnée à côté d'elle comme une minuscule branche de fougère épée et Vianne qui dormait profondément de l'autre côté de la fillette. Elles dormaient désormais toutes les trois dans le lit de Vianne. Durant le dernier mois, elles avaient garni celui-ci de toutes les couettes et couvertures supplémentaires qu'elles avaient trouvées. Isabelle restait là à regarder son souffle former de fins nuages blancs qui disparaissaient aussitôt.

Elle savait comme le sol serait froid, même à travers les bas de laine qu'elle portait au lit. Elle savait que c'était le dernier moment de la journée où elle aurait chaud. Elle s'arma de courage et s'extirpa de sous le tas de couettes. À côté d'elle, Sophie poussa un gémissement et roula pour chercher la chaleur du corps de sa mère.

Quand les pieds d'Isabelle touchèrent le sol, elle eut un élancement dans les tibias. Elle grimaça et sortit de la chambre en clopinant.

Il lui fallut une éternité pour descendre l'escalier, tant elle avait mal aux pieds. Saletés d'engelures. Tout le monde en souffrait. C'était soi-disant à cause du manque de beurre et de graisse, mais Isabelle savait que ces lésions étaient dues au froid, aux chaussettes pleines de trous et aux chaussures aux coutures déchirées.

Elle avait envie d'allumer un feu – elle mourait d'envie de seulement quelques instants de chaleur, à vrai dire –, mais il ne leur restait que quelques morceaux de bois. À la fin janvier, elles avaient commencé à arracher des morceaux de la grange et à les brûler, ainsi que des boîtes à outils, de vieilles choses et tout ce qu'elles trouvaient d'autre. Elle se prépara une tasse d'eau bouillante et la but, laissant la chaleur et le poids du liquide faire croire à son ventre qu'il n'était pas vide. Elle mangea un petit bout de pain rassis, enveloppa son corps d'une couche de papier journal, puis enfila le manteau d'Antoine, ses moufles et ses bottes. Elle s'entoura la tête et le cou avec une écharpe en laine mais, malgré tout cela, lorsqu'elle sortit, le froid lui coupa le souffle. Elle ferma la porte derrière elle et se mit péniblement en route, ses orteils gonflés d'engelures l'élançant à chaque pas, les doigts instantanément froids, même dans les moufles.

Il régnait un calme inquiétant. Elle avança dans la neige qui lui arrivait aux genoux, ouvrit le portail cassé et s'engagea sur la route couverte de neige tassée.

Avec le froid et la neige, il lui fallut trois heures pour distribuer ses bulletins – ils traitaient cette semaine du Blitz : les Allemands avaient largué trente-deux mille bombes sur Londres en une seule nuit. L'aube, quand elle arriva, fut aussi légère qu'un bouillon sans viande. Elle fut la première de la queue à la boucherie, mais d'autres arrivèrent bientôt. À 7 heures, la femme du boucher leva la grille du magasin et ouvrit la porte.

— Poulpe, annonça la femme.

Isabelle ressentit une pointe de déception.

— Pas de viande ?

— Pas pour les Français, mademoiselle.

Elle entendit derrière elle les ronchonnements des femmes qui voulaient de la viande, et plus loin dans la queue, des femmes qui savaient qu'elles n'auraient même pas la chance d'avoir du poulpe.

Isabelle prit le poulpe emballé dans du papier et sortit du magasin. Au moins, elle avait eu quelque chose. On ne pouvait plus trouver de lait en conserve, ni avec les tickets de rationnement ni même au marché noir. Elle eut la chance de recevoir un petit camembert après deux heures d'attente supplémentaires. Elle recouvrit ces précieuses denrées avec un épais torchon dans son panier et prit la rue Victor-Hugo.

Lorsqu'elle passa devant un bar bondé de soldats allemands et de policiers français, elle sentit l'odeur du café chaud et des croissants frais sortis du four, et son estomac gargouilla.

— Mademoiselle.

Un policier français lui fit un bref signe de tête pour lui demander de faire place. Elle s'écarta et le regarda

coller une affiche sur la vitrine d'une boutique abandonnée. Celle-ci indiquait :

AVIS À LA POPULATION
EXÉCUTÉS POUR ESPIONNAGE. LE JUIF JAKOB
MANSARD, LE COMMUNISTE VIKTOR YABLONSKY
ET LE JUIF LOUIS DEVRY.

Et une deuxième :

AVIS À LA POPULATION
DORÉNAVANT, TOUT FRANÇAIS ARRÊTÉ POUR
QUELQUE CRIME OU INFRACTION QUE CE SOIT SERA
CONSIDÉRÉ COMME UN OTAGE. QUAND UN ACTE
HOSTILE À L'ALLEMAGNE SERA COMMIS EN FRANCE,
LES OTAGES SERONT EXÉCUTÉS.

— Ils exécutent des civils français sans raison ?
demanda-t-elle.

— Ne soyez pas si blême, mademoiselle. Ces aver-
tissements ne concernent pas les belles femmes comme
vous.

Isabelle foudroya l'homme du regard. Il était pire
que les Allemands, ce Français qui faisait cela à son
propre peuple. C'était pour ça qu'elle haïssait le gouvernement de Vichy. À quoi servait-il que la moitié des
Français soient autonomes si cela en faisait les pantins
des nazis ?

— Vous ne vous sentez pas bien, mademoiselle ?

Si prévenant. Si bienveillant. Que ferait-il si elle le
traitait de traître et lui crachait au visage ?

— Ça va, merci.

214

Elle le regarda traverser la rue avec assurance, le dos droit, son képi mis bien comme il faut sur ses cheveux bruns coupés ras. Les soldats allemands dans le café l'accueillirent chaleureusement en lui donnant des tapes dans le dos et le tirèrent parmi eux.

Dégoûtée, Isabelle se détourna.

Ce fut à ce moment-là qu'elle le remarqua : un rutilant vélo argenté appuyé contre la façade latérale du café. À la vue de celui-ci, elle considéra à quel point cela changerait sa vie et soulagerait sa douleur de faire à vélo son aller-retour quotidien en ville.

En temps normal, les soldats du café auraient surveillé ce vélo, mais en cette matinée neigeuse, personne n'était installé à une table dehors.

Ne le fais pas.

Son cœur se mit à battre la chamade, ses paumes de mains devinrent moites et chaudes dans ses moufles. Elle jeta un coup d'œil alentour. Les femmes qui faisaient la queue devant la boucherie se faisaient un devoir de ne rien voir et de ne croiser le regard de personne. Les fenêtres du café d'en face étaient embuées ; à l'intérieur, les hommes étaient des silhouettes vert olive.

Si sûrs d'eux.

De nous, se dit-elle avec amertume.

À cette pensée, le peu de retenue qu'elle possédait disparut. Serrant le panier contre elle, elle s'engagea sur la chaussée pavée verglacée. À partir de cette seconde, de ce premier pas en avant, le monde parut se voiler autour d'elle et le temps ralentir. Elle entendait son souffle, voyait les bouffées de vapeur devant son visage. Les bâtiments devenaient flous ou se fondaient en masses blanches, la neige l'éblouissait, jusqu'à ce qu'elle ne vît plus que le reflet du guidon argenté et les deux pneus noirs.

Elle savait qu'il n'y avait qu'une façon de s'y prendre. Vite. Sans un coup d'œil de côté ni une interruption dans son élan.

Un chien aboya quelque part. Une porte claqua.

Isabelle continua de marcher ; cinq pas la séparaient du vélo.

Quatre.

Trois.

Deux.

Elle monta sur le trottoir, prit le vélo et sauta dessus. Elle s'élança dans la rue pavée, le cadre cliquetant au rythme des cahots sur la route. Elle dérapa dans un virage, faillit tomber, mais se remit d'aplomb et pédala à toutes jambes en direction de la rue La Grande.

Là, elle tourna dans la ruelle et sauta du vélo pour frapper à la porte. Quatre coups secs.

La porte s'ouvrit lentement. Henri la vit et fronça les sourcils.

Elle le poussa pour entrer.

La petite salle de réunion était à peine éclairée. Une lampe à huile seulement était posée sur une table en bois éraflée. Henri était seul. Il faisait des saucisses à partir d'un plateau de viande et de gras. Des chapelets entiers étaient suspendus à des crochets au mur. La pièce sentait la viande, le sang et la fumée de cigarette. Elle tira le vélo avec elle à l'intérieur et claqua la porte.

— Eh bien, bonjour, dit Henri en s'essuyant les mains sur une serviette. Est-ce qu'on a convoqué une réunion dont je ne suis pas au courant ?

— Non.

Il jeta un coup d'œil à côté d'elle.

— Ce vélo n'est pas à toi.

— Je l'ai volé, dit-elle. Juste sous leur nez.

— C'est – ou c'était – le vélo d'Alain Deschamps. Il a tout laissé et il s'est enfui à Lyon avec sa famille quand l'Occupation a commencé, expliqua Henri en avançant vers elle. Ces derniers temps, j'ai vu un soldat SS l'utiliser en ville.

— Un SS ?

L'euphorie d'Isabelle retomba. De terribles rumeurs circulaient au sujet des SS et de leur cruauté. Elle aurait peut-être dû y réfléchir à deux fois…

Il s'approcha encore, au point qu'elle perçut la chaleur de son corps.

Elle n'avait jamais été seule avec lui auparavant, ni aussi près de lui. Elle vit pour la première fois que ses yeux n'étaient ni bruns ni verts, mais d'un gris noisette qui lui fit penser au brouillard dans une forêt profonde. Elle remarqua une petite cicatrice sur son front qui avait été soit une affreuse balafre à un moment donné, soit une blessure mal recousue, et elle se demanda alors quel genre de vie il avait eue pour se retrouver là et devenir communiste. Il avait au moins dix ans de plus qu'elle, même si à vrai dire il avait parfois l'air encore plus vieux, comme s'il avait perdu quelqu'un de très proche.

— Il va falloir que tu le repeignes, dit-il.

— Je n'ai pas de peinture.

— Moi, j'en ai.

— Est-ce que tu…

— Un baiser, dit-il.

— Un baiser ? répéta-t-elle pour gagner du temps.

C'était le genre de chose qui lui avait semblé normale avant la guerre : les hommes la désiraient, depuis toujours. Elle avait envie de retrouver cela, de flirter avec Henri et de se faire draguer, et pourtant l'idée même lui paraissait triste et un peu vaine, comme si ça n'avait peut-être plus de sens d'embrasser quelqu'un, et encore moins de flirter.

— Un baiser et je repeins ton vélo ce soir, et tu peux le récupérer demain.

Elle fit un pas vers lui et leva le visage au niveau du sien.

Ils étaient tout proches, malgré les manteaux, les couches de papier et de laine entre eux. Il la prit dans ses bras et l'embrassa. Durant une seconde magnifique, elle redevint Isabelle Rossignol, la fille exaltée que les hommes désiraient.

Quand il eut terminé et recula, elle se sentit… abattue. Triste.

Il fallait qu'elle dise quelque chose, qu'elle fasse une blague ou peut-être qu'elle prétende avoir plus de sentiments qu'en réalité. C'était ce qu'elle aurait fait avant, quand les baisers avaient eu plus de sens, ou peut-être moins.

— Il y a quelqu'un d'autre, dit Henri en la dévisageant.

— Non.

Henri toucha doucement sa joue.

— Tu mens.

Isabelle songea à tout ce qu'Henri lui avait donné. C'était lui qui l'avait introduite dans le réseau français libre et qui lui avait donné une chance ; c'était lui qui avait cru en elle. Et pourtant, quand il l'embrassait, elle pensait à Gaëtan.

— Il n'a pas voulu de moi, dit-elle.

C'était la première fois qu'elle disait la vérité à quelqu'un. Cette confession la surprit.

— Si les choses étaient différentes, je ferais en sorte que tu l'oublies.

— Et je te laisserais essayer.

Elle vit la manière dont il sourit à cette réplique, la tristesse dans son expression.

— Bleu, dit-il après un silence.

— Bleu ?

— C'est la couleur de la peinture que j'ai.

Isabelle sourit.

— Juste ce qu'il me faut.

Plus tard ce jour-là, alors qu'elle faisait queue après queue pour trop peu de nourriture, puis quand elle ramassait du bois dans la forêt et le rapportait à la maison, elle repensa à ce baiser.

Et sans cesse, elle se disait une chose : *Si seulement*.

13

Par une belle journée de la fin d'avril 1941, Isabelle était étendue sur une couverture en laine dans le champ, en face de la maison. L'odeur douce du foin en train de mûrir lui emplissait les narines. Lorsqu'elle fermait les yeux, elle parvenait presque à oublier que les moteurs au loin appartenaient aux camions allemands qui emmenaient les soldats – et les produits français – à la gare de Tours. Après cet hiver calamiteux, elle appréciait la sensation du soleil sur son visage, qui la plongeait dans un état de somnolence.

— Te voilà !

Isabelle soupira et s'assit.

Vianne portait une robe vichy d'un bleu passé qui avait viré au gris à cause du corrosif savon fait maison. La faim l'avait desséchée au cours de l'hiver, faisant saillir ses pommettes et accentuant un peu plus le creux à la base de sa gorge. Elle avait la tête enturbannée d'un vieux fichu, cachant ses cheveux qui avaient perdu leur éclat et leurs boucles.

— Tu as reçu ça, dit Vianne en lui tendant un morceau de papier. On l'a apporté. Un homme. Pour toi, expliqua-t-elle comme si ce fait méritait d'être reprécisé.

Isabelle se releva avec peine et arracha le papier des mains de Vianne. Sur celui-ci était griffonné : *Les rideaux sont ouverts.* Elle ramassa la couverture et commença à la plier. Qu'est-ce que ça voulait dire ? On ne l'avait jamais convoquée auparavant. Il devait se passer quelque chose d'important.

— Isabelle ? Tu voudrais bien m'expliquer ?

— Non.

— C'était Henri Navarre. Le fils de l'hôtelier. Je ne pensais pas que tu le connaissais.

Isabelle déchira le mot en minuscules morceaux qu'elle laissa tomber par terre.

— C'est un communiste, tu sais, chuchota Vianne.

— Il faut que j'y aille.

Vianne l'attrapa par le poignet.

— Tu ne peux pas être sortie en douce tout l'hiver pour voir un communiste. Tu sais ce que les nazis pensent d'eux. C'est dangereux d'être seulement vue avec cet homme.

— Tu crois que je me soucie de ce que pensent les nazis ? dit Isabelle en se dégageant d'un mouvement brusque.

Elle traversa le champ en courant pieds nus. À la maison, elle attrapa des chaussures et grimpa sur son vélo. Avec un *Au revoir !* à une Vianne bouche bée, Isabelle partit en pédalant sur la route de terre.

En ville, elle passa en roue libre devant la chapellerie abandonnée – cette fois, les rideaux étaient ouverts – et tourna dans l'allée pavée où elle s'arrêta.

Elle appuya son vélo contre le mur raboteux en pierre calcaire et frappa quatre fois. Il ne lui vint pas à l'esprit avant le quatrième coup qu'il pouvait s'agir d'un piège. À cette pensée, elle retint son souffle et jeta un coup d'œil à gauche et à droite, mais c'était trop tard à présent.

Henri ouvrit la porte.

Isabelle entra rapidement. Un voile de fumée de cigarette flottait dans la pièce qui empestait la chicorée brûlée. Il y régnait également une odeur de sang – la fabrication de saucisses. Le costaud qui l'avait attrapée la première fois – Didier – était assis sur une vieille chaise au dossier en noyer. Il se laissait tellement aller en arrière que les deux pieds de devant ne touchaient pas le sol et que son dos effleurait le mur derrière lui.

— Tu n'aurais pas dû apporter un mot chez moi, Henri. Ma sœur me pose des questions.

— Il fallait qu'on te parle immédiatement.

Isabelle eut un petit frisson d'excitation. Allaient-ils enfin lui demander de faire plus que distribuer des papiers dans des boîtes aux lettres ?

— Je suis là.

Henri alluma une cigarette. Elle sentit son regard sur elle tandis qu'il crachait la fumée grise et posait son allumette.

— As-tu entendu parler d'un préfet à Chartres qui a été arrêté et torturé parce qu'il était communiste ?

— Non, dit Isabelle en fronçant les sourcils.

— Il a préféré se trancher lui-même la gorge avec un morceau de verre plutôt que de donner le moindre nom ou avouer, indiqua Henri avant d'éteindre sa cigarette sur la semelle de sa chaussure et de conserver la fin pour plus tard dans la poche de son manteau. Il est en train de fonder un groupe, de gens comme nous qui veulent répondre à l'appel de De Gaulle. Il essaie de se rendre à Londres pour parler en personne avec de Gaulle. Il cherche à organiser un mouvement pour la France libre.

— Il n'est pas mort ? questionna Isabelle. Ou il ne s'est pas coupé les cordes vocales ?

— Non. On dit que c'est un miracle, répondit Didier.

Henri regarda attentivement Isabelle.

— J'ai une lettre – très importante – qui doit être remise à notre contact à Paris. Malheureusement, on me surveille de près en ce moment. De même que Didier.

— Oh, fit Isabelle.

— J'ai pensé à toi, dit Didier.

— Moi ?

Henri plongea la main dans sa poche et en retira une enveloppe froissée.

— Es-tu prête à remettre ceci à notre homme à Paris ? Il l'attend dans une semaine jour pour jour.

— Mais… je n'ai pas d'*Ausweis*.

— En effet, admit Henri à voix basse. Et si on t'attrapait…

Il laissa planer cette menace.

— Bien sûr, personne ne penserait de mal de toi si tu refusais. C'est une mission dangereuse.

Dangereuse, le mot était faible. Carriveau était placardée d'affiches à propos d'exécutions pratiquées dans toute la zone occupée. Les nazis tuaient des citoyens français à la moindre infraction. Elle risquait au minimum de se faire écrouer pour avoir aidé le mouvement France libre. Cependant, elle croyait en cette France libre de la même façon que sa sœur croyait en Dieu.

— Vous voulez donc que j'obtienne un laissez-passer, que j'aille à Paris, que je remette une lettre et que je rentre.

Ça ne semblait pas si périlleux présenté comme ça.

— Non, répondit Henri. Il faudrait que tu restes à Paris pour être notre… boîte aux lettres, en quelque sorte. Dans les mois à venir, il va y avoir beaucoup de courriers semblables. Ton père a un appartement là-bas, non ?

Paris.

Elle attendait ça depuis l'instant où son père l'avait exilée. Quitter Carriveau pour retourner à Paris et faire partie d'un réseau de gens qui résistaient à l'ennemi.

— Mon père ne voudra pas de moi chez lui.

— Persuade-le d'accepter, dit Didier d'une voix égale en la regardant – en la jaugeant.

— Ce n'est pas un homme qu'on persuade facilement, dit-elle.

— Alors tu ne peux pas le faire. Voilà tout. On a notre réponse.

— Attends.

Henri s'approcha d'elle. Elle lut de la réticence dans son regard et sut qu'il voulait qu'elle refuse cette mission. De toute évidence, il était inquiet pour elle. Elle leva le menton et le regarda droit dans les yeux.

— Je vais le faire.

— Tu vas devoir mentir à tous ceux que tu aimes et vivre dans la peur. Peux-tu supporter cela ? Tu ne te sentiras en sécurité nulle part.

Isabelle eut un rire amer. Ce n'était pas si différent de la vie qu'elle avait connue depuis qu'elle était enfant.

— Tu veilleras sur ma sœur ? demanda-t-elle à Henri. Tu t'assureras qu'elle est en sécurité ?

— Il y a un prix à payer pour tout ce que nous faisons, dit Henri.

Il lui adressa un regard triste, qui contenait la vérité qu'ils avaient tous apprise : personne n'était en sécurité.

— J'espère que tu en es consciente.

Mais Isabelle ne voyait que l'opportunité pour elle d'accomplir quelque chose.

— Quand est-ce que je pars ?

— Dès que tu obtiens un *Ausweis*, ce qui ne va pas être facile.

*

Mais qu'est-ce que cette fille a dans la tête, bon sang ?

Vraiment, un homme qui dépose un mot digne d'une cour d'école ? Un communiste ?

Vianne déballa le morceau filandreux de mouton qui constituait la ration de la semaine et le posa sur le plan de travail.

Isabelle avait toujours été fougueuse, une vraie force de la nature, une fille qui aimait transgresser les règles. Un nombre incalculable de religieuses et de professeurs avaient appris qu'on ne pouvait ni la faire obéir ni la maîtriser.

Mais ça. Il ne s'agissait plus d'un baiser à un garçon sur la piste de danse, d'une fugue pour aller au cirque ou du refus de porter un corset et des bas. Il s'agissait de la guerre dans un pays occupé. Comment Isabelle pouvait-elle encore croire que ses choix n'avaient pas de conséquences ?

Vianne commença à hacher finement le mouton. Elle ajouta un précieux œuf à la préparation, du pain rassis, puis elle l'assaisonna avec du sel et du poivre. Elle était en train de façonner de petites boules quand elle entendit une moto arriver en pétaradant vers la maison. Elle alla à la porte d'entrée et l'entrouvrit juste assez pour jeter un coup d'œil.

Elle aperçut la tête et les épaules du capitaine Beck par-dessus le muret quand il descendit de sa moto. Quelques instants plus tard, un camion militaire vert s'arrêta derrière lui et se gara. Trois autres soldats allemands pénétrèrent dans son jardin. Les hommes parlèrent entre eux puis se réunirent devant le mur recouvert de rosiers que son arrière-arrière-grand-père avait construit. Un des soldats souleva une masse et l'abattit violemment sur le mur qui se fracassa. Les pierres se brisèrent en morceaux, un écheveau de roses tomba, leurs pétales se dispersant dans l'herbe.

Vianne sortit précipitamment dans son jardin.

— Herr Capitaine !

La masse tomba à nouveau. *Craaaac.*

— Madame, dit Beck d'un air attristé.

Vianne fut agacée de le connaître assez bien pour se rendre compte de son humeur.

— Nous avons reçu l'ordre de démolir tous les murs le long de cette route.

Tandis qu'un soldat continuait sa destruction, les deux autres se dirigèrent vers la porte de la maison en riant à une blague. Sans demander la permission, ils passèrent devant elle et entrèrent chez elle.

— Mes condoléances, dit Beck en enjambant les gravats pour venir vers elle. Je sais que vous aimez vos roses. Et, bien tristement, mes hommes vont exécuter un ordre de réquisition pour votre maison.

— Une réquisition ?

Les soldats ressortirent de la maison ; l'un d'eux portait le tableau qui s'était trouvé au-dessus du manteau de cheminée et l'autre, le fauteuil rembourré du salon.

— C'était le fauteuil préféré de ma grand-mère, dit Vianne à voix basse.

— Je suis désolé, dit Beck. Je n'étais pas en mesure d'empêcher cela.

— Bon sang, mais qu'est-ce que...

Vianne ne sut pas si elle devait être soulagée ou inquiète quand Isabelle franchit le tas de pierres avec son vélo et le posa contre l'arbre. Il n'y avait déjà plus de barrière entre sa propriété et la route.

Isabelle était belle, même avec son visage rosi par l'effort et luisant de sueur. Ses cheveux blonds ondulés et brillants encadraient son visage. Sa robe rouge terne moulait son corps exactement où il fallait.

Les soldats s'arrêtèrent pour la regarder, laissant pendre entre eux le tapis d'Aubusson du salon roulé.

Beck ôta sa casquette militaire. Il s'adressa aux soldats qui portaient le tapis et ils se hâtèrent d'aller au camion.

— Vous avez démoli notre mur ? dit Isabelle.

— Le Sturmbannführer veut pouvoir voir toutes les maisons depuis la route. Quelqu'un distribue de la propagande antiallemande. Nous allons le trouver et l'arrêter.

— Vous pensez que d'inoffensifs bouts de papier méritent tout ça ? demanda Isabelle.

— Ils sont loin d'être inoffensifs, mademoiselle. Ils encouragent le terrorisme.

— Il faut fuir le terrorisme, acquiesça Isabelle en croisant les bras.

Vianne ne pouvait quitter Isabelle du regard. Il se passait quelque chose. Sa sœur semblait contenir ses émotions, rester calme, comme un chat prêt à bondir.

— Herr Capitaine, dit Isabelle au bout d'un moment.

— Oui, mademoiselle ?

Les soldats arrivèrent avec la table de la cuisine.

Isabelle les laissa passer puis s'approcha du capitaine.

— Mon papa est souffrant.

— Ah bon ? fit Vianne. Pourquoi est-ce que je ne suis pas au courant ? Qu'est-ce qu'il a ?

Isabelle fit comme si elle n'entendait pas Vianne.

— Il m'a demandé de venir à Paris pour le soigner. Mais…

— Il veut que *toi*, tu le soignes ? demanda Vianne, incrédule.

— Il vous faut un laissez-passer, mademoiselle, dit Beck. Vous le savez.

— Je le sais, dit Isabelle qui semblait à peine respirer. Je… je me suis dit que vous pourriez peut-être m'en procurer un. Vous avez une famille. Vous comprenez sûrement à quel point c'est essentiel de répondre à l'appel d'un père ?

Bizarrement, pendant qu'Isabelle parlait, le capitaine se tourna légèrement pour regarder Vianne, comme si c'était elle qui importait.

— Je peux vous obtenir un laissez-passer, oui, répondit le capitaine. Pour une urgence familiale comme celle-ci.

— Je vous en suis reconnaissante.

Vianne était stupéfaite. Beck ne voyait-il pas que sa sœur le manipulait ? Et pourquoi avait-il regardé Vianne au moment de prendre sa décision ?

Dès qu'Isabelle eut obtenu ce qu'elle voulait, elle retourna vers son vélo. Elle le prit par le guidon et l'emmena à la grange. Les pneus en caoutchouc rebondirent sur le sol inégal.

Vianne courut derrière elle.

— Papa est malade ? questionna-t-elle quand elle rattrapa sa sœur.

— Papa va bien.

— Tu as menti ? Pourquoi ?

Isabelle marqua une pausa courte mais perceptible.

— Je suppose qu'il n'y a pas de raison de mentir. Ce n'est plus un secret maintenant. Je suis sortie en douce les vendredis matin pour retrouver Henri, et maintenant il m'a demandé d'aller à Paris avec lui. Il a un charmant petit pied-à-terre à Montmartre, apparemment.

— Tu es folle ?

— Je suis amoureuse, je crois. Un peu. Peut-être.

— Tu vas traverser la France occupée par les nazis pour passer quelques nuits à Paris dans le lit d'un homme que tu aimes peut-être ? Un peu ?

— Je sais, dit Isabelle. C'est tellement romantique.

— Tu dois avoir de la fièvre. Tu as peut-être une sorte de maladie du cerveau, suggéra-t-elle en mettant ses mains sur ses hanches avec un grognement désapprobateur.

— Si l'amour est une maladie, je crois que j'en suis atteinte.

— Bon Dieu ! fit Vianne en croisant les bras. Y a-t-il quelque chose que je puisse dire pour empêcher cette folie ?

Isabelle la regarda.

— Tu me crois ? Tu crois que je traverserais la France occupée par les nazis pour m'amuser ?

— Ce n'est pas comme de faire une fugue pour aller au cirque, Isabelle.

— Mais... tu me crois capable de ça ?

— Bien sûr, répondit Vianne en haussant les épaules. Tu es si écervelée.

Isabelle eut l'air curieusement abattue.

— Tiens-toi simplement à distance de Beck en mon absence. Ne lui fais pas confiance.

— N'est-ce pas toi tout craché ? Tu t'inquiètes assez pour me mettre en garde, mais pas suffisamment pour rester avec moi. Ce qui compte vraiment, c'est ce que *toi* tu veux. Sophie et moi, on peut crever, pour ce que ça te fait.

— Ce n'est pas vrai.

— Ah non ? Va à Paris. Amuse-toi bien, mais n'oublie pas un seul instant que tu nous abandonnes.

Vianne croisa les bras et jeta un coup d'œil à l'homme dans son jardin qui supervisait le pillage de sa maison.

— Avec lui.

14

27 avril 1995
Côte de l'Oregon

Je suis ligotée comme un poulet à rôtir. Je sais que ces ceintures de sécurité modernes sont une bonne chose, mais elles me donnent une sensation de claustrophobie. J'appartiens à une génération qui ne s'attendait pas à être protégée de tout danger.

Je me souviens comme c'était autrefois, quand chacun devait faire des choix intelligents. Nous connaissions les risques et les prenions tout de même. Je me souviens d'avoir conduit trop vite dans ma vieille Chevrolet, le pied au plancher, fumant une cigarette et écoutant Price dans de petits haut-parleurs noirs qui chantait *Lawdy, Miss Clawdy* tandis que les enfants roulaient comme des quilles sur la banquette arrière.

Mon fils a peur que je prenne la fuite, je suppose, et c'est une crainte légitime. Au cours du dernier mois, toute ma vie a été bouleversée. Il y a un panneau VENDU dans mon jardin et je quitte ma maison pour toujours.

— C'est une belle allée, tu ne trouves pas ? me dit mon fils.

C'est ce qu'il fait : il comble l'espace avec des mots, qu'il choisit avec soin. C'est ce qui fait de lui un bon chirurgien. La précision.

— Oui.

Il entre dans le parking. Comme l'allée, il est bordé d'arbres en fleurs, de minuscules fleurs blanches qui tombent par terre comme des morceaux de dentelle sur le plancher d'une couturière, et se détachent sur l'asphalte noir.

Je me débats avec ma ceinture quand nous nous garons. Mes mains ne m'obéissent plus. Cela m'agace tellement que je pousse un juron.

— Je vais le faire, dit mon fils en se tournant vers moi pour détacher ma ceinture.

Il est sorti de la voiture et se trouve à ma portière avant même que j'aie eu le temps de ramasser mon sac à main.

La portière s'ouvre. Il prend ma main et m'aide à descendre. Sur le court trajet qui sépare le parking de l'entrée, je dois m'arrêter à deux reprises pour reprendre mon souffle.

— Les arbres sont si beaux à cette période de l'année, dit-il tandis que nous traversons ensemble le parking.

— Oui.

Ce sont de superbes pruniers à fleurs roses, mais je pense tout à coup aux marronniers fleuris le long des Champs-Élysées.

Mon fils serre davantage ma main, comme pour me rappeler qu'il comprend ma peine à l'idée de quitter un foyer qui a été mon havre de paix durant près de cinquante ans. Mais maintenant, il est temps de regarder devant moi et non derrière.

Vers la maison de retraite et de soins Ocean Crest.

Pour être honnête, l'endroit n'a pas l'air mal, un peu industriel peut-être, avec ses fenêtres toutes droites, son carré de pelouse parfaitement entretenu à l'avant et le drapeau américain qui flotte au-dessus de la porte. C'est un bâtiment long et bas. Construit dans les années 1970 je dirais, à cette époque où presque tout était laid. Il est composé de deux ailes qui s'étendent depuis une cour centrale, où, j'imagine, des personnes âgées attendent dans leur fauteuil roulant, le visage tourné vers le soleil. Grâce à Dieu, je ne loge pas dans le pavillon est du bâtiment – le centre de soins. Pas encore, en tout cas. Je suis encore autonome, merci bien, et je peux m'occuper de mon appartement.

Julien ouvre la porte pour moi, et j'entre. La première chose que je vois, c'est un grand espace d'accueil décoré pour ressembler au bureau touristique d'un hôtel balnéaire, avec un filet de pêche plein de coquillages accroché au mur. J'imagine qu'à Noël ils suspendent des décorations au filet et de grandes chaussettes au bord du bureau. Et des affiches scintillantes sur lesquelles est écrit *HO-HO-HO* sont sans doute placardées au mur le lendemain de Thanksgiving.

— Allez, maman.

Oh, c'est vrai. Il ne faut pas traîner.

Qu'est-ce que ça sent ici ? La crème de tapioca et la soupe de poulet aux vermicelles.

Des aliments mous.

Tant bien que mal, je continue d'avancer. S'il y a une chose que je ne ferai jamais, c'est m'arrêter.

— Nous y voilà, dit mon fils en ouvrant la porte de l'appartement 317A.

L'endroit est agréable, en toute honnêteté. Un petit appartement avec une chambre. La cuisine est nichée dans un coin près de la porte et, depuis son plan de travail en formica, on peut voir une table de salle à manger avec quatre chaises et le salon, où une table basse, un canapé et deux fauteuils sont réunis autour d'une cheminée à gaz.

La télé qui se trouve dans un autre coin est toute neuve et équipée d'un magnétoscope intégré. Quelqu'un – mon fils, sans doute – a mis quelques-uns de mes films préférés dans la bibliothèque. *Jean de Florette*, *À bout de souffle*, *Autant en emporte le vent*.

Je vois mes affaires : un jeté que j'ai tricoté étalé sur le dossier du canapé, et mes livres sur les étagères. Dans la chambre, d'une bonne superficie, des boîtes de médicaments sont posées sur la table de nuit, de mon côté du lit, une petite jungle de cylindres en plastique orange. Mon côté du lit. C'est drôle, mais certaines choses ne changent pas après la mort d'un conjoint, et celle-ci en fait partie. Le côté gauche du lit est le mien bien que je sois seule dedans. Au pied de celui-ci se trouve ma malle, exactement comme je l'ai demandé.

— Tu peux encore changer d'avis, dit-il doucement. Venir à la maison avec moi.

— On a déjà parlé de ça, Julien. Tu es bien assez occupé. Tu n'as pas besoin de t'inquiéter pour moi à chaque instant.

— Tu crois que je vais moins m'inquiéter en te sachant ici ?

Je le regarde, pleine d'amour pour cet enfant qui est le mien et que ma mort, je le sais, va terrasser. Je ne veux pas qu'il me voie mourir à petit feu. Je ne veux pas ça pour ses filles non plus. Je sais ce que c'est : certaines images, une fois vues, ne s'oublient jamais. Je veux qu'ils se souviennent de moi comme je suis, et pas comme je serai quand le cancer aura pris le dessus.

Il me conduit dans le petit salon et m'installe sur le canapé. Il nous sert du vin puis s'assied à côté de moi.

Je songe à l'impression que j'aurai quand il partira, et je suis sûre que les mêmes pensées occupent son esprit. Avec un soupir, il plonge la main dans sa serviette et en sort un tas d'enveloppes. Le soupir remplace les mots, un souffle de transition. Dans celui-ci, j'entends cet instant où je passerai d'une vie à une autre. Dans cette nouvelle version dépouillée de ma vie, c'est mon fils qui doit s'occuper de moi, et non plus l'inverse. Aucun de nous deux n'est vraiment à l'aise face à cette situation.

— J'ai payé les factures de ce mois. Ça, ce sont les courriers dont je ne sais pas quoi faire. Des choses sans intérêt, pour la plupart, je crois.

Je lui prends le tas de lettres et le compulse. Une lettre « personnalisée » du comité des jeux Olympiques spéciaux... Une offre d'estimation gratuite pour l'installation de stores... Une note de mon dentiste indiquant que six mois se sont écoulés depuis mon dernier rendez-vous.

Une lettre de Paris.

Elle porte des tampons rouges, comme si la poste l'avait envoyée à différentes adresses ou distribuée à la mauvaise personne.

— Maman ?

Il est si observateur. Il ne rate rien.

— Qu'est-ce que c'est ?

Quand il tend la main vers l'enveloppe, je veux l'empêcher de la prendre, la retenir, mais mes doigts ne m'obéissent pas. Mon cœur perd les pédales.

Julien ouvre l'enveloppe, en sort une carte écrue. Une invitation.

— C'est en français, dit-il. Ça parle de croix de guerre. C'est donc lié à la Seconde Guerre mondiale ? Est-ce que c'est pour papa ?

Évidemment. Les hommes pensent toujours que la guerre est leur affaire.

— Et il y a un mot écrit à la main dans le coin. Qu'est-ce que c'est ?

Guerre. Le monde s'étend autour de moi, déploie ses ailes noir corbeau pour devenir si grand que je ne peux pas en détourner le regard. Contre ma volonté, je reprends l'invitation. C'est pour une réunion de passeurs à Paris.

Ils veulent que j'y participe.

Comment pourrais-je y aller sans tout me rappeler : les choses affreuses que j'ai faites, le secret que j'ai gardé, l'homme que j'ai tué… Et celui que j'aurais dû tuer ?

— Maman ? C'est quoi, un *passeur*[1] ?

D'un filet de voix je réponds :

— C'est quelqu'un qui aidait les gens pendant la guerre.

---

1. En français dans le texte.

15

« Se poser une question, voilà comment commence la résistance.
Puis poser cette même question à quelqu'un d'autre. »

Remco Campert

Mai 1941
France

Le lundi où Isabelle partit pour Paris, Vianne n'arrêta pas une minute. Elle fit la lessive et étendit le linge dehors ; elle désherba son potager et ramassa quelques légumes précoces. À la fin d'une longue journée, elle s'offrit un bain et se lava les cheveux. Elle était en train de se les sécher avec une serviette quand elle entendit quelqu'un frapper à la porte. Surprise d'avoir un hôte inattendu, elle boutonna son corsage en allant répondre. De l'eau dégoulinait sur ses épaules.

Quand elle ouvrit, elle trouva le capitaine Beck dans son uniforme d'officier, le visage couvert de grains de poussière.

— Herr Capitaine, dit-elle en dégageant ses cheveux mouillés de son visage.

— Madame, dit-il. Je suis allé pêcher avec un collègue aujourd'hui. Je vous ai rapporté ce que nous avons pris.

— Du poisson frais ? Formidable. Je vais vous le faire cuire à la poêle.

— Nous le faire cuire, madame. Vous, moi et Sophie.

Vianne ne pouvait détourner le regard de Beck ou du poisson dans ses mains. Elle savait avec certitude qu'Isabelle n'accepterait pas ce cadeau. De même qu'elle savait que ses amis et voisins déclareraient l'avoir refusé. De la nourriture. Offerte par l'ennemi. C'était une question de fierté de refuser. Tout le monde savait cela.

— Je ne l'ai ni volé ni réclamé. Aucun Français a plus le droit de l'avoir que moi. Vous ne pouvez pas vous déshonorer en l'acceptant.

Il avait raison. C'était un poisson issu des eaux locales. Il ne l'avait pas confisqué. À l'instant où elle tendit la main vers son butin, elle sentit le poids de la rationalisation peser lourdement sur elle.

— Vous nous faites rarement l'honneur de manger avec nous.

— C'est différent, dit-il, maintenant que votre sœur est partie.

Vianne rentra à reculons dans la maison pour lui permettre d'y pénétrer. Comme toujours, il ôta sa casquette dès qu'il fut à l'intérieur et alla dans sa chambre d'un pas lourd sur le plancher. Vianne ne s'aperçut pas avant d'entendre sa porte se fermer qu'elle était figée sur place avec dans les mains un poisson mort enveloppé dans un numéro récent du *Pariser Zeitung*, le journal allemand imprimé à Paris.

Elle retourna à la cuisine. Lorsqu'elle posa le poisson emballé sur le billot de boucher, elle vit que le capitaine l'avait déjà nettoyé et même écaillé. Elle alluma le poêle et mit une sauteuse en fonte sur le feu en y versant une précieuse cuillerée d'huile. Pendant que les cubes de pommes de terre doraient et que l'oignon caramélisait, elle assaisonna le poisson de sel et de poivre et le mit de côté. En un rien de temps, la maison s'emplit d'arômes terriblement alléchants, et Sophie arriva en courant dans la cuisine pour s'arrêter en dérapant dans l'espace vide où s'était trouvé la table à manger.

— Du poisson, dit-elle avec admiration.

Vianne se servit de sa cuiller pour creuser un puits parmi les légumes et y mit le poisson à griller. Des gouttelettes de gras giclèrent ; la peau grésilla et devint croustillante. Au dernier moment, elle ajouta quelques tranches de citron confit dans la sauteuse et les regarda fondre sur le reste.

— Va prévenir le capitaine Beck que le dîner est prêt.

— Il mange avec nous ? Tante Isabelle aurait des choses à redire là-dessus. Avant de partir, elle m'a dit de ne jamais le regarder dans les yeux et d'essayer de ne pas être dans la même pièce que lui.

Vianne soupira. L'ombre de sa sœur persistait.

— Il nous a rapporté le poisson, Sophie, et il vit ici.

— Oui, maman. Je sais ça. Mais elle a dit…

— Va chercher le capitaine pour le dîner. Isabelle est partie, et avec elle, ses inquiétudes extrêmes. Maintenant, vas-y.

Vianne retourna près du poêle. Quelques instants plus tard, elle emporta un lourd plat en céramique contenant le poisson frais entouré des légumes grillés et des citrons confits, le tout garni de persil. La sauce acidulée au fond de la sauteuse, dans laquelle baignaient de petits morceaux bruns croustillants, aurait pu être agrémentée d'un peu de beurre, mais elle avait tout de même un parfum divin. Vianne apporta le plat dans la salle à manger et trouva Sophie déjà assise, avec le capitaine Beck à côté d'elle.

À la place d'Antoine.

Vianne fit un faux pas.

Beck se leva poliment et s'empressa de reculer la chaise de Vianne. Elle marqua un très léger temps d'arrêt lorsqu'il lui prit le plat des mains.

— Tout cela a l'air fort aimable, dit-il d'une voix chaleureuse.

Une fois encore, son français n'était pas très bon.

Vianne s'assit et avança rapidement sa chaise. Avant qu'elle puisse trouver quelque chose à dire, Beck lui servait du vin.

— Un merveilleux montrachet 1937, annonça-t-il.

Vianne savait ce qu'Isabelle aurait dit de cela.

Beck était assis en face d'elle. Sophie se trouvait à sa gauche. Elle parlait de quelque chose qui s'était produit le jour même à l'école. Quand elle marqua une pause, Beck fit une réflexion sur la pêche qui fit rire Sophie, et Vianne sentit l'absence d'Isabelle aussi vivement qu'elle avait auparavant senti sa présence.

Tiens-toi à distance de Beck.

Vianne entendit cet avertissement comme si sa sœur était à côté d'elle. Elle savait que, sur ce point-là, Isabelle avait raison. Vianne ne pouvait oublier la liste, après tout, et les mises à pied, ou l'image de Beck assis à son bureau avec des caisses pleines de nourriture autour de lui et un portrait du Führer derrière.

— … après cela, ma femme a perdu tout espoir que je sache un jour me servir d'un filet…, dit-il en souriant.

Sophie rit à nouveau.

— Mon papa est tombé dans la rivière un jour où on pêchait, tu te souviens, maman ? Il a dit que le poisson était si gros qu'il l'avait entraîné dans l'eau, pas vrai, maman ?

Vianne cligna lentement des yeux. Il lui fallut quelques instants pour se rendre compte que la conversation avait tourné pour l'inclure.

Cette situation était… bizarre, c'était le moins qu'on puisse dire. Durant tous leurs derniers repas avec Beck à la table, les échanges avaient été rares. Qui pouvait parler quand la colère évidente d'Isabelle était prégnante ?

C'est différent, maintenant que votre sœur est partie.

Vianne comprenait ce qu'il voulait dire. La tension dans la maison – à cette table – avait maintenant disparu.

Quels autres changements le départ d'Isabelle amènerait-il ?

Tiens-toi à distance de Beck.

Comment Vianne pouvait-elle faire cela ? Et quand avait-elle pour la dernière fois mangé un repas aussi bon… ou entendu rire Sophie ?

*

La gare Montparnasse grouillait de soldats allemands quand Isabelle descendit du train. Elle peina pour sortir son vélo ; ce n'était pas chose facile avec sa valise qui cognait sans arrêt contre ses cuisses et les Parisiens impatients qui la poussaient. Cela faisait des mois qu'elle rêvait de ce retour.

Dans ses rêves, Paris était resté Paris, inchangé malgré la guerre.

Mais en ce lundi après-midi, après une longue journée de voyage, elle découvrit la vérité. Les bâtiments étaient peut-être restés à leur place, et il n'y avait pas trace de bombardements autour de la gare, mais il régnait une chape obscure, même en plein jour, un silence de mort et de désespoir tandis qu'elle remontait le boulevard sur sa bicyclette.

Sa ville bien-aimée était comme une courtisane autrefois belle mais devenue vieille, maigre, lasse, délaissée par ses amants. En moins d'une année, cette ville magnifique avait été dépouillée de son essence par le martèlement incessant des bottes allemandes sur le pavé et défigurée par les croix gammées qui flottaient sur chaque monument.

Les seuls véhicules qu'elle voyait étaient des Mercedes-Benz noires ornées de drapeaux nazis miniatures, des camions de la Wehrmacht et un panzer gris de temps à autre. Tout le long du boulevard, les fenêtres étaient occultées et les volets fermés. À un coin de rue sur deux, lui semblait-il, la route était barricadée. Les panneaux de signalisation, en gros caractères noirs, étaient écrits en allemand, et les horloges avaient été avancées de deux heures – pour être à l'heure allemande.

Elle garda la tête baissée en passant à vélo devant des groupes de soldats allemands et des terrasses de café fréquentées par des hommes en uniforme. Quand elle prit la rue de Rennes, elle vit une vieille femme sur une bicyclette qui essayait de contourner une barricade. Un nazi lui barra le passage et la réprimanda en allemand – une langue qu'elle ne comprenait à l'évidence pas. La femme fit un demi-tour avec son vélo et s'éloigna en pédalant.

Isabelle mit plus de temps que d'ordinaire pour arriver à la librairie, et quand elle s'arrêta enfin devant, elle avait les nerfs à vif. Elle posa le vélo contre un arbre et l'attacha. Empoignant sa valise dans ses mains gantées et moites, elle s'approcha du magasin. Dans la vitrine d'un bistrot, elle aperçut son reflet : ses cheveux blonds coupés de façon irrégulière ; son visage pâle avec des lèvres rouge vif (le seul produit de beauté qu'il lui restait). Elle avait mis son plus bel ensemble pour le voyage : une veste à carreaux bleu et crème avec un chapeau assorti et une jupe bleu marine. Ses gants étaient un peu usés, mais par les temps qui couraient personne ne remarquait une telle chose.

Elle voulait bien présenter pour impressionner son père. Faire adulte.

Combien de fois dans sa vie s'était-elle tourmentée afin d'être bien coiffée et habillée avant de rentrer à l'appartement familial de Paris, pour découvrir en fait que Papa n'y était pas, que Vianne était « trop occupée » pour revenir de la campagne et qu'une amie de son père la garderait pendant ses vacances ? Suffisamment pour qu'à quatorze ans elle ait totalement arrêté de rentrer à cette période ; mieux valait être assise seule dans son dortoir vide que d'être confiée à des gens qui ne savaient pas quoi faire d'elle.

Mais cette fois, la situation était différente. Henri et Didier – et leurs mystérieux amis de la France libre – avaient besoin qu'Isabelle vive à Paris. Elle n'allait pas leur faire faux bond.

Les vitrines de la librairie étaient occultées et la grille qui protégeait les vitres durant la journée était baissée et verrouillée. Elle essaya d'ouvrir la porte et vit qu'elle était fermée à clé.

Un lundi après-midi à 16 heures ? Elle alla à la fissure dans la façade du magasin qui avait toujours servi de cachette à son père, trouva le passe-partout rouillé et entra.

L'étroite boutique semblait retenir son souffle dans l'obscurité. Pas un bruit ne parvenait aux oreilles d'Isabelle. Ni son père en train de tourner les pages d'un roman qu'il dévorait, ni le grattement de son stylo sur le papier quand il peinait à écrire un poème, ce qui avait été sa passion quand Maman vivait encore. Elle ferma la porte derrière elle et actionna l'interrupteur qui se trouvait à l'entrée.

Rien.

Elle avança à tâtons jusqu'au bureau et trouva une bougie dans un vieux bougeoir en laiton. En fouillant dans les tiroirs, elle mit la main sur des allumettes et alluma la bougie.

La lumière, aussi faible fût-elle, révéla des dégâts dans tous les coins du magasin. La moitié des rayons étaient vides, beaucoup d'entre eux étaient cassés et de guingois, les livres formant une pyramide écroulée par terre sous l'extrémité basse. Les affiches avaient été arrachées et dégradées. On aurait dit que des maraudeurs avaient mis la boutique sens dessus dessous à la recherche de quelque objet.

Papa.

Isabelle sortit rapidement de la librairie, sans même se donner la peine de remettre la clé à sa place. Elle la laissa tomber dans la poche de sa veste, détacha son vélo et l'enfourcha. Elle resta dans les petites rues (les quelques-unes qui n'étaient pas barricadées), puis arriva dans la rue de Grenelle, où elle tourna et pédala jusqu'à la maison.

L'appartement de l'avenue de La Bourdonnais était dans la famille de son père depuis plus d'un siècle. L'avenue était bordée des deux côtés de bâtiments en grès pâle avec des balcons en fer forgé noir et des toits en ardoise. Des chérubins en pierre sculptée décoraient les corniches. À quelques pâtés de maisons, la tour Eiffel s'élevait dans le ciel et dominait le panorama. Au rez-de-chaussée se succédaient des dizaines de devantures abritées sous de beaux stores et des cafés avec des terrasses. Les étages supérieurs étaient tous occupés par des logements. D'habitude, Isabelle flânait sur le trottoir, regardant les vitrines et se délectant du tourbillon d'activité autour d'elle. Mais pas ce jour-là. Les cafés et les bistrots étaient déserts. Des femmes aux vêtements élimés et aux visages fatigués faisaient la queue pour avoir à manger.

Elle leva les yeux vers les fenêtres occultées en cherchant la clé dans son sac. Puis elle ouvrit la porte de l'immeuble et pénétra dans le vestibule obscur en tirant son vélo avec elle. Elle l'accrocha à un tuyau. Dédaignant l'ascenseur grand comme un cercueil, qui ne fonctionnait certainement pas en ces jours où l'électricité était restreinte, elle monta l'étroit et raide escalier qui s'enroulait autour de la cage d'ascenseur et arriva au cinquième étage, où il y avait deux portes, une du côté gauche du bâtiment, et la leur, à droite. Elle l'ouvrit avec sa clé et fit un pas à l'intérieur. Derrière elle, elle crut entendre la porte de la voisine s'ouvrir. Quand elle se retourna pour saluer Mme Leclerc, la porte se referma sans bruit. Apparemment, la vieille curieuse surveillait les allées et venues dans l'appartement 6B.

Elle entra et referma la porte derrière elle.

— Papa ?

Bien qu'il fît encore jour, il faisait noir à l'intérieur à cause des fenêtres occultées.

— Papa ?

Pas de réponse.

En toute honnêteté, elle était soulagée. Elle apporta sa valise dans le salon. L'obscurité lui rappela une époque lointaine où l'appartement était sombre et sentait le renfermé, où quelqu'un respirait et le plancher craquait sous des pas.

Chut, Isabelle, tais-toi. Ta maman est avec les anges maintenant.

Elle appuya sur l'interrupteur du salon. Un lustre ornementé en verre soufflé s'éclaira et ses branches sculptées scintillèrent comme dans un autre monde. Dans la faible lumière, Isabelle regarda autour d'elle et remarqua que plusieurs œuvres d'art avaient disparu des murs. La pièce reflétait le sens infaillible du style qu'avait eu sa mère, tout en étant assortie de la collection d'antiquités issues d'autres générations. Deux fenêtres – maintenant bouchées – auraient dû

246

offrir une vue magnifique sur la tour Eiffel depuis le balcon.

Isabelle éteignit la lumière. Elle n'avait pas de raison de gaspiller l'électricité. Elle s'assit à la table ronde en bois située sous le lustre, dont la surface irrégulière portait les marques de mille dîners au fil des années. Elle caressa le bois abîmé avec tendresse.

Laisse-moi rester, papa. S'il te plaît. Je ne causerai pas d'ennuis.

Quel âge avait-elle alors ? Onze ans ? Douze ? Elle n'était pas sûre. Mais elle portait l'uniforme marin bleu du couvent. Tout cela semblait remonter à la nuit des temps. Et pourtant elle était là, à nouveau, prête à le supplier de – *l'aimer* – la laisser rester.

Plus tard – elle ne savait plus combien de temps elle était restée assise là dans le noir à se remémorer sa mère, car elle avait presque oublié son visage dans la réalité –, elle entendit des pas puis une clé qui tournait dans la serrure.

La porte s'ouvrit et elle se leva. La porte se referma. Elle l'entendit traîner les pieds dans l'entrée, passer devant la petite cuisine.

Il fallait qu'elle soit forte maintenant, déterminée, mais le courage qui faisait autant partie d'elle que le vert de ses yeux lui avait toujours manqué en présence de son père, et il était en train de l'abandonner.

— Papa ? dit-elle dans le noir.

Elle savait qu'il détestait les surprises.

Elle l'entendit se figer.

Puis un interrupteur s'actionna et le lustre s'éclaira.

— Isabelle, dit-il en soupirant. Qu'est-ce que tu fais là ?

Elle allait bien se garder de révéler ses doutes à cet homme qui s'intéressait si peu à ce qu'elle ressentait. Elle avait une mission à remplir.

— Je suis venue vivre à Paris avec toi. À nouveau, ajouta-t-elle après un silence.

— Tu as laissé Vianne et Sophie seules avec le nazi ?

— Elles sont plus en sécurité sans moi, crois-moi. Tôt ou tard, je me serais emportée.

— T'emporter ? Qu'est-ce qui ne va pas chez toi ? Tu vas retourner à Carriveau demain matin.

Il passa devant elle pour se rendre au buffet collé contre le mur tapissé. Il se servit un verre de cognac, le vida en trois grosses gorgées et se resservit. Quand il finit le deuxième verre, il se tourna vers elle.

— Non, dit-elle.

Ce simple mot la galvanisa. Le lui avait-elle déjà dit auparavant ? Elle le répéta pour faire bonne mesure :

— Non.

— Pardon ?

— J'ai dit non, papa. Je ne vais pas me soumettre à ta volonté cette fois-ci. Je ne vais pas partir. C'est chez moi, ici. *Chez moi*, insista-t-elle, avant que sa voix faiblisse. Ça, ce sont les rideaux que j'ai regardé maman fabriquer sur sa machine à coudre. Et ça, c'est la table qu'elle a héritée de son grand-oncle. Sur les murs de ma chambre, tu trouveras mes initiales, écrites avec le rouge à lèvres de maman quand elle avait le dos tourné. Dans ma pièce secrète, mon fort, je parie que mes poupées sont toujours alignées le long du mur.

— Isabelle…

— Non. Tu ne vas pas me chasser, papa. Tu l'as fait trop de fois. Tu es mon père. C'est chez moi, ici. On est en guerre. Je reste.

Elle se baissa et ramassa la valise à ses pieds.

Dans la pâle lueur du lustre, elle vit se creuser les rides sur les joues de son père qui s'avouait vaincu. Ses épaules s'affaissèrent. Il se servit un autre cognac, l'avala d'un trait. De toute évidence, il pouvait à peine supporter de la regarder sans l'aide de l'alcool.

— Il n'y a pas de fêtes en ce moment, dit-il, et tous tes petits copains de l'université sont partis.

— C'est vraiment ce que tu penses de moi, dit-elle, puis elle changea de sujet. Je suis passée à la librairie.

— Les nazis, répondit-il. Ils ont fait irruption un jour et ils ont sorti tous les livres de Freud, Mann, Trotski, Tolstoï, Maurois – tous, ils les ont brûlés –, et la musique aussi. Je préférais fermer boutique que de ne vendre plus que ce qui m'est autorisé. Et c'est donc ce que j'ai fait.

— Mais alors de quoi est-ce que tu vis ? De ta poésie ?

Il rit, d'un rire amer, indistinct.

— Ce n'est pas vraiment le moment pour des activités nobles.

— Alors comment est-ce que tu paies l'électricité et ta nourriture ?

Quelque chose changea dans son expression.

— J'ai un bon travail à l'hôtel de Crillon.

— En tant que serveur ?

Elle avait du mal à l'imaginer en train de servir des bières à des brutes allemandes.

Il détourna le regard.

Isabelle eut une sensation d'écœurement.

— Pour qui est-ce que tu travailles, papa ?

— Le haut commandement allemand à Paris, dit-il.

Isabelle reconnut alors cette sensation. C'était de la honte.

— Après ce qu'ils t'ont fait pendant la Grande Guerre…

— Isabelle…

— Je me souviens de ce que maman nous racontait sur toi, comment tu étais avant la guerre et comme tu en es revenu anéanti. Je rêvais qu'un jour tu te rappelles que tu étais père, mais tout cela n'était qu'un mensonge, n'est-ce pas ? Tu es juste un lâche. Dès l'instant où les nazis reviennent, tu accours pour les aider.

— Comment oses-tu me juger, et juger ce que j'ai vécu ? Tu n'as que dix-huit ans.

— Dix-neuf, corrigea-t-elle. Dis-moi, papa, est-ce que tu apportes du café à nos conquérants ou est-ce que tu hèles des taxis pour eux quand ils vont chez Maxim's ? Est-ce que tu manges leurs restes ?

Il parut se décomposer sous ses yeux ; l'âge. Elle regretta étrangement ses paroles mordantes bien qu'elles fussent vraies et méritées. Mais elle ne pouvait plus faire machine arrière.

— Alors, est-ce qu'on est d'accord ? Je reprendrai mon ancienne chambre et je vivrai ici. On n'a pas besoin de beaucoup se parler si c'est ta condition.

— Il n'y a pas de nourriture ici, Isabelle ; pas pour nous les Parisiens, en tout cas. Dans toute la ville, il y a des panneaux pour nous avertir de ne pas manger de rats, et ces panneaux sont nécessaires. Les gens élèvent des cochons d'Inde pour les manger. Tu seras mieux à la campagne, où il y a des potagers.

— Je ne cherche pas à être bien. Ni en sécurité.

— Qu'est-ce que tu cherches à Paris, alors ?

Elle se rendit compte de son erreur. Elle avait tendu un piège avec ses paroles stupides et s'était laissé prendre dedans les yeux fermés. Son père était beaucoup de choses, mais il n'était pas bête.

— Je suis là pour voir quelqu'un.

— Dis-moi qu'on ne parle pas d'un garçon. Dis-moi que tu es plus maligne que ça.

— Je m'ennuyais à la campagne, papa. Tu me connais.

Il soupira et se servit un autre verre, encore. Elle vit ses yeux se ternir d'un reflet vitreux caractéristique. Bientôt, elle le savait, il s'en irait en titubant pour être seul avec ses pensées, quelles qu'elles fussent.

— Si tu restes, il y aura des règles.

— Des règles ?

— Tu devras être à la maison avant le couvre-feu. Toujours, sans exception. Tu me laisseras mon intimité. Je ne supporte pas qu'on me tourne autour. Tu iras faire les magasins tous les matins pour trouver à manger avec nos tickets de rationnement. Et tu chercheras un travail, dit-il, puis il marqua une pause et la regarda en plissant les yeux. Et si tu t'attires des ennuis comme l'a fait ta sœur, je te mettrai à la porte. Un point c'est tout.

— Je ne suis pas…

— Je m'en fiche. Un travail, Isabelle. Trouves-en un.

Il parlait encore quand elle tourna les talons et partit. Elle alla dans son ancienne chambre et claqua la porte. Violemment.

Elle y était arrivée ! Pour une fois, elle était parvenue à ses fins. Qu'importait-il qu'il ait été désagréable et moralisateur ? Elle était là. Dans sa chambre, à Paris, et elle y restait.

La pièce était plus petite que dans son souvenir. Peinte d'un blanc éclatant, elle était meublée d'un lit simple à baldaquin, d'un vieux tapis décoloré sur le plancher et d'un fauteuil Louis XV qui avait connu de meilleurs jours. La fenêtre – occultée – donnait sur la cour intérieure de l'immeuble. Enfant, elle avait toujours su quand ses voisins sortaient les ordures, car elle entendait le bruit métallique des couvercles qu'on soulevait et refermait. Elle jeta sa valise sur le lit et commença à la défaire.

Les vêtements qu'elle avait pris en exode – et avec lesquels elle était revenue à Paris – étaient miteux à force d'avoir été portés sans cesse et ne méritaient presque pas d'être pendus dans l'armoire à côté des habits qu'elle avait hérités de sa mère : belles robes garçonnes des années 1920 à jupes évasées, robes de soirée à franges de soie, tailleurs en laine qui avaient été recoupés et robes simples en crêpe. Toute une collection de chapeaux et de chaussures assorties faites pour danser sur les pistes des salles de bal ou pour marcher dans les jardins du musée Rodin avec le bon garçon à son bras. Des vêtements pour un monde qui avait disparu. Il n'y avait plus de « bons » garçons à Paris. Il n'y avait presque plus de garçons du tout. Tous étaient prisonniers dans des camps en Allemagne ou cachés quelque part.

Une fois qu'elle eut pendu ses vêtements dans l'armoire, elle ferma les portes en acajou et poussa juste assez le meuble sur le côté pour révéler une sorte de placard secret dissimulé derrière.

Son fort.

Elle se baissa et ouvrit la porte aménagée dans le mur lambrissé blanc en poussant le coin supérieur droit. Celle-ci s'ouvrit d'un coup sec en grinçant et dévoila un cagibi d'environ deux mètres sur deux, avec un plafond si incliné que, même quand elle avait dix ans, elle devait se voûter pour y tenir debout. Comme elle l'avait prévu, ses poupées s'y trouvaient toujours, certaines écroulées par terre et d'autres encore debout.

Isabelle ferma la porte sur ses souvenirs et remit l'armoire en place. Elle se dévêtit rapidement et enfila une robe de chambre en soie rose qui lui rappelait sa maman. La robe sentait encore vaguement l'eau de rose – ou elle se le faisait croire. Lorsqu'elle sortit de la chambre pour se brosser les dents, elle s'arrêta quelques instants devant la porte fermée de son père.

Elle l'entendit écrire ; son stylo à plume grattait sur du papier râpeux. De temps à autre, il jurait, puis il ne faisait plus de bruit. (C'étaient les moments où il buvait, à n'en pas douter.) Elle perçut enfin le bruit sourd d'une bouteille – ou d'un poing – sur la table.

Isabelle se prépara pour dormir : elle se mit des bigoudis, se lava le visage et se brossa les dents. En retournant à sa chambre, elle entendit son père jurer à nouveau – plus fort cette fois, peut-être à cause de l'alcool –, sur quoi elle se précipita dans sa chambre et claqua la porte derrière elle.

*

Je ne supporte pas qu'on me tourne autour.

Ce que cela signifiait vraiment, semblait-il, c'était que son père ne supportait pas d'être dans la même pièce qu'elle.

Bizarrement, elle ne l'avait pas remarqué l'année précédente, quand elle avait vécu avec lui pendant ces quelques semaines entre son exclusion de l'école de savoir-vivre et son exil à la campagne.

Certes, ils n'avaient jamais partagé un repas. Ni eu une conversation assez significative pour qu'elle s'en souvienne. Mais pour une raison ou pour une autre, elle ne l'avait pas remarqué. Ils avaient passé du temps ensemble à la librairie, à travailler côte à côte. La présence de son père l'avait-elle rendue si pitoyablement heureuse que son silence lui avait échappé ?

En tout cas, elle s'en apercevait maintenant.

Il frappa de si grands coups à la porte de sa chambre qu'elle lâcha un petit cri de surprise.

— Je pars travailler, dit son père à travers la cloison. Les tickets de rationnement sont sur le plan de travail. Je t'ai laissé cent francs. Rapporte ce que tu peux.

Elle entendit ensuite ses pas résonner sur le plancher du couloir, assez lourds pour faire trembler les murs. Puis la porte d'entrée claqua.

— Au revoir à toi aussi, dit Isabelle entre ses dents, piquée au vif par le ton de son père.

Puis elle se souvint.

C'était le grand jour.

Elle jeta de côté le couvre-lit, sortit du lit et s'habilla sans se donner la peine d'allumer la lumière. Elle avait déjà préparé sa tenue : une robe d'un gris morne et un béret noir, des gants blancs, et sa dernière paire d'escarpins à talons. Malheureusement, elle n'avait pas de bas.

Elle se regarda dans le miroir du salon en s'efforçant d'avoir un œil critique, mais elle ne vit qu'une jeune fille ordinaire dans une robe terne, avec un sac à main noir.

Elle ouvrit (à nouveau) son sac et examina l'intérieur incurvé et doublé de soie. Elle avait découpé une minuscule ouverture dans la doublure et y avait glissé l'épaisse enveloppe. Lorsqu'on ouvrait le sac à main, il semblait vide. Même si elle subissait réellement un contrôle (ce qui n'arriverait pas – pourquoi ferait-on cela ? Une jeune fille de dix-neuf ans habillée pour sortir déjeuner ?), les militaires ne verraient rien d'autre dans son sac que ses tickets de rationnement, sa carte d'identité, son certificat de domicile et son *Ausweis*. Exactement ce qui devait s'y trouver.

À 10 heures, elle quitta l'appartement. Dehors, sous un soleil éclatant et chaud, elle grimpa sur sa bicyclette bleue et pédala en direction du quai.

Quand elle atteignit la rue de l'Université, celle-ci grouillait de voitures noires, de camions militaires verts avec des bidons d'essence sanglés sur les côtés et d'hommes à cheval. Il y avait également des Parisiens qui marchaient sur les trottoirs, circulaient à vélo dans les quelques rues où ils en avaient le droit et faisaient la queue sur toute la longueur des pâtés de maisons pour récupérer à manger. On les reconnaissait à leur mine déconfite et à leur manière de presser le pas devant les Allemands sans croiser leur regard. Au restaurant Maxim's, sous le célèbre store rouge, elle vit un petit groupe d'officiers nazis qui attendaient d'entrer. Le bruit courait que toutes les meilleures viandes et les meilleurs produits français allaient directement chez Maxim's pour être servis au haut commandement.

Puis elle l'aperçut : le banc en fer près de l'entrée de la Comédie-Française. Isabelle donna un grand coup de frein et s'arrêta dans un cahot, puis elle posa un pied au sol. Sa cheville se tordit légèrement quand elle fit peser son poids dessus. Pour la première fois, son excitation était un peu mêlée de peur.

Son sac à main lui parut soudain lourd, et ce de manière notable. Elle avait de la sueur sur les paumes de main et le long du bord de son béret en feutre.

Contrôle-toi un peu !

Elle était courrier, et non une fillette apeurée. Elle avait accepté les risques, quels qu'ils soient.

Tandis qu'elle se tenait là, une femme s'approcha du banc en tournant le dos à Isabelle.

Une femme. Elle ne s'était pas attendue à ce que son agent de liaison soit une femme, mais c'était étrangement réconfortant.

Elle prit une profonde inspiration apaisante, traversa sur le passage piéton encombré en poussant son vélo et passa devant les kiosques où l'on vendait des foulards et des bibelots. Lorsqu'elle fut juste à côté de la femme sur le banc, elle répéta ce qu'on lui avait demandé de dire :

— Pensez-vous que j'aurai besoin d'un parapluie aujourd'hui ?

— Je crois que le beau temps va durer, répliqua la femme avant de se tourner.

Elle avait des cheveux bruns qu'elle avait coiffés avec soin en chignon, et les traits d'une femme d'Europe de l'Est. Elle était plus âgée qu'Isabelle – trente ans peut-être –, et son regard lui donnait l'air encore plus vieille.

Isabelle commença à ouvrir son sac à main quand la femme lui dit brusquement « Non », puis « Suivez-moi », en se levant rapidement.

Isabelle resta derrière la femme tandis qu'elle traversait la vaste étendue graveleuse de la cour Napoléon, entre les gigantesques et élégants bâtiments du Louvre qui se dressaient majestueusement autour d'elles – l'endroit ne donnait cependant pas l'impression d'avoir un jour été le palais d'empereurs et de rois, avec les drapeaux à croix gammée qui flottaient de toutes parts et les soldats allemands assis sur des bancs dans le jardin des Tuileries. Dans une rue transversale, la femme s'éclipsa à l'intérieur d'un petit café. Isabelle attacha son vélo à un arbre et la suivit, puis elle s'assit face à elle.

— Vous avez l'enveloppe ?

Isabelle fit oui de la tête. Sur ses genoux, elle ouvrit son sac et en sortit le courrier, qu'elle passa sous la table à la femme.

Deux officiers allemands entrèrent dans le bistrot et prirent une table à proximité.

La femme se pencha en avant et rajusta le béret d'Isabelle. C'était un geste étrangement intime, comme si elles étaient sœurs ou meilleures amies. Se rapprochant davantage, la femme lui chuchota à l'oreille :

— Avez-vous entendu parler des collabos ?

— Non.

— Les collaborateurs. Des Français et des Françaises qui travaillent avec les Allemands. Il n'y en a pas qu'à Vichy. Soyez vigilante, en toutes circonstances. Ces collaborateurs adorent nous dénoncer à la Gestapo. Et une fois qu'elle connaît votre nom, la Gestapo vous surveille sans arrêt. Ne faites confiance à personne.

Isabelle hocha la tête.

La femme se recula et la regarda.

— Pas même à votre père.

— Comment savez-vous que je suis chez mon père ?

— Nous voulons vous rencontrer.

— Vous venez de le faire.

— *Nous*, insista-t-elle à voix basse. Venez au coin du boulevard Saint-Germain et de la rue de Saint-Simon demain à midi. Ne soyez pas en retard, ne prenez pas votre vélo, et ne vous faites pas suivre.

Isabelle fut surprise de la rapidité avec laquelle la femme se leva. En un instant, elle était partie, et Isabelle se retrouvait seule à la table du café, sous l'œil attentif du soldat allemand. Elle se força à commander un café au lait (même si elle savait qu'il ne contiendrait pas de lait et que le café serait en fait de la chicorée). Elle le but rapidement puis sortit.

Au coin, elle vit une affiche collée à la vitre, avertissant les auteurs d'infractions qu'ils seraient exécutés en représailles. À côté de celle-ci, dans la vitrine du cinéma, se trouvait une pancarte jaune qui indiquait INTERDIT AUX JUIFS.

Elle décrocha son vélo, mais tandis qu'elle se retournait brusquement, le soldat allemand arriva à côté d'elle. Elle lui rentra dedans.

Il lui demanda avec sollicitude si elle allait bien. Elle lui répondit par un sourire et un hochement de tête d'actrice :

— Mais oui. Merci.

Elle lissa sa robe, coinça son sac sous son bras et enfourcha sa bicyclette. Elle s'éloigna du soldat en pédalant sans se retourner.

Elle y était arrivée. Elle avait obtenu un *Ausweis*, elle était venue à Paris, elle avait obligé son père à la laisser rester, et elle avait remis son premier message secret pour la France libre.

16

Vianne devait reconnaître que la vie au Jardin était plus facile sans Isabelle. Plus d'accès de colère, plus de remarques voilées faites à portée de voix du capitaine Beck, plus de discours insistants pour que Vianne mène des combats inutiles dans une guerre déjà perdue. Cependant, parfois, sans Isabelle, la maison était trop calme et, dans le silence, Vianne se surprenait à trop réfléchir.

Comme à cet instant. Cela faisait des heures qu'elle était réveillée et qu'elle regardait fixement le plafond de sa chambre en attendant l'aube.

Finalement, elle se leva et descendit au rez-de-chaussée. Elle se servit une tasse de café amer à base de glands et l'emporta dans l'arrière-cour, où elle s'assit sur la chaise qui avait été la préférée d'Antoine, sous les branches étendues de l'if, et écouta les poulets qui grattaient la terre de manière léthargique.

Elle n'avait presque plus d'argent. Elles devraient maintenant vivre de son maigre salaire d'institutrice.

Comment allait-elle s'en sortir ? Et seule…

Elle termina son café, aussi infâme fût-il. Quand elle rapporta la tasse vide dans la maison sombre qui se réchauffait déjà, elle vit que la porte de la chambre du capitaine Beck était ouverte. Il était

parti pour la journée pendant qu'elle était dehors.
Tant mieux.

Elle réveilla Sophie, écouta le récit de son dernier
rêve et lui prépara un petit déjeuner composé de pain
sec grillé et de confiture de pêche. Puis elles partirent
toutes deux en ville.

Vianne pressa Sophie autant que possible, mais
celle-ci, d'une humeur exécrable, ne cessait de se
plaindre et traînait les pieds. Si bien qu'elles n'arrivèrent qu'en fin de matinée à la boucherie. Une file
s'étirait dans la rue depuis l'intérieur du magasin.
Vianne prit place au bout et lança des regards nerveux
en direction des Allemands sur la place.

La queue avançait peu à peu. Sur la vitrine, Vianne
remarqua une nouvelle affiche de propagande montrant un soldat allemand souriant qui offrait du pain
à un groupe d'enfants français. À côté de celle-ci se
trouvait un nouveau panneau indiquant : INTERDIT
AUX JUIFS.

— Qu'est-ce que ça veut dire, maman ? demanda
Sophie en désignant le panneau du doigt.

— Chut, Sophie, lui dit Vianne d'un ton sec. Je t'ai
déjà expliqué. Il y a des choses dont on ne doit plus
parler.

— Mais le père Joseph dit…

— Chut ! fit Vianne avec impatience en tirant sur la
main de sa fille pour bien se faire comprendre.

La queue avança encore. Vianne franchit le seuil
et se trouva face à une femme aux cheveux gris,
dont la peau avait la couleur et la texture de flocons
d'avoine.

Elle fronça les sourcils.

— Où est Mme Fournier ? demanda-t-elle en tendant son ticket de rationnement pour la viande du jour, en espérant qu'il en restât.

— Interdit aux juifs, dit la femme. Il nous reste un petit pigeon fumé.

— Mais c'est la boucherie des Fournier.

— Plus maintenant. C'est la mienne. Vous voulez le pigeon, oui ou non ?

Vianne prit la petite boîte de pigeon fumé et la laissa tomber dans son panier en osier. Sans un mot, elle sortit avec Sophie. De l'autre côté de la rue, un factionnaire allemand montait la garde devant la banque, rappelant aux Français que les Allemands avaient pris le contrôle de celle-ci.

— Maman, fit Sophie d'une voix geignarde. Ce n'est pas bien de…

— Chut, fit Vianne en saisissant la main de sa fille.

Sur le chemin du retour à travers la ville puis sur la route de terre, Sophie exprima son mécontentement : elle faisait la moue, soupirait et bougonnait.

Vianne ne prêta pas attention à elle.

Quand elles arrivèrent devant le portail cassé du Jardin, Sophie se libéra de l'étreinte de sa mère et se tourna pour lui faire face.

— Comment peuvent-ils s'emparer tout simplement de la boucherie ? Tante Isabelle ferait quelque chose. Tu as juste peur !

— Et qu'est-ce que je devrais faire ? Faire irruption dans l'hôtel de ville et exiger que Mme Fournier récupère son magasin ? Et qu'est-ce qu'ils me feraient pour ça ? Tu as vu les affiches en ville. Ils exécutent des Français, Sophie, dit-elle d'une voix plus basse. Ils les *exécutent*.

— Mais…

— Pas de mais. Nous vivons une époque dangereuse, Sophie. Il faut que tu le comprennes.

Les yeux de Sophie devinrent luisants de larmes.

— J'aimerais tellement que papa soit là…

Vianne prit sa fille dans ses bras et la serra fort.

— Moi aussi.

Elles restèrent enlacées un long moment, puis elles se séparèrent doucement.

— On va préparer des cornichons aujourd'hui, qu'est-ce que tu en dis ?

— Oh ! On va s'amuser !

Vianne ne pouvait lui donner tort.

— Pourquoi est-ce que tu n'irais pas les ramasser ? Et moi je vais commencer à préparer le vinaigre.

Vianne regarda sa fille partir en courant vers le potager et se faufiler entre les pommiers chargés de fruits. Dès qu'elle eut disparu, les soucis de Vianne refirent surface. Comment ferait-elle sans argent ? Le potager donnait bien et elles auraient donc des fruits et des légumes, mais qu'en serait-il quand l'hiver arriverait ? Comment Sophie pourrait-elle rester en bonne santé sans viande, ni lait, ni fromage ? Comment s'achèteraient-elles de nouvelles chaussures ? Elle tremblait quand elle pénétra dans la maison chaude aux fenêtres occultées. Dans la cuisine, elle se cramponna au bord du plan de travail et courba la tête.

— Madame ?

Elle se retourna si vite qu'elle faillit trébucher.

Il était dans le salon, assis sur le divan, en train de lire un livre à la lueur d'une lampe à huile.

— Capitaine Beck.

Elle prononça son nom à voix basse. Elle s'approcha de lui en serrant ses mains tremblantes l'une dans l'autre.

— Votre moto n'est pas devant la maison.

— Il faisait si beau aujourd'hui. J'ai décidé de rentrer de la ville à pied.

Il se leva. Elle vit qu'il s'était récemment fait couper les cheveux et qu'il s'était blessé en se rasant le matin même. Sa joue pâle était marquée d'une toute petite coupure rouge.

— Vous avez l'air contrariée. C'est peut-être parce que vous n'avez pas bien dormi depuis que votre sœur est partie.

Elle le regarda avec surprise.

— Je vous entends aller et venir dans le noir.

— Vous aussi, vous êtes réveillé, remarqua-t-elle bêtement.

— Je n'arrive souvent pas à dormir non plus. Je pense à ma femme et à mes enfants. Mon fils est si petit. Je me demande s'il va seulement me connaître.

— Moi aussi, je pense à Antoine, confia-t-elle, s'étonnant de cet aveu.

Elle savait qu'elle ne devait s'exprimer si ouvertement avec cet homme – l'ennemi –, mais à cet instant, elle était trop fatiguée et effrayée pour se montrer forte.

Beck la regarda, et dans ses yeux, elle lut le sentiment de manque qu'ils partageaient. Tous deux étaient loin de ceux qu'ils aimaient et se sentaient d'autant plus seuls.

— Enfin. Je n'ai pas l'intention de perturber votre journée, bien sûr, mais j'ai des nouvelles pour vous. À force de recherches, j'ai découvert que votre mari est dans un oflag en Allemagne. Un ami à moi est garde là-bas. Votre mari est officier. Vous le saviez ? Il a dû être valeureux sur le champ de bataille.

— Vous avez trouvé Antoine ? Il est vivant ?

Il lui tendit une enveloppe froissée et tachée.

— Voici une lettre qu'il vous a écrite. Et désormais, vous pourrez lui envoyer des colis de provisions, ce qui je crois devrait énormément lui remonter le moral.

— Oh... mon Dieu !

Elle sentit ses jambes se dérober sous elle.

Il l'attrapa, la retint et la conduisit jusqu'au divan. Alors qu'elle s'y effondrait, elle sentit des larmes lui monter aux yeux.

— C'est tellement gentil, murmura-t-elle en prenant la lettre et la serrant contre sa poitrine.

— Mon ami m'a remis cette lettre. Mais à partir de maintenant, mes excuses, vous correspondrez seulement avec les cartes postales.

Il lui sourit, et elle eut la très curieuse sensation qu'il était au courant des longues lettres qu'elle concoctait dans sa tête la nuit.

— Merci, dit-elle, sincèrement reconnaissante.

— Au revoir, madame, dit-il, puis il tourna les talons et la laissa seule.

L'enveloppe froissée et sale tremblait dans sa main ; les lettres de son nom étaient floues et dansaient quand elle l'ouvrit.

Vianne, ma chérie,

Tout d'abord, ne t'inquiète pas pour moi. Je suis en sécurité et assez bien nourri. Je suis indemne. Vraiment. Je n'ai aucune blessure par balle.

Dans nos quartiers, j'ai eu la chance de pouvoir demander une couchette en haut, ce qui m'offre un peu d'intimité dans un lieu où les hommes sont trop nombreux. Par une petite fenêtre, je peux voir la lune pendant la nuit et les flèches de Nuremberg. Mais c'est la lune qui me fait penser à toi.

Notre nourriture suffit à nous sustenter. Je me suis habitué aux boulettes de farine et aux petits morceaux de pommes de terre. J'ai hâte de retrouver ta cuisine à mon retour. J'en rêve – et de toi et Sophie – tout le temps.

S'il te plaît, ma chérie, ne t'en fais pas. Reste simplement forte et sois là quand le moment viendra pour moi de sortir de cette cage. Tu es mon soleil dans le noir et le sol sous mes pieds. Grâce à toi, je peux survivre. J'espère que tu trouves de la force en moi aussi, V. Que grâce à moi, tu trouveras un moyen d'être forte.

Serre ma fille bien fort dans tes bras ce soir, et dis-lui que, quelque part loin d'ici, son papa pense à elle. Et dis-lui que je vais revenir.

Je t'aime, Vianne.

P.-S. : La Croix-Rouge livre des colis. Si tu pouvais m'envoyer mes gants de chasse, je serais très heureux. Les hivers sont froids ici.

Vianne finit la lettre et la relut aussitôt.

*

Une semaine jour pour jour après son arrivée à
Paris, Isabelle devait rencontrer les autres personnes
qui partageaient sa passion pour une France libre,
et elle était tendue quand elle déambulait parmi les
Parisiens au teint cireux et les Allemands bien nourris.
Le matin même, elle avait sélectionné ses vêtements
avec soin : une robe ajustée en rayonne bleue avec
une ceinture noire. Elle s'était fait une mise en plis la
veille au soir et avait coiffé ses mèches ondulées avec
précision à son réveil en dégageant son visage. Elle
ne portait pas de maquillage ; un vieux béret bleu de
chez les bonnes sœurs et des gants blancs complétaient
sa tenue.

Je suis actrice et je joue un rôle, se dit-elle en marchant
dans la rue. *Je suis une lycéenne amoureuse qui a fait le
mur pour retrouver un garçon...*

C'était l'histoire qu'elle avait choisie et pour laquelle
elle s'était habillée. Si un Allemand la questionnait,
elle était sûre qu'elle pourrait lui faire avaler ce mensonge.

Avec toutes les rues barricadées, il lui fallut plus
longtemps qu'elle l'avait prévu pour atteindre sa destination, mais elle finit par contourner discrètement
une barricade et arriva sur le boulevard Saint-Germain.

Elle s'arrêta sous un réverbère. Derrière elle, la
circulation se faisait doucement ; les klaxons retentis-
saient, les moteurs ronflaient, les sabots des chevaux
claquaient, les sonnettes de bicyclettes tintaient. Et

malgré tout ce bruit, cette artère jadis animée semblait avoir perdu sa vie et sa couleur.

Un fourgon de police s'arrêta près d'elle, et un gendarme descendit du véhicule, sa cape sur les épaules. Il avait une matraque blanche à la main.

— Pensez-vous que j'aurai besoin d'un parapluie aujourd'hui ?

Isabelle sursauta en poussant un petit cri. Elle s'était tant concentrée sur le policier – il traversait maintenant le boulevard, se dirigeait vers une femme qui sortait d'un café – qu'elle en avait oublié sa mission.

— Je, je crois que le beau temps va rester, dit-elle.

L'homme lui empoigna le bras (il n'y avait pas d'autre mot, vraiment ; il serrait très fort) et l'entraîna dans le boulevard soudain désert. C'était étonnant comme un fourgon de police pouvait faire disparaître les Parisiens. Personne ne restait dans les parages en cas d'arrestation – ni pour y assister ni pour aider.

Isabelle essaya de voir l'homme qui marchait à côté d'elle, mais ils allaient trop vite. Elle entrevit ses chaussures – qui allaient et venaient rapidement sur le trottoir : en vieux cuir, aux lacets cassés, avec des marques d'usure qui se transformaient en trou au niveau de l'orteil gauche.

— Fermez les yeux, lui dit-il alors qu'ils traversaient la rue.

— Pourquoi ?

— Faites-le.

Elle n'était pas de ceux qui obéissent aveuglément aux ordres (ce qu'elle aurait pu répliquer en d'autres circonstances), mais elle avait tellement envie de faire partie de ce mouvement qu'elle s'exécuta. Elle ferma donc les yeux et marcha maladroitement à côté de lui, manquant plus d'une fois trébucher.

Enfin, ils s'arrêtèrent. Elle l'entendit frapper quatre coups sur une porte. Puis elle perçut des bruits de pas, le frottement d'une porte qui s'ouvre, et elle respira une bouffée âcre de fumée de cigarette.

Elle se rendit compte alors – juste à cet instant – qu'elle pouvait être en danger.

L'homme la tira à l'intérieur et la porte claqua derrière eux. Isabelle ouvrit les yeux, bien qu'on ne l'y eût pas autorisée. Mieux valait à présent qu'elle montre de quelle trempe elle était.

Elle ne discerna pas bien les lieux tout de suite. Il faisait sombre et l'air était chargé de fumée. Toutes les fenêtres étaient occultées. La pièce n'était éclairée que par deux lampes à huile qui résistaient vaillamment.

Trois hommes étaient assis à une table en bois sur laquelle reposait un cendrier plein à ras bord. Deux d'entre eux étaient jeunes et portaient des manteaux rapiécés et des pantalons en loques. Au milieu siégeait un vieil homme maigre comme un clou avec une moustache grise cirée, qu'elle reconnut. Debout contre le mur du fond se tenait la femme qui avait été l'agent de liaison d'Isabelle. Elle était habillée tout en noir, telle une veuve, et fumait une cigarette.

— Monsieur Lévy ? demanda Isabelle au vieil homme. C'est vous ?

Il ôta le béret abîmé de son crâne chauve et luisant et le serra dans ses mains.

— Isabelle Rossignol.

— Tu connais cette femme ? demanda un des hommes.

— J'étais un client régulier de la librairie de son père, dit Lévy. Aux dernières nouvelles, elle était impulsive, indisciplinée et charmante. Combien d'écoles t'ont renvoyée, Isabelle ?

— Un peu trop, dirait mon père. Mais à quoi bon savoir où asseoir le fils cadet d'un ambassadeur à un dîner, de nos jours ? dit-elle. Je suis toujours charmante.

— Et toujours aussi directe. Tout le monde dans cette pièce pourrait se faire tuer à cause d'une tête imprudente et de paroles inconsidérées, dit-il avec mesure.

Isabelle comprit immédiatement son erreur. Elle hocha la tête.

— Tu es très jeune, dit la femme qui se trouvait au fond en crachant de la fumée.

— Plus maintenant, dit Isabelle. Je me suis habillée pour paraître plus jeune aujourd'hui. Je pense que c'est un atout. Qui soupçonnerait une fille de dix-neuf ans de faire quoi que ce soit d'illégal ? Et vous devriez savoir mieux que personne qu'une femme peut faire tout ce qu'un homme peut faire.

M. Lévy se cala sur sa chaise et l'observa attentivement.

— Un ami te recommande vivement.

Henri.

— Il nous dit que tu as distribué nos tracts pendant des mois. Et Anouk dit que tu étais très calme hier.

Isabelle jeta un coup d'œil à la femme – Anouk – qui hocha la tête en guise de réponse.

— Je suis prête à tout pour aider notre cause, dit-elle.

Elle avait la gorge serrée d'appréhension. L'idée ne lui était jamais venue qu'elle pouvait arriver jusque-là

270

et qu'on lui refuse d'intégrer ce réseau de gens dont la cause était la sienne.

M. Lévy déclara finalement :

— Il va te falloir des faux papiers. Une nouvelle identité. On va te trouver ça, mais ça va prendre un peu de temps.

Isabelle eut le souffle coupé. On l'avait acceptée ! Un sentiment de destinée parut emplir la pièce. Elle allait accomplir de grandes choses maintenant. Elle le savait.

— Pour l'instant, les nazis sont si arrogants, ils croient qu'aucune forme de résistance ne peut fonctionner contre eux, expliqua Lévy, mais ils vont voir… ils vont voir, et alors le danger pour nous tous va grandir. Tu ne dois parler à personne de ton lien avec nous. Personne. Ce qui inclut ta famille. C'est pour leur sécurité et pour la tienne.

Isabelle n'aurait pas de mal à cacher ses activités. Personne ne se préoccupait d'où elle allait ni de ce qu'elle faisait.

— Oui, répondit-elle. Et alors… qu'est-ce que je fais ?

Anouk se décolla du mur et traversa la pièce en enjambant la pile de journaux terroristes qui se trouvait par terre. Isabelle ne distinguait pas bien le gros titre – il était question des bombardements de la RAF à Hambourg et Berlin. Anouk plongea la main dans sa poche et en sortit un petit paquet de la taille d'un jeu de cartes, enveloppé dans du papier brun clair chiffonné et noué avec de la ficelle.

— Tu remettras ça au tabac du vieux quartier à Amboise, celui qui est juste en dessous du château. Il doit arriver avant 16 heures demain, indiqua-t-elle en tendant le paquet à Isabelle ainsi que la moitié d'un billet de cinq francs déchiré. Montre-lui le billet. S'il te présente une autre moitié, donne-lui le paquet. Et pars. Ne te retourne pas. Ne lui parle pas.

Alors qu'elle prenait le paquet et le billet, elle entendit un petit coup sec à la porte derrière elle. Un climat de tension s'installa aussitôt dans la pièce. Des regards s'échangèrent. Cela rappela avec force à Isabelle que c'était un travail dangereux. C'était peut-être un policier de l'autre côté de la porte, ou un nazi.

Trois autres coups suivirent.

M. Lévy hocha lentement la tête.

La porte s'ouvrit et un gros homme avec une tête en forme d'œuf et au visage couvert de taches de vieillesse entra.

— Je l'ai trouvé en train d'errer, dit le vieil homme en faisant un pas de côté pour dévoiler un pilote de la RAF encore en combinaison de vol.

— Mon Dieu, murmura Isabelle.

Anouk hocha la tête d'un air sombre.

— Ils sont partout, indiqua-t-elle tout bas. Ils tombent du ciel, ajouta-t-elle en souriant à sa plaisanterie d'un air pincé. Des fugitifs, évadés des prisons allemandes, des aviateurs échoués au sol.

Isabelle regarda le pilote. Tout le monde connaissait la peine encourue pour ceux qui aidaient les aviateurs britanniques. C'était affiché dans toute la ville : prison ou mort.

— Trouvez-lui des vêtements, dit Lévy.

Le vieil homme se tourna vers le pilote et lui adressa la parole.

De toute évidence, l'homme ne parlait pas français.

— Ils vont vous trouver des vêtements, traduisit Isabelle en anglais.

Tout le monde se tut dans la pièce. Elle sentit que tous la regardaient.

— Tu parles anglais ? lui demanda doucement Anouk.

— Pas trop mal. Deux ans dans une école de savoir-vivre en Suisse.

Nouveau silence. Puis Lévy lui indiqua :

— Dis au pilote qu'on va le cacher jusqu'à ce qu'on trouve un moyen de le sortir de France.

— Vous pouvez faire ça ? s'enquit Isabelle.

— Pas pour le moment, dit Anouk. Ne lui dis pas ça, bien sûr. Dis-lui juste qu'on est de son côté, qu'il est en sécurité – relativement – et qu'il doit faire ce qu'on lui dit.

Isabelle s'approcha de l'aviateur. C'est là qu'elle vit les égratignures sur son visage et remarqua que la manche de sa combinaison était déchirée. Elle était presque sûre qu'il avait du sang séché à la naissance des cheveux et elle pensa : *Il a largué des bombes sur l'Allemagne.*

— Nous ne sommes pas tous passifs, dit-elle au jeune homme.

— Dieu soit loué ! Mon avion s'est écrasé il y a quatre jours. Je suis resté tapi dans des recoins depuis. Je ne savais pas où aller jusqu'à ce que cet homme m'attrape et me traîne ici. Vous allez m'aider ?

Elle fit oui de la tête.

— Comment ? Pouvez-vous me ramener chez moi ?

— Je n'ai pas la réponse à ces questions. Faites simplement ce qu'on vous dit, et monsieur ?

— Oui, mademoiselle ?

— Ils risquent leur vie pour vous aider. Vous comprenez ?

Il hocha la tête.

Isabelle se tourna pour faire face à ses nouveaux collègues.

— Il comprend et il fera ce qu'on lui demande.

— Merci, Isabelle, dit Lévy. Où pourrons-nous te contacter après ton retour d'Amboise ?

Dès qu'elle entendit la question, Isabelle eut une réponse qui l'étonna.

— La librairie, dit-elle d'un ton ferme. Je vais la rouvrir.

Lévy lui jeta un regard interrogateur.

— Qu'est-ce que ton père va dire de ça ? Je croyais qu'il l'avait fermée.

— Mon père travaille pour les nazis, répondit-elle avec amertume. Ses opinions ne comptent pas beaucoup. Il m'a demandé de trouver un travail. Ce sera mon travail. Vous pourrez tous me trouver à tout moment. C'est la solution parfaite.

— En effet, dit Lévy, bien que le ton de sa voix donnât l'impression qu'il n'était pas d'accord. Très bien, alors. Anouk t'apportera de nouveaux papiers dès qu'on t'aura fait faire une carte d'identité. Il va nous falloir une photo de toi, dit-il, puis il plissa les yeux. Et Isabelle, permets-moi de jouer mon rôle de vieux monsieur pendant un instant et de rappeler à une jeune fille qui a l'habitude d'être impulsive que ce n'est plus possible. Tu sais que je suis ami avec ton père, du moins que je l'étais jusqu'à ce qu'il montre son vrai visage, et que j'ai entendu parler de toi depuis des années. Il est temps que tu grandisses et que tu fasses ce qu'on te dit. En toutes circonstances. Sans exception. C'est pour ta sécurité autant que la nôtre.

Isabelle était gênée qu'il ressente le besoin de lui dire ça, et devant tout le monde.

— Bien sûr.

— Et si tu te fais attraper, continua Anouk, ce sera en tant que *femme*. Tu comprends ? Ils ont des… mauvais traitements spéciaux pour nous.

Isabelle eut la gorge serrée. Elle avait pensé – brièvement – à la prison et à l'exécution. Mais c'était là une chose à laquelle elle n'avait même jamais songé. Évidemment qu'elle aurait dû.

— Ce qu'on demande à chacun de nous, ou en tout cas, ce qu'on espère, ce sont deux jours.

— Deux jours ?

— Si on t'arrête et qu'on te… questionne. Essaie de ne rien dire pendant deux jours. Ça nous laisse le temps de disparaître.

— Deux jours, répéta Isabelle. Ce n'est pas si long.

— Tu es si jeune, dit Anouk en fronçant les sourcils.

*

Au cours des six jours précédents, Isabelle était partie quatre fois de Paris. Elle avait livré des colis à Amboise, Blois et Lyon. Elle avait passé plus de temps dans des gares que chez son père – ce qui les arrangeait tous les deux. Tant qu'elle faisait la queue dans les magasins la journée pour avoir de la nourriture et qu'elle rentrait le soir avant le couvre-feu, son père se moquait de ce qu'elle faisait. Mais elle était maintenant de retour à Paris et prête à passer à la phase suivante de son plan.

— Tu ne rouvriras pas la librairie.

Isabelle dévisagea son père. Il était debout près de la fenêtre occultée. Dans la lumière blafarde, l'appartement semblait à la fois luxueux et défraîchi, décoré comme il l'était de meubles et objets anciens ornementés, amassés au fil des générations. De belles toiles dans de lourds cadres dorés garnissaient les murs (certaines manquaient ; Papa les avait sans doute vendues), et s'ils avaient pu lever les stores occultants, ils auraient profité d'une vue époustouflante sur la tour Eiffel.

— Tu m'as dit de trouver un travail, s'obstina-t-elle.

Le paquet enveloppé de papier qui se trouvait dans son sac à main lui donna une force nouvelle face à son père. De plus, il était déjà à moitié soûl. Dans peu de temps, il serait vautré dans la bergère du salon en train de gémir dans son sommeil. Petite fille, ces plaintes lui avaient donné envie de le réconforter. Plus maintenant.

— Je parlais d'un travail *payé*, répliqua-t-il sèchement.

Il se resservit un grand verre de cognac.

— Pourquoi ne pas carrément prendre un bol ? dit-elle.

Il ignora sa remarque.

— Il n'en est pas question. C'est tout. Tu ne rouvriras pas la librairie.

— Je l'ai déjà fait. Aujourd'hui. J'ai passé l'après-midi à faire le ménage.

Ses sourcils gris broussailleux se soulevèrent sur son front ridé.

— Tu as fait le ménage ?

— Oui, j'ai fait le ménage. Je sais que ça te surprend, papa, mais je n'ai plus douze ans, dit-elle en s'approchant de lui. Je vais le faire, papa. C'est décidé. Ça me laissera le temps de faire la queue pour la nourriture et ça m'offrira une chance de gagner un petit peu d'argent. Les Allemands vont m'acheter des livres. Ça, je te le promets.

— Tu comptes flirter avec eux ? demanda-t-il.

Elle se sentit piquée au vif.

— Dixit l'homme qui travaille pour eux.

Il la dévisagea.

Elle le dévisagea.

— Très bien, dit-il enfin. Tu feras ce que tu veux. Mais la réserve du fond. C'est à moi. À *moi*, Isabelle. Je la fermerai, je garderai la clé et tu respecteras mes souhaits en ne t'approchant pas de cette pièce.

— Pourquoi ?

— Peu importe pourquoi.

— Elle te sert pour des rendez-vous galants avec des femmes ? Sur le sofa ?

Il secoua la tête.

— Tu es une imbécile. Dieu merci, ta mère n'est plus là pour voir ce que tu es devenue.

Isabelle se sentit terriblement blessée.

— Ou toi, papa, dit-elle. Ou toi.

17

À la mi-juin 1941, à l'avant-veille de la fin de l'année scolaire, Vianne était au tableau en train de conjuguer un verbe quand elle entendit le *teuf-teuf* désormais familier d'une moto allemande.

— Encore des soldats, dit farouchement Gilles Fournier.

Le garçon était toujours en colère ces derniers temps, et qui pouvait le lui reprocher ? Les nazis avaient saisi la boucherie de sa famille pour la donner à des collaborateurs.

— Restez là, dit-elle aux élèves, et elle sortit dans le couloir.

Deux hommes étaient entrés : un agent de la Gestapo vêtu d'un long manteau noir, et le gendarme de la ville, Paul, qui avait pris du poids depuis sa collaboration avec les nazis. Son ventre tirait sur sa ceinture. Combien de fois l'avait-elle vu en train de flâner rue Victor-Hugo, chargé de plus de nourriture que sa famille ne pouvait en manger, alors qu'elle se trouvait dans une file interminable, cramponnée à un ticket de rationnement qui lui donnerait droit à trop peu ?

Vianne se dirigea vers eux, les mains sur les hanches. Elle était mal à l'aise dans sa robe élimée, au col et aux manchettes effilés, et bien qu'elle eût pris soin de dessiner une couture marron sur ses mollets nus, il était évident que c'était une ruse. Elle n'avait pas de bas, ce qui lui donnait la sensation d'être étrangement vulnérable face à ces hommes. Des deux côtés du couloir, les portes des salles de classe s'ouvrirent et des professeurs en sortirent pour voir ce que voulaient les agents. Ils se regardèrent les uns les autres, mais personne ne parla.

L'agent de la Gestapo marcha d'un pas décidé vers la classe de M. Paretsky, au bout du bâtiment. Le gros Paul s'efforçait de le suivre, soufflant comme un bœuf derrière lui.

Quelques instants plus tard, le gendarme français faisait sortir de force M. Paretsky de sa salle de classe.

Vianne fronça les sourcils lorsqu'ils passèrent devant elle. Le vieux Paretsky – qui lui avait appris le calcul voilà si longtemps et dont la femme s'occupait des fleurs de l'école – la regarda d'un air terrifié.

— Paul ? fit brusquement Vianne. Que se passe-t-il ?

Le policier s'arrêta.

— Il est accusé de quelque chose.

— Je n'ai rien fait de mal ! cria Paretsky en essayant de faire lâcher prise à Paul.

L'agent de la Gestapo remarqua ce chahut et s'anima. Il vint rapidement vers Vianne, ses talons résonnant sur le sol. Elle eut un tressaillement de peur en voyant la lueur dans son regard.

— Madame. Pour quelle raison nous arrêtez-vous ?

— C'est, c'est un ami à moi.

— Vraiment, dit-il en étirant le mot qui devint une question. Alors vous savez qu'il distribue de la propagande antiallemande.

— C'est un *journal* ! dit Paretsky. Je ne fais que dire la vérité aux Français. Vianne ! Dis-leur !

Vianne sentit l'attention se porter sur elle.

— Votre nom ? demanda l'homme de la Gestapo en ouvrant un calepin et sortant un crayon.

Elle s'humecta nerveusement les lèvres.

— Vianne Mauriac.

Il nota son nom.

— Et vous travaillez avec M. Paretsky, vous distribuez des tracts ?

— Non ! s'écria-t-elle. C'est un collègue à l'école, monsieur. Je ne suis au courant de rien d'autre.

L'agent de la Gestapo referma son carnet.

— Personne ne vous a dit qu'il vaut mieux ne pas poser de question ?

— C'est sorti tout seul, dit-elle, la gorge sèche.

Il lui sourit lentement. Ce sourire l'effraya, la désarma ; suffisamment pour qu'elle mette une minute à bien comprendre ce qu'il dit ensuite.

— Vous êtes congédiée, madame.

Le cœur de Vianne parut s'arrêter.

— P… Pardon ?

— Je parle de votre emploi d'enseignante. Vous êtes licenciée. Rentrez chez vous, madame, et ne revenez pas. Ces élèves n'ont pas besoin d'un exemple comme le vôtre.

*

À la fin de la journée, Vianne rentra chez elle avec sa fille et pensa même de temps à autre à répondre aux questions incessantes de Sophie. Mais pendant tout ce temps, elle se disait : *Et maintenant ?*

Et maintenant ?

Les éventaires et les magasins étaient fermés à cette heure-là de la journée, leurs cageots et leurs vitrines vides. Partout, des pancartes indiquaient PAS D'ŒUFS, PAS DE BEURRE, PAS D'HUILE, PAS DE CITRONS, PAS DE CHAUSSURES, PAS DE FIL, PAS DE SACS EN PAPIER.

Elle avait été économe avec l'argent qu'Antoine lui avait laissé. Plus qu'économe – pingre –, bien que la somme lui eût paru considérable au début. Elle s'en était servie uniquement pour les choses indispensables : le bois, l'électricité, le gaz, la nourriture. Mais il n'y en avait pourtant plus. Comment Sophie et elle allaient-elles survivre sans son salaire d'institutrice ?

À la maison, elle accomplit ses tâches ménagères dans un état d'hébétement. Elle prépara une casserole de soupe au chou qu'elle compléta avec des carottes en lanières qui étaient molles comme des nouilles. Dès qu'elle eut terminé, elle fit la lessive, et quand le linge fut suspendu sur la corde, elle reprisa des chaussettes jusqu'à la tombée de la nuit. Trop tôt, elle mit une Sophie geignarde et mécontente au lit.

Seule (et avec l'impression d'avoir un couteau sous la gorge), elle s'assit à la table de la salle à manger avec une carte postale officielle et un stylo à plume.

Antoine chéri,
Nous n'avons plus d'argent et j'ai perdu mon travail.
Que dois-je faire ? L'hiver sera là dans quelques mois seulement.

Elle leva le stylo du papier. Les mots bleus parurent ressortir sur la surface blanche.

Plus d'argent.

Quel genre de femme était-elle pour seulement penser à envoyer une telle lettre à son mari prisonnier de guerre ?

Elle froissa la carte et la jeta dans la cheminée froide et encrassée de suie, où elle reposa seule, une boule blanche sur un lit de cendres grises.

Non.

Cette carte ne pouvait rester dans la maison. Et si Sophie la trouvait et la lisait ? Elle la récupéra dans les cendres et l'emporta dans l'arrière-cour, où elle la jeta sous la pergola. Les poulets la piétineraient et la détruiraient à coups de bec.

Elle s'assit ensuite sur la chaise préférée d'Antoine, étourdie par la soudaineté de son changement de situation et par cette nouvelle peur atroce. Si seulement elle avait pu tout reprendre de zéro. Elle aurait dépensé encore moins d'argent… elle se serait privée davantage… elle les aurait laissés emmener M. Paretsky sans dire un mot.

Derrière elle, la porte s'ouvrit en grinçant et se referma avec un déclic.

Des bruits de pas. Une respiration.

Elle aurait dû se lever et partir, mais elle était trop fatiguée pour bouger.

Beck arriva près d'elle.

— Voulez-vous un verre de vin ? C'est un château-margaux 28. Une très bonne année, apparemment.

Du vin. Elle avait envie de dire oui, s'il vous plaît (elle n'avait sans doute jamais eu tant besoin d'un verre), mais elle ne le pouvait pas. Cependant, elle ne pouvait pas non plus refuser, aussi elle garda le silence.

Elle entendit le *plop* d'une bouteille qu'on débouche, puis le glougloutement du vin qu'on sert. Il posa un verre plein sur la table à côté d'elle. Le parfum suave et puissant était enivrant.

Il se servit également un verre et s'assit sur la chaise à côté d'elle.

— Je vais partir, dit-il après un long silence.

Elle se tourna vers lui.

— Ne prenez pas cet air enthousiaste. Ce n'est que pour un moment. Quelques semaines. Ça fait deux ans que je ne suis pas rentré chez moi, dit-il avant de boire une gorgée. Ma femme est peut-être assise dans notre jardin en ce moment même, en train de se demander qui va lui revenir. Je ne suis pas l'homme qui est parti, hélas. J'ai vu des choses…

Il marqua une pause.

— Cette guerre, ce n'est pas ce que j'attendais. Et les choses changent lors d'une absence aussi longue, vous ne pensez pas ?

— Si, dit-elle.

Elle s'était souvent dit la même chose.

Dans le silence, elle entendit une grenouille croasser et les feuilles frissonner dans une brise au parfum de jasmin au-dessus de leurs têtes. Un rossignol chanta un air triste et solitaire.

— Vous n'avez pas l'air dans votre assiette, madame, dit-il. Si je puis me permettre.

— On m'a retiré mon poste d'institutrice aujourd'hui.

C'était la première fois qu'elle prononçait ces mots tout haut, et ils lui firent monter de chaudes larmes aux yeux.

— J'ai... attiré l'attention sur moi.

— C'est une chose dangereuse.

— J'ai épuisé l'argent que mon mari m'avait laissé. Je suis sans emploi. Et l'hiver va bientôt arriver. Comment suis-je censée survivre ? Et nourrir Sophie, la maintenir au chaud ? demanda-t-elle en se tournant vers lui.

Leurs regards se rencontrèrent. Elle eut envie de se détourner, mais n'y parvint pas.

Il plaça le verre de vin dans la main de Vianne et força ses doigts à se refermer dessus. La main de Beck lui parut chaude par rapport aux siennes et lui donna un frisson. Elle se souvint tout à coup de son bureau – et de toute la nourriture qui y était entassée.

— Ce n'est que du vin, dit-il, et les arômes de cerises noires, de terre riche et sombre, avec une note de lavande, lui montèrent au nez et lui rappelèrent la vie qu'elle avait eue avant, les soirées qu'Antoine et elle avaient passées là, à boire du vin.

Elle but une petite gorgée et eut le souffle coupé ; elle avait oublié ce plaisir simple.

— Vous êtes belle, madame, dit-il d'une voix aussi suave et intense que le vin. Ça fait peut-être trop long-temps que vous n'avez pas entendu cela.

Vianne se leva si vite qu'elle heurta la table et renversa le vin.

— Vous ne devriez pas dire de telles choses, Herr Capitaine.

— Non, reconnut-il en se levant à son tour.

Il était debout devant elle, son souffle dégageant une senteur de vin rouge et de chewing-gum à la menthe.

— Je ne devrais pas.

— S'il vous plaît, dit-elle, incapable de seulement terminer sa phrase.

— Votre fille ne manquera pas de nourriture cet hiver, madame, dit-il d'une voix douce, comme si c'était un pacte secret. C'est là une chose dont vous pouvez être sûre.

Dieu du ciel, Vianne était soulagée. Elle marmonna quelque chose – elle ne savait même pas très bien quoi – et retourna dans la maison, où elle se glissa dans le lit avec Sophie, mais elle ne s'endormit que bien plus tard.

*

La librairie avait jadis été un lieu de rendez-vous pour poètes, écrivains, romanciers et universitaires. Les meilleurs souvenirs d'enfance d'Isabelle se situaient dans ces pièces à l'odeur de renfermé. Pendant que Papa travaillait dans la salle du fond sur sa presse d'imprimerie, Maman lisait des histoires et des fables à Isabelle et inventait des pièces pour qu'elles les jouent ensemble. Ils avaient été heureux ici, pendant un moment, avant que Maman ne tombe malade et que Papa se mette à boire.

Voilà mon Isa ! Viens t'asseoir sur les genoux de Papa pendant que j'écris un poème pour ta maman.

Ou peut-être qu'elle avait imaginé ce souvenir, qu'elle l'avait tissé à partir des fils de son propre besoin et qu'elle s'était emmitouflée dedans. Elle ne savait plus.

Mais désormais, c'étaient des Allemands qui se pressaient dans ces coins et recoins obscurs.

Au cours des six semaines qui s'étaient écoulées depuis qu'Isabelle avait rouvert la librairie, le bruit s'était apparemment propagé parmi les soldats qu'on pouvait souvent y trouver une jolie Française.

Ils arrivaient en un flot continu dans leurs uniformes impeccables, parlant fort et se bousculant. Isabelle flirtait impitoyablement avec eux, mais s'assurait toujours que le magasin était vide avant d'en partir. Et elle sortait toujours par la porte de derrière, vêtue d'une grande cape anthracite dont elle rabattait le capuchon, même dans la chaleur de l'été. Les soldats étaient peut-être joviaux et souriants – des adolescents, en réalité, qui parlaient des jolies *Fräulein* chez eux et achetaient des classiques français d'auteurs « acceptables » pour leurs familles –, mais elle n'oubliait jamais qu'ils étaient l'ennemi.

— Mademoiselle, vous êtes si belle, et vous ne prêtez pas attention à nous. Comment allons-nous survivre ? demanda un jeune officier allemand en tendant la main vers elle.

Elle eut un rire charmant et lui échappa en pirouettant.

— Enfin, monsieur, vous savez bien que je ne peux pas faire de favoritisme, répondit-elle en se glissant derrière la caisse. Je vois que vous avez un livre de poésie à la main. Vous avez certainement laissé une fille dans votre pays qui adorerait recevoir un si gentil cadeau de votre part.

Ses amis le poussèrent en avant tout en parlant tous en même temps.

Isabelle était en train de prendre son argent quand la clochette de la porte d'entrée tinta gaiement.

Elle leva les yeux, s'attendant à voir d'autres soldats allemands, mais c'était Anouk. Elle était, comme d'habitude, plus par tempérament qu'en raison de la saison, tout de noir vêtue : un tricot ajusté à col en V, une jupe droite, un béret et des gants noirs. Une Gauloise pas encore allumée pendait à ses lèvres rouge vif.

Elle s'arrêta un instant dans l'encadrement de la porte ouverte, avec la ruelle déserte derrière elle, fond éclatant de géraniums rouges et de verdure.

Au son de la clochette, les Allemands tournèrent la tête.

Anouk laissa la porte se fermer derrière elle. Elle alluma sa cigarette avec désinvolture et tira une grosse bouffée.

Alors que la moitié de la longueur du magasin les séparait et que trois soldats allemands flânaient dans les allées, Isabelle croisa le regard d'Anouk. Au cours des semaines où Isabelle avait travaillé comme courrier (elle était allée à Blois, Lyon et Marseille, à Amboise et Nice, sans parler de la douzaine de courses au moins qu'elle avait faites récemment à Paris, toutes sous son nouveau nom – Juliette Gervaise –, avec les faux papiers qu'Anouk lui avait passés un jour dans un bistrot, sous le nez des Allemands), Anouk avait été son contact le plus fréquent et, malgré leur différence d'âge – d'au moins une dizaine d'années, peut-être plus –, elles étaient devenues amies à la façon de femmes qui ont des vies parallèles – une amitié silencieuse mais non moins véritable. Isabelle avait appris à ne pas prêter attention à l'air sévère et à la bouche pincée d'Anouk, à ignorer son comportement taciturne. Elle pensait que tout cela cachait de la tristesse. Beaucoup. Et de la colère.

Anouk avança avec un air royal et dédaigneux qui aurait mouché un homme avant même qu'il parle. Les Allemands se turent, la regardèrent et s'écartèrent pour la laisser passer. Isabelle entendit l'un d'eux dire « hommasse » et un autre « veuve ».

Anouk sembla ne pas du tout les remarquer. Elle s'arrêta à la caisse et tira une longue bouffée sur sa cigarette. La fumée estompa son visage, si bien que, pendant un instant, seules ses lèvres cerise étaient visibles. Elle fouilla dans son sac à main et en sortit un petit livre marron. Le nom de l'auteur – Baudelaire – était gravé à l'eau-forte sur le cuir, et bien que la surface fût si éraflée, usée et décolorée que le titre était illisible, Isabelle connaissait ce volume. *Les Fleurs du mal*. Le livre qu'elles utilisaient pour annoncer une réunion.

— Je cherche autre chose de cet auteur, dit Anouk en crachant de la fumée.

— Je suis désolée, madame. Je n'ai plus rien de Baudelaire. Du Verlaine, peut-être ? Ou du Rimbaud ?

— Rien, dans ce cas.

Anouk se retourna et partit. Ce fut seulement quand la clochette tinta que le charme se rompit et que les Allemands se remirent à parler. Quand personne ne regardait, Isabelle palpa le petit volume de poésie. Dans celui-ci se trouvait un message qu'elle devait remettre à quelqu'un, ainsi que l'heure du rendez-vous. L'endroit était le même que d'habitude : le banc situé devant la Comédie-Française. Le message était caché sous les gardes de fin, qui avaient été soulevées et recollées une dizaine de fois.

Isabelle consulta l'horloge, impatiente que le temps passe. Elle attendait sa prochaine mission.

À 18 heures précises, elle fit sortir les soldats de la librairie et ferma pour la nuit. Dehors, elle trouva le chef cuisinier et propriétaire du bistrot voisin, M. Deparde, qui fumait une cigarette. Le pauvre homme avait l'air aussi fatigué qu'elle-même l'était. Elle se demandait parfois, lorsqu'elle le voyait transpirer au-dessus de la friteuse ou ouvrir des huîtres, ce qu'il ressentait à l'idée de nourrir les Allemands.

— Bonsoir, monsieur, dit-elle.

— Bonsoir, mademoiselle.

— Une longue journée ? demanda-t-elle avec compassion.

— Oui.

Elle lui donna un petit livre usé de fables pour enfants.

— Pour Jacques et Gigi, indiqua-t-elle avec un sourire.

— Un instant, fit-il, avant de retourner au pas de course dans le café et de revenir avec un sachet graisseux. Des frites.

Isabelle était ridiculement heureuse. Par les temps qui couraient, non seulement elle mangeait les restes de l'ennemi, mais elle s'en réjouissait.

— Merci.

Elle laissa sa bicyclette dans la librairie et décida de ne pas prendre le métro bondé au silence déprimant pour rentrer chez elle à pied, en savourant les frites grasses et salées. Partout où elle regardait, des Allemands affluaient dans les cafés, les bistrots et les restaurants, tandis que les Parisiens aux visages livides se dépêchaient de rentrer chez eux avant le couvre-feu. À deux reprises, elle eut la désagréable impression qu'on la suivait, mais quand elle se retournait, il n'y avait personne derrière elle.

Elle ne sut pas bien ce qui la poussa à s'arrêter au coin près du parc, mais elle prit tout à coup conscience de quelque chose d'anormal. D'inhabituel. Devant elle, la rue était pleine de véhicules nazis qui se klaxonnaient les uns sur les autres. Il y eut un cri quelque part.

Isabelle sentit les poils de sa nuque se hérisser. Elle jeta un rapide coup d'œil derrière elle, mais il n'y avait toujours personne. Dernièrement, elle avait souvent l'impression d'être suivie. C'étaient ses nerfs qui la trahissaient. Le dôme doré des Invalides brillait dans les rayons faiblissants du soleil. Le cœur d'Isabelle se mit à battre la chamade. La peur la faisait transpirer. Les effluves musqués et aigres de la sueur se mêlaient à l'odeur grasse des frites, et pendant un instant elle eut un haut-le-cœur.

Tout allait bien. Personne ne la suivait. Elle faisait l'imbécile.

Elle tourna dans la rue de Grenelle.

Quelque chose attira son attention, la fit s'arrêter.

Un peu plus loin devant elle, elle aperçut une ombre là où il n'aurait pas dû y en avoir. Du mouvement là où rien n'aurait dû bouger.

Les sourcils froncés, elle traversa la rue en se faufilant parmi les véhicules qui roulaient au ralenti. De l'autre côté, elle passa rapidement devant le groupe d'Allemands qui buvaient du vin au bistrot et se dirigea vers l'immeuble qui se trouvait au coin suivant.

Là, caché dans les denses arbustes situés à côté d'une double porte ornementée d'un noir brillant, elle vit un homme tapi derrière un arbre planté dans un énorme pot en cuivre.

Elle ouvrit le portail et entra dans la cour. Elle entendit l'homme reculer, le gravier craquant sous ses godillots.

Puis il s'immobilisa.

Isabelle entendait les Allemands qui riaient au café dans la rue et qui criaient « *Sekt !* S'il vous plaît » à la pauvre serveuse débordée.

C'était l'heure du dîner. La seule heure de la journée où tout ce qui intéressait les soldats ennemis, c'était de s'amuser et de se remplir le ventre de nourriture et de vin qui appartenaient aux Français. Elle s'approcha sur la pointe des pieds du citronnier en pot.

L'homme était accroupi et essayait de se faire le plus petit possible. Il avait le visage noir de saleté et un œil poché, mais on ne pouvait le prendre pour un Français : il portait une combinaison d'aviateur britannique.

— Mon Dieu, murmura-t-elle. Anglais ?

Il ne dit rien.

— *Royal Air Force ?* demanda-t-elle en anglais.

L'homme écarquilla les yeux. Elle le vit essayer de décider s'il devait lui faire confiance. Très lentement, il hocha la tête.

— Depuis combien de temps êtes-vous caché ici ? continua-t-elle en anglais.

Au bout d'un long moment, il répondit :

— Toute la journée.

— Vous allez vous faire attraper, dit-elle. Tôt ou tard.

Isabelle savait qu'elle devait lui poser davantage de questions, mais elle n'avait pas le temps. À chaque seconde qu'elle passait là avec lui, le danger augmentait pour l'un et l'autre. C'était incroyable que l'Anglais ne se soit pas déjà fait prendre.

Il fallait qu'elle l'aide, ou alors qu'elle s'en aille avant d'attirer l'attention. Cette seconde solution était assurément la plus judicieuse.

— 57 avenue de La Bourdonnais, dit-elle à voix basse en anglais. C'est là que je vais. Dans une heure, je sortirai pour fumer une cigarette. Venez à la porte à ce moment-là. Si vous arrivez sans être vu, je vous aiderai. Vous me comprenez ?

— Comment savoir si je peux vous faire confiance ?

Elle rit à cette question.

— Je suis en train de faire une bêtise. Et j'ai *promis* de ne pas être si impulsive. Mais bon…

Elle tourna sur ses talons et sortit de la cour en refermant le portail derrière elle. Puis elle partit en hâte. Pendant tout le trajet jusque chez elle, le cœur battant, elle reconsidéra sa décision. Mais il n'y avait plus rien à faire. Elle ne se retourna pas, pas même devant son immeuble. Là, elle s'arrêta et fit face au gros bouton en laiton qui se trouvait au centre de la porte en chêne. Elle était prise de vertiges et avait mal à la tête tant elle avait peur.

Elle parvint maladroitement à engager la clé dans la serrure, puis tourna le bouton et se précipita dans l'espace obscur. À l'intérieur, l'étroit hall d'entrée était plein de vélos et de charrettes à bras. Elle se faufila jusqu'au pied de l'escalier en colimaçon et s'assit sur la marche du bas pour attendre.

Elle consulta sa montre à mille reprises, en se disant chaque fois de ne pas sortir mais, à l'heure convenue, elle ressortit. La nuit était tombée. Avec les stores occultants et les réverbères éteints, la rue était sombre comme une grotte. Des voitures passaient, invisibles sans leurs phares ; on les entendait, on sentait leur odeur mais on ne les voyait pas, sauf si un rayon de lune égaré s'y reflétait. Elle alluma sa cigarette brune, tira une grande bouffée et cracha lentement la fumée pour tenter de se calmer.

— Je suis là, mademoiselle.

Isabelle recula d'un pas hésitant et rouvrit la porte.

— Restez derrière moi. Les yeux baissés. Pas trop près.

Elle lui fit traverser le hall, où tous deux se cognèrent bruyamment contre vélos et charrettes. Elle n'avait jamais gravi les cinq volées d'escalier aussi vite. Elle le tira dans l'appartement et claqua la porte derrière lui.

— Déshabillez-vous, ordonna-t-elle.

— Pardon ?

Elle alluma la lumière.

Elle se rendit alors compte qu'elle était toute petite à côté de lui. Il était à la fois large d'épaules et maigre et avait un visage étroit, avec un nez qui semblait avoir été cassé plusieurs fois. Ses cheveux étaient si courts qu'on aurait dit du duvet.

— Votre combinaison. Enlevez-la. Vite !

Que lui était-il passé par la tête pour qu'elle fasse cela ? Son père allait rentrer, il trouverait le pilote et les livrerait tous les deux aux Allemands.

Où allait-elle cacher sa combinaison ? Et ses godillots allaient le trahir à coup sûr.

Il se pencha en avant et s'extirpa de sa combinaison.

Elle n'avait jamais vu un homme adulte en caleçon et en tee-shirt avant cela.

Elle sentit le sang lui monter aux joues.

— Pas la peine de rougir, mademoiselle, dit-il en souriant comme si la situation était normale.

D'un geste vif, elle prit la combinaison dans ses bras et tendit la main pour qu'il lui remette ses plaques d'identité. Il les lui donna : deux petits disques portés autour du cou. Tous deux comportaient la même information. Lieutenant Torrance MacLeish. Son groupe sanguin, sa religion et son matricule.

— Suivez-moi. En silence. Comment dit-on... sur le bord des pieds ?

— La pointe des pieds, chuchota-t-il.

Elle le conduisit dans sa chambre. Là – lentement, doucement –, elle poussa l'armoire de côté et révéla la pièce secrète.

Une rangée d'yeux vitreux de poupées la regardèrent.

— C'est sinistre, mademoiselle, dit-elle. Et c'est un petit espace pour un grand homme.

— Cachez-vous là. Ne faites aucun bruit. Le *moindre* bruit inhabituel pourrait entraîner une fouille. Mme Leclerc, la voisine d'à côté, est curieuse et pourrait être une collabo, vous comprenez ? Et mon père va bientôt rentrer. Il travaille pour le haut commandement allemand.

— *Blimey*[1] !

Elle n'avait aucune idée de ce que cela signifiait, et elle transpirait si abondamment que ses vêtements commençaient à lui coller à la poitrine. Que lui avait-il pris de proposer son aide à cet homme ?

— Et si j'ai besoin de… vous savez ? demanda-t-il.

— Retenez-vous, dit-elle avant de le pousser dans la cachette et de lui donner un oreiller et une couverture de son lit. Je reviendrai quand je pourrai. Silence, compris ?

Il acquiesça.

— Merci.

Elle ne put s'empêcher de secouer la tête.

— Je suis une idiote. Une *idiote*.

Elle lui ferma la porte au nez et repoussa l'armoire, sans la remettre tout à fait en place, mais cela ferait l'affaire pour le moment. Elle devait se débarrasser de sa combinaison et de ses plaques avant que son père ne rentre.

Elle se déplaça pieds nus dans l'appartement, en faisant le moins de bruit possible. Elle ne savait pas du tout si les voisins du dessous remarqueraient le bruit de l'armoire ou le fait qu'un trop grand nombre de personnes marchaient dans l'appartement. Mieux valait prévenir que guérir. Elle fourra la combinaison dans un vieux sac de la Samaritaine qu'elle serra contre sa poitrine.

L'idée de quitter l'appartement lui parut soudain dangereuse. Mais y rester aussi.

Elle passa à pas de loup devant l'appartement de Mme Leclerc puis descendit l'escalier quatre à quatre.

---

1. Mot anglais équivalent de « Mince alors ! » en français.

Dehors, elle prit une grande inspiration.

Et maintenant ? Elle ne pouvait pas jeter ça n'importe où. Elle ne voulait pas que quelqu'un d'autre ait des ennuis…

Pour la première fois, elle fut heureuse que la ville soit soumise au black-out. Elle s'enfonça dans le noir sur le trottoir et disparut presque. Il y avait peu de Parisiens dehors, et les Allemands étaient trop occupés à boire du vin français pour surveiller les alentours.

Elle respira à fond pour tenter de se calmer. Réfléchir. Il ne restait sans doute que quelques instants avant le couvre-feu – même si c'était loin d'être son plus gros problème. Papa allait bientôt rentrer.

La Seine.

Elle n'en était plus qu'à quelques pâtés de maisons, et le quai était bordé d'arbres.

Elle trouva une plus petite rue transversale barricadée et marcha jusqu'au fleuve en longeant la file de camions militaires garés le long du trottoir.

Elle ne s'était jamais déplacée si lentement de sa vie. Un pas… une respiration… à la fois. Les quinze derniers mètres entre elle et les rives de la Seine lui parurent s'allonger à chaque pas, puis à nouveau quand elle descendit l'escalier menant au bord de l'eau, mais elle y arriva enfin. Elle entendit des cordes de bateaux grincer dans le noir et les vagues clapoter contre leurs coques en bois. Une fois de plus, elle crut percevoir des pas derrière elle. Quand elle s'immobilisa, les bruits cessèrent. Elle attendit que quelqu'un surgisse derrière elle, qu'une voix lui demande ses papiers.

Rien. C'était son imagination.

Une minute passa. Puis une autre.

Elle jeta le sac dans l'eau noire puis lança au loin les plaques d'identité. Les eaux sombres et tourbillonnantes avalèrent instantanément ces pièces à conviction.

Elle était toujours flageolante lorsqu'elle remonta l'escalier, traversa la rue et rentra chez elle.

À la porte de l'appartement, elle s'arrêta pour recoiffer du bout des doigts ses cheveux moites de sueur et pour décoller le corsage en coton humide de ses seins.

L'unique ampoule de l'appartement était allumée. Le lustre. Son père était courbé à la table de la salle à manger, avec des papiers étalés devant lui. Il avait la mine défaite et paraissait trop maigre. Isabelle se demanda soudain ce qu'il mangeait ces derniers temps. Depuis son arrivée voilà plusieurs semaines, elle ne l'avait pas vu une seule fois prendre un repas. Ils mangeaient chacun de son côté. Elle avait supposé qu'il se nourrissait des restes des Allemands au haut commandement. Mais elle se posait maintenant la question.

— Tu es en retard, dit-il d'un ton sévère.

Elle remarqua la bouteille de cognac sur la table. Elle était à moitié vide. Elle était pleine la veille. Comment faisait-il pour toujours trouver du cognac ?

— Les Allemands ne voulaient pas partir.

Elle s'approcha de la table et déposa plusieurs billets.

— La journée a été bonne. Je vois que tes amis au haut commandement t'ont redonné du cognac.

— Les nazis ne font pas beaucoup de cadeaux.

— En effet. Tu l'as donc gagné.

Un bruit retentit, comme si quelque chose tombait sur le parquet.

— Qu'est-ce que c'était ? demanda son père en relevant la tête.

Puis il y eut un autre bruit, comme le frottement de deux objets de bois.

— Il y a quelqu'un dans l'appartement, déclara son père.

— Ne sois pas ridicule, papa.

Il se leva rapidement et sortit de la pièce. Isabelle se précipita derrière lui.

— Papa…

— Chut ! souffla-t-il.

Il passa dans l'entrée et pénétra dans la partie non éclairée de l'appartement. Sur la commode bombée située à côté de la porte d'entrée, il prit une bougie et l'alluma.

— Tu ne penses tout de même pas que quelqu'un est entré par effraction, dit-elle.

Il lui jeta un regard dur, en plissant les yeux.

— Je ne vais pas te redemander le silence. Maintenant, tais-toi, ordonna-t-il avec une haleine d'alcool et de tabac.

— Mais pourquoi…

— La ferme !

Il lui tourna le dos et prit l'étroit couloir au plancher incliné qui menait aux chambres.

Il passa devant la minuscule penderie (qui ne contenait que des manteaux) et pénétra dans l'ancienne chambre de Vianne derrière la flamme vacillante de la bougie. La pièce ne comportait qu'un lit, une table de nuit et un bureau. Tout était à sa place. Il se mit lentement à genoux et regarda sous le lit.

Enfin satisfait de constater que la chambre était vide, il se dirigea vers celle d'Isabelle.

Entendait-il les battements de son cœur ?

Il fit le tour de la pièce – il regarda sous le lit, derrière la porte, derrière les rideaux damassés tombant jusqu'au sol qui encadraient la fenêtre occultée de la cour.

Isabelle s'efforça de ne pas regarder l'armoire.

— Tu vois, dit-elle à voix haute, espérant que l'aviateur les entendrait et ne bougerait pas. Il n'y a personne ici. Vraiment, papa, ça te rend paranoïaque de travailler pour l'ennemi.

Il se tourna vers elle. Dans le halo de la flamme, il avait les traits tirés et l'air exténué.

— Ça ne te ferait pas de mal d'avoir peur, tu sais.

Était-ce une menace ?

— De toi, papa ? Ou des nazis ?

— Tu ne fais vraiment pas attention, Isabelle ? Tu devrais avoir peur de tout le monde. Maintenant, laisse-moi passer. J'ai besoin d'un verre.

18

Couchée dans son lit, Isabelle écoutait. Quand elle fut sûre que son père dormait (d'un sommeil d'ivrogne, sans le moindre doute), elle se leva, se mit en quête du pot de chambre en porcelaine de sa grand-mère puis, une fois en sa possession, elle se posta devant l'armoire.

Lentement – centimètre par centimètre –, elle la décolla du mur. Juste assez pour ouvrir la porte cachée.

Dedans, il faisait noir et il n'y avait pas un bruit. Ce fut seulement lorsqu'elle écouta avec attention qu'elle entendit le pilote respirer.

— Monsieur ? dit-elle à voix basse.

— Bonjour, mademoiselle, lui répondit-il dans l'obscurité.

Elle alluma la lampe à huile sur sa table de nuit et l'apporta dans l'entrée de la pièce secrète.

Il était assis contre le mur, les jambes étendues ; à la lueur de la flamme, il avait l'air plus doux, curieusement. Plus jeune.

Elle lui tendit le pot de chambre et vit ses joues rosir quand il le prit.

— Merci.

Elle s'assit en face de lui.

— Je me suis débarrassée de vos plaques d'identité et de votre combinaison. Il va falloir découper le haut de vos godillots pour que vous puissiez les porter. Voici un couteau. Demain matin, je vous passerai des vêtements de mon père. Je pense qu'ils ne vous iront pas bien.

Il hocha la tête.

— Quel est votre plan ?

Elle eut un sourire nerveux.

— Je ne suis pas sûre. Vous êtes pilote ?

— Lieutenant Torrance MacLeish. RAF. Mon avion s'est écrasé près de Reims.

— Et vous êtes resté seul depuis ? En combinaison ?

— Heureusement, j'ai beaucoup joué à cache-cache avec mon frère quand on était enfants.

— Vous n'êtes pas en sécurité ici.

— C'est ce que j'ai cru comprendre, dit-il en souriant, ce qui transforma son visage et rappela à Isabelle qu'il n'était en fait qu'un jeune homme loin de chez lui. Si ça peut vous remonter le moral, j'ai abattu trois avions allemands avant de m'écraser.

— Vous devez retourner en Angleterre pour pouvoir repartir à l'attaque.

— Je suis tout à fait d'accord. Mais comment ? Toute la côte est bordée de barbelés et gardée par des chiens. Je ne peux pas vraiment quitter la France en bateau ou en avion.

— J'ai des… amis qui y travaillent. Nous irons les voir demain.

— Vous êtes très courageuse, murmura-t-il.

— Ou bête, corrigea-t-elle, sans trop savoir ce qui était le plus vrai. On m'a souvent dit que j'étais impulsive et indisciplinée. Je suppose que mes amis vont me le redire demain.

— Eh bien, mademoiselle, pour ma part, je ne dirai jamais autre chose que courageuse.

*

Le lendemain matin, Isabelle entendit son père passer devant sa chambre. Quelques minutes plus tard, elle sentit des effluves de café, puis la porte d'entrée se ferma avec un déclic.

Elle sortit de sa chambre et alla dans celle de son père – jonchée de vêtements et le lit défait, une bouteille de cognac vide couchée sur son bureau. Elle tira le store occultant et scruta la rue au-dessous du balcon nu, où elle vit son père sortir sur le trottoir. Il tenait sa serviette noire serrée contre sa poitrine (comme si quelqu'un s'intéressait à sa poésie) et portait un chapeau noir rabattu sur le front. Recroquevillé comme un secrétaire surmené, il se dirigea vers le métro. Quand il disparut, elle alla à l'armoire de la chambre et fouilla pour trouver de vieux vêtements : un col roulé informe aux manches effilochées, un vieux pantalon en velours côtelé, rapiécé au niveau du derrière et auquel plusieurs boutons manquaient, ainsi qu'un béret gris.

De retour dans sa chambre, Isabelle déplaça prudemment l'armoire et ouvrit la porte. La pièce secrète sentait la sueur et l'urine, à tel point qu'elle dut se couvrir le nez et la bouche avec la main, car elle avait des haut-le-cœur.

— Désolé, mademoiselle, dit MacLeish d'un air penaud.

— Enfilez ça. Débarbouillez-vous au broc et rejoignez-moi dans le salon. Remettez l'armoire en place. Ne

302

faites pas de bruit. Il y a des gens à l'étage en dessous. Ils savent peut-être que mon père est parti et s'attendent à n'entendre qu'une seule personne ici.

Quelques minutes plus tard, il entra dans la cuisine, vêtu des vieilles nippes de son père. On aurait dit un petit garçon de conte de fées qui aurait grandi du jour au lendemain ; le pull-over enserrait sa large poitrine, et le pantalon était trop petit pour qu'il puisse le boutonner. Il portait le béret à plat sur le sommet de son crâne, comme s'il s'agissait d'une kippa.

Cela ne marcherait jamais. Comment pourrait-elle lui faire traverser la ville en plein jour ?

— Je peux y arriver, dit-il. Je vous suivrai à distance. Faites-moi confiance, mademoiselle. J'ai traîné dans les rues en combinaison de vol. Ce sera facile.

Il était trop tard pour faire machine arrière. Elle l'avait emmené chez elle et caché. Il fallait maintenant qu'elle le conduise en lieu sûr.

— Marchez au moins un pâté de maisons derrière moi. Si je m'arrête, vous vous arrêtez.

— Si je me fais pincer, vous continuez votre chemin. Ne vous retournez même pas.

Elle rajusta son béret, l'inclinant sur le côté de façon guillerette. Elle le regarda dans les yeux.

— D'où venez-vous, lieutenant MacLeish ?

— Ipswich, mademoiselle. Vous préviendrez mes parents… si nécessaire ?

— Ce ne sera pas nécessaire, lieutenant.

Elle prit une profonde inspiration. Il lui avait de nouveau rappelé quel risque elle avait pris pour l'aider. Les faux papiers dans son sac à main – qui la faisaient passer pour Juliette Gervaise, de Nice, baptisée à Marseille, étudiante à la Sorbonne – constituaient sa seule protection si le pire arrivait. Elle alla à la porte d'entrée, l'ouvrit et jeta un coup d'œil dehors. Le palier était désert. Elle poussa l'homme dans la cage d'escalier en lui disant :

— Allez-y. Attendez devant la chapellerie vide. Puis suivez-moi.

Il sortit de l'appartement, et elle ferma la porte derrière lui.

Un. Deux. Trois…

Elle compta en silence, imaginant les ennuis à chaque pas. Quand elle n'y tint plus, elle sortit à son tour et descendit l'escalier.

Tout était calme.

Elle le trouva dehors, qui attendait à l'endroit qu'elle lui avait indiqué. Elle leva le menton et passa devant lui sans un regard.

Sur tout le trajet jusqu'à Saint-Germain, elle marcha à vive allure, sans jamais se retourner. À plusieurs reprises, elle entendit des soldats allemands crier « Halt ! » et donner des coups de sifflet. Elle entendit deux fois des coups de feu, mais elle ne ralentit pas et ne regarda pas.

Lorsqu'elle arriva enfin à la porte rouge de l'appartement de la rue de Saint-Simon, elle transpirait et était un peu étourdie.

Elle donna quatre coups rapprochés.

La porte s'ouvrit.

Anouk apparut dans un minuscule entrebâillement. Elle écarquilla les yeux de surprise. Puis ouvrit la porte et recula.

— Qu'est-ce que tu fais là ?

Derrière elle, plusieurs des hommes qu'Isabelle avait rencontrés auparavant étaient assis autour d'une table avec des cartes étalées devant eux dont les lignes bleu pâle étaient éclairées par des bougies.

Anouk allait refermer la porte quand Isabelle lui dit :

— Laisse ouvert.

Cette injonction fit naître une tension. Elle vit celle-ci envahir la pièce, changer les expressions autour d'elle. À la table, M. Lévy commença à ranger les cartes.

Isabelle jeta un coup d'œil dehors et vit MacLeish qui arrivait sur le passage piéton. Il entra dans l'appartement et elle claqua la porte derrière lui. Personne ne parla.

Isabelle avait toute leur attention.

— Voici le lieutenant Torrance MacLeish de la RAF. Un pilote. Je l'ai trouvé caché dans des buissons près de chez moi hier soir.

— Et tu l'as amené ici, dit Anouk en allumant une cigarette.

— Il faut qu'il rentre en Angleterre, dit Isabelle. J'ai pensé…

— Non, coupa Anouk. Tu n'as pas pensé.

Lévy se cala sur sa chaise, sortit une Gauloise de sa poche de poitrine et l'alluma en scrutant l'aviateur.

— Nous savons qu'il y en a d'autres en ville, et d'autres encore qui se sont évadés de prisons allemandes. Nous voulons les faire sortir du pays, mais les côtes et les terrains d'aviation sont surveillés de près.

Il tira une longue bouffée sur sa cigarette ; le bout rougeoya, crépita puis devint noir.

— C'est un problème sur lequel nous travaillons.

— Je sais, dit Isabelle.

Elle sentit tout le poids de sa responsabilité. Avait-elle encore une fois agi de manière irréfléchie ? Les avait-elle déçus ? Elle ne savait pas. Aurait-elle dû ignorer MacLeish ? Elle allait poser une question quand elle entendit quelqu'un parler dans une pièce voisine.

Elle fronça les sourcils et demanda :

— Qui d'autre y a-t-il ici ?

— D'autres gens, lui répondit Lévy. Il y a toujours d'autres gens ici. Ça ne te regarde pas.

— Il nous faut un plan pour les aviateurs, c'est vrai, enchaîna Anouk.

— Nous pensons que nous pourrions les faire sortir d'Espagne, dit Lévy. Si nous pouvons les faire *entrer* en Espagne.

— Les Pyrénées, dit Anouk.

Isabelle ayant vu les Pyrénées, elle comprenait la remarque d'Anouk. Leurs cimes en dents de scie s'élevaient extrêmement haut dans les nuages et étaient généralement enneigées ou noyées dans le brouillard. Sa mère avait adoré Biarritz, une petite ville côtière à proximité, et à deux reprises, dans les jours heureux, bien longtemps auparavant, la famille y avait passé des vacances.

— La frontière avec l'Espagne est gardée à la fois par des patrouilles allemandes et des troupes espagnoles, indiqua Anouk.

— Toute la frontière ? demanda Isabelle.

— Eh bien, non. Bien sûr que non. Mais qui sait où elle l'est et où elle ne l'est pas ? dit Lévy.

— Les montagnes sont moins hautes près de Saint-Jean-de-Luz, fit remarquer Isabelle.

— Oui, et alors ? Elles restent infranchissables et les quelques routes de cette zone sont surveillées, dit Anouk.

— La meilleure amie de ma maman était une Basque dont le père était chevrier. Il traversait tout le temps les montagnes à pied.

— Nous y avons pensé. Nous avons même essayé une fois, continua Lévy. Nous n'avons plus jamais entendu parler d'aucun des membres de l'expédition. C'est déjà très difficile pour un homme seul de passer les postes de sentinelles allemands, alors imagine pour plusieurs, puis il faut encore qu'ils franchissent les montagnes à pied. C'est presque impossible.

— Presque impossible et impossible, ce n'est pas la même chose. Si des chevriers peuvent traverser les montagnes, des aviateurs doivent pouvoir le faire aussi, dit Isabelle, ce qui lui donna une idée. Et une femme pourrait facilement passer les postes de contrôle. Surtout une jeune femme. Personne ne soupçonnerait une jolie fille.

Anouk et Lévy échangèrent un regard.

— Je vais le faire, déclara Isabelle. Ou essayer, du moins. Je vais emmener ce pilote. Et il y en a d'autres ?

M. Lévy fronça les sourcils. De toute évidence, il était surpris de la tournure que prenaient les événements. Un nuage de fumée bleu-gris flottait entre eux.

— Et tu as déjà gravi des montagnes ?

— Je suis en pleine forme, répondit-elle.

— Si on t'attrape, on te jettera en prison… ou on te tuera, dit-il doucement. Mets ta fougue de côté un instant et réfléchis à cela, Isabelle. Il ne s'agit pas de remettre un bout de papier à quelqu'un. Tu as vu toutes les affiches placardées en ville ? Les récompenses qu'ils offrent pour les gens qui aident l'ennemi ?

Isabelle hocha la tête avec sérieux.

Anouk poussa un profond soupir et écrasa sa cigarette dans le cendrier plein. Elle dévisagea longuement Isabelle en plissant les yeux, puis elle se dirigea vers la porte située derrière la table. Elle l'entrouvrit et siffla, imitant une roulade de petit oiseau.

Isabelle fronça les sourcils. Elle entendit du bruit dans l'autre pièce, une chaise qu'on écartait d'une table, des pas.

Gaëtan apparut.

Il portait des vêtements miteux : un pantalon en velours côtelé aux ourlets effilés, rapiécé aux genoux et un peu trop court, et un pull-over qui flottait sur son corps maigre et nerveux, au col déformé. Il avait lissé en arrière ses cheveux noirs devenus longs, qui auraient mérité une coupe, dégageant son visage plus anguleux, presque semblable à celui d'un loup. Il la regarda comme s'il n'y avait qu'eux deux dans la pièce.

En un instant, tout était anéanti. Les sentiments qu'elle avait écartés, essayé d'enterrer, d'ignorer, ressurgissaient. Un regard posé sur lui et elle pouvait à peine respirer.

— Tu connais Gaët, dit Anouk.

Isabelle s'éclaircit la voix. Elle comprit qu'il était au courant de sa présence depuis le début, qu'il avait fait le choix de se tenir à distance d'elle. Pour la première fois depuis qu'elle s'était ralliée à ce groupe clandestin, Isabelle se sentit profondément jeune. Exclue.

308

Étaient-ils tous au courant ? Avaient-ils ri de sa naïveté dans son dos ?

— Oui.

— Bon, dit Lévy après un moment de silence pesant, Isabelle a un plan.

Gaëtan ne sourit pas.

— Ah bon ?

— Elle veut faire traverser les Pyrénées à cet aviateur et à d'autres et les emmener en Espagne. Au consulat britannique, je suppose.

Gaëtan jura dans sa barbe.

— Il *faut* qu'on essaie quelque chose, dit Lévy.

— As-tu vraiment conscience du risque que ça représente, Isabelle ? demanda Anouk en s'approchant. Si tu réussis, les nazis vont en entendre parler. Ils vont te traquer. Il y a une récompense de dix mille francs pour toute personne qui conduira les nazis à quelqu'un aidant des pilotes ennemis.

Isabelle avait toujours réagi simplement dans sa vie. Quelqu'un l'abandonnait, elle le suivait. Quelqu'un lui disait qu'elle ne pouvait pas faire quelque chose, elle le faisait. Elle transformait toutes les barrières en portes. Mais ça…

Elle se laissa ébranler par la peur et faillit y céder. Puis elle pensa aux croix gammées qui flottaient sur la tour Eiffel, à Vianne qui vivait avec l'ennemi et à Antoine perdu dans une prison. Et à Edith Cavell. Elle avait certainement eu peur, elle aussi ; Isabelle ne laisserait *pas* la peur lui faire obstacle. La Grande-Bretagne avait besoin de ces pilotes pour larguer davantage de bombes sur l'Allemagne.

Isabelle se tourna vers l'aviateur.

— Êtes-vous en forme, lieutenant ? demanda-t-elle en anglais. Pourriez-vous suivre une fille dans la traversée d'une montagne ?

— Oui, répondit-il. Surtout une jolie fille comme vous, mademoiselle. Je ne vous perdrai pas de vue.

Isabelle se tourna cette fois vers ses compatriotes.

— Je vais l'emmener au consulat de Saint-Sébastien. À partir de là, ce sera aux Anglais de le ramener chez lui.

Isabelle vit la conversation qui s'échangea en silence autour d'elle, les inquiétudes et les questions non formulées. Une décision prise sans qu'un mot ne soit prononcé. Il fallait tout simplement prendre certains risques ; tous ceux présents dans la pièce le savaient.

— Il va nous falloir des semaines pour organiser ça. Peut-être plus, dit Lévy avant de se tourner vers Gaëtan. On va avoir besoin d'argent immédiatement. Tu parleras à ton contact ?

Gaëtan acquiesça de la tête. Il prit un béret noir sur le buffet et le coiffa.

Isabelle ne pouvait le quitter des yeux. Elle était en colère contre lui – elle le savait, elle le ressentait –, mais quand il s'approcha d'elle, cette colère retomba et fut balayée comme un tas de poussière face à l'attirance irrésistible qu'elle ressentait pour lui. Ils se croisèrent du regard, se fixèrent ; puis il la dépassa, tourna la poignée de la porte et sortit. La porte se referma derrière lui.

— Bon, fit Anouk. L'organisation. Commençons.

*

Durant six heures, Isabelle resta assise à la table de l'appartement de la rue de Saint-Simon. Ils firent venir d'autres membres du réseau et leur attribuèrent des tâches : rassembler des vêtements pour les pilotes et des provisions. Ils consultèrent des cartes, établirent des itinéraires et s'engagèrent dans la longue et incertaine entreprise consistant à trouver des abris sur le chemin. À un moment donné, ils commencèrent à voir ce projet comme une réalité et non plus comme une simple idée audacieuse.

Ce fut seulement quand M. Lévy mentionna le couvre-feu qu'Isabelle s'écarta de la table. Ils tentèrent de la convaincre de rester pour la nuit, mais un tel choix aurait éveillé les soupçons de son père. Elle emprunta donc un lourd caban noir à Anouk, l'enfila et se réjouit de voir comme il la camouflait.

Le boulevard Saint-Germain était d'un calme inquiétant, avec tous les volets bien fermés et occultés et les réverbères éteints.

Elle longea les bâtiments et fut contente que les talons usés de ses chaussures de ville blanches ne claquent pas sur le trottoir. Elle franchit discrètement des barricades et évita les groupes de soldats allemands qui patrouillaient dans les rues.

Elle était presque chez elle quand elle entendit un grondement de moteur. Un camion allemand arriva lentement dans la rue derrière elle, ses phares peints en bleu éteints.

Elle se colla contre le mur en pierre raboteux et le camion fantôme passa en vrombissant dans les ténèbres. Puis le silence régna à nouveau.

Un oiseau siffla un trille. *Un son familier.*

Isabelle sut alors qu'elle l'avait attendu, pleine d'espoir...

Elle se redressa doucement. À côté d'elle, une plante en pot dégageait un parfum de fleurs.

— Isabelle, dit Gaëtan.

Elle distingua à peine ses traits dans le noir, mais elle sentit l'odeur de sa pommade à cheveux, la senteur âpre de son savon à lessive et la cigarette qu'il avait fumée un peu plus tôt.

— Comment savais-tu que je travaillais avec Paul ?

— Par qui crois-tu que tu as été recommandée ?

Elle fronça les sourcils.

— Henri...

— Et qui a parlé de toi à Henri ? J'ai demandé à Didier de te suivre depuis le début, de veiller sur toi. Je savais que tu nous trouverais.

Il tendit la main, lui remit les cheveux derrière les oreilles, d'un geste intime qui l'assoiffa d'espoir. Elle se rappela avoir dit « Je t'aime » et fut remuée par la honte et le regret. Elle ne voulait pas se souvenir des sentiments qu'il avait éveillés en elle, de la façon dont il lui avait fait manger du lapin grillé à la main et dont il l'avait portée quand elle était trop fatiguée pour marcher... et dont il lui avait montré à quel point un baiser pouvait être important.

— Je suis désolé de t'avoir blessée.

— Pourquoi as-tu fait ça ?

— Ça n'a plus d'importance maintenant, dit-il en soupirant. J'aurais dû rester dans cette autre pièce aujourd'hui. Il vaut mieux que je ne te voie pas.

— Pas pour moi.

Il sourit.

— Tu as l'habitude de dire tout ce que tu penses, hein, Isabelle ?

— Toujours. Pourquoi m'as-tu quittée ?

Il toucha son visage avec une douceur qui lui donna envie de pleurer ; cette caresse était comme un au revoir, et elle connaissait bien les au revoir.

— Je voulais t'oublier.

Elle avait envie de dire quelque chose de plus fort, peut-être « embrasse-moi » ou « ne t'en va pas » ou « dis-moi que je compte pour toi », mais il était trop tard, le moment – quel qu'il fût – était passé. Il s'éloignait d'elle, disparaissait dans l'obscurité. Il dit doucement : « Sois prudente, Isa », et avant qu'elle puisse répondre, elle sut qu'il était parti ; elle sentit son absence au plus profond d'elle-même.

Elle attendit quelques instants que son pouls ralentisse et que ses émotions se calment, puis elle rentra chez elle. À peine avait-elle tourné la clé dans la serrure qu'elle se sentit tirée à l'intérieur d'un coup sec. La porte claqua derrière elle.

— Mais où est-ce que tu étais, nom d'un chien ?

L'haleine alcoolisée de son père l'assaillit, son odeur suave semblable à une cape couvrant une chose sombre, amère. Comme s'il avait mâché de l'aspirine. Elle essaya de se dégager, mais il était si près d'elle que c'était presque une étreinte, sa main serrant assez fort son poignet pour y laisser un bleu.

Puis, aussi rapidement qu'il l'avait attrapée, il la relâcha. Elle trébucha en arrière et chercha l'interrupteur en agitant les bras. Lorsqu'elle l'actionna, rien ne se passa.

— Plus d'argent pour l'électricité, annonça son père.

Il alluma une lampe à huile et la leva entre eux. Dans la lumière vacillante, il avait l'air sculpté dans de la cire ramollie ; son visage ridé était flasque, ses paupières gonflées et un peu bleues. Des points noirs de la taille de têtes d'épingle parsemaient son nez épaté. Mais malgré tout cela, malgré… l'air si fatigué et vieux qu'il avait soudain, ce fut son regard qui fit froncer les sourcils à Isabelle.

Quelque chose n'allait pas.

— Viens avec moi, lui dit-il d'une voix rauque et nette, méconnaissable à cette heure tardive.

Passant devant la penderie, il tourna dans le couloir pour se rendre dans la chambre d'Isabelle. Là, il se retourna pour la regarder.

Derrière lui, dans la lueur de la lampe, elle vit l'armoire déplacée et la porte de la pièce secrète entrouverte. Une forte odeur d'urine flottait dans l'air. Dieu merci, l'aviateur n'était plus là.

Isabelle secoua la tête, incapable de parler.

Il se laissa tomber sur le bord du lit et courba la tête.

— Bon sang, Isabelle. Tu es une vraie plaie.

Elle ne pouvait pas bouger. Ni réfléchir. Elle jeta un coup d'œil à la porte de la chambre et se demanda si elle pouvait s'enfuir de l'appartement.

— Ce n'était rien, papa. Un garçon.

Oui.

— Un petit copain. On s'est embrassés, papa.

— Et est-ce que tous tes petits copains pissent dans le placard ? Tu dois avoir beaucoup de succès, alors, dit-il en soupirant. On arrête la comédie.

— La comédie ?

— Tu as trouvé un aviateur hier soir, tu l'as caché dans ce placard et aujourd'hui tu l'as amené chez M. Lévy.

Isabelle n'avait pas pu bien entendre.

— Pardon ?

— Ton pilote échoué au sol – celui qui a pissé dans le placard et laissé des traces de pas dans le couloir –, tu l'as emmené chez M. Lévy.

— Je ne sais pas de quoi tu parles.

— Eh bien, tant mieux pour toi, Isabelle.

Quand il se tut, elle ne put supporter le suspense.

— Papa ?

— Je sais que tu es venue ici en tant que courrier pour la Résistance et que tu travailles pour le réseau de Paul Lévy.

— Co-comment…

— M. Lévy est un vieil ami. En fait, quand les nazis ont envahi le pays, il est venu me convaincre de lâcher la bouteille de cognac, qui était tout ce qui m'intéressait. Il m'a mis au travail.

Isabelle se sentit si peu solide sur ses jambes qu'elle ne tenait plus debout. C'était trop intime de s'asseoir à côté de son père, elle se laissa donc tomber doucement sur la moquette.

— Je ne voulais pas que tu sois impliquée là-dedans, Isabelle. C'est pour ça que je t'ai fait partir de Paris. Je ne voulais pas te mettre en danger à cause de mon travail. J'aurais dû savoir que tu trouverais seule le moyen de te mettre en danger.

— Et toutes les autres fois où tu m'as chassée ?

Elle regretta aussitôt d'avoir posé cette question, mais dès qu'une pensée lui venait, elle l'exprimait.

— Je ne suis pas un bon père. Nous le savons tous les deux. Du moins pas depuis le décès de ta mère.

— Comment pourrait-on le savoir ? Tu n'as jamais essayé.

— J'ai essayé. Simplement, tu ne t'en souviens pas. De toute façon, tout ça, c'est du passé. On a de plus grandes préoccupations maintenant.

— Oui, dit-elle.

Son passé lui semblait chamboulé, confus. Elle ne savait plus quoi penser ou ressentir. Mieux valait changer de sujet que de s'y attarder.

— Je… prépare quelque chose. Je vais partir quelque temps.

Il la regarda.

— Je sais. J'ai parlé avec Paul, dit-il.

Il garda le silence pendant un long moment.

— Tu sais que ta vie va changer à partir de maintenant. Tu vas devoir vivre dans la clandestinité – pas ici avec moi, ni avec personne d'autre. Tu ne pourras pas passer plus de quelques nuits au même endroit. Tu ne devras faire confiance à personne. Et tu ne seras plus Isabelle Rossignol ; tu seras Juliette Gervaise. Les nazis et les collabos te rechercheront sans arrêt, et s'ils te trouvent…

Isabelle hocha la tête.

Ils échangèrent un regard. Dans celui-ci, Isabelle sentit un lien entre eux qui n'avait jamais existé auparavant.

— Tu sais qu'ils font preuve d'une certaine clémence envers les prisonniers de guerre. N'en espère aucune.

Elle acquiesça de nouveau.

— Est-ce que tu en es capable, Isabelle ?

— Oui, papa.

Il hocha la tête.

— Le nom que tu cherches, c'est Micheline Babineau. L'amie de ta maman à Urrugne. Son mari a été tué pendant la Grande Guerre. Je pense qu'elle te fera bon accueil. Et dis à Paul qu'il va me falloir des photos immédiatement.

— Des photos ?

— Des aviateurs.

Devant le silence prolongé d'Isabelle, il finit par sourire.

— Sans blague, Isabelle. Tu ne saisis pas ?

— Mais…

— Je fais des faux papiers, Isabelle. C'est pour ça que je travaille au haut commandement. J'ai commencé par écrire les tracts que tu distribuais à Carriveau, mais… il s'avère que le poète a un talent de faussaire. Qui t'a donné le nom de Juliette Gervaise, d'après toi ?

— M-mais…

— Tu croyais que je collaborais avec l'ennemi. Je ne peux pas vraiment t'en vouloir.

En lui, tout à coup, elle vit un étranger, un homme brisé au lieu de l'homme cruel et négligent qu'elle avait toujours perçu. Elle osa se lever, s'approcher, s'agenouiller devant lui. Elle le regarda, sentit de chaudes larmes lui monter aux yeux.

— Pourquoi est-ce que tu nous as repoussées, Vianne et moi ?

— J'espère que tu ne sauras jamais à quel point tu es fragile, Isabelle.

— Je ne suis pas fragile, dit-elle.

Le sourire qu'il lui adressa en était à peine un.

— Nous sommes tous fragiles, Isabelle. C'est ça qu'on apprend à la guerre.

19

AVERTISSEMENT

TOUT HOMME QUI VIENDRA EN AIDE, DIRECTEMENT OU INDIRECTEMENT, AUX ÉQUIPAGES DES AVIONS ENNEMIS DESCENDANT EN PARACHUTE OU AYANT FAIT UN ATTERRISSAGE FORCÉ, QUI LES AIDERA À S'ÉCHAPPER, LES CACHERA OU LEUR PRÊTERA ASSISTANCE D'UNE QUELCONQUE MANIÈRE SERA FUSILLÉ SUR PLACE.

LES FEMMES QUI FOURNIRONT LA MÊME AIDE SERONT ENVOYÉES DANS DES CAMPS DE CONCENTRATION EN ALLEMAGNE.

— Je suppose que j'ai de la chance d'être une femme, marmonna Isabelle entre ses dents.

Comment se faisait-il que les Allemands n'eussent pas encore remarqué – en octobre 1941 – que la France était devenue un pays de femmes ?

Au moment même où elle prononça ces mots, elle perçut le faux accent de bravade qui les teintait. Elle avait envie de se sentir courageuse à cet instant – telle Edith Cavell risquant sa vie –, mais là, dans cette gare où patrouillaient des soldats allemands, elle avait peur.

Elle ne pouvait plus changer d'avis. Après des mois d'organisation et de préparation, quatre aviateurs et elle étaient sur le point d'expérimenter le plan d'évasion.

En ce frais matin d'octobre, sa vie allait changer. Dès l'instant où elle monterait à bord de ce train à destination de Saint-Jean-de-Luz, elle ne serait plus Isabelle Rossignol, la fille de la librairie qui habitait avenue de La Bourdonnais.

Désormais, elle était Juliette Gervaise, nom de code Le Rossignol.

— Viens, dit Anouk.

Prenant Isabelle par le bras, elle l'éloigna du panneau d'avertissement et l'emmena au guichet.

Elles avaient récapitulé le déroulement des opérations tant de fois qu'Isabelle connaissait le plan parfaitement. Il n'y avait qu'un problème : malgré toutes leurs tentatives, elles n'étaient pas parvenues à joindre Mme Babineau. Ce point clé de leur plan – trouver un guide –, Isabelle devrait le régler seule. À l'écart sur sa gauche, le lieutenant MacLeish attendait son signal, déguisé en paysan. De sa trousse d'évasion, il n'avait gardé que deux cachets de benzédrine et une minuscule boussole épinglée à son col qui avait l'air d'un bouton. On lui avait donné de faux papiers : c'était désormais un ouvrier agricole flamand. Il avait une carte d'identité et un permis de travail, mais le père d'Isabelle ne pouvait garantir que ces papiers passeraient un contrôle s'ils étaient examinés de près. Il avait coupé le haut de ses brodequins et rasé sa moustache.

Isabelle et Anouk avaient passé un nombre incalculable d'heures à lui apprendre à se comporter comme il fallait. Elles l'avaient vêtu d'un manteau flottant et d'un pantalon de travail usé. Elles avaient éliminé les taches de nicotine à l'index et au majeur de sa main droite et lui avaient appris à fumer comme un Français, avec son pouce et son index. Il savait qu'il devait regarder à gauche avant de traverser une rue – et non à droite –, et il ne devait jamais s'approcher d'Isabelle, à moins qu'elle-même ne se fût d'abord approchée de lui. Elle lui avait donné pour instruction de faire le sourd-muet et de lire un journal dans le train – durant tout le trajet. Il devait également acheter lui-même son billet et s'asseoir loin d'Isabelle. Comme les autres. Quand ils descendraient à Saint-Jean-de-Luz, les aviateurs devraient marcher à bonne distance derrière elle.

Anouk se tourna vers Isabelle. *Tu es prête ?* demanda son regard.

Elle hocha lentement la tête.

— Cousin Étienne montera dans le train à Poitiers, Oncle Émile à Ruffec et Jean-Claude à Bordeaux.

Les autres aviateurs.

— Oui.

Isabelle devait descendre à Saint-Jean-de-Luz avec les quatre pilotes – deux Anglais et deux Canadiens – et traverser les montagnes pour gagner l'Espagne. Une fois là-bas, elle devait envoyer un télégramme. « Le Rossignol a chanté », signifierait qu'ils avaient réussi.

Elle embrassa Anouk sur les deux joues, lui murmura *au revoir*, puis se rendit d'un bon pas au guichet.

— Saint-Jean-de-Luz, dit-elle en tendant son argent au guichetier.

Puis elle prit son billet et se dirigea vers le quai C. Elle ne se retourna pas une seule fois, bien qu'elle en eût envie.

Le train siffla.

Isabelle monta dedans et s'assit sur le côté gauche. D'autres passagers montèrent en file et s'installèrent. Plusieurs soldats allemands suivirent et s'assirent en face d'elle.

MacLeish fut le dernier à monter. Il pénétra dans le wagon et passa à côté d'elle sans un regard, les épaules voûtées pour paraître plus petit. Lorsque les portes se fermèrent, il s'installa à l'autre bout du compartiment et ouvrit immédiatement son journal.

La locomotive siffla à nouveau et les roues géantes se mirent à tourner et à prendre peu à peu de la vitesse. Dans un bruit sourd, le wagon se mit à ballotter puis adopta un mouvement régulier, les roues claquant sur les rails.

Le soldat allemand assis face à Isabelle scruta le compartiment. Son regard s'arrêta sur MacLeish. Il tapota sur l'épaule de son ami et les deux hommes commencèrent à se lever.

Isabelle se pencha en avant.

— Bonjour, dit-elle avec un sourire.

Les soldats se rassirent aussitôt.

— Bonjour, mademoiselle, répondirent-ils en chœur.

— Vous parlez très bien français, mentit-elle.

À côté d'elle, une femme corpulente en habits de paysanne se racla la gorge d'un air dégoûté et murmura : « Vous devriez avoir honte » en français.

Isabelle eut un rire charmant.

— Où allez-vous ? demanda-t-elle aux soldats.

Ils allaient partager ce wagon pendant plusieurs heures. Ce serait une bonne chose de retenir leur attention.

— Tours, dit l'un.

Tandis que l'autre répondit :

— Onzain.

— Ah. Et connaissez-vous des jeux de cartes pour passer le temps ? J'ai un jeu avec moi.

— Oui. Oui ! dit le plus jeune.

Isabelle prit les cartes dans son sac à main. Elle les distribuait pour une nouvelle manche – et riait – quand l'aviateur suivant monta dans le train et passa à côté des Allemands.

Plus tard, quand le contrôleur passa, elle lui présenta son billet. Il le prit et continua son chemin.

Quand il arriva à MacLeish, celui-ci fit exactement ce qu'on lui avait demandé : il tendit son billet en continuant de lire. L'autre aviateur l'imita.

Isabelle poussa un soupir de soulagement et s'enfonça dans son siège.

*

Isabelle et les quatre pilotes arrivèrent à Saint-Jean-de-Luz sans incident. Ils avaient passé deux postes de contrôle allemands – séparément, bien sûr. Les soldats de faction avaient à peine regardé la série de faux papiers et dit « *Danke schön* » sans même lever les yeux. Ils n'étaient pas à l'affût d'aviateurs échoués au sol et n'avaient apparemment pas envisagé un plan aussi audacieux que celui-ci.

Mais à présent, Isabelle et les hommes approchaient des montagnes. Dans les contreforts, elle se rendit dans un petit parc bordant la rivière et s'assit sur un banc qui donnait sur l'eau. Les pilotes arrivèrent comme prévu, un par un, MacLeish le premier. Il s'assit à côté d'elle.

Les autres prirent place à portée de voix.

— Vous avez vos écriteaux ? demanda-t-elle.

MacLeish tira un morceau de papier de sa poche de chemise. Celui-ci indiquait : SOURD-MUET. J'ATTENDS MA MAMAN QUI VIENT ME CHERCHER. Les autres aviateurs firent de même.

— Si un soldat allemand embête l'un de vous, vous lui montrez vos papiers et votre écriteau. Mais *ne parlez pas*.

— Et je fais l'imbécile, ce qui est facile pour moi, dit MacLeish avec un grand sourire.

Isabelle était trop anxieuse pour sourire.

Elle déchargea son sac à dos en toile d'un haussement d'épaules et le passa à MacLeish. Celui-ci contenait quelques produits de base : une bouteille de vin, trois grosses saucisses de porc, deux paires d'épaisses chaussettes en laine et plusieurs pommes.

— Asseyez-vous où vous pouvez à Urrugne. Pas ensemble, bien sûr. Gardez la tête baissée et faites semblant de lire votre livre. Ne levez pas les yeux avant de m'entendre dire : « Te voilà, cousin, on t'a cherché partout. » Compris ?

Ils firent tous oui de la tête.

— Si je ne suis pas revenue à l'aube, rendez-vous séparément à Pau et allez à l'hôtel que je vous ai indiqué. Une femme du nom d'Éliane vous aidera.

— Soyez prudente, dit MacLeish.

Elle les laissa et marcha jusqu'à la route. Un kilomètre plus loin, alors que la nuit commençait à tomber, elle traversa un pont branlant. La route se transforma en un chemin de terre étroit qui grimpait en pente raide sur les contreforts verdoyants. Le clair de lune lui vint en aide et illumina des centaines de toutes petites taches blanches – des chèvres. Il n'y avait pas de maisons si haut dans la montagne, seulement des abris pour les animaux.

Puis enfin, elle la vit : une maison à colombages de deux étages avec un toit rouge, qui correspondait exactement à la description de son père. Ce n'était pas étonnant qu'ils n'aient pas réussi à entrer en contact avec Mme Babineau. Ce chalet semblait conçu pour dissuader les gens d'y venir – de même que le chemin y menant. Des chèvres bêlèrent à son arrivée et se heurtèrent nerveusement les unes aux autres. De la lumière filtrait par les fenêtres occultées à la diable, et de joyeuses bouffées de fumée sortaient de la cheminée, parfumant l'air.

Lorsqu'elle frappa à la lourde porte en bois, celle-ci s'entrouvrit juste assez pour laisser voir un œil et une bouche presque cachée par une barbe grise.

— Bonsoir, dit Isabelle.

Elle attendit un instant que le vieil homme lui rende la politesse, mais il ne dit rien.

— Je suis là pour voir Mme Babineau.

— Pourquoi ? demanda l'homme sèchement.

— Julien Rossignol m'a envoyée.

Le vieil homme fit claquer sa langue contre ses dents, puis la porte s'ouvrit.

La première chose qu'Isabelle remarqua à l'intérieur fut le ragoût qui mijotait dans une grande marmite noire suspendue à un crochet dans la gigantesque cheminée en pierre.

Une femme était assise à une immense table à tréteaux éraflée au fond de la large pièce sillonnée de poutres. De là où se trouvait Isabelle, elle semblait vêtue de haillons noirs comme du charbon, mais quand le vieil homme alluma une lampe à huile, Isabelle vit que la femme était habillée comme un homme, d'un pantalon rêche et d'une chemise en lin garnie de lacets de cuir au col. Ses cheveux avaient la couleur de copeaux de fer, et elle fumait une cigarette.

Toutefois, Isabelle la reconnut, bien qu'elle ne l'eût pas vue depuis quinze ans. Elle se souvint d'avoir été assise sur la plage à Saint-Jean-de-Luz. D'avoir entendu les femmes rire. Et de Mme Babineau disant *Cette petite beauté va t'en faire voir de toutes les couleurs, Madeleine, un jour les garçons vont lui courir après*, et de Maman répondant *Elle est trop intelligente pour gaspiller sa vie à cause des garçons, n'est-ce pas, mon Isabelle ?*

— Vos chaussures sont toutes crottées.

— Je suis venue ici à pied depuis la gare de Saint-Jean-de-Luz.

— Intéressant, dit la femme, qui écarta de la table la chaise située en face d'elle en la poussant de son pied botté. Je suis Micheline Babineau. Asseyez-vous.

— Je sais qui vous êtes, dit Isabelle.

Elle n'ajouta rien. Toute information était potentiellement dangereuse en cette période. Il fallait les échanger avec prudence.

— Ah oui ?

— Je suis Juliette Gervaise.

— Qu'est-ce que ça peut me faire ?

Isabelle jeta un coup d'œil nerveux au vieil homme, qui l'observait d'un air méfiant. Elle n'avait pas envie de lui tourner le dos, mais elle n'avait pas le choix. Elle s'assit face à la femme.

— Vous voulez une cigarette ? C'est une Gauloise bleue. Elles me coûtent trois francs et une chèvre, mais ça vaut la peine, indiqua la femme avant de tirer une longue bouffée sensuelle sur sa cigarette et de recracher la fumée bleue au parfum caractéristique. Pourquoi est-ce que je m'intéresserais à vous ?

— Julien Rossignol croit que je peux vous faire confiance.

Mme Babineau reprit une bouffée sur sa cigarette, puis elle l'éteignit sur la semelle de sa botte. Elle glissa ce qu'il en restait dans sa poche de poitrine.

— Il dit que sa femme était une de vos amies proches. Vous êtes la marraine de sa fille aînée. Il est le parrain de votre fils cadet.

— Il l'était. Les Allemands ont tué mes deux fils au front. Et mon mari lors de la dernière guerre.

— Il vous a écrit des lettres récemment…

— La poste ne vaut rien ces temps-ci. Qu'est-ce qu'il veut ?

Et voilà. Le plus gros défaut dans ce plan. Si Mme Babineau était une collabo, tout était fini. Isabelle avait imaginé mille fois ce moment, elle s'y était préparée jusque dans les pauses à marquer. Elle avait réfléchi à des manières de formuler les choses pour se protéger.

À présent, elle voyait la folie de tout ce projet, son ineptie. Elle n'avait plus qu'à foncer tête baissée.

— J'ai laissé quatre pilotes alliés à Urrugne, qui m'y attendent. Je veux les emmener au consulat britannique en Espagne. Nous espérons que, de là, ils pourront rentrer en Angleterre pour effectuer d'autres missions en Allemagne et larguer à nouveau des bombes.

Dans le silence qui suivit, Isabelle entendit les battements de son cœur, le tic-tac de l'horloge de la cheminée, le lointain bêlement d'une chèvre.

— Et ? fit enfin Mme Babineau, d'une voix presque inaudible.

— Et… et j'ai besoin d'un guide basque pour m'aider à traverser les Pyrénées. Julien a pensé que vous pourriez m'aider.

Pour la première fois, Isabelle sut qu'elle avait toute l'attention de la femme.

— Va chercher Eduardo, dit Mme Babineau au vieil homme, qui bondit pour s'exécuter.

La porte claqua si fort que le plafond trembla.

La femme récupéra la cigarette à demi fumée dans sa poche et l'alluma, puis elle avala et recracha la fumée plusieurs fois en silence tout en scrutant Isabelle.

— Qu'est-ce que vous… commença à demander Isabelle.

La femme pressa un doigt taché par le tabac contre ses lèvres.

La porte de la ferme s'ouvrit d'un coup et un homme fit irruption. Isabelle ne discerna que de larges épaules, de la toile de jute et une odeur d'alcool.

Il l'attrapa par le bras, la souleva de sa chaise et la jeta contre le mur raboteux. Elle eut le souffle coupé de douleur et essaya de se libérer, mais il la cloua sur place et enfonça brutalement son genou entre ses jambes.

— Vous savez ce que les Allemands font aux gens comme vous ? dit-il à voix basse en approchant tant son visage de celui d'Isabelle qu'elle ne pouvait fixer son regard, qu'elle ne voyait que des yeux sombres et d'épais cils noirs.

Il sentait le tabac et le cognac.

— Vous savez combien ils vont nous payer pour vous et vos pilotes ?

Isabelle tourna la tête pour éviter son haleine aigre.

— Où sont-ils, vos pilotes ?

Il enfonça ses doigts dans la chair de ses bras.

— Où sont-ils ?

— Quels pilotes ? demanda-t-elle d'une voix entre-coupée.

— Les pilotes que vous aidez à s'évader.

— Qu-quels pilotes ? Je ne sais pas de quoi vous parlez.

Il grogna et cogna la tête d'Isabelle contre le mur.

— Vous avez demandé notre aide pour faire tra-verser les Pyrénées à des pilotes.

— Moi, une femme, traverser les Pyrénées ? Vous plaisantez ! Je ne sais pas de quoi vous parlez.

— Êtes-vous en train de dire que Mme Babineau est une menteuse ?

— Je ne connais pas Mme Babineau. Je me suis juste arrêtée ici pour demander mon chemin. Je suis perdue.

Il sourit, révélant des dents noircies par le tabac et le vin.

— C'est une maligne, dit-il en la lâchant. Et elle n'a pas flanché un seul instant.

Mme Babineau se leva.

— Parfait.

L'homme recula et lui fit de l'espace.

— Je suis Eduardo, annonça-t-il avant de se tourner vers la vieille femme. La météo est bonne. Et elle a de la volonté. Les hommes peuvent dormir ici ce soir. À moins que ce soient des avortons, je les emmènerai demain.

— Vous allez nous emmener ? demanda Isabelle. En Espagne ?

Eduardo regarda Mme Babineau, qui regarda Isabelle.

— C'est avec grand plaisir que nous allons vous aider, Juliette. Alors, où sont-ils, vos pilotes ?

*

Au milieu de la nuit, Mme Babineau réveilla Isabelle et la conduisit dans la cuisine de la ferme, où un feu flambait déjà dans l'âtre.

— Café ?

Isabelle se peigna avec ses doigts et noua un fichu autour de sa tête.

— Non, merci, c'est trop précieux.

La vieille femme lui sourit.

— Personne ne soupçonne une femme de mon âge de quoi que ce soit. Ça me permet d'être bonne en affaires. Tiens.

Elle tendit à Isabelle une grande tasse en porcelaine fêlée pleine de café noir fumant. Du *vrai* café.

Isabelle enveloppa la tasse dans ses mains et aspira une grande bouffée de l'arôme bien connu.

Mme Babineau s'assit à côté d'elle.

Isabelle regarda dans les yeux sombres de la femme et y vit une compassion qui lui rappela sa maman.

— J'ai peur, avoua Isabelle.

C'était la première fois qu'elle confiait cela à quelqu'un.

— Et tu fais bien. Nous devons tous avoir peur.

— S'il arrive quelque chose, vous préviendrez Julien ? Il est encore à Paris. Si nous… échouons, dites-lui que le Rossignol n'a pas chanté.

Mme Babineau hocha la tête.

Alors que les deux femmes étaient assises là, les aviateurs entrèrent un à un dans la pièce. C'était le milieu de la nuit, et aucun ne paraissait avoir bien dormi. Mais l'heure fixée pour leur départ était venue.

Mme Babineau disposa sur la table un repas composé de pain, de doux miel de lavande et de fromage de chèvre crémeux. Les hommes se plantèrent sur les chaises dépareillées et se rapprochèrent de la table, puis ils se mirent à parler tous en même temps et dévorèrent la nourriture en un instant.

La porte s'ouvrit brusquement et laissa pénétrer un courant d'air froid nocturne. Des feuilles séchées entrèrent en trombe, dansèrent au sol et vinrent se coller comme de toutes petites mains noires sur les pierres de la cheminée. Les flammes tressaillirent et s'amenuisèrent. La porte se referma en claquant.

Eduardo apparut tel un géant dépenaillé dans la cuisine basse de plafond. C'était un Basque typique – large d'épaules et au visage qui semblait avoir été sculpté dans la pierre à l'aide d'une lame émoussée. Le manteau qu'il portait était peu épais pour le temps qu'il faisait et rapiécé à plus d'endroits qu'il n'était intact.

Il tendit à Isabelle une paire de chaussures basques, des espadrilles, avec des semelles en corde qui convenaient apparemment bien aux terrains accidentés.

— Comment est le temps pour ce trajet, Eduardo ? demanda Mme Babineau.

— Le froid arrive. Il ne faut pas qu'on traîne.

Il déchargea un sac à dos en lambeaux de son épaule et le laissa tomber par terre. Aux hommes, il dit :

— Voici des espadrilles. Elles vont vous aider. Trouvez une paire à votre pointure.

Isabelle se posta à côté de lui et traduisit pour les aviateurs.

Ceux-ci s'avancèrent docilement et s'accroupirent autour du sac dont ils sortirent des chaussures qu'ils se passèrent entre eux.

— Il n'y en a pas à ma taille, dit MacLeish.

— Faites ce que vous pouvez, dit Mme Babineau. Malheureusement, nous ne sommes pas marchands de chaussures.

Quand les hommes eurent troqué leurs brodequins contre des espadrilles, Eduardo leur demanda de se mettre en rang. Il les étudia un à un, vérifiant leurs vêtements et leurs petits sacs.

— Sortez tout ce que vous avez dans vos poches et laissez-le ici. Les Espagnols vont arrêteront pour n'importe quoi, or vous ne voudriez certainement pas échapper aux Allemands pour vous retrouver dans une prison espagnole.

Il remit à chacun une outre de vin en peau de chèvre et un bâton de marche qu'il avait taillé dans des branches noueuses et moussues. Quand il eut fini la distribution, il leur donna une tape dans le dos assez puissante pour que la plupart d'entre eux trébuchent en avant.

— Silence, dit Eduardo. Toujours.

Ils quittèrent la maison et partirent en file indienne à travers la prairie irrégulière. Le ciel était éclairé par une faible lune bleue.

— La nuit est notre protection, expliqua Eduardo. La nuit, la vitesse et le silence.

Il se retourna et les arrêta en levant la main.

— Juliette va fermer la marche. Je serai devant. Quand je marche, vous marchez. Vous marchez en file. On ne parle pas. Jamais. Vous allez avoir froid – et même être gelés cette nuit – et avoir faim et bientôt vous serez fatigués. Continuez de marcher.

Eduardo tourna le dos aux hommes et commença à gravir la côte.

Isabelle sentit instantanément le froid ; il mordait ses joues à nu et s'infiltrait par les coutures de son manteau de laine. Elle ferma de sa main gantée les deux pans de son col et entama la longue ascension du coteau herbeux.

À un moment donné, vers 3 heures du matin, la marche se transforma en randonnée. La côte devint plus raide et la lune disparut derrière des nuages invisibles qui ne laissaient passer que quelques rayons, les plongeant dans une obscurité quasi totale. Isabelle entendit la respiration des hommes devenir plus pénible devant elle. Elle savait qu'ils avaient froid ; la plupart d'entre eux n'avaient pas les vêtements adaptés pour cet air glacial, ni des chaussures à leur pointure. Des brindilles craquaient sous leurs pieds, ils tapaient dans des cailloux qui faisaient un bruit semblable à la pluie sur un toit de tôle en tombant sur le versant abrupt de la montagne. Les premiers tiraillements de la faim commencèrent à assaillir son estomac vide.

Il se mit à pleuvoir. Un vent cinglant souffla de la vallée et fouetta le groupe qui marchait en file. Il changea les gouttes de pluie en tessons glacés qui attaquaient les parties exposées de leurs corps. Isabelle se mit à trembler et à haleter péniblement, mais elle continua l'ascension. Toujours plus haut, au-delà de la limite des arbres.

Devant elle, quelqu'un cria et tomba lourdement. Isabelle ne voyait pas qui c'était ; la nuit s'était refermée sur eux. L'homme qui se trouvait devant elle s'arrêta ; elle lui rentra dedans et il trébucha sur le côté, tomba en boule et jura.

— Ne vous arrêtez pas, dit Isabelle aux hommes en s'efforçant de garder une voix pleine d'entrain.

Ils grimpèrent jusqu'à ce qu'Isabelle halète à chaque pas, mais Eduardo ne leur accordait aucun répit. Il s'arrêtait juste assez longtemps pour s'assurer qu'ils étaient toujours derrière lui et repartait comme une chèvre sur le coteau rocailleux.

Les jambes d'Isabelle étaient en feu, elle avait affreusement mal et, malgré les espadrilles, des ampoules se formaient sur ses pieds. Chaque pas devint un supplice et une épreuve de volonté.

Des heures et des heures passèrent. Isabelle était si essoufflée qu'elle n'aurait pu former les mots nécessaires pour mendier un peu d'eau, mais elle savait qu'Eduardo ne l'aurait pas écoutée de toute façon.

Elle entendit MacLeish devant elle qui pantelait, jurait chaque fois qu'il glissait, criait de douleur à cause des ampoules qui, elle le savait, changeaient ses pieds en plaies ouvertes.

Elle ne distinguait plus du tout le chemin. Elle se contentait de monter en traînant les pieds et en luttant pour garder les paupières ouvertes.

Allant de biais contre le vent, elle releva son écharpe sur son nez et sa bouche et continua d'avancer. Son souffle entrecoupé réchauffa l'écharpe. Le tissu s'humidifia puis gela pour former des plis durs et glacés.

— C'est là !

La voix retentissante d'Eduardo lui parvint dans l'obscurité. Ils étaient si hauts sur la montagne qu'il ne pouvait assurément pas y avoir de patrouilles allemandes ou espagnoles. Ici, le risque pour leurs vies provenait des éléments.

Isabelle s'effondra comme une masse et atterrit si lourdement sur une pierre qu'elle poussa un cri, mais elle était trop fatiguée pour s'en soucier.

MacLeish s'écroula à côté d'elle, souffla « Dieu du ciel ! » et tomba en avant. Elle le prit par le bras et le retint, tandis qu'il commençait à glisser vers le bas.

Elle entendit une cacophonie de voix – « Dieu merci… C'est pas trop tôt » – suivie du bruit des corps qui se posaient au sol. Ils tombèrent en groupe, comme si leurs jambes ne pouvaient plus les porter.

— Pas ici, dit Eduardo. La cabane du chevrier. Là-bas.

Isabelle se releva, chancelante. Dernière de la file, elle attendit, tremblante, les bras croisés contre son corps, comme si elle pouvait garder ainsi la chaleur, mais il n'y avait pas de chaleur. Elle avait l'impression d'être un glaçon. Elle luttait mentalement contre la torpeur qui voulait s'emparer d'elle. Elle devait secouer la tête sans arrêt pour garder les idées claires.

Elle entendit un pas et sut qu'Eduardo était debout à côté d'elle dans le noir, leurs visages fouettés par la pluie glacée.

— Ça va ? demanda-t-il.

— Je suis complètement gelée. Et j'ai peur de regarder mes pieds.

— Des ampoules ?

— Grosses comme des assiettes, j'en suis presque sûre. Je ne peux pas dire si c'est la pluie qui mouille mes espadrilles ou si c'est le sang qui trempe le tissu.

Elle sentit des larmes lui piquer les yeux puis geler instantanément et lui coller les paupières.

Eduardo la prit par la main et l'emmena à la cabane du chevrier, où il alluma un feu. La glace dans les cheveux d'Isabelle se changea en eau et goutta au sol pour former une flaque à ses pieds. Elle regarda les hommes s'effondrer sur place, se laisser tomber contre les murs en bois rugueux, tirer leurs sacs à dos sur leurs genoux et commencer à chercher leur nourriture dedans. MacLeish lui fit signe de venir vers lui.

Isabelle se faufila jusqu'à MacLeish et s'écroula à côté de lui. En silence, tout en écoutant les hommes mâcher, roter et soupirer autour d'elle, elle mangea le fromage et les pommes qu'elle avait apportés avec elle.

Elle ne savait pas du tout quand elle s'était endormie. Elle avait le souvenir d'être éveillée, en train de manger ce substitut de dîner dans la montagne, et puis tout à coup Eduardo les réveillait. Une lumière grise pesait contre la fenêtre sale de la cabane. Ils avaient dormi toute la journée et été réveillés en fin d'après-midi.

Eduardo ralluma le feu, prépara un ersatz de café et leur en servit des tasses. Le petit déjeuner était composé de pain rassis et de fromage dur – bon, mais loin de suffire pour calmer la faim qui était encore pressante depuis la veille.

Eduardo s'élança tel un bouc à l'assaut du dangereux sentier schisteux couvert de givre et glissant.

Isabelle fut la dernière à sortir de la cabane. Elle regarda le sentier. Des nuages gris masquaient les pics et des flocons de neige plongeaient le monde dans un tel silence qu'elle n'entendait que la respiration des hommes qui disparaissaient devant elle pour devenir de petits points noirs dans la blancheur. Elle s'enfonça dans le froid et grimpa d'un pas ferme à la suite de l'homme qui la précédait. Elle ne voyait que lui sous la neige tombante.

L'allure d'Eduardo était exténuante. Il gravissait le sentier sinueux sans relâche, indifférent en apparence au froid mordant, brûlant, qui transformait chaque respiration en un feu explosant dans leurs poumons. Bien qu'haletante, Isabelle continuait d'avancer, d'encourager les hommes quand ils commençaient à traîner, de les cajoler, de les taquiner et de les pousser en avant.

Quand la nuit tomba de nouveau, elle redoubla d'efforts pour maintenir le moral des troupes. Elle avait mal au ventre à cause de l'épuisement et elle mourait de soif, mais elle allait de l'avant. Si l'un d'entre eux prenait seulement quelques pas de retard sur son prédécesseur, il pouvait se perdre à tout jamais dans ces ténèbres glaciales. Quitter le chemin de plus d'un mètre, c'était mourir.

Elle progressait péniblement dans la nuit.

Quelqu'un tomba devant elle, poussa un cri. Elle se précipita et trouva un des aviateurs canadiens qui respirait bruyamment, à genoux, la moustache gelée.

— Je suis à bout, petit cœur, dit-il en essayant de sourire.

Isabelle s'assit à côté de lui et sentit son derrière devenir instantanément froid.

— Teddy, c'est bien ça ?

— Vous m'avez eu. Je suis cuit. Continuez simplement d'avancer.

— Vous avez une femme, Teddy, une petite amie chez vous au Canada ?

Elle ne voyait pas son visage, mais elle entendit la manière dont il prit une grande inspiration à sa question.

— Vous ne jouez pas à la loyale, chérie.

— Il n'y a pas de loyauté quand il est question de vie ou de mort, Teddy. Comment s'appelle-t-elle ?

— Alice.

— Relevez-vous pour Alice, Teddy.

Elle sentit qu'il bougeait et ramenait ses pieds sous lui. Elle mit son corps contre le sien et le laissa s'appuyer contre elle pour se lever.

— Bon, d'accord, dit-il dans un grand frisson.

Elle le laissa partir et l'entendit avancer.

Elle poussa un grand soupir qui se termina dans un tremblement. La faim lui tiraillait l'estomac. Elle déglutit péniblement, la gorge sèche, et rêva qu'ils puissent s'arrêter juste une minute. Mais au lieu de cela, elle se tourna vers les hommes et se remit en marche. Elle avait de nouveau l'esprit troublé, les idées confuses. Elle n'arrivait à penser qu'à mettre un pied devant l'autre, puis l'autre, puis l'autre.

À un moment donné, à l'approche de l'aube, la neige se transforma en pluie qui changea leurs manteaux de laine en poids gorgés d'eau. Isabelle remarqua à peine le moment où ils commencèrent à descendre. La seule vraie différence était que les hommes tombaient, glissaient sur les pierres mouillées, culbutaient sur le versant rocailleux et traître de la montagne. Elle ne pouvait les en empêcher ; elle devait se contenter de les regarder tomber et de les aider à se relever quand ils s'arrêtaient, hors d'haleine. La visibilité était si mauvaise qu'ils craignaient sans cesse de perdre de vue leur prédécesseur et de s'écarter du sentier.

Au point du jour, Eduardo s'arrêta et montra du doigt une grotte noire béante sur le flanc de la montagne. Les hommes se réunirent à l'intérieur et soufflèrent en s'asseyant et en étendant leurs jambes. Isabelle les entendit ouvrir leurs sacs à dos et fouiller pour y trouver leurs derniers restes de nourriture. Quelque part tout au fond de la grotte, un animal courait çà et là, ses griffes grattant légèrement le sol de terre compacte.

Isabelle entra à son tour ; des racines pendaient du plafond de pierre et de boue ruisselant. Eduardo s'agenouilla et alluma un petit feu avec la mousse qu'il avait ramassée le matin même et fourrée sous sa ceinture.

— Mangez et dormez, dit-il quand les flammes se mirent à danser. Demain, nous faisons la dernière étape.

Il prit son outre en peau de chèvre, but à longs traits puis sortit de la grotte.

Le bois humide crépitait et craquait, comme s'il y avait des coups de feu dans la grotte, mais Isabelle – et les hommes – étaient trop épuisés pour sursauter. Isabelle s'assit à côté de MacLeish et s'appuya contre lui avec lassitude.

— Vous êtes un prodige, dit-il à voix basse.

— On m'a dit que je ne prenais pas des décisions judicieuses. C'en est peut-être la preuve.

Elle frissonna – de froid ou d'épuisement, elle ne savait pas.

— Bête mais courageuse, corrigea-t-il en souriant.

Isabelle était heureuse d'avoir cette conversation.

— C'est bien moi.

— Je ne crois pas vous avoir remerciée comme il se doit… de m'avoir sauvé.

— Je ne crois pas encore vous avoir sauvé, Torrance.

— Appelez-moi Torry. C'est comme ça que tous mes copains m'appellent.

Il dit autre chose – au sujet d'une fille qui l'attendait à Ipswich, peut-être –, mais elle était trop fatiguée pour entendre ce que c'était.

Quand elle se réveilla, il pleuvait.

— Merde alors, dit l'un des hommes. Il pleut des cordes.

Eduardo était à l'extérieur de la grotte, arc-bouté sur ses solides jambes écartées, le visage et les cheveux fouettés par la pluie qu'il semblait ne pas remarquer. Derrière lui régnait l'obscurité.

Les aviateurs ouvrirent leurs sacs. Plus personne n'avait besoin qu'on lui dise de manger ; ils connaissaient la routine. Quand on vous permettait de vous arrêter, il fallait boire, manger, dormir, dans cet ordre-là. Quand on vous réveillait, vous mangiez, buviez et vous leviez, aussi douloureux que cela pût être.

Lorsqu'ils se redressèrent sur leurs jambes, ils gémirent tour à tour. Quelques-uns jurèrent. C'était une nuit pluvieuse et sans lune. Le noir complet.

Ils avaient réussi à franchir la montagne – près de mille mètres d'altitude là où ils étaient passés la nuit précédente – et avaient descendu la moitié du versant opposé, mais le temps se dégradait.

Quand Isabelle sortit de la grotte, des branches mouillées lui giflèrent le visage. Elle les repoussa d'une main gantée et continua son chemin. Son bâton faisait un bruit sourd à chaque pas. La pluie rendait le sol argileux glissant comme de la glace et ruisselait autour d'eux. Elle entendit les hommes grogner devant elle. Elle avançait péniblement sur ses pieds couverts d'ampoules et endoloris. L'allure imposée par Eduardo était éreintante. Rien ne l'arrêtait ni ne le ralentissait, et les pilotes avaient du mal à le suivre.

— Regardez ! entendit-elle quelqu'un dire.

Au loin, des lumières scintillaient, un réseau de points blancs en forme de toile d'araignée s'étendait dans l'obscurité.

— L'Espagne, annonça Eduardo.

Cette vision revigora le groupe. Ils continuèrent, frappant le sol avec leurs bâtons, leurs pieds se posant fermement sur celui-ci qui s'aplanissait peu à peu.

Combien d'heures s'écoulèrent ainsi ? Cinq ? Six ? Isabelle ne le savait pas. Assez pour que ses jambes commencent à la faire souffrir et que le creux de ses reins devienne un puits de douleur. Sans cesse, elle crachait de la pluie et s'essuyait les yeux, et le vide dans son ventre était un animal enragé. Le jour commença à poindre à l'horizon, une lame de lumière lavande, puis rose, puis jaune, tandis qu'elle descendait le sentier en zigzag. Elle avait si mal aux pieds qu'elle serrait les dents pour se retenir de pleurer.

Cela faisait quatre fois qu'elle voyait le jour se lever, et Isabelle avait perdu toute notion de temps et de lieu. Elle ne savait absolument pas où ils étaient ni combien de temps encore ce supplice durerait. Ses pensées n'étaient plus qu'une simple supplication, qu'elle ressassait dans son esprit au rythme de ses pas douloureux. *Le consulat, le consulat, le consulat.*

— Stop, dit Eduardo en levant la main.

Isabelle trébucha et rentra dans MacLeish. Il avait les joues rougies par le froid, les lèvres gercées et le souffle saccadé.

Non loin, derrière un coteau vert indistinct, elle vit une patrouille de soldats en uniforme vert clair.

Sa première pensée fut *On est en Espagne*, puis Eduardo les poussa tous les deux derrière un bosquet d'arbres.

Ils restèrent longtemps cachés puis se remirent en route.

Des heures plus tard, elle entendit le grondement d'un puissant cours d'eau. Lorsqu'ils s'approchèrent de la rivière, le bruit couvrit tout autre son.

Eduardo s'arrêta enfin et rassembla les hommes en un groupe serré. Il se tenait debout dans une mare de boue, où disparaissaient ses espadrilles. Derrière lui se dressaient des escarpements en granit gris sur lesquels des arbres grêles poussaient au mépris des lois de la gravité. Des buissons formaient des amas autour d'impressionnants rochers gris.

— On va se cacher ici jusqu'à la tombée de la nuit, expliqua Eduardo. Derrière cette butte se trouve la Bidassoa. Sur l'autre rive, c'est l'Espagne. Nous sommes près – mais près, ce n'est rien. Entre le fleuve et votre liberté, il y a des patrouilles avec des chiens. Ces patrouilles tireront sur tout ce qu'elles verront bouger. Ne bougez pas.

Isabelle regarda Eduardo s'éloigner du groupe. Quand il disparut, les hommes et elle s'accroupirent derrière d'énormes rochers, à l'abri sous des arbres tombés.

Pendant des heures, la pluie tomba à verse sur eux et transforma les flaques de boue à leurs pieds en marécage. Frissonnante, Isabelle serra ses genoux contre sa poitrine et ferma les yeux. Contre toute vraisemblance, elle tomba dans un profond sommeil d'épuisement, qui dura bien trop peu.

En effet, à minuit, Eduardo la réveilla.

La première chose qu'Isabelle remarqua quand elle rouvrit les yeux fut que la pluie avait cessé. Le ciel au-dessus de leur tête était parsemé d'étoiles. Elle se leva péniblement et grimaça aussitôt de douleur. Elle ne pouvait qu'imaginer à quel point les aviateurs devaient avoir mal aux pieds – elle avait la chance d'avoir des chaussures à sa pointure.

À la faveur de la nuit, ils repartirent, le bruit de leurs pas couvert par le grondement du fleuve.

Puis ils arrivèrent enfin parmi les arbres au bord d'une gigantesque gorge. Bien plus bas, l'eau courait et bouillonnait avec fracas, éclaboussant les berges rocheuses.

Eduardo les réunit en petit cercle.

— On ne peut pas traverser à la nage. Les pluies ont transformé le fleuve en bête qui nous avalerait tous. Suivez-moi.

Ils longèrent le fleuve sur un ou deux kilomètres, puis Eduardo s'arrêta de nouveau. Isabelle entendit un grincement, telle une corde de bateau tendue par les mers montantes, et un cliquetis de temps en temps.

Dans un premier temps, elle ne vit rien. Puis les projecteurs à la lumière blanche éclatante s'allumèrent de l'autre côté du fleuve torrentiel et écumeux et éclairèrent un pont suspendu branlant qui reliait les deux bords de la gorge. Il y avait un poste de contrôle espagnol à proximité, et des gardes patrouillaient le long de la berge.

— Dieu du ciel ! fit un des aviateurs.

— Merde alors ! s'écria un autre.

Ils s'accroupirent derrière des buissons où ils attendirent en regardant le rayon des projecteurs balayer le fleuve.

Il était plus de 2 heures du matin quand Eduardo réagit enfin. Il n'y avait absolument aucun mouvement de l'autre côté de la gorge. Si leur chance durait – ou si seulement ils en avaient un peu –, les sentinelles dormaient à leurs postes.

— Allons-y, chuchota Eduardo en faisant lever les hommes.

Il les conduisit au début du pont – une passerelle affaissée avec des garde-corps en corde et un tablier de lattes à travers lequel on voyait le fleuve blanc et tumultueux par bandes. Plusieurs lattes manquaient. Le pont ballottait dans le vent en grinçant.

Isabelle regarda les hommes, dont la plupart étaient d'une pâleur fantomatique.

— Un pied après l'autre, dit Eduardo. Les lattes ont l'air fragiles, mais elles supporteront votre poids. Vous avez soixante secondes pour traverser – c'est le temps qui sépare deux passages des projecteurs. Dès que vous êtes de l'autre côté, jetez-vous à genoux et rampez sous la fenêtre du poste de garde.

— Vous avez déjà fait ça, pas vrai ? demanda Teddy, sa voix déraillant sur « déjà ».

— De nombreuses fois, Teddy, mentit Isabelle. Et si une fille peut le faire, un pilote robuste comme vous n'aura aucun problème. N'est-ce pas ?

Il hocha la tête.

— Et comment !

Isabelle regarda Eduardo traverser. Quand il fut sur l'autre rive, elle rassembla les aviateurs. Un par un, à intervalles de soixante secondes, elle les guida jusqu'au pont et les regarda traverser en retenant son souffle et en serrant les poings jusqu'à ce que chaque homme atteigne l'autre berge.

Pour finir, son tour arriva. Elle enleva sa capuche et attendit que le faisceau passe juste devant elle et poursuive son chemin. Le pont semblait peu solide et en mauvais état. Mais s'il avait supporté le poids des hommes, il supporterait le sien.

Elle agrippa les cordes et posa le pied sur la première planche. Le pont oscilla de gauche à droite. Elle jeta un coup d'œil à ses pieds et vit des bandes d'eaux blanches déchaînées trente mètres plus bas. Serrant les dents, elle avança posément, passant de planche en planche jusqu'à se trouver sur l'autre rive, où elle se jeta aussitôt à genoux. Le faisceau du projecteur passa juste au-dessus d'elle. Elle grimpa à quatre pattes en haut de la berge et s'enfonça dans les buissons derrière celle-ci, où les aviateurs étaient tapis à côté d'Eduardo.

Ce dernier les conduisit à une butte de terre cachée et les laissa enfin dormir.

Quand le soleil se leva à nouveau, Isabelle se réveilla en clignant des yeux d'un air morne.

— C'est pas si mal ici, murmura Torry à côté d'elle.

Les yeux à demi ouverts, Isabelle regarda autour d'elle. Ils étaient dans une ravine cachée par un bosquet d'arbres au-dessus d'une route de terre.

Eduardo leur passa le vin. Son sourire était aussi éclatant que le soleil qui brillait dans les yeux d'Isabelle.

— Regardez, dit-il en montrant du doigt une jeune femme à vélo. Derrière elle se trouvait une ville aux reflets ivoire dans la lumière du soleil ; on l'aurait crue sortie d'un livre pour enfants avec sa profusion de tourelles, de clochers et de flèches d'églises.

— Almadora va vous emmener au consulat de Saint-Sébastien. Bienvenue en Espagne.

Isabelle oublia instantanément le mal qu'elle s'était donné pour arriver là et la peur qui avait accompagné chacun de ses pas.

— Merci, Eduardo.

— Ce ne sera pas aussi facile la prochaine fois, dit-il.

— Ça n'a pas été facile cette fois-ci, précisa-t-elle.

— Ils ne nous attendaient pas. Bientôt, ce sera le cas.

Il avait raison, bien sûr. Ils n'avaient pas eu besoin de se cacher des patrouilles allemandes ou de camoufler leurs odeurs pour tromper les chiens, et les sentinelles espagnoles étaient détendues.

— Mais quand vous reviendrez, avec d'autres pilotes, je serai là, promit-il.

Elle inclina la tête en signe de gratitude et se tourna vers les aviateurs, qui avaient l'air aussi épuisés qu'elle.

— Allez, messieurs, en route.

Isabelle et les hommes prirent la route pour rejoindre une jeune femme qui attendait debout à côté d'un vieux vélo rouillé. Après que les fausses présentations furent faites, Almadora les guida dans un labyrinthe de routes de terre et de ruelles ; ils firent des kilomètres avant d'arriver devant un bâtiment aux teintes caramel et au style recherché dans la Parte Vieja – le vieux quartier de Saint-Sébastien. Isabelle entendit le bruit des vagues qui se brisaient contre une digue au loin.

— Merci, dit-elle à la femme.

— *De nada*.

Isabelle leva les yeux vers la porte noire brillante.

— Allons-y, messieurs, dit-elle en gravissant les marches de pierre à grands pas.

À la porte, elle donna trois grands coups puis sonna. Quand un homme en costume noir impeccable vint ouvrir, elle lui dit :

— Je suis là pour voir le consul britannique.

— Est-ce qu'il vous attend ?

— Non.

— Mademoiselle, le consul est un homme occup…

— J'ai ramené quatre pilotes de la RAF depuis Paris.

L'homme écarquilla les yeux.

MacLeish fit un pas en avant.

— Lieutenant Torrance MacLeish. RAF.

Les autres hommes se présentèrent à leur tour, épaule contre épaule.

La porte s'ouvrit. En l'espace de quelques instants, Isabelle se retrouva assise sur une chaise en cuir inconfortable face à un homme à l'air fatigué, installé derrière un grand bureau. Les aviateurs se tenaient au garde-à-vous derrière elle.

— Je vous ai ramené quatre pilotes échoués de Paris, déclara fièrement Isabelle. Nous avons pris le train puis traversé les Pyrénées à pied…

— À *pied* ?

— Eh bien, pour être précise, c'était plus une randonnée sportive qu'une simple marche.

— Vous avez traversé les Pyrénées à pied de la France à l'Espagne, reprit-il en s'enfonçant dans son fauteuil sans le moindre reste de sourire.

— Je peux le refaire. Avec l'intensification des bombardements de la RAF, d'autres pilotes vont échouer au sol. Pour les sauver, il va nous falloir des aides financières. De l'argent pour acheter des vêtements, des papiers, de la nourriture. Et quelque chose pour les gens qui nous donnent asile sur le chemin.

— Il faut que vous appeliez le MI9, dit MacLeish. Ils paieront pour tout ce dont le groupe de Juliette a besoin.

L'homme secoua la tête en soufflant entre ses dents.

— Une jeune *fille* qui fait traverser les Pyrénées à des pilotes. Cela tient du prodige !

MacLeish fit un grand sourire à Isabelle.

— Un prodige, en effet, monsieur. C'est exactement ce que je lui ai dit.

20

Il était difficile et dangereux de sortir de la zone occupée. Y retourner – du moins pour une fille de vingt ans prompte à sourire – était chose facile.

Quelques jours seulement après son arrivée à Saint-Sébastien, et après une série d'interminables réunions et entretiens, Isabelle était à nouveau dans le train à destination de Paris, assise sur une des banquettes en bois du wagon de troisième classe – la seule place disponible dans un délai si court –, et regardait défiler les paysages de la vallée de la Loire. Il faisait un froid glacial dans le wagon bondé de soldats allemands bavards et de Françaises et Français intimidés qui gardaient la tête baissée et les mains sur les genoux. Elle avait un morceau de fromage et une pomme dans son sac à main, mais bien qu'elle eût faim – une faim de loup, à vrai dire –, elle ne l'ouvrit pas.

Elle avait l'impression d'attirer l'attention avec son pantalon marron et son manteau de laine usés et pleins d'accrocs. Elle avait les joues brûlées par le vent et éraflées, les lèvres crevassées et sèches. Mais c'était en elle que les choses avaient réellement changé. La fierté tirée de ce qu'elle avait accompli dans les Pyrénées l'avait transformée, fait mûrir.

Pour la première fois de sa vie, elle savait exactement ce qu'elle voulait faire.

Elle avait rencontré un agent du MI9 et établi officiellement l'itinéraire d'évasion. Elle serait le contact principal de l'agence – ils l'appelaient le Rossignol. Dans son sac, cachés dans la doublure, se trouvaient cent quarante mille francs. De quoi prévoir des abris, acheter de la nourriture et des vêtements pour les pilotes et les personnes qui osaient les héberger sur le trajet. Elle avait promis à son contact Ian (nom de code Mardi) que d'autres aviateurs suivraient. Elle n'avait sans doute jamais été aussi fière de sa vie que quand elle avait fait savoir à Paul que « Le Rossignol a chanté ».

L'heure du couvre-feu approchait lorsqu'elle arriva à Paris. La ville frissonnait sous un ciel d'automne froid et obscur. Le vent balayait les arbres nus, faisait s'entrechoquer les bacs à fleurs vides et claquer les stores des magasins.

Elle fit un détour pour passer devant son ancien appartement avenue de La Bourdonnais et fut prise d'un sentiment de… nostalgie, supposa-t-elle. C'était l'endroit où elle s'était le plus sentie chez elle dans son souvenir, et elle n'y avait pas mis les pieds – et n'avait pas vu son père – depuis des mois. Pas depuis le lancement du programme d'évasion. Il était dangereux qu'ils se voient. Elle continua donc son chemin pour se rendre au petit appartement miteux où elle habitait dernièrement. Une table et des chaises dépareillées, un matelas par terre et un poêle hors d'usage. Le tapis était imprégné de l'odeur du tabac du dernier locataire et les murs étaient couverts de taches d'humidité.

À la porte de l'immeuble, elle s'arrêta et regarda autour d'elle. La rue était calme et obscure. Elle enfonça la clé dans la serrure et la fit tourner. Quand le déclic se produisit, elle pressentit un danger. Quelque chose clochait, n'était pas comme d'habitude – une ombre là où il ne devait pas y en avoir, un bruit métallique dans le bistrot d'à côté, abandonné par son propriétaire des mois plus tôt.

Elle se retourna lentement, scruta la rue sombre et silencieuse. Des camions invisibles étaient garés ici et là, et quelques petits cafés tristes projetaient des triangles de lumière sur le trottoir ; dans la lueur des lampes, les soldats étaient de fines silhouettes qui allaient et venaient. Une atmosphère d'abandon planait sur le quartier autrefois animé.

De l'autre côté de la rue, une bande à peine plus sombre se découpait dans la nuit sous un réverbère éteint.

Il était là. Elle le savait, même si elle ne le voyait pas.

Elle descendit lentement les marches, les sens en alerte, pas à pas, prudemment. Elle était sûre de l'entendre respirer. Il la regardait. Elle sut d'instinct qu'il avait attendu son retour, inquiet.

— Gaëtan, dit-elle doucement comme pour l'appâter. Tu me suis depuis des mois. Pourquoi ?

Rien. Le silence se mêlait au vent autour d'elle, froid et mordant.

— Viens là, implora-t-elle en levant le menton.

Toujours rien.

— Qui est-ce qui n'est pas prêt, maintenant ? dit-elle.

Ce silence était douloureux, mais elle comprenait aussi. Avec tous les risques qu'ils prenaient, l'amour était sans doute le plus dangereux des choix.

Ou peut-être qu'elle se trompait, qu'il n'était pas là, qu'il n'avait jamais été là à la regarder, à l'attendre. Peut-être qu'elle n'était qu'une imbécile rêvant d'un homme qui ne voulait pas d'elle, seule dans une rue déserte.

Non.

Il était là.

*

Cet hiver fut plus rude encore que le précédent. Un Dieu en colère affligeait l'Europe de ciels de plomb et d'averses de neige, jour après jour. Le froid n'était qu'un cruel tourment de plus dans un monde déjà lugubre et laid.

Carriveau, comme tant d'autres villes de la zone occupée, devint un îlot de désespoir, coupé du monde extérieur. Les villageois avaient des informations limitées quant à ce qui se passait ailleurs, et personne n'avait le temps d'éplucher les journaux de propagande pour chercher la vérité quand il fallait déjà tant d'efforts pour survivre. Tout ce qu'ils savaient vraiment, c'était que les nazis étaient de plus en plus énervés et mauvais depuis que les Américains s'étaient engagés dans la guerre.

Par un matin glacial de début février 1942, avant l'aube, alors que les branches des arbres craquaient et que les vitres ressemblaient à de la glace fêlée à la surface d'un étang, Vianne se réveilla et garda les yeux rivés sur le plafond mansardé de sa chambre. Elle souffrait d'une migraine lancinante localisée derrière ses yeux. Elle transpirait et avait mal partout. Quand elle inspirait, ses poumons la brûlaient et elle se mettait à tousser.

L'idée de se lever n'avait rien d'attirant, mais celle de mourir de faim non plus. De plus en plus souvent, cet hiver-là, leurs tickets de rationnement ne servaient à rien ; il n'y avait tout simplement pas de nourriture, ni de chaussures, de tissu ou de cuir. Vianne n'avait plus de bois pour le poêle ni d'argent pour payer l'électricité. Étant donné le prix du gaz, le simple fait de prendre un bain était devenu une corvée. Sophie et elle dormaient l'une contre l'autre comme des chiots, sous une montagne d'édredons et de couvertures. Durant les derniers mois, Vianne s'était mise à brûler tout ce qui était en bois et à vendre ses objets de valeur.

Elle portait déjà presque tous les vêtements qu'elle possédait – un pantalon de flanelle, des sous-vêtements qu'elle avait tricotés elle-même, un vieux tricot de laine, une écharpe –, néanmoins, elle frissonna en sortant du lit. Quand ses pieds touchèrent le sol, ses engelures la firent grimacer de douleur. Elle attrapa une jupe en laine et l'enfila par-dessus son pantalon. Elle avait perdu tellement de poids ces derniers mois qu'elle devait mettre une épingle à sa taille. Elle descendit l'escalier en toussant. Elle crachait des bouffées de vapeur blanche devant elle qui disparaissaient presque aussitôt. Elle passa devant la chambre d'amis en boitant.

Le capitaine était parti depuis des semaines. Aussi pénible fût-il à Vianne de l'admettre, ses absences étaient pires que ses apparitions. Au moins, quand il était là, il y avait à manger et un feu dans la cheminée. Il refusait qu'il fasse froid dans la maison. Vianne mangeait le moins possible de la nourriture qu'il rapportait – elle se disait que c'était son devoir d'avoir faim –, mais quelle mère pouvait laisser son enfant souffrir ? Vianne était-elle vraiment censée laisser Sophie mourir de faim pour prouver sa loyauté envers la France ?

Dans le noir, elle mit une autre paire de chaussettes trouées par-dessus les deux qu'elle portait déjà. Puis elle s'enveloppa dans une couverture et enfila les moufles qu'elle avait récemment tricotées à partir d'une vieille couverture pour bébé ayant appartenu à Sophie.

Dans la cuisine tapissée de givre, elle alluma une lampe à huile avec laquelle elle sortit et gravit lentement, haletante, le coteau glissant et gelé jusqu'à la grange. À deux reprises, elle dérapa et tomba dans l'herbe gelée.

La poignée métallique de la porte de la grange la brûla tant elle était froide, malgré ses épaisses moufles. Elle dut peser de tout son poids pour ouvrir la porte coulissante. À l'intérieur, elle posa sa lanterne. L'idée de déplacer la voiture était presque au-delà de ses forces.

Elle prit une profonde et douloureuse inspiration, s'arma de courage et s'approcha de la voiture. Elle la mit au point mort, puis se baissa au niveau du pare-chocs et poussa. La voiture avança lentement, comme si elle rendait un jugement.

Quand la trappe fut visible, Vianne récupéra la lampe à huile et descendit à l'échelle. Au cours des longs et sombres mois qui avaient suivi sa mise à pied et l'épuisement de sa réserve d'argent, elle avait vendu un à un les trésors de sa famille : une peinture pour nourrir les lapins et les poulets durant l'hiver, un service à thé en porcelaine de Limoges pour acheter un sac de farine, une salière et une poivrière en argent pour acquérir deux poules chétives.

Elle ouvrit le coffret à bijoux de sa mère et examina le contenu de l'écrin doublé de velours. Peu de temps auparavant, celui-ci avait renfermé de nombreux bijoux en strass, ainsi que quelques belles pièces. Des boucles d'oreilles, un bracelet en filigrane d'argent, une broche en métal martelé ornée de rubis. Il ne restait que les perles.

Vianne retira une de ses moufles et prit les perles dans le creux de sa main. Elles brillèrent dans la lumière, aussi éclatantes que la peau d'une jeune femme.

Elles constituaient le dernier lien avec sa mère – et le dernier élément du patrimoine de leur famille.

Sophie ne les porterait pas pour son mariage et ne les transmettrait pas à ses propres filles. *Mais elle mangera cet hiver*, se dit Vianne.

Elle ne savait pas bien si c'était le chagrin qui la faisait chevroter, ou la tristesse, ou encore le soulagement. Elle avait de la chance d'avoir quelque chose à vendre.

Elle regarda les perles, les prit dans sa main, les soupesa et les sentit qui absorbaient la chaleur de son corps. Durant une fraction de seconde, elle les vit rayonner. Puis, déterminée, elle remit sa moufle et remonta.

*

Trois semaines supplémentaires s'écoulèrent dans ce froid austère sans que Beck ne revienne. Un matin glacial de la fin février, Vianne se réveilla avec un violent mal de tête et de la fièvre. Elle toussa, sortit du lit, tremblotante, et tira lentement une des couvertures. Elle s'enveloppa dedans, mais cela ne changea rien. Malgré son pantalon, ses deux pulls et ses trois paires de chaussettes, elle ne pouvait s'arrêter de trembler. Dehors, le vent hurlait, faisait claquer les volets et vibrer les vitres couvertes de glace sous les stores occultants.

Avec lenteur, elle accomplit ses tâches matinales, en s'efforçant de ne pas respirer trop profondément de crainte d'être prise d'une nouvelle quinte de toux. Ses pieds l'accablaient de douleur à chaque pas, mais elle prépara tout de même un maigre petit déjeuner pour Sophie, composé de bouillie de maïs à l'eau. Puis elles sortirent toutes les deux sous la neige.

En silence, elles partirent péniblement vers la ville. La neige tombait sans répit, nappant de blanc la route devant elles et les branches des arbres.

L'église était juchée sur un petit terrain surélevé à l'entrée de la ville, bordé d'un côté par la rivière et adossé aux murs en pierre calcaire de la vieille abbaye.

— Ça va, maman ?

Vianne avait de nouveau laissé tomber sa tête en avant. Elle serra la main de Sophie dans la sienne, mais ne sentit que le contact des moufles entre elles. Sa respiration était saccadée et lui brûlait les poumons.

— Ça va.

— Tu aurais dû prendre un petit déjeuner.

— Je n'avais pas faim, répondit-elle.

— Ha, fit Sophie en continuant d'avancer dans la lourde neige.

Vianne entra dans la chapelle avec sa fille. Il y faisait assez chaud pour qu'elles ne voient plus leur souffle. Le toit de la nef formait une voûte élégante, semblable à une paire de mains jointes en prière, soutenue par des poutres. Les vitraux projetaient des taches de couleur. La plupart des bancs étaient occupés, mais personne ne parlait, pas par une journée si froide, par un hiver si rigoureux.

Les cloches carillonnèrent et leur son résonna dans la nef, puis les gigantesques portes se fermèrent, supprimant le peu de lumière naturelle qui filtrait entre les flocons.

Le père Joseph, un vieux prêtre bienveillant qui avait officié dans cette église durant toute la vie de Vianne, monta en chaire.

— Nous allons aujourd'hui prier pour nos hommes qui sont partis. Nous allons prier pour que cette guerre ne dure pas plus longtemps… Et nous allons prier pour avoir la force de résister à notre ennemi et de rester fidèles à ce que nous sommes.

Ce n'était pas le sermon que Vianne avait envie d'entendre. Elle était venue à l'église – et avait bravé le froid – pour être réconfortée en ce dimanche, pour reprendre courage grâce à des mots comme « honneur », « devoir » et « loyauté ». Mais ce jour-là, ces idéaux semblaient très, très loin. Comment se cramponner à ses idéaux quand on était malade, qu'on avait froid et faim ? Comment aurait-elle pu regarder ses voisins quand elle acceptait de la nourriture de l'ennemi, même en si petite quantité ? D'autres avaient plus faim encore.

Vianne était si profondément plongée dans ses pensées qu'il lui fallut un moment pour se rendre compte que l'office était terminé. Elle se leva et fut prise de vertiges. Elle s'appuya sur le banc.

— Maman ?

— Ça va.

Dans l'allée centrale à leur gauche, les paroissiens – des femmes, pour la plupart – sortaient en file. Tous avaient l'air aussi faibles, maigres et éreintés qu'elle l'était, emmitouflés sous des couches de laine et de papier journal.

Sophie prit la main de Vianne et l'emmena vers la double porte grande ouverte. Sur le seuil, Vianne s'arrêta, tremblante et toussante. Elle n'avait pas envie de ressortir dans cet univers froid et blanc.

Elle franchit le pas de la porte (où Antoine l'avait portée après leur mariage... non, c'était le seuil du Jardin ; elle n'avait pas les idées claires) et sortit dans la tempête de neige. Elle maintint sa grosse écharpe tricotée autour de sa tête en la serrant contre sa gorge. Puis elle se pencha en avant pour lutter contre le vent et se mit en route dans l'épaisse neige humide.

Lorsqu'elle atteignit enfin le portail cassé de son jardin, elle respirait bruyamment. Elle contourna la moto couverte de neige avec son side-car équipé d'une mitrailleuse et pénétra dans le verger aux branches dépouillées. Il était de retour, pensa-t-elle avec lassitude ; maintenant Sophie allait manger... Elle était presque à la porte d'entrée quand elle sentit qu'elle perdait l'équilibre.

— Maman !

Elle entendit la voix de Sophie, qui avait peur, ce qu'elle regretta, mais ses jambes étaient trop faibles pour la porter, et elle était fatiguée… si fatiguée…

Dans le lointain, elle entendit la porte s'ouvrir et sa fille crier « Herr Capitaine ! » suivi du bruit de talons qui résonnaient sur le plancher.

Elle tomba violemment, se cogna la tête contre la marche couverte de neige et resta étendue là. Elle pensa : *Je vais me reposer un peu, puis je me relèverai et je préparerai le déjeuner de Sophie… mais qu'y a-t-il à manger ?*

Puis elle se retrouva en train de flotter dans l'air, non, de voler, peut-être. Elle ne pouvait ouvrir les yeux – elle était si fatiguée et avait mal à la tête –, mais elle sentait qu'elle bougeait, qu'on la berçait. *Antoine, c'est toi ? Es-tu en train de me porter ?*

— Ouvre la porte, dit quelqu'un, et il y eut un grincement de bois. Je vais lui enlever son manteau. Va chercher Mme de Champlain, Sophie.

Vianne sentit qu'on la couchait sur une surface molle. Un lit.

Elle humecta ses lèvres crevassées et sèches et essaya d'ouvrir les yeux. Cela lui demanda un effort considérable, et elle dut s'y reprendre à deux fois. Quand elle y parvint enfin, tout était flou autour d'elle.

Le capitaine Beck était assis à côté d'elle sur le lit, dans sa chambre à elle. Il lui tenait la main et était penché, le visage tout près du sien.

— Madame ?

Elle sentit son souffle chaud sur son visage.

— Vianne ! s'écria Rachel en entrant précipitamment dans la pièce.

Le capitaine Beck se leva aussitôt.

— Elle s'est évanouie dans la neige, madame, et cogné la tête contre la marche. Je l'ai portée jusqu'ici.

— Je vous en suis reconnaissante, dit Rachel. Je vais m'occuper d'elle maintenant, Herr Capitaine.

Beck ne bougea pas.

— Elle ne mange pas, indiqua-t-il avec raideur. Elle laisse toute la nourriture à Sophie. Je l'ai vue faire.

— C'est ce que font les mères en temps de guerre, Herr Capitaine. À présent, si vous permettez…

Elle passa devant lui et s'assit à côté de Vianne. Il resta là encore quelques instants, l'air troublé, puis quitta la pièce.

— Alors, comme ça, tu donnes tout à ta fille ? dit Rachel d'une voix douce en caressant les cheveux humides de Vianne.

— Que puis-je faire d'autre ?

— Ne pas mourir, répondit Rachel. Sophie a besoin de toi.

Vianne poussa un grand soupir et ferma les yeux. Elle plongea dans un profond sommeil et rêva qu'elle était couchée dans une immense étendue tendre de champs noirs qui s'étiraient en tous sens autour d'elle. Elle entendait des gens l'appeler depuis les ténèbres, elle les entendait venir vers elle, mais elle n'avait aucune envie de bouger ; elle se contenta de dormir et dormir encore. Lorsqu'elle se réveilla, elle fut surprise de se trouver sur le divan de son salon, près d'un feu qui ronflait dans la cheminée.

Elle s'assit lentement, faible et mal assurée.

— Sophie ?

La porte de la chambre d'amis s'ouvrit et le capitaine Beck apparut. Il portait un pyjama, un gilet de laine et ses bottes cavalières.

— Bonsoir, madame, dit-il avec un sourire. Ça fait plaisir de vous revoir parmi nous.

Elle était vêtue de son pantalon de flanelle, de deux tricots, de chaussettes et d'un bonnet de laine. Qui l'avait habillée ?

— Combien de temps ai-je dormi ?

— Juste une journée.

Il passa devant elle et alla dans la cuisine. Quelques instants plus tard, il revint avec une tasse de café au lait fumant, un morceau de fromage bleu, une tranche de jambon et un quignon de pain. Sans rien dire, il posa la nourriture sur la table à côté d'elle.

Elle regarda les aliments, son estomac grondant douloureusement. Puis elle leva les yeux vers le capitaine.

— Vous vous êtes cogné la tête et auriez pu mourir.

Vianne se toucha le front et sentit une bosse sensible.

— Que deviendra Sophie si vous mourez ? demanda-t-il. Vous êtes-vous posé cette question ?

— Vous êtes parti si longtemps. Il n'y avait pas assez à manger pour nous deux.

— Mangez, dit-il en la regardant.

Elle ne voulait pas détourner les yeux. Elle avait honte du soulagement que lui procurait son retour. Quand enfin elle regarda de côté, elle vit la nourriture.

Elle prit l'assiette dans ses mains et l'approcha de ses narines. Le parfum salé et fumé du jambon, combiné à l'arôme légèrement nauséabond du fromage, l'enivra, anéantit ses meilleures intentions, la séduisit si totalement qu'elle n'eut aucun choix.

*

Au début du mois de mars 1942, le printemps semblait encore bien loin. La nuit précédente, les Alliés avaient pilonné l'usine Renault à Boulogne-Billancourt, tuant des centaines de personnes. Cela rendait les Parisiens – y compris Isabelle – nerveux et irritables. Les Américains étaient entrés dans la guerre avec fureur ; les raids aériens étaient désormais une réalité quotidienne.

En ce soir froid et pluvieux, Isabelle roulait à vélo sur une route de campagne boueuse et défoncée. La pluie plaquait ses cheveux contre son visage et lui bouchait la vue. Dans le brouillard, les sons étaient amplifiés : le cri d'un faisan troublé par le bruit de ses roues sur le sol meuble, le vrombissement quasi constant des avions au-dessus d'elle, les beuglements de vaches dans un champ qu'elle ne voyait même pas. Elle avait une capuche en laine pour seule protection.

Comme dessinée au charbon sur du vélin par une main hésitante, la ligne de démarcation lui apparut peu à peu. Isabelle distingua des spirales de fils barbelés qui s'étiraient de chaque côté d'un poste de contrôle noir et blanc. À côté de celui-ci, un factionnaire allemand était assis sur une chaise, son fusil posé sur les genoux. À l'approche d'Isabelle, il se leva et braqua l'arme sur elle.

— *Halt !*

Elle ralentit le vélo ; les roues s'enlisèrent et elle faillit tomber de sa selle. Elle descendit du vélo, mit pied à terre dans la gadoue. Des billets de cinq cents francs étaient cousus dans la doublure de son manteau, ainsi que des faux papiers d'identité pour un pilote qui était dans une cache à proximité.

Elle sourit à l'Allemand, poussa jusqu'à lui sa bicyclette qui cahota dans les nids-de-poule.

— Papiers, demanda-t-il.

Elle les lui tendit.

Il y jeta un coup d'œil peu intéressé. Isabelle vit bien qu'il n'était pas content d'être en faction sur une frontière aussi calme sous la pluie.

— Passez, dit-il d'un ton blasé.

Elle rempocha ses faux papiers, remonta sur son vélo et repartit aussi vite qu'elle put sur la route mouillée.

Une heure et demie plus tard, elle atteignit la périphérie de la petite ville de Brantôme. Là, dans la zone libre, il n'y avait pas de soldats allemands, néanmoins la police française s'était dernièrement révélée aussi dangereuse que les nazis et elle resta donc sur ses gardes.

Pendant des siècles, la ville de Brantôme avait été considérée comme un lieu sacré qui pouvait à la fois guérir le corps et éclairer l'âme. Après que la peste noire et la guerre de Cent Ans eurent ravagé la campagne, les moines bénédictins avaient restauré une immense abbaye en pierre blanche, adossée à des falaises grises abruptes et donnant sur la large Dronne.

À la sortie de la ville, sur le trottoir opposé aux grottes, se trouvait une des plus récentes caches : une pièce secrète dans un moulin abandonné construit sur un triangle de terrain entre les grottes et la rivière.

L'ancien moulin en bois tournait en rythme, sa roue et ses augets tapissés de mousse. Les fenêtres étaient condamnées et les murs en pierre couverts de graffitis antiallemands.

Isabelle s'arrêta dans la rue et regarda des deux côtés pour s'assurer que personne ne l'observait. Elle accrocha sa bicyclette à un arbre, puis traversa la rue et se baissa vers la porte de la cave qu'elle ouvrit sans bruit. Toutes les portes extérieures du moulin étaient barricadées avec des planches clouées ; celle-ci constituait le seul accès.

Elle descendit dans la cave obscure à l'odeur de moisi et chercha la lampe à huile qu'elle gardait sur une étagère près de l'entrée. Elle l'alluma et suivit le passage secret qui avait jadis permis aux moines bénédictins d'échapper aux fameux Barbares. Un escalier étroit et raide menait à la cuisine. Elle ouvrit la porte et se glissa dans la pièce pleine de poussière et de toiles d'araignée puis continua de monter vers la cache secrète de trois mètres sur trois construite derrière une des anciennes réserves.

— Elle est là ! Au rapport, Perkins.

Dans la petite pièce, éclairée seulement par une unique bougie, deux hommes se levèrent et se mirent au garde-à-vous. Tous deux étaient déguisés en paysans français dans des vêtements qui ne leur allaient pas.

— Capitaine Ed Perkins, mademoiselle, déclina le plus costaud des deux. Et ce malotru, c'est Ian Trufford, ou quelque chose comme ça. Il est gallois. Je suis américain. On est tous les deux rudement contents de vous voir. On devenait à moitié cinglés dans ce petit espace.

— Seulement à moitié ? fit Isabelle.

De l'eau dégoulinait de sa pèlerine et formait une flaque à ses pieds. Elle n'avait qu'une envie, se glisser dans son sac de couchage et dormir, mais elle avait des choses à faire avant.

— Perkins, dites-vous.

— Oui, mademoiselle.

— D'où venez-vous ?

— Bend, dans l'Oregon, mademoiselle. Mon père est plombier et ma mère fait la meilleure tarte aux pommes dans quatre comtés.

— Quel temps fait-il à Bend en cette période de l'année ?

— Quand sommes-nous ? Mi-mars ? Il fait froid, je dirais. Il ne neige sans doute plus, mais il ne fait pas encore beau.

Elle inclina la tête de chaque côté et massa ses épaules endolories. Tous ces kilomètres à vélo et ces nuits passées à dormir à même le sol laissaient des séquelles.

Elle interrogea les deux hommes jusqu'à être certaine qu'ils étaient bien ceux qu'ils prétendaient être – deux pilotes échoués au sol qui attendaient depuis des semaines une occasion de quitter la France. Quand elle fut finalement convaincue, elle ouvrit son sac à dos et en tira leur dîner, pour ce qu'il valait. Ils s'assirent tous les trois sur un tapis usé et rongé par les souris, la bougie posée au centre. Isabelle y disposa aussi une baguette, un morceau de camembert et une bouteille de vin, qu'ils se firent passer.

L'Américain – Perkins – parlait presque constamment, tandis que le Gallois mâchait en silence, refusant poliment le vin.

— Vous devez avoir un mari quelque part qui s'inquiète pour vous, déclara Perkins quand elle referma son sac.

Elle sourit. C'était devenu une question courante, surtout de la part des hommes de son âge.

— Et vous devez avoir une femme qui attend des nouvelles de vous, dit-elle.

C'était ce qu'elle répliquait à chaque fois. Un rappel à l'ordre sans équivoque.

— Nan, fit Perkins. Pas moi. Un crétin comme moi n'a pas beaucoup de succès avec les femmes. Et maintenant…

— Maintenant quoi ? demanda-t-elle en fronçant les sourcils.

— Je sais que c'est pas une pensée très héroïque, mais je pourrais sortir de cette maison condamnée dans cette ville au foutu nom imprononçable et me faire descendre par un type contre qui je n'ai rien. Je pourrais mourir en essayant de traverser vos collines…

— Montagnes.

— Je pourrais me faire descendre par les Espagnols *ou* par les nazis au moment de passer la frontière. Merde, je pourrais sans doute crever de froid dans vos fichues collines.

— Montagnes, corrigea-t-elle à nouveau en le fixant du regard. Ça n'arrivera pas.

Ian poussa un soupir.

— Alors, tu vois, Perkins. Ce petit bout de femme va nous sauver, dit le Gallois avec un sourire fatigué. Je suis bien content que vous soyez là, mademoiselle. Ce type m'a rendu dingue à force de jacasser sans arrêt.

— Vous feriez aussi bien de le laisser parler, Ian. À la même heure demain, vous devrez tout donner pour seulement réussir à respirer.

— Les collines ? demanda Perkins, les yeux écarquillés.

— Oui, dit-elle en souriant. Les collines.

Ces Américains. Ils n'écoutaient rien.

*

À la fin du mois de mai, le printemps redonna vie, couleur et chaleur à la vallée de la Loire. Vianne était en paix dans son potager. Ce jour-là, tandis qu'elle arrachait les mauvaises herbes et plantait des légumes, une file de camions, de soldats et de Mercedes-Benz passa devant le Jardin. Depuis cinq mois que les Américains s'étaient engagés dans la guerre, les nazis avaient cessé de faire semblant d'être polis. Ils n'arrêtaient jamais de défiler, de se rallier, de se rassembler au dépôt de munitions. La Gestapo et les SS étaient partout, à la recherche de saboteurs et de résistants. Il suffisait d'un rien pour être qualifié de terroriste – une simple accusation soufflée à l'oreille. Le bourdonnement des avions était presque constant, de même que les bombardements.

Combien de fois, ce printemps, quelqu'un s'était-il approché discrètement de Vianne quand elle faisait la queue pour obtenir de la nourriture, qu'elle marchait en ville ou qu'elle attendait à la poste pour demander les dernières nouvelles annoncées par la BBC ?

« Je n'ai pas de radio. Elles sont interdites », répondait-elle systématiquement, ce qui était vrai.

Pourtant, chaque fois qu'on lui posait cette question, elle avait un tressaillement de peur. Ils avaient appris un nouveau mot : collabos. Des Français et des Françaises qui faisaient le sale boulot des nazis, qui espionnaient leurs amis et leurs voisins et allaient ensuite faire leur rapport à l'ennemi, signalant toute infraction, qu'elle fût réelle ou imaginaire. À partir de leurs affirmations, les Allemands avaient commencé à arrêter des gens pour de petites choses, et on ne revoyait jamais plus un grand nombre de ceux qui étaient emmenés au bureau du Kommandant.

— Madame Mauriac !

Sarah franchit le portail cassé et arriva en courant dans le jardin. Elle semblait frêle et trop maigre, et sa peau était si pâle que l'on pouvait voir ses veines.

— Ma maman a besoin de votre aide.

Vianne s'assit sur ses talons et redressa son chapeau de paille.

— Que se passe-t-il ? Elle a eu des nouvelles de Marc ?

— Je ne sais pas ce qui se passe, madame. Maman ne veut pas parler. Quand je lui ai dit qu'Ari avait faim et qu'il fallait le changer, elle a haussé les épaules et elle a dit : « Qu'est-ce que ça peut faire ? » Elle est dans l'arrière-cour, elle regarde sa couture sans bouger.

Vianne se releva et ôta ses gants de jardinage qu'elle glissa dans la poche de sa salopette en jean.

— J'arrive. Va chercher Sophie, on va y aller ensemble.

Pendant que Sarah courait vers la maison, Vianne se lava les mains et le visage à la pompe extérieure et rangea son chapeau. À la place de celui-ci, elle noua un foulard autour de sa tête. Dès que les filles furent avec elle, Vianne mit ses outils de jardinage dans l'abri et elles se rendirent toutes les trois chez Rachel.

Quand Vianne ouvrit la porte, elle trouva le petit Ari endormi sur le tapis de l'entrée. Elle le ramassa dans ses bras, l'embrassa sur la joue et se tourna vers les filles.

— Pourquoi n'iriez-vous pas jouer dans la chambre de Sarah ?

Elle souleva le store occultant et vit Rachel assise seule dans le jardin.

— Est-ce que ma maman va bien ? demanda Sarah.

Vianne hocha distraitement la tête.

— Filez, maintenant.

Dès que les filles furent dans la chambre, elle emmena Ari dans celle de Rachel et le mit dans son berceau. Elle ne se donna pas la peine de le couvrir, pas par une journée si chaude.

Dehors, Rachel était assise dans son fauteuil en bois préféré, sous le marronnier. À ses pieds se trouvait sa boîte à couture. Elle portait une combinaison-pantalon en sergé kaki et un turban à motif cachemire. Elle fumait une petite cigarette roulée brune. À côté d'elle étaient posés une bouteille d'eau-de-vie et un verre vide.

— Rachel ?

— Sarah est allée chercher du renfort, à ce que je vois.

Vianne vint se poster à côté de Rachel. Elle posa une main sur l'épaule de son amie. Elle sentit que Rachel tremblait.

— C'est Marc ?

Rachel fit non de la tête.

— Dieu merci !

Rachel prit la bouteille d'eau-de-vie à côté d'elle et se servit un verre. Elle but à longs traits, vida le verre puis le reposa.

— Ils ont instauré une nouvelle loi, dit-elle enfin.

Lentement, elle ouvrit sa main gauche pour révéler des morceaux de tissu jaune froissés qui avaient été découpés en forme d'étoiles. Sur chacun d'eux était inscrit en noir le mot JUIF.

— Nous devons porter ça. Nous devons les coudre sur nos vêtements – sur les trois vêtements d'extérieur qui nous sont autorisés – et les porter tout le temps en public. J'ai dû les *acheter* avec mes tickets de rationnement. Je n'aurais peut-être pas dû me déclarer. Si nous ne les portons pas, nous risquons de « sévères sanctions ». Quoi que ça veuille dire.

Vianne s'assit dans le fauteuil à côté d'elle.

— Mais…

— Tu as vu les affiches en ville, leur façon de nous présenter comme de la vermine à balayer et des grippe-sous qui veulent tout posséder ? Je peux supporter ça, mais… Sarah ? Elle va avoir tellement honte… C'est déjà assez difficile pour elle à onze ans sans cela, Vianne.

— Ne le fais pas.

— Ils nous arrêtent immédiatement s'ils nous prennent sans. Et ils me connaissent. Je me suis déclarée. Et puis il y a… Beck. Il sait que je suis juive.

Dans le silence qui suivit, Vianne sut qu'elles pensaient toutes les deux aux arrestations qui avaient lieu autour de Carriveau, aux gens qui « disparaissaient ».

— Tu pourrais partir dans la zone libre, dit doucement Vianne. Ce n'est qu'à six kilomètres.

— Les juifs ne peuvent pas obtenir d'*Ausweis*, et si je me fais attraper…

Vianne hocha la tête. C'était vrai ; il était périlleux de s'enfuir, surtout avec des enfants. Si Rachel se faisait prendre en train de traverser la frontière sans *Ausweis*, elle serait arrêtée. Ou exécutée.

— J'ai peur, dit Rachel.

Vianne prit la main de son amie. Elles se regardèrent. Vianne chercha quelque chose à dire, un peu d'espoir à offrir, mais il n'y avait rien.

— Ça va être de pire en pire.

Vianne se disait la même chose.

— Maman ?

Sarah arriva dans le jardin main dans la main avec Sophie. Les filles avaient l'air effrayées et perdues. Elles savaient à quel point les choses allaient mal en cette période et toutes deux avaient découvert une nouvelle forme de peur. Vianne avait le cœur brisé de voir comme la guerre avait déjà transformé ces fillettes. Seulement trois ans auparavant, elles riaient, jouaient et désobéissaient à leurs mères pour s'amuser. Désormais, elles avançaient avec précaution, comme si des bombes pouvaient être enterrées sous leurs pieds. Elles étaient maigres et avaient vu leur puberté retardée par une alimentation insuffisante. Les cheveux bruns de Sarah étaient toujours longs, mais elle s'était mise à s'en arracher des mèches durant son sommeil, si bien qu'elle était chauve par endroits, et Sophie ne se séparait jamais de Bébé. La pauvre peluche rose commençait à disséminer son rembourrage dans la maison.

— Les filles, dit Rachel. Venez là.

Les fillettes avancèrent d'un pas traînant, en se tenant si fermement par la main qu'elles semblaient avoir fusionné. Et c'était le cas, d'une certaine façon, tout comme Rachel et Vianne, unies par une amitié si forte que c'était peut-être la seule chose à laquelle elles pouvaient encore croire. Sarah s'assit dans le fauteuil à côté de Rachel, et Sophie vint se placer à côté de Vianne, lâchant finalement la main de son amie.

Rachel regarda Vianne. Par ce simple regard, toutes deux furent remplies de chagrin. Comment se pouvait-il qu'elles doivent annoncer de telles choses à leurs enfants ?

— Ces étoiles jaunes, dit Rachel en ouvrant le poing pour révéler les vilaines petites fleurs de tissu aux bords irréguliers, avec leur inscription en noir. À partir de maintenant, nous devons tout le temps les porter sur nos vêtements.

Sarah fronça les sourcils.

— Mais… pourquoi ?

— Nous sommes juives, indiqua Rachel. Et nous en sommes fières. Nous devons nous rappeler à quel point nous en sommes fières, même si les gens…

— Les nazis, corrigea Vianne d'un ton plus brusque qu'elle ne l'avait voulu.

— Les nazis, reprit Rachel, veulent s'en servir pour nous… mettre mal à l'aise.

— Les gens vont se moquer de moi ? demanda Sarah en écarquillant les yeux.

— Moi aussi, je vais en porter une, déclara Sophie.

Un espoir navrant éclaira le visage de Sarah.

Rachel prit la main de sa fille.

— Non, chérie. C'est une chose que ta meilleure amie et toi, vous ne pouvez pas partager.

Vianne vit la peur, la gêne et la confusion de Sarah. Elle s'efforçait d'être une gentille fille, de sourire et d'être forte même si elle avait les yeux brillants de larmes.

— D'accord, dit-elle enfin.

Vianne n'avait jamais entendu une intonation aussi triste en près de trois ans de douleur.

21

Quand l'été arriva dans la vallée de la Loire, il fut aussi chaud que l'hiver avait été froid. Vianne rêvait d'ouvrir la fenêtre de sa chambre pour faire un courant d'air, mais pas une brise ne soufflait en cette soirée torride de la fin juin. Elle dégagea ses cheveux humides de son visage et s'écroula dans son fauteuil près du lit.

Sophie poussa un gémissement. Vianne distingua un « Maman » confus et traînant, et elle trempa son linge dans la cuvette d'eau qu'elle avait placée sur la seule table de nuit qu'il leur restait. L'eau était aussi chaude que tout le reste dans cette chambre. Elle essora le linge au-dessus de la cuvette et regarda l'excédent d'eau retomber dans le récipient. Puis elle posa le linge humide sur le front de sa fille.

Sophie marmonna des paroles incompréhensibles et s'agita en tous sens.

Vianne la maintint en lui murmurant des mots tendres à l'oreille et sentit sa chaleur contre ses lèvres.

— Sophie, dit-elle, prononçant son nom comme une prière sans début ni fin. Je suis là.

Elle répéta cela encore et encore jusqu'à ce que Sophie s'apaise.

La fièvre empirait. Depuis maintenant des jours, Sophie était souffrante et courbaturée. Vianne avait d'abord cru que c'était une excuse pour éviter les corvées qu'elles partageaient : le jardinage, la lessive, la préparation de conserves, la couture. Vianne essayait sans cesse d'en faire plus, d'aller plus loin. Dès à présent, au début de l'été, elle s'inquiétait pour l'hiver à venir.

Ce matin-là avait cependant révélé la vérité à Vianne (et lui avait donné le sentiment d'être une mère indigne, car elle ne l'avait pas vue dès le début) : Sophie était malade, très malade. Elle avait été terrassée par la fièvre toute la journée, et sa température augmentait. Elle n'avait rien réussi à garder, pas même l'eau dont son corps avait tant besoin.

— Que dirais-tu d'une limonade ? demanda Vianne.

Pas de réponse.

Elle se pencha et embrassa la joue chaude de Sophie.

Elle laissa tomber le linge dans la cuvette d'eau et descendit au rez-de-chaussée. Sur la table de la salle à manger, un carton attendait d'être rempli – son prochain colis de provisions pour Antoine. Elle l'avait commencé la veille et l'aurait déjà terminé et envoyé si l'état de Sophie n'avait pas dégénéré.

Vianne était presque dans la cuisine quand elle entendit sa fille crier.

Elle remonta l'escalier quatre à quatre.

— Maman, fit Sophie d'une voix enrouée, puis elle toussa, poussant un affreux râle.

Elle s'agita à nouveau dans le lit, tira sur les couvertures pour essayer de les enlever. Vianne s'efforça de calmer sa fille, mais Sophie, déchaînée, se tournait dans tous les sens en criant et en toussant.

Si seulement Vianne avait eu de la Chlorodyne du docteur Collis Browne. Ce médicament fonctionnait à merveille pour soigner la toux, mais bien sûr on n'en trouvait plus.

— Ça va aller, Sophie. Maman est là.

Elle avait un ton apaisant, mais ses paroles furent sans effet.

Beck apparut à côté d'elle. Elle savait qu'elle aurait dû être en colère qu'il soit là – *là*, dans sa maison –, mais elle était trop fatiguée et effrayée pour se mentir à elle-même.

— Je ne sais pas comment l'aider. On ne trouve pas d'aspirine en ville, quel que soit le prix.

— Pas même contre des perles ?

Elle le regarda, surprise.

— Vous savez que j'ai vendu les perles de ma mère ?

— Je vis avec vous, dit-il avant de marquer une pause. Je veille à savoir ce que vous faites.

Elle ne sut quoi répondre à cela.

Il regarda Sophie.

— Elle a toussé toute la nuit. Je l'ai entendue.

Sophie s'était immobilisée, au point que c'en était effrayant.

— Elle va guérir, déclara-t-il, puis il plongea la main dans sa poche et en sortit un petit flacon. Tenez. Ça devrait vous aider.

Elle leva les yeux vers lui. Était-il exagéré de penser qu'il était en train de sauver la vie de sa fille ? Ou *voulait-il* qu'elle pense cela ? Elle pouvait justifier le fait qu'elle acceptait de la nourriture de sa part – après tout, il fallait qu'il mange et c'était son rôle de cuisiner pour lui. Mais il s'agissait cette fois d'une faveur, pure et simple, et celle-ci aurait un prix.

— Tenez, dit-il gentiment.

Elle lui prit le flacon. Pendant une seconde, ils le tinrent tous les deux. Elle sentit les doigts de Beck contre les siens.

Ils se dévisagèrent et quelque chose passa entre eux, une question fut posée et reçut une réponse.

— Merci, dit-elle.

— Mais je vous en prie.

*

— Monsieur, le Rossignol est là.

Le consul britannique hocha la tête.

— Faites-la entrer.

Isabelle pénétra dans le cabinet sombre habillé d'acajou au bout du somptueux couloir. Avant même qu'elle ait atteint le bureau, l'homme qui se trouvait derrière se leva.

— Content de vous revoir.

Elle se laissa tomber dans l'inconfortable chaise en cuir et prit le verre d'eau-de-vie qu'il lui tendait. Cette dernière traversée des Pyrénées avait été difficile, malgré le temps parfait du mois de juillet. Un des pilotes américains avait eu du mal à obéir aux ordres d'« une fille » et était parti seul de son côté. Ils avaient appris qu'il avait été arrêté par les Espagnols.

— Ces Américains, dit-elle en secouant la tête.

Il n'y avait rien d'autre à dire. Son contact, Ian – nom de code Mardi –, et elle travaillaient ensemble depuis le début du programme d'évasion du Rossignol. Avec l'aide du réseau de Paul, ils avaient établi une série complexe de caches à travers la France et formé un groupe de partisans prêts à sacrifier leur vie pour aider les aviateurs échoués au sol à rentrer dans leur pays. Des Françaises et des Français scrutaient le ciel la nuit pour repérer les avions en difficulté et les parachutes qui descendaient. Ils sillonnaient les rues, fouillaient l'obscurité et les granges à la recherche de soldats alliés cachés. Une fois rentrés en Angleterre, les pilotes ne pouvaient plus repartir en mission – étant donné leur connaissance du réseau. À défaut, ils préparaient leurs collègues au pire : ils leur enseignaient des techniques de camouflage, ils leur expliquaient comment trouver de l'aide et leur fournissaient des billets français, des boussoles et des photos toutes prêtes pour faire de faux papiers.

Isabelle buvait l'eau-de-vie à petites gorgées. L'expérience lui avait appris à se méfier de l'alcool après la traversée. Elle était généralement plus déshydratée qu'elle ne le pensait, surtout dans la chaleur de l'été.

Ian poussa une enveloppe vers elle. Elle la prit, compta les billets français qu'elle contenait et glissa l'argent dans une poche de son manteau.

— Vous nous avez amené quatre-vingt-sept pilotes au cours des huit derniers mois, Isabelle, dit-il en se rasseyant.

Il n'utilisait son vrai nom que dans cette pièce, en tête à tête. Dans la correspondance officielle avec le MI9, elle était le Rossignol. Pour les autres employés du consulat et en Grande-Bretagne, elle était Juliette Gervaise.

— Je pense que vous devriez ralentir le rythme.

— Ralentir ?

— Les Allemands cherchent le Rossignol, Isabelle.

— Ce n'est pas nouveau.

— Ils essaient d'infiltrer votre programme d'évasion. Des nazis se baladent dans la nature en se faisant passer pour des aviateurs alliés. Si vous en recueillez un…

— Nous sommes prudents, Ian. Vous le savez. J'interroge chaque homme moi-même. Et le réseau à Paris est infatigable.

— Ils cherchent le Rossignol. S'ils vous trouvent…

— Ils ne me trouveront pas, déclara-t-elle en se levant.

Il se leva à son tour et lui fit face.

— Soyez prudente, Isabelle.

— Toujours.

Il fit le tour de son bureau, la prit par le bras et la raccompagna jusqu'à la sortie.

Elle s'accorda un moment pour profiter du beau bord de mer de Saint-Sébastien, pour se balader sur l'allée surplombant les vagues blanches qui déferlaient et goûter au plaisir de regarder les bâtiments sans croix gammées, mais ces instants de retour à la vie normale constituaient un luxe auquel elle ne pouvait se livrer longtemps. Elle envoya un message par courrier express à Paul qui indiquait :

Cher tonton,

J'espère que tu vas bien.
Je suis à notre endroit préféré au bord de la mer.
Nos amis sont bien arrivés.
Je vais voir Grand-Mère demain à 15 heures à Paris.
Affectueusement,
Juliette

Elle rentra à Paris suivant un itinéraire plein de détours : elle s'arrêta à chacune des caches – à Carriveau, Brantôme, Pau et Poitiers – pour payer les gens qui l'aidaient. Nourrir et habiller les aviateurs cachés n'était pas une mince affaire, et sachant que les hommes, femmes et enfants (surtout des femmes) qui participaient au programme d'évasion le faisaient au péril de leur vie, le réseau faisait son possible pour que cela ne leur soit pas ruineux.

Elle ne parcourait jamais les rues de Carriveau (dissimulée sous une pèlerine et une capuche) sans penser à sa sœur. Dernièrement, Vianne et Sophie avaient commencé à lui manquer. Le souvenir de leurs soirées passées à jouer à la belote ou aux dames près du feu, de Vianne lui apprenant à tricoter (du moins essayant) et du rire de Sophie avait revêtu un caractère attendrissant. Elle s'imaginait parfois que Vianne lui avait offert une possibilité qu'elle n'avait pas envisagée à l'époque : un foyer.

Mais il était désormais trop tard pour cela. Isabelle ne pouvait courir le risque de mettre Vianne en danger en pointant le bout de son nez au Jardin. À coup sûr, Beck lui demanderait ce qu'elle avait fait à Paris pendant tout ce temps. Peut-être qu'il se poserait suffisamment de questions pour vérifier.

À Paris, elle descendit du train parmi la foule de gens à l'œil morne et aux vêtements sombres qui semblaient sortir d'un tableau d'Edvard Munch. Lorsqu'elle passa devant le dôme doré étincelant des Invalides, un léger brouillard flottait dans les rues, ôtant leur couleur aux arbres. La plupart des cafés étaient fermés, leurs chaises et leurs tables empilées sous des auvents déchirés. De l'autre côté de la rue se trouvait l'appartement qui lui tenait lieu de foyer depuis un mois, une petite mansarde obscure et déprimante au-dessus d'une charcuterie abandonnée. Les murs sentaient encore vaguement le porc et les épices.

Elle entendit quelqu'un crier « *Halt !* », puis des coups de sifflet et des cris. Plusieurs soldats de la Wehrmacht, accompagnés de policiers français, encerclèrent un petit groupe de gens qui se mirent immédiatement à genoux en levant les bras. Isabelle aperçut des étoiles jaunes sur leurs poitrines.

Elle ralentit.

Anouk apparut à côté d'elle et la prit par le bras.

— Bonjour, dit-elle d'un ton si enjoué qu'Isabelle comprit qu'on les surveillait.

Du moins, Anouk le craignait.

— On croirait un personnage dans une de ces bandes dessinées américaines, avec ta façon d'apparaître et de disparaître.

Anouk sourit.

— Et comment se sont passées tes dernières vacances à la montagne ?

— Sans surprise.

Anouk se pencha vers elle.

— On a entendu dire que quelque chose se préparait. Les Allemands recrutent des femmes pour un travail administratif dimanche soir. Double salaire. Tout cela dans le plus grand secret.

Isabelle sortit l'enveloppe pleine de billets français de sa poche et la donna à Anouk, qui la laissa tomber dans son sac à main ouvert.

— Un travail de nuit ? Administratif ?

— Paul t'a obtenu un poste, dit Anouk. Tu commences à 9 heures. Quand tu finis, va chez ton père. Il t'attendra.

— Entendu.

— Ça pourrait être dangereux.

Isabelle haussa les épaules.

— Qu'est-ce qui ne l'est pas ?

*

Ce soir-là, Isabelle traversa la ville pour se rendre à la préfecture de police. Elle sentit la chaussée trembler sous ses pieds et entendit des véhicules qui se déplaçaient à proximité. En grand nombre.

— Vous, là !

Isabelle s'arrêta. Sourit.

Un Allemand s'approcha d'elle, fusil en mains. Il baissa les yeux vers sa poitrine à la recherche d'une étoile jaune.

— Je dois travailler ici ce soir, indiqua-t-elle en montrant la préfecture de police devant elle.

Bien que les fenêtres fussent occultées, l'endroit grouillait d'activité. Des officiers de la Wehrmacht et des gendarmes français entraient et sortaient sans cesse du bâtiment, ce qui était curieux à cette heure tardive. Dans la cour, des bus étaient garés les uns derrière les autres en une longue file. Les chauffeurs, regroupés en un petit groupe, fumaient et discutaient.

Le soldat hocha la tête de côté.

— Allez-y.

Isabelle ferma le col de son manteau marron. Il faisait chaud dehors, mais elle ne voulait pas attirer l'attention. L'un des meilleurs moyens pour disparaître à la vue de tous consistait à s'habiller en moineau – du marron, du marron, et encore du marron. Elle avait couvert ses cheveux blonds avec un foulard noir, coiffé comme un turban avec un gros nœud devant, et n'avait utilisé aucun produit de beauté, pas même du rouge à lèvres.

Elle garda la tête baissée lorsqu'elle passa au milieu d'une nuée d'hommes en uniforme de police français. Dès qu'elle fut dans le bâtiment, elle s'arrêta.

C'était un immense hall comprenant un escalier de part et d'autre et une longue rangée de portes, mais ce soir-là on aurait dit un atelier de misère, avec des centaines de femmes assises à des bureaux collés les uns aux autres. Des téléphones sonnaient et des policiers français se bousculaient en tous sens.

— Vous êtes là pour participer au tri ? demanda un gendarme blasé au bureau le plus proche de la porte.

— Oui.

— Je vais vous trouver un endroit où travailler. Venez avec moi, dit-il en lui faisant faire le tour de la salle.

Les bureaux étaient si rapprochés qu'Isabelle dut avancer en crabe dans l'allée étroite menant à la table libre qu'il lui indiqua. Quand elle s'assit et approcha sa chaise, elle se trouva coude à coude avec ses voisines. Son bureau était couvert de fichiers.

Elle ouvrit la première boîte et vit le tas de fiches à l'intérieur. Elle sortit la première et la regarda.

STERNHOLZ, ISAAC
12 AVENUE RAST
IVᵉ ARRONDISSEMENT
SABOTIER

Sa femme et ses enfants figuraient ensuite sur la fiche.

— Vous devez séparer les juifs nés à l'étranger des autres, expliqua le gendarme, qui l'avait suivie sans qu'elle s'en aperçoive.

— Pardon ? dit-elle en sortant une autre fiche.

Celle-ci concernait « Berr, Simone ».

— Cette boîte, là. La vide. Séparer les juifs nés en France de ceux qui sont nés ailleurs. On s'intéresse seulement aux juifs nés à l'étranger. Hommes, femmes et enfants.

— Pourquoi ?

— Ils sont juifs. Qu'est-ce que ça peut faire ? Maintenant, au travail.

Isabelle se retourna face au bureau. Elle avait des centaines de fiches devant elle, et il y avait au moins cent femmes dans la salle. L'échelle même de l'opération était incompréhensible. Qu'est-ce que cela pouvait bien signifier ?

— Depuis combien de temps travaillez-vous là ? demanda-t-elle à sa voisine.

— Plusieurs jours, répondit la femme en ouvrant une nouvelle boîte. Pour la première fois depuis des mois, mes enfants n'ont pas eu faim hier soir.

— À quoi cela sert-il ?

La femme haussa les épaules.

— Je les ai entendus parler d'une opération Vent printanier.

— Qu'est-ce que ça veut dire ?

— Je ne veux pas le savoir.

Isabelle feuilleta les fiches dans la boîte. L'une d'elles, vers la fin, l'arrêta.

LÉVY, PAUL
61 RUE BLANDINE, APPT C
VIIᴱ ARRONDISSEMENT
PROFESSEUR DE LITTÉRATURE

Elle se leva si vite qu'elle heurta sa voisine, qui pesta contre Isabelle. Les fiches sur son bureau tombèrent par terre en cascade. Isabelle s'agenouilla aussitôt pour les ramasser et osa glisser celle de M. Lévy dans sa manche.

Dès qu'elle se releva, quelqu'un la saisit par le bras et la tira dans l'étroite allée. Elle buta tout le long contre les femmes.

Puis on la força à se retourner et on la poussa si fort qu'elle s'écrasa contre le mur.

— Qu'est-ce que tout ça signifie ? gronda le policier français en lui serrant le bras assez fort pour laisser un bleu.

Pouvait-il sentir la fiche dans sa manche ?

— Je suis désolée. Vraiment désolée. Il faut que je travaille, mais je suis malade, vous voyez. La grippe, dit-elle en toussant aussi fort qu'elle put.

Elle passa devant lui et sortit du bâtiment. Dehors, elle continua de tousser jusqu'au coin. Là, elle se mit à courir.

*

— Qu'est-ce que ça peut vouloir dire ?

Isabelle regardait dans l'avenue derrière le store occultant de l'appartement. Papa était assis à la table à manger et tambourinait nerveusement sur le bois de ses doigts tachés d'encre. C'était agréable d'être à nouveau là – avec lui – après des mois d'éloignement, mais elle était trop agitée pour se détendre et profiter de cette sensation chaleureuse.

— Tu dois te tromper, Isabelle, dit Papa, qui en était à son deuxième verre d'eau-de-vie depuis son retour. Tu as dit qu'il devait y avoir des dizaines de milliers de fiches. Ça représenterait tous les juifs de Paris. Tout de même…

— Demande-toi ce que ça signifie, papa, au lieu de remettre en cause les faits. Les Allemands recueillent les noms et adresses de tous les juifs de Paris nés à l'étranger. Hommes, femmes et enfants.

— Mais pourquoi ? Paul Lévy est d'origine polonaise, c'est vrai, mais il vit ici depuis des dizaines

387

d'années. Il s'est battu pour la France pendant la Grande Guerre – son frère est mort pour la France. Le gouvernement de Vichy nous a assuré que les vétérans sont protégés des nazis.

— On a demandé une liste de noms à Vianne, indiqua Isabelle. On lui a demandé de nommer tous les profs juifs, communistes et francs-maçons de son école. Ils ont tous été renvoyés ensuite.

— Ils peuvent difficilement les renvoyer deux fois, dit-il avant de vider son verre et de se resservir. Et c'est la police française qui recueille des noms. Si c'était les Allemands, ce serait différent.

Isabelle n'avait pas de réponse à ça. Cela faisait au moins trois heures qu'ils avaient cette même conversation.

À présent, il était un peu plus de 2 heures du matin, et ni l'un ni l'autre ne trouvaient d'explication crédible au fait que le gouvernement de Vichy et la police française récoltent les noms et adresses de tous les juifs nés à l'étranger qui vivaient à Paris.

Isabelle aperçut un reflet de lumière argentée à l'extérieur. Elle souleva un peu plus le store pour scruter la rue obscure.

Une file de bus avançaient dans l'avenue, leurs phares peints éteints, tel un lent mille-pattes s'étirant sur plusieurs pâtés de maisons.

Elle avait vu des bus à la préfecture de police, par dizaines, garés dans la cour.

— Papa…

Avant qu'elle puisse finir sa phrase, elle entendit des bruits de pas dans l'escalier de l'immeuble.

Quelqu'un glissa une sorte de tract sous la porte.

Papa se leva de la table et se baissa pour le ramasser. Il le rapporta et le posa à côté de la bougie.

Isabelle vint derrière lui.

Papa la regarda.

— C'est une mise en garde. Ils disent que la police va réunir tous les juifs nés à l'étranger et les déporter dans les camps en Allemagne.

— On est en train de parler au lieu d'agir, dit Isabelle. Il faut qu'on cache nos amis qui vivent dans l'immeuble.

— C'est si peu, dit Papa.

Voyant la main de son père trembler, Isabelle se demanda une nouvelle fois – tout à coup – ce qu'il avait vu durant la Grande Guerre, ce qu'il savait et qu'elle ignorait.

— C'est ce qu'on peut faire, déclara-t-elle. On peut en mettre quelques-uns à l'abri. Au moins pour ce soir. On en saura plus demain.

— À l'abri. Et où seraient-ils à l'abri, Isabelle ? Si la police française fait ça, nous sommes perdus.

Isabelle ne sut quoi répondre.

Sans un mot de plus, ils sortirent de l'appartement. Il était difficile d'être discret dans un vieil immeuble comme celui-là, et son père, qui était passé devant elle, n'avait jamais eu le pas léger. Par ailleurs, l'eau-de-vie le rendait d'autant moins solide sur ses jambes pour descendre l'escalier étroit en colimaçon jusqu'au palier inférieur. Il trébucha deux fois et maugréa contre son manque d'équilibre. Il frappa à la porte.

Il compta jusqu'à dix et frappa de nouveau. Plus fort cette fois.

Très lentement, la porte s'ouvrit, d'abord à peine puis en grand.

— Oh, Julien, c'est vous, dit Ruth Friedman.

Elle portait un manteau d'homme par-dessus une chemise de nuit tombant jusqu'au sol, sous laquelle dépassaient ses pieds nus. Elle avait des bigoudis aux cheveux et la tête couverte d'un foulard.

— Vous avez vu le tract ?

— J'en ai un. Est-ce vrai ? demanda-t-elle à voix basse.

— Je ne sais pas, dit Papa. Il y a des bus garés dans la rue et on a entendu des camions passer toute la soirée. Isabelle était à la préfecture ce soir, ils recueillaient les noms et adresses de tous les juifs nés à l'étranger. On pense que vous devriez venir chez nous avec les enfants dans l'immédiat. Nous avons une cachette.

— Mais… mon mari est prisonnier de guerre. Le gouvernement de Vichy nous a promis qu'on serait protégés.

— Je ne suis pas sûre que nous puissions faire confiance au gouvernement de Vichy, madame, lui dit Isabelle. S'il vous plaît. Venez juste vous cacher pour l'instant.

Ruth resta immobile, les yeux écarquillés. L'étoile jaune sur son manteau leur rappelait durement comme le monde avait changé. Isabelle vit quand la femme se décida. Elle tourna les talons et rentra dans l'appartement. Moins d'une minute plus tard, elle revint avec ses deux filles.

— Qu'est-ce qu'on emporte ?

— Rien, répondit Isabelle.

Elle fit monter les Friedman. Quand ils furent en sécurité dans l'appartement, son père les conduisit à la cache secrète dans la chambre du fond et ferma la porte derrière elles.

— Je vais chercher les Vizniak, dit Isabelle. Ne remets pas l'armoire en place tout de suite.

— Ils sont au deuxième étage, Isabelle. Tu ne pourras jamais…

— Ferme la porte derrière moi. N'ouvre que si tu entends ma voix.

— Isabelle, non…

Mais elle était déjà partie et descendait l'escalier quatre à quatre en touchant à peine la rampe dans sa hâte. Quand elle fut presque au deuxième étage, elle entendit des voix plus bas.

Des hommes montaient.

Elle arrivait trop tard. Elle se tapit là où elle se trouvait, cachée par l'ascenseur.

Deux policiers français apparurent sur le palier. Le plus jeune des deux donna deux coups à la porte des Vizniak, attendit une ou deux secondes, puis il l'ouvrit d'un coup de pied. À l'intérieur, une femme poussa un gémissement.

Isabelle s'approcha sans bruit pour écouter.

— … êtes madame Vizniak ? demanda le policier de gauche. Votre mari est Émile, et vos enfants Anton et Hélène ?

Isabelle jeta un coup d'œil derrière l'angle de la porte.

Mme Vizniak était une belle femme à la peau couleur de crème fraîche et aux cheveux abondants qui n'étaient jamais en désordre comme maintenant. Elle portait un négligé en soie avec des dentelles qui avait dû coûter une fortune quand elle l'avait acheté. Ses jeunes enfants, un garçon et une fille qu'elle serrait contre elle, avaient les yeux écarquillés.

— Faites vos valises. Uniquement l'essentiel. Vous allez être envoyée ailleurs, expliqua le policier plus âgé en parcourant une liste de noms.

— Mais… mon mari est en prison près de Pithiviers. Comment va-t-il nous trouver ?

— Après la guerre, vous reviendrez.

— Oh !

Mme Vizniak fronça les sourcils et passa la main dans ses cheveux emmêlés.

— Vos enfants sont des citoyens nés en France, indiqua le policier. Vous pouvez les laisser ici. Ils ne figurent pas sur ma liste.

Isabelle ne put rester cachée. Elle se leva et descendit l'escalier jusqu'au palier.

— Je vais les prendre pour vous, Lily, dit-elle en s'efforçant de paraître calme.

— Non ! crièrent en chœur les enfants en s'agrippant à leur mère.

Les policiers français se tournèrent vers Isabelle.

— Quel est votre nom ? lui demanda l'un d'eux.

Elle se figea. Quel nom devait-elle donner ?

— Rossignol, dit-elle enfin, bien que, sans les papiers correspondants, ce fût un choix dangereux.

Cependant, le nom Gervaise pouvait leur faire se demander pourquoi elle était dans cet immeuble à près de 3 heures du matin à venir se mêler des affaires de ses voisins.

Le policier consulta sa liste puis lui fit signe de partir.

— Allez-vous-en. Votre cas ne m'intéresse pas ce soir.

Isabelle regarda Lily Vizniak derrière eux.

— Je vais prendre les enfants, madame.

Lily parut ne pas comprendre.

— Vous croyez que je vais les laisser ?

— Je crois…

— Ça suffit ! cria le policier plus âgé en tapant la crosse de son fusil au sol. Vous, dit-il à Isabelle. Partez. Ça ne vous regarde pas.

— Madame, s'il vous plaît, implora Isabelle. Je veillerai à ce qu'ils soient en sécurité.

— En sécurité ? fit Lily en fronçant les sourcils. Mais nous sommes en sécurité avec la police française. On nous l'a assuré. Et une mère ne peut pas abandonner ses enfants. Un jour, vous comprendrez.

Elle se tourna vers ses enfants.

— Prenez quelques affaires.

Le policier qui se trouvait à côté d'Isabelle lui toucha doucement le bras. Quand elle se tourna, il dit :

— Partez.

Elle vit la mise en garde dans ses yeux, mais ne sut pas s'il voulait lui faire peur ou la protéger.

— Maintenant.

Isabelle n'eut pas le choix. Si elle restait, si elle exigeait des explications, tôt ou tard son nom serait transmis à la préfecture de police – peut-être même aux Allemands. Étant donné son programme d'évasion avec le réseau et les activités de faussaire de son père, elle n'osa pas attirer l'attention. Pas même pour une chose aussi minime que d'exiger de savoir où une voisine était emmenée.

En silence, les yeux rivés au sol (elle se méfiait trop de ses réactions pour les regarder), elle passa lentement devant les policiers et emprunta l'escalier.

22

Une fois revenue à l'appartement, Isabelle alluma une lampe à huile et se rendit dans le salon, où elle trouva son père endormi à la table à manger, la tête appuyée sur le bois dur comme s'il s'était évanoui. À côté de lui reposait une bouteille d'eau-de-vie à moitié vide qui avait été pleine peu de temps avant. Isabelle prit la bouteille et la mit sur le buffet en espérant que, ne la voyant pas, il n'y penserait pas le matin venu.

Elle faillit tendre la main vers lui, caresser les cheveux gris qui cachaient son visage ou la petite tonsure ovale qu'il laissait voir dans son sommeil. Elle voulait pouvoir le toucher de cette manière, pour le réconforter, lui montrer son amour, sa sympathie.

Au lieu de cela, elle alla dans la cuisine où elle prépara du café noir et amer à base de glands et trouva une petite miche du pain gris insipide, le seul que les Parisiens pouvaient encore se procurer. Elle en prit un morceau (que dirait Mme Dufour ? Manger en marchant !) et le mâcha lentement.

— Ce café a une odeur infecte, dit son père, l'œil trouble, en relevant la tête quand elle revint dans le salon.

Elle lui tendit sa tasse.

— Le goût est encore pire.

Isabelle se servit une autre tasse et s'assit à côté de lui. La lumière de la lampe accentuait l'aspect parcheminé de son visage, creusant les marques et les rides et donnant une apparence cireuse aux poches gonflées sous ses yeux.

Elle attendit qu'il dise quelque chose, mais il se contenta de la dévisager. Sous son regard lourd de sous-entendus, elle termina son café (elle en avait besoin pour avaler l'abominable pain sec) et repoussa la tasse vide. Elle resta là jusqu'à ce qu'il se rendorme, puis elle alla dans sa chambre. Mais elle était incapable de dormir. Elle resta allongée pendant des heures, à s'interroger et à s'inquiéter. Elle finit par ne plus tenir. Elle se leva et retourna dans le salon.

— Je sors voir ce qui se passe, annonça-t-elle.

— Ne fais pas ça, dit son père, toujours assis à la table.

— Je ne ferai pas de bêtises.

Elle revint dans sa chambre et se changea pour une jupe d'été bleue et un chemisier blanc à manches courtes. Elle couvrit ses cheveux en bataille avec un foulard en soie bleu décoloré qu'elle noua sous son menton et sortit de l'appartement.

Au deuxième étage, elle vit que la porte de chez les Vizniak était ouverte. Elle regarda à l'intérieur.

La pièce avait été pillée. Il ne restait que les plus gros meubles, et les tiroirs de la commode bombée noire étaient ouverts. Des vêtements et des babioles sans valeur étaient éparpillés par terre. Des traces noires rectangulaires sur le mur révélaient que des tableaux avaient disparu.

Elle ferma la porte derrière elle. Dans le hall de l'immeuble, elle s'arrêta juste assez longtemps pour se calmer, puis elle sortit.

Des cars se succédaient dans la rue. À travers leurs vitres sales, Isabelle vit des dizaines de visages d'enfants, le nez collé à la glace, et leurs mères assises à côté d'eux. Les trottoirs étaient curieusement déserts.

Isabelle aperçut un policier français au coin de la rue et alla le voir.

— Où vont-ils ?

— Au Vélodrome d'hiver.

— Le vélodrome ? Pourquoi ?

— Vous n'avez rien à faire ici. Partez ou je vous mets dans un car et vous finirez avec eux.

— Peut-être que je vais faire ça. Peut-être que…

Le policier se pencha vers elle et lui dit tout bas :

— *Partez.*

Il lui attrapa le bras et la tira vers le bord de la route.

— Nous avons reçu l'ordre de tirer sur toute personne qui essaierait de s'enfuir. Vous m'entendez ?

— Vous leur *tireriez* dessus ? Des femmes et des enfants ?

Le jeune policier eut l'air abattu.

— Partez.

Isabelle savait qu'elle devait rentrer. C'était le choix le plus sensé. Mais elle pouvait se rendre à pied au vélodrome presque aussi vite que ces cars. Il n'était qu'à quelques pâtés de maisons. Peut-être qu'elle saurait alors ce qui se passait.

Pour la première fois depuis des mois, les barricades dans les petites rues de Paris n'étaient pas gardées. Elle en contourna une et courut en direction de la Seine, passant devant des magasins fermés et des cafés déserts. Au bout de quelques centaines de mètres, elle s'arrêta hors d'haleine face au vélodrome.

Un flot interminable de cars bondés s'arrêtait le long de l'énorme bâtiment et déversait des passagers. Puis les portières se refermaient et les cars repartaient ; d'autres prenaient alors leur place. Isabelle vit une multitude d'étoiles jaunes.

Des milliers d'hommes, de femmes et d'enfants à l'air désorienté et désespéré étaient menés en troupeau dans le bâtiment. La plupart portaient plusieurs épaisseurs de vêtements – trop pour la chaleur de juillet. Des policiers patrouillaient autour du stade tels des cow-boys américains menant leur bétail : ils donnaient des coups de sifflet, criaient des ordres et forçaient les juifs à avancer ou à monter à bord d'autres cars.

Des familles.

Isabelle vit un policier pousser une femme si fort avec sa matraque qu'elle tomba à genoux. Elle se releva en chancelant, tendit la main à l'aveuglette vers le petit garçon qui se trouvait à côté d'elle et le protégea avec son corps en clopinant.

Isabelle vit un jeune policier français et se fraya un chemin à travers la foule pour arriver jusqu'à lui.

— Que se passe-t-il ? demanda-t-elle.

— Ça ne vous regarde pas, mademoiselle. Partez.

Isabelle se retourna vers le grand vélodrome. Elle ne vit que des gens, des corps serrés comme des sardines, des familles qui essayaient de rester ensemble dans la mêlée. Les policiers leur criaient dessus, les poussaient vers le stade, relevaient brutalement les enfants et les mères quand ils tombaient. Isabelle entendit des enfants pleurer. Une femme enceinte était à genoux, en train de se balancer d'avant en arrière, cramponnée à son ventre distendu.

— Mais… ils sont trop nombreux là-dedans…, dit Isabelle.

— Ils seront bientôt déportés.

— Où ?

Le policier haussa les épaules.

— Je ne sais rien.

— Vous devez bien savoir quelque chose.

— Des camps de travail, marmonna-t-il. En Allemagne. C'est tout ce que je sais.

— Mais… ce sont des femmes et des enfants.

Il haussa à nouveau les épaules.

Isabelle ne comprenait pas. Comment les gendarmes français pouvaient-ils faire *ça* aux *Parisiens* ?

— Les enfants ne peuvent tout de même pas travailler, monsieur. Il doit y avoir des milliers d'enfants là-dedans, et des femmes enceintes. Comment…

— Est-ce que j'ai l'air d'être le cerveau de tout ça ? Je fais juste ce qu'on me demande. On me dit d'arrêter les juifs étrangers à Paris, je le fais. Ils veulent qu'on les sépare en deux groupes : les hommes célibataires à Drancy, les familles au Vél' d'Hiv'. Eh bien, voilà ! C'est fait. Braquez vos fusils sur eux et soyez prêts à tirer. Le gouvernement veut que les juifs étrangers de toute la France soient envoyés à l'Est dans des camps de travail, et nous commençons comme ça.

Toute la France ? Isabelle sentit l'air jaillir de ses poumons. L'opération Vent printanier.

— Vous voulez dire que ça ne se passe pas qu'à Paris ?

— Non. Ce n'est que le début.

*

Vianne avait fait la queue dans les magasins toute la journée, dans la chaleur étouffante de l'été, et pour quoi ? Une demi-livre de fromage sec et une miche de pain infect ?

— Est-ce qu'on peut avoir un peu de confiture de fraise aujourd'hui, maman ? Ça cache le goût du pain.

Lorsqu'elles sortirent du magasin, Vianne tint Sophie serrée contre elle, collée à sa hanche comme si elle était bien plus petite.

— Peut-être juste un peu, mais on ne peut pas faire de folies. Tu te souviens comme l'hiver a été affreux ? Un autre va venir.

Vianne vit un groupe de soldats qui venaient vers elles, les fusils luisant au soleil. Ils passèrent au pas à côté d'elles, et des chars suivirent dans la rue pavée.

— Il se passe beaucoup de choses aujourd'hui, remarqua Sophie.

Vianne avait eu la même pensée. La rue grouillait de policiers français ; des gendarmes arrivaient en ville en grand nombre.

Ce fut un soulagement de pénétrer dans le jardin calme et bien entretenu de Rachel. Vianne se faisait toujours une telle joie à l'idée de voir son amie. C'était désormais les seuls moments où elle se sentait elle-même.

Lorsqu'elle frappa à la porte, Rachel jeta un coup d'œil méfiant par la fenêtre, vit qui était là et sourit, puis ouvrit la porte en grand, laissant le soleil entrer à flots dans la maison presque vide.

— Vianne ! Sophie ! Entrez, entrez.

— Sophie ! s'écria Sarah.

Les deux fillettes s'étreignirent comme si elles ne s'étaient pas vues depuis des semaines et non des jours. Elles avaient toutes deux mal supporté d'être séparées pendant la maladie de Sophie. Sarah prit son amie par la main et l'emmena dans le jardin, où elles s'assirent sous un pommier.

Rachel laissa la porte ouverte pour pouvoir les entendre. Vianne ôta le foulard à fleurs qu'elle avait autour de la tête et le fourra dans la poche de sa jupe.

— Je t'ai apporté quelque chose.

— Non, Vianne. On en a déjà parlé.

Elle portait une salopette qu'elle avait confectionnée à partir d'un vieux rideau de douche. Son gilet d'été – autrefois blanc et désormais terne à force d'être lavé et porté – était suspendu au dossier de la chaise. De là où elle était, Vianne aperçut deux branches de l'étoile jaune cousue dessus.

Vianne se rendit dans la cuisine et ouvrit le tiroir à couverts. Il était presque vide : au cours de deux années de l'Occupation, elles ne savaient plus combien de fois les Allemands avaient fait le tour des maisons pour « réquisitionner » ce dont ils avaient besoin. À combien de reprises étaient-ils entrés sans prévenir dans les maisons la nuit ? Tout finissait dans des trains en partance pour l'Est.

À présent, la plupart des tiroirs, placards et buffets étaient vides. Il ne restait que quelques fourchettes et cuillers à Rachel, et un couteau à pain. Vianne apporta ce dernier à table. Elle sortit le pain et le fromage de son panier, coupa soigneusement l'un et l'autre en deux et remit le reste dans le panier. Quand elle releva la tête, Rachel avait les larmes aux yeux.

— J'ai envie de te dire de ne pas nous donner ça. Tu en as besoin.

— Toi aussi, tu en as besoin.

— Je devrais tout simplement arracher cette saleté d'étoile. Après ça, au moins, j'aurais le droit de faire la queue pour récupérer de la nourriture quand il en reste encore.

De nouvelles règles étaient continuellement établies pour les juifs : ils ne pouvaient plus posséder de vélos et n'avaient pas le droit de fréquenter les lieux publics sauf entre 15 et 16 heures, où ils avaient le droit de faire des courses. Mais à cette heure-là, il ne restait plus rien.

Avant que Vianne puisse répondre, elle entendit une moto sur la route. Elle en reconnut le bruit et alla regarder dans l'embrasure de la porte ouverte.

Rachel vint se glisser à côté d'elle.

— Qu'est-ce qu'il fait ici ?

— Je vais voir, dit Vianne.

— Je viens avec toi.

Vianne traversa le verger, passa devant un oiseau qui butinait les rosiers et arriva au portail. Elle l'ouvrit, avança sur le bord de la route, laissant Rachel se poster derrière elle. Le portail se referma avec un petit déclic semblable à un craquement d'os.

— Mesdames, dit Beck en ôtant son képi qu'il coinça sous son bras. Je suis désolé de vous déranger, mais je suis venu pour vous dire quelque chose, madame Mauriac.

Il appuya très légèrement le mot *vous*, comme s'ils partageaient des secrets.

— Oh ? Et de quoi s'agit-il, Herr Capitaine ?

Il jeta un coup d'œil à gauche et à droite, puis se pencha légèrement vers Vianne.

— Mme de Champlain ne doit pas être chez elle demain matin, dit-il à voix basse.

Vianne pensa qu'il s'était peut-être mal exprimé.

— Pardon ?

— Mme de Champlain ne doit pas être chez elle demain matin, répéta-t-il.

— Mon mari et moi sommes propriétaires de cette maison, indiqua Rachel. Pourquoi devrais-je partir ?

— Ça n'aura pas d'importance, que vous soyez propriétaires. Pas demain.

— Mes enfants…, commença Rachel.

Beck regarda finalement Rachel.

— Vos enfants ne nous intéressent pas. Ils sont nés en France. Ils ne sont pas sur la liste.

Liste.

Un mot qui éveillait désormais la crainte. Vianne dit doucement :

— Qu'êtes-vous en train de nous dire ?

— Je vous dis que si elle est là demain, elle ne sera pas là après-demain.

— Mais…

— Si c'était mon amie, je trouverais un moyen de la cacher pendant un jour.

— Seulement un jour ? demanda Vianne en scrutant son visage.

— C'est tout ce que je suis venu vous dire, mesdames, et je n'aurais pas dû le faire. Je serai… puni si on l'apprend. S'il vous plaît, si quelqu'un vous pose des questions à ce sujet plus tard, ne parlez pas de ma visite.

Il fit claquer ses talons, se retourna et partit.

Rachel regarda Vianne. Elles avaient entendu des rumeurs selon lesquelles des rafles avaient eu lieu à Paris – des femmes et des enfants déportés –, mais personne n'y croyait. Comment l'aurait-on cru ? Ces allégations étaient insensées, impensables – des dizaines de milliers de personnes arrachées de chez elles au milieu de la nuit par la police française. Et tout d'un coup ? C'était impossible.

— Tu lui fais confiance ?

Vianne réfléchit à cette question. Elle se surprit à répondre :

— Oui.

— Alors qu'est-ce que je fais ?

— Tu pars en zone libre avec les enfants. Ce soir.

Vianne n'arrivait pas à croire ce qu'elle venait de dire.

— La semaine dernière, Mme Durant a essayé de traverser la frontière. Elle s'est fait tuer et ses enfants ont été déportés.

Vianne aurait dit la même chose à la place de Rachel. C'était une chose pour une femme de s'enfuir seule ; c'en était une autre de risquer la vie de ses enfants. Mais, et s'ils risquaient leurs vies en restant là ?

— Tu as raison. C'est trop dangereux. Mais je crois que tu devrais suivre le conseil de Beck. Te cacher. C'est seulement pour un jour. Peut-être qu'on en saura plus ensuite.

— Où ?

— Isabelle s'était préparée à ça, et je l'avais prise pour une folle, dit Vianne avec un soupir. Il y a un cellier dans la grange.

— Tu sais que si on t'attrape à me cacher...

— Oui, dit Vianne d'un ton sec.

Elle ne voulait pas entendre ces mots prononcés à voix haute. *Passible de la peine de mort.*

— Je sais.

*

Vianne mit un somnifère dans la limonade de Sophie et la coucha tôt. (Ce n'était pas le genre de chose qui donnait le sentiment d'être une bonne mère, mais ce n'était pas bien non plus d'emmener Sophie avec elles ce soir-là ou de la laisser se réveiller toute seule. La peste ou le choléra. Il n'existait plus d'autre choix désormais.) En attendant que sa fille s'endorme, Vianne faisait les cent pas. Elle entendait le moindre cliquetis des volets dans le vent, le moindre grincement du bois de la vieille maison. Juste après 18 heures, elle enfila sa vieille salopette de jardinage et descendit.

Elle trouva Beck assis sur le divan, une lampe à huile allumée à côté de lui. Il tenait à la main un petit portrait encadré de sa famille. Sa femme – Hilda, savait Vianne – et ses enfants, Gisela et Wilhelm.

À son arrivée, Beck se tourna vers elle, mais ne se leva pas.

Vianne ne savait pas bien quoi faire. Elle aurait voulu qu'il soit invisible à cet instant, confiné derrière la porte fermée de sa chambre, et pouvoir totalement l'ignorer. Cependant, il avait mis sa carrière en péril pour aider Rachel. Comment pouvait-elle ne pas tenir compte de cela ?

— Il se passe de vilaines choses, madame. Des choses impensables. J'ai été formé pour être un soldat, pour me battre pour mon pays et rendre ma famille fière. C'était un choix honorable. Que va-t-on penser de nous à notre retour ? Que va-t-on penser de moi ?

Elle s'assit à côté de lui.

— Moi aussi, je m'inquiète de ce qu'Antoine va penser de moi. Je n'aurais pas dû vous donner cette liste de noms. J'aurais dû être plus économe. J'aurais dû travailler plus dur pour garder mon emploi. Peut-être aurais-je dû écouter davantage Isabelle.

— Vous ne devez pas vous en vouloir. Je suis sûr que votre mari serait d'accord. Nous, les hommes, sortons peut-être trop facilement nos pistolets.

Il se tourna légèrement et considéra la tenue de Vianne.

Elle était vêtue de sa salopette et d'un tricot noir. Un fichu noir également couvrait ses cheveux. On aurait dit un espion déguisé en ménagère.

— C'est dangereux pour elle de s'enfuir, dit-il.

— De rester aussi, apparemment.

— Et voilà, dit-il. Un affreux dilemme.

— Qu'est-ce qui est le plus dangereux, je me demande ? fit Vianne.

Elle n'attendait pas de réponse et fut surprise quand il dit :

— De rester, je crois.

Vianne acquiesça.

— Vous ne devriez pas y aller, déclara-t-il.

— Je ne peux pas la laisser y aller toute seule.

Beck réfléchit à cela. Finalement, il hocha la tête.

— Vous connaissez les terres de M. Frette, où il élève ses vaches ?

— Oui. Mais…

— Il y a un sentier tracé par les vaches derrière la grange. Il mène au poste de contrôle le moins surveillé. Cela représente une longue marche, mais il devrait être possible d'y arriver avant le couvre-feu. Si quelqu'un se posait la question. Même si je ne connais personne dont c'est le cas.

— Mon père, Julien Rossignol, habite à Paris, au 57 avenue de La Bourdonnais. Si je… ne rentrais pas un jour…

— Je veillerais à ce que votre fille puisse se rendre à Paris.

Il se leva en prenant la photo avec lui.

— Je vais me coucher, madame.

Elle se leva à son tour.

— J'ai peur de vous faire confiance.

— J'aurais encore plus peur du contraire.

Ils étaient plus proches à présent, réunis dans le faible faisceau de la lampe.

— Êtes-vous un homme bien, Herr Capitaine ?

— Je le croyais autrefois, madame.

— Merci, dit-elle.

— Ne me remerciez pas tout de suite, madame.

La laissant seule dans la lumière, il retourna dans sa chambre et ferma la porte derrière lui.

Vianne se rassit et attendit. À 19 h 30, elle prit l'épais châle noir qui était suspendu à une patère près de la porte de la cuisine.

Sois courageuse, se dit-elle. *Juste cette fois.*

Elle se couvrit la tête et les épaules avec le châle et sortit.

Rachel et ses enfants l'attendaient derrière la grange. Il y avait une brouette à côté d'eux ; Ari dormait dedans, emmitouflé dans des couvertures. Il était entouré des quelques biens que Rachel avait choisi d'emporter avec elle.

— Tu as des faux papiers ? demanda Vianne.

Rachel fit oui de la tête.

— Je ne sais pas s'ils sont de bonne qualité, et ils m'ont coûté mon alliance.

Elle regarda Vianne. Elles communiquèrent tout ce qu'elles avaient à se dire sans ouvrir la bouche.

Es-tu sûre de vouloir nous accompagner ?

J'en suis sûre.

— Pourquoi doit-on partir ? demanda Sarah, l'air effrayé.

Rachel posa la main sur la tête de sa fille et plongea son regard dans le sien.

— J'ai besoin que tu sois forte, Sarah. Tu te rappelles ce qu'on s'est dit ?

Sarah hocha lentement la tête.

— Pour Ari et papa.

Elles traversèrent la route et se frayèrent un chemin à travers le pré de fauche en direction du petit bois qui se trouvait au loin. Une fois parmi les arbres grêles, Vianne se sentit plus en sécurité, protégée, en quelque sorte. Lorsqu'elles arrivèrent à la propriété de M. Frette, la nuit était tombée. Elles trouvèrent le sentier des vaches qui menait à une forêt plus profonde, où des racines épaisses et noueuses veinaient la terre sèche, forçant Rachel à pousser la brouette avec force pour la maintenir en mouvement. Régulièrement, la brouette faisait un bond en butant contre une racine et retombait bruyamment. Ari gémissait dans son sommeil et se mettait à sucer avidement son pouce. Vianne sentait la sueur qui coulait dans son dos.

— J'avais besoin d'exercice, dit Rachel, haletante.

— Et j'adore faire une bonne balade dans les bois, répliqua Vianne. Et toi, mademoiselle Sarah, qu'est-ce qui te plaît dans notre aventure ?

— Je ne porte pas cette étoile ridicule, dit Sarah. Comment ça se fait que Sophie ne soit pas avec nous ? Elle adore les bois. Vous vous souvenez des chasses au trésor qu'on faisait autrefois ? Elle trouvait tout la première.

Dans une trouée parmi les arbres devant elles, Vianne aperçut une lumière clignotante puis les balises noires et blanches du poste-frontière.

La barrière était éclairée par des lumières si vives que seul l'ennemi pouvait oser les utiliser – ou en avoir les moyens. Un garde allemand était en faction, son fusil jetant des reflets argentés dans la lumière artificielle. Une petite file de gens attendaient de pouvoir traverser. On ne leur en accorderait l'autorisation que si leurs papiers étaient en règle. Si les faux papiers de Rachel étaient détectés, ses enfants et elle seraient arrêtés.

Soudain, c'était une réalité. Vianne s'arrêta. Elle devrait les regarder faire de là où elle était.

— Je t'écrirai si je peux, dit Rachel.

La gorge de Vianne se serra. Même si tout se passait au mieux, elle n'aurait peut-être pas de nouvelles de son amie pendant des années. Ou même plus jamais. Dans ce nouveau monde, il n'existait aucun moyen sûr de rester en contact avec ceux qu'on aimait.

— Ne me regarde pas comme ça, dit Rachel. On sera de nouveau ensemble très bientôt, et on boira du champagne et on dansera sur cette musique jazz que tu aimes tant.

Vianne essuya ses larmes.

— Tu sais que je ne veux pas être vue avec toi en public quand tu te mettras à danser.

Sarah tira sur sa manche.

— Dites… dites au revoir à Sophie de ma part.

Vianne s'agenouilla et serra Sarah dans ses bras. Elle aurait pu rester comme ça éternellement, mais elle relâcha finalement son étreinte.

Elle commença à s'approcher de Rachel, mais son amie recula.

— Si je te prends dans mes bras, je vais pleurer, et je ne peux pas pleurer.

Les bras de Vianne retombèrent lourdement.

Rachel souleva la brouette. Ses enfants et elle abandonnèrent la sécurité de la forêt et se joignirent à la file de gens au poste de contrôle. Un homme à vélo passa sans s'arrêter, puis le garde fit signe d'avancer à une vieille femme qui poussait une charrette de fleurs. Rachel était presque en tête de la file quand un sifflet retentit et quelqu'un cria quelque chose en allemand. Le garde tourna sa mitrailleuse vers la foule et ouvrit le feu.

De petites taches rouges constellèrent l'obscurité.

Ra-ta-ta-ta.

Une femme hurla lorsque son voisin s'effondra. La file se dispersa instantanément ; les gens partirent en courant dans toutes les directions.

Tout cela se passa si vite que Vianne ne put réagir. Elle vit Rachel et Sarah qui accouraient vers elle pour se réfugier dans la forêt, Sarah devant, Rachel derrière qui poussait la brouette.

— Venez là ! cria Vianne, mais sa voix se perdit dans le crépitement de la mitrailleuse.

Sarah tomba à genoux dans l'herbe.

— Sarah ! cria Rachel.

Vianne se jeta en avant et prit Sarah dans ses bras. Elle la porta jusqu'au bois et l'étendit au sol, puis déboutonna son manteau.

La poitrine de la fillette était criblée d'impacts de balles. Son sang coulait à flots.

Vianne enleva son châle d'un geste brusque et le pressa sur ses blessures.

— Comment va-t-elle ? demanda Rachel en arrivant près d'elle hors d'haleine. C'est du *sang* ?

Rachel s'écroula dans l'herbe à côté de sa fille. Dans la brouette, Ari se mit à hurler.

Des lumières s'éclairèrent au poste de contrôle, des soldats se rassemblaient. Des chiens se mirent à aboyer.

— Nous devons partir, Rachel, dit Vianne. Tout de suite.

Elle se releva péniblement dans l'herbe glissante de sang, sortit Ari de la brouette et le confia à Rachel, qui eut l'air de ne pas comprendre. Elle jeta ensuite de côté tout ce qui se trouvait dans la brouette et, aussi délicatement que possible, déposa Sarah dans le métal rouillé, avec la couverture d'Ari derrière la tête. Serrant les brancards dans ses mains ensanglantées, elle souleva les pieds arrière et commença à avancer.

— Viens, dit-elle à Rachel. On peut la sauver.

Rachel hocha la tête d'un air hébété.

Vianne poussa la brouette en avant dans la terre et les racines noueuses. Son cœur battait à tout rompre et la peur lui laissait un goût aigre dans la bouche, mais elle ne s'arrêtait pas, ne se retournait pas. Elle savait que Rachel était derrière elle – Ari criait – et si quelqu'un d'autre les suivait, elle ne voulait pas le savoir.

Lorsqu'elles approchèrent du Jardin, Vianne eut grand-peine à franchir la rigole au bord de la route avec la lourde brouette puis à gravir la colline jusqu'à la grange. Quand elle s'arrêta enfin, la brouette tomba lourdement au sol et Sarah gémit de douleur.

Rachel posa Ari. Puis elle sortit Sarah de la brouette et l'étendit doucement dans l'herbe. Ari se mit à pleurer et à tendre les bras pour qu'on le porte.

Rachel s'agenouilla à côté de Sarah et vit l'état catas-trophique dans lequel était sa poitrine. Elle leva les yeux vers Vianne et lui adressa un regard si chargé de douleur et de tristesse que Vianne ne put respirer. Puis Rachel rebaissa les yeux et posa une main sur la joue pâle de sa fille.

Sarah leva la tête.

— On a réussi à passer la frontière ?

Du sang coula entre ses lèvres exsangues et dégoulina sur son menton.

— Oui, répondit Rachel. On a réussi. On est en sécurité maintenant.

— J'ai été courageuse, pas vrai ?

— Oui, dit Rachel d'une voix entrecoupée. Si cou-rageuse.

— J'ai froid, murmura Sarah avec un frisson.

Elle inspira en grelottant et expira lentement.

— On va aller manger des bonbons maintenant. Et un macaron. Je t'aime, Sarah. Et papa t'aime. Tu es notre étoile.

La voix de Rachel dérailla. Elle pleurait.

— Notre cœur. Tu sais ça ?

— Dis à Sophie que…

Les paupières de Sarah se fermèrent en clignotant. Elle prit une dernière inspiration tremblante et s'immobilisa. Ses lèvres s'entrouvrirent, mais aucun souffle ne les franchit.

Vianne s'agenouilla à côté de Sarah. Elle chercha son pouls et ne sentit rien. Le silence devint amer, pesant ; Vianne ne pouvait penser à rien d'autre qu'au rire de cette enfant et au vide que son absence laisserait. Elle avait connu la mort, le chagrin qui vous déchirait et vous détruisait à tout jamais. Elle ne pouvait imaginer comment Rachel parvenait encore à respirer. À n'importe quel autre moment, Vianne se serait assise à côté de son amie pour lui prendre la main et la laisser pleurer. Ou la serrer dans ses bras. Ou parler. Ou ne rien dire. Vianne aurait remué ciel et terre pour offrir à Rachel ce dont elle avait besoin ; mais elle ne pouvait faire cela maintenant. C'était un autre coup terrible dans tout ça : elles ne pouvaient même pas prendre le temps de pleurer la mort de Sarah.

Vianne devait être forte pour Rachel.

— Il faut qu'on l'enterre, dit Vianne avec autant de douceur qu'elle put.

— Elle déteste être dans le noir.

— Ma maman sera avec elle, répondit Vianne. Et la tienne. Il faut que tu ailles dans le cellier avec Ari. Que vous vous cachiez. Je vais m'occuper de Sarah.

— Comment ?

Vianne savait que Rachel ne lui demandait pas comment se cacher dans la grange ; elle lui demandait comment vivre après une perte comme celle-ci, comment prendre un enfant dans ses bras et laisser partir l'autre, comment continuer à respirer après avoir murmuré « au revoir ».

— Je ne peux pas la laisser.

— Il le faut. Pour Ari.

Vianne se leva lentement et attendit.

Rachel prit une inspiration chevrotante comme un moteur épuisé et se pencha en avant pour embrasser la joue de Sarah.

— Je t'aimerai toujours, chuchota-t-elle.

Puis elle se leva enfin. Elle se baissa vers Ari, le prit dans ses bras et le serra si fort qu'il se remit à pleurer.

Vianne prit la main de son amie et l'emmena dans la grange.

— Je reviendrai vous chercher dès que vous serez hors de danger.

— Hors de danger, répéta Rachel d'une voix morne en regardant par la porte ouverte de la grange.

Vianne déplaça la voiture et ouvrit la trappe.

— Il y a une lanterne en bas. Et de la nourriture.

Tout en tenant Ari contre elle, Rachel descendit à l'échelle et disparut dans l'obscurité. Vianne referma la trappe, remit la voiture en place puis se rendit près du lilas que sa mère avait planté trente ans plus tôt. Il s'était développé en hauteur et en largeur le long du mur. Sous cet arbuste, presque perdues dans la végétation estivale, se trouvaient trois petites croix blanches. Deux pour les fausses couches qu'elle avait

414

faites et une pour le fils qui avait vécu moins d'une semaine.

Rachel avait été là à ses côtés chaque fois qu'ils avaient enterré un de ses garçons. À présent, Vianne était là pour enterrer la fille de sa meilleure amie. La meilleure amie de sa fille. Quelle sorte de Dieu bienveillant pouvait permettre une telle chose ?

23

Dans les derniers moments avant l'aube, Vianne s'assit près du monceau de terre fraîchement retournée. Elle avait envie de prier, mais sa foi lui semblait bien loin, un vestige de la vie d'une autre femme.

Lentement, elle se leva.

Tandis que le ciel devenait bleu lavande et rose – ironiquement beau –, elle se rendit dans son arrière-cour, où les poulets gloussèrent et battirent des ailes devant cette visite inattendue. Elle ôta ses vêtements tachés de sang, les laissa en tas au sol et se débarbouilla à la pompe. Puis elle prit une chemise de nuit en lin sur la corde à linge, l'enfila et rentra dans la maison.

Elle était exténuée, vidée, mais il lui était impossible de se reposer. Elle alluma une lampe à huile et s'assit sur le divan. Elle ferma les yeux et essaya d'imaginer Antoine à côté d'elle. Que lui dirait-elle maintenant ? *Je ne sais plus ce qu'il faut faire. Je veux protéger Sophie, la préserver du danger, mais à quoi bon être en sécurité si elle doit grandir dans un monde où les gens disparaissent sans laisser de traces parce qu'ils prient un dieu différent ? Si l'on m'arrête…*

La porte de la chambre d'amis s'ouvrit. Vianne entendit Beck venir vers elle. Il était vêtu de son uniforme et rasé de frais, et elle sut d'instinct qu'il avait attendu son retour. Et qu'il s'était inquiété pour elle.

— Vous êtes rentrée.

Elle eut la certitude qu'il remarqua des traces de sang ou de terre quelque part sur elle, sur sa tempe ou sur le dos de sa main. Il y eut un moment de flottement presque imperceptible ; elle savait qu'il attendait qu'elle le regarde, qu'elle raconte ce qui s'était passé, mais elle resta immobile. Si elle avait ouvert la bouche, elle se serait peut-être mise à hurler. Ou si elle l'avait regardé, elle aurait peut-être pleuré ou exigé de savoir comment il était possible que des enfants puissent être abattus sans raison.

— Maman ? fit Sophie en arrivant dans la pièce. Tu n'étais pas dans le lit quand je me suis réveillée, dit-elle. J'ai eu peur.

Vianne joignit les mains sur ses genoux.

— Je suis désolée, Sophie.

— Bon, fit Beck. Je dois partir. Au revoir.

Dès que la porte se ferma derrière lui, Sophie s'approcha. Elle avait les yeux un peu troubles. Elle était fatiguée.

— Tu me fais peur, maman. Quelque chose ne va pas ?

Vianne ferma les yeux. Elle allait devoir annoncer l'affreuse nouvelle à sa fille, et ensuite ? Elle la prendrait dans ses bras, lui caresserait la tête, la laisserait pleurer, et elle devrait être forte. Elle en avait assez d'être forte.

— Viens, Sophie, dit-elle en se levant. Allons essayer de dormir un peu plus.

*

L'après-midi, en ville, Vianne s'attendit à voir des soldats se rassembler, fusil en main, des fourgons de police garés sur la place principale, des chiens tirant sur leur laisse, des officiers SS habillés en noir ; quelque chose qui annonçait des ennuis en perspective.

Mais il n'y avait rien d'inhabituel.

Sophie et elle passèrent la journée à Carriveau, à faire la queue ici et là, bien que Vianne sût que c'était une perte de temps, à aller de rue en rue. Au début, Sophie parlait sans cesse. Vianne y prêtait à peine attention. Comment pouvait-elle se concentrer sur une conversation normale alors que Rachel et Ari étaient cachés dans son cellier et que Sarah était morte ?

— On peut rentrer maintenant, maman ? demanda Sophie peu avant 15 heures. Il n'y a plus rien dans les magasins. On perd notre temps.

Beck avait dû se tromper. Ou peut-être faisait-il simplement preuve d'une prudence excessive.

Les Allemands n'allaient tout de même pas rafler les juifs à cette heure-là. Tout le monde savait que les arrestations n'avaient jamais lieu à l'heure des repas. Les nazis étaient bien trop ponctuels et organisés pour cela – et ils aimaient trop la nourriture et le vin français.

— D'accord, Sophie. On peut rentrer.

Sur le chemin du retour, Vianne restait sur le qui-vive, mais il y avait encore moins de monde que d'habitude sur la route. L'aérodrome était calme.

— Est-ce que Sarah peut venir à la maison ? demanda Sophie alors que Vianne ouvrait délicatement le portail cassé.

Sarah.

Vianne regarda Sophie.

— Tu as l'air triste, dit sa fille.

— Je suis triste, répondit doucement Vianne.

— Tu penses à papa ?

Vianne prit une profonde inspiration et souffla. Puis elle dit gentiment « Viens avec moi » et emmena Sophie sous le pommier où elles s'assirent.

— Tu me fais peur, maman.

Vianne savait qu'elle s'y prenait déjà mal, mais elle ne voyait absolument pas comment s'en sortir. Sophie était trop grande pour des mensonges et trop petite pour connaître toute la vérité. Vianne ne pouvait pas lui dire que Sarah avait été tuée en essayant de franchir la frontière. Sophie pourrait dire ce qu'il ne fallait pas à la mauvaise personne.

— Maman ?

Vianne prit le visage émacié de Sophie dans ses mains.

— Sarah est morte la nuit dernière, annonça-t-elle avec douceur.

— Morte ? Elle n'était pas malade.

Vianne s'arma de courage.

— Ça arrive comme ça, parfois. Dieu nous rappelle subitement à Lui. Elle est partie au Ciel. Pour être avec sa grand-mère, et avec la tienne.

Sophie s'écarta de sa mère, se leva, recula.

— Tu me prends pour une imbécile ?

— Qu… qu'est-ce que tu veux dire ?

— Elle est juive.

Vianne fut horrifiée par ce qu'elle lut alors dans les yeux de sa fille. Son regard n'avait plus rien de celui d'une enfant – ni innocence, ni naïveté, ni espoir. Pas même du chagrin. Juste de la colère.

Une meilleure mère aurait transformé cette colère en tristesse puis, enfin, en cette sorte de souvenir d'amour que l'on peut supporter, mais Vianne était trop vidée pour être une bonne mère à cet instant. Elle ne trouvait rien à dire qui ne fût mensonger ou inutile.

Elle arracha une des manchettes en dentelle de son chemisier.

— Tu vois ce morceau de tissu rouge sur la branche au-dessus de nos têtes ?

Sophie leva les yeux. Le tissu avait perdu un peu de sa couleur, mais il contrastait toujours avec les branches marron, les feuilles vertes et les pommes pas encore mûres. Sophie hocha la tête.

— Je l'ai accroché là pour me souvenir de ton papa. Pourquoi tu n'en mettrais pas un pour Sarah ? Et on pensera à elle chaque fois qu'on sera dehors.

— Mais papa n'est pas mort ! s'écria Sophie. Est-ce que tu me mens ?

— Non. Non. Nous devons nous souvenir des absents autant que des défunts, non ?

Sophie prit le fin morceau de dentelle ondulé dans sa main. Paraissant assez peu solide sur ses jambes, elle l'attacha à la même branche.

Vianne mourait d'envie que Sophie revienne, se tourne vers elle, se réfugie dans ses bras, mais elle resta là à regarder le bout de dentelle, les yeux luisants de larmes.

— Ce ne sera pas toujours comme ça, fut tout ce que Vianne réussit à dire.

— Je ne te crois pas.

Sophie la regarda enfin.

— Je vais faire une sieste.

Vianne ne put qu'acquiescer. En temps normal, elle aurait été anéantie par cette tension entre sa fille et elle, submergée par un sentiment d'échec. Mais à cet instant, elle soupira simplement et se leva. Elle frotta sa jupe pour retirer les herbes accrochées et se dirigea vers la grange. Une fois dedans, elle avança la Renault et ouvrit la porte du cellier.

— Rach ? C'est moi.

— Dieu merci, fit une voix chuchotante dans l'obscurité.

Rachel grimpa à l'échelle grinçante et émergea dans la lumière poussiéreuse avec Ari dans les bras.

— Qu'est-ce qui s'est passé ? demanda Rachel d'une voix lasse.

— Rien.

— Rien ?

— Je suis allée en ville. Tout semble normal. Peut-être que Beck a été trop prudent, mais je pense que tu devrais rester une nuit de plus ici.

Rachel avait les traits tirés, l'air épuisé.

— J'ai besoin de langes. Et d'un bain rapide. Ari et moi sentons mauvais.

Le bambin se mit à pleurer. Sa mère dégagea ses boucles humides de son front moite et lui murmura quelques mots d'une voix mélodieuse.

Ils sortirent de la grange et se dirigèrent vers la maison de Rachel.

Elles étaient presque à la porte d'entrée quand une voiture de police française se gara devant le portail. Paul descendit de la voiture et entra dans le jardin, son fusil en main.

— Êtes-vous Rachel de Champlain ? demanda-t-il.

Rachel fronça les sourcils.

— Vous savez bien que c'est moi.

— Vous allez être déportée. Venez avec moi.

Rachel serra Ari dans ses bras.

— Ne prenez pas mon fils…

— Il n'est pas sur la liste, dit Paul.

Vianne saisit la manche du policier.

— Vous ne pouvez pas faire ça, Paul. Elle est française !

— Elle est juive, dit-il, puis il braqua son fusil sur Rachel. En avant.

Rachel commença à protester, mais Paul la fit taire ; il la prit par le bras, la tira jusqu'à la route et la força à s'asseoir sur la banquette arrière de son automobile.

Vianne eut d'abord l'intention de rester où elle était – en sécurité –, mais elle se mit tout à coup à courir à côté de la voiture et à taper sur le capot en suppliant qu'on la laisse monter. Paul donna un gros coup de frein, la laissa prendre place à l'arrière, puis il écrasa l'accélérateur.

— Descends, dit Rachel quand ils passèrent devant le Jardin. Tu ne devrais pas être là.

— Personne ne devrait être là, répliqua Vianne.

Même une semaine plus tôt, elle aurait sans doute laissé Rachel partir seule. Elle aurait sans doute rebroussé chemin – à contrecœur, certes, et avec un sentiment de culpabilité, assurément –, mais elle se serait dit que protéger Sophie était plus important que toute autre chose.

La nuit passée l'avait changée. Elle se sentait toujours fragile et effrayée, peut-être plus encore, mais elle était aussi en colère désormais.

En ville, une dizaine de rues étaient barricadées. Il y avait des fourgons de police partout, qui déversaient des flots de gens portant des étoiles jaunes sur la poitrine, que des agents menaient en troupeau vers la gare où des wagons à bestiaux attendaient. Ces juifs se comptaient par centaines, et devaient venir de toutes les communes du secteur.

Paul se gara et ouvrit les portières de la voiture. Vianne, Rachel et Ari se mêlèrent à la foule de femmes, d'enfants et de vieillards juifs qui se dirigeaient vers le quai.

Un train attendait, envoyant des bouffées de fumée noire dans l'air déjà chaud. Deux soldats allemands se trouvaient sur le quai. L'un d'eux était Beck. Il avait un fouet à la main. Un *fouet*.

Mais c'était la police française qui était en charge de la rafle ; les agents forçaient les gens à former des files et les poussaient à bord des wagons. Les hommes montaient dans un, les femmes et les enfants dans l'autre.

Devant Rachel et Vianne, une femme avec un bébé tenta de s'enfuir. Un gendarme lui tira dans le dos. Elle tomba à terre, morte sur le coup ; le bébé roula jusqu'aux bottes du gendarme qui tenait le pistolet encore fumant.

Rachel s'arrêta et se tourna vers Vianne.

— Prends mon fils, chuchota-t-elle.

La foule les bouscula.

— Prends-le. Sauve-le, supplia Rachel.

Vianne n'hésita pas. Elle savait désormais que personne ne pouvait être neutre – plus maintenant –, et aussi effrayée fût-elle à l'idée de mettre en danger la vie de Sophie, elle le fut soudain davantage à l'idée de

laisser sa fille grandir dans un monde où les gens bien
ne faisaient rien pour empêcher le mal, où une femme
bien pouvait tourner le dos à une amie dans le besoin.
Elle prit le bambin dans ses bras.

— Vous !

Un gendarme donna un coup si violent dans l'épaule
de Rachel avec la crosse de son fusil qu'elle chancela.

— Avancez !

Rachel regarda Vianne, et son regard exprima tout
ce qui faisait leur amitié : les secrets qu'elles avaient
partagés, les promesses faites et tenues, les rêves pour
leurs enfants qui les liaient aussi étroitement que deux
sœurs.

— Va-t'en ! cria Rachel d'une voix rauque. Pars !

Vianne recula. En un clin d'œil, elle fit demi-tour et
commença à se frayer un chemin à travers la foule et
à s'éloigner du quai, des soldats et des chiens, à s'éloigner de l'odeur de peur, du claquement des fouets, des
gémissements des femmes et des pleurs des bébés. Elle
ne se permit pas de ralentir avant d'être arrivée au bout
du quai. Là, serrant Ari dans ses bras, elle se retourna.

Rachel était debout dans l'ouverture noire et béante
d'un wagon à bestiaux, le visage et les mains encore
tachés du sang de sa fille. Elle scruta la foule, vit Vianne
et leva la main en l'air, puis elle disparut, poussée par
les femmes qui montaient autour d'elle. La porte du
wagon se ferma bruyamment.

*

Vianne s'effondra sur le divan. Ari pleurait de
manière incontrôlable ; son lange était mouillé et il

sentait l'urine. Il fallait qu'elle se lève, qu'elle s'occupe de lui, qu'elle fasse quelque chose, mais elle ne pouvait pas bouger. Elle se sentait écrasée, étouffée par le chagrin.

Sophie arriva dans le salon.

— Pourquoi as-tu Ari ? demanda-t-elle d'une petite voix apeurée. Où est Mme de Champlain ?

— Elle est partie, répondit Vianne.

Elle n'avait pas la force d'inventer un mensonge, et à quoi cela aurait-il servi de toute façon ?

Il lui était impossible de protéger sa fille de tout le mal qui les entourait.

Impossible.

Sophie allait grandir en en sachant trop. En sachant ce qu'était la peur, la perte d'un proche et sans doute la haine.

— Rachel est née en Roumanie, expliqua Vianne d'une voix tendue. Voilà, avec le fait d'être juive, quel est son crime. Le gouvernement de Vichy se fiche qu'elle ait vécu vingt-cinq ans en France et qu'elle ait épousé un Français qui s'est battu pour la France. Elle a donc été déportée.

— Où vont-ils l'emmener ?

— Je ne sais pas.

— Est-ce qu'elle va revenir après la guerre ?

Oui. Non. Je l'espère. Quelle réponse donnerait une bonne mère ?

— Je l'espère.

— Et Ari ? demanda Sophie.

— Il va rester avec nous. Il n'était pas sur la liste. Je suppose que notre gouvernement croit que les enfants peuvent se débrouiller tout seuls.

— Mais maman, qu'est-ce qu'on va…

— Faire ? Qu'est-ce qu'on va *faire* ? Je n'en ai aucune idée, dit-elle avec un soupir. Pour l'instant, tu surveilles le bébé. Je vais aller chercher son berceau et ses vêtements à côté.

Vianne était presque à la porte quand Sophie lui lança :

— Et le capitaine Beck ?

Vianne s'arrêta net. Elle se rappela l'avoir vu sur le quai avec un fouet à la main ; un fouet qu'il faisait claquer pour presser femmes et enfants de monter dans le wagon à bestiaux.

— Oui, dit-elle. Et le capitaine Beck ?

*

Vianne lava ses vêtements ensanglantés et les mit à sécher dans l'arrière-cour, en s'efforçant de ne pas prêter attention à la couleur rouge de l'eau savonneuse quand elle la répandit dans l'herbe. Elle prépara le dîner de Sophie et Ari (que cuisina-t-elle ? Elle ne s'en souvenait plus) et les coucha, mais une fois qu'il n'y eut plus un bruit et qu'il fit noir dans la maison, elle ne put refouler ses émotions. Elle était furieuse – à en hurler – et effondrée.

Elle ne pouvait supporter de constater à quel point ses pensées étaient sombres et affreuses, à quel point sa colère et sa tristesse étaient immenses. Elle déchira la jolie dentelle à son col et sortit d'un pas chancelant, se rappelant le jour où Rachel lui avait offert ce corsage. Trois ans plus tôt.

C'est ce que tout le monde porte à Paris.

426

Les pommiers étendaient leurs bras au-dessus d'elle. Elle dut s'y reprendre à deux fois pour attacher le morceau de tissu à la branche noueuse entre ceux d'Antoine et de Sarah, puis quand elle y fut parvenue, elle recula.

Sarah.

Rachel.

Antoine.

Les taches de couleur se troublèrent ; elle se rendit alors compte qu'elle pleurait.

— Pitié, Seigneur, commença-t-elle à prier en regardant les morceaux de tissu et de dentelle noués à cette branche, séparés par des pommes.

Mais à quoi bon prier maintenant que les êtres qui lui étaient chers n'étaient plus là ?

Elle entendit une moto arriver par la route et se garer devant le Jardin.

Quelques instants plus tard :

— Madame ?

Elle se retourna pour lui faire face.

— Où est votre fouet, Herr Capitaine ?

— Vous étiez là ?

— Quel effet est-ce que ça fait de fouetter une Française ?

— Vous ne pouvez pas penser que je ferais ça, madame. Ça me rend malade.

— Et pourtant vous étiez là.

— Vous aussi. Cette guerre nous mène tous là où nous ne voulons pas être.

— C'est moins vrai pour vous, les Allemands.

— J'ai essayé de l'aider, dit-il.

À cette remarque, Vianne sentit sa rage s'estomper, et son chagrin revenir. Il avait *essayé* de sauver Rachel.

Si seulement elles l'avaient écouté et que son amie était restée cachée plus longtemps. Vianne vacilla sur ses jambes. Beck lui prit le bras et la retint.

— Vous m'aviez dit de la cacher le matin. Elle a passé des heures dans cet affreux cellier. L'après-midi, je me suis dit... tout semblait normal.

— Von Richter a modifié les horaires. Il y a eu un problème avec les trains.

Les trains.

Rachel qui lui faisait au revoir de la main.

Vianne le regarda.

— Où les emmènent-ils ?

C'était la toute première question qu'elle lui posait sans détour.

— Dans un camp de travail en Allemagne.

— Je l'ai cachée pendant des heures, répéta Vianne, comme si cela avait de l'importance maintenant.

— Ce n'est plus la Wehrmacht qui commande. C'est la Gestapo et les SS. Ce sont plus... des brutes que des soldats.

— Pourquoi étiez-vous là-bas ?

— J'obéissais aux ordres. Où sont ses enfants ?

— Vos collègues allemands ont tué Sarah, ils lui ont tiré dans le dos au poste-frontière.

— *Mein Gott*, dit-il entre ses dents.

— J'ai son fils. Pourquoi Ari n'était-il pas sur la liste ?

— Il est né en France et il a moins de quatorze ans. Ils ne déportent pas les juifs français.

Il la regarda.

— Pas encore.

Vianne retint son souffle.

— Vont-ils venir chercher Ari ?

— Je crois qu'ils vont bientôt déporter tous les juifs, peu importe leur âge et leur pays de naissance. Et quand ils feront cela, il va devenir dangereux d'abriter un juif chez soi, quel qu'il soit.

— Des enfants, déportés. Seuls.

Une telle atrocité était impensable, même après ce qu'elle avait déjà vu.

— J'ai promis à Rachel que je le protégerais. Allez-vous me dénoncer ? demanda-t-elle.

— Je ne suis pas un monstre, Vianne.

C'était la première fois qu'il l'appelait par son prénom.

Il s'approcha.

— Je veux vous protéger.

C'était la pire chose qu'il pouvait dire. Elle s'était sentie seule pendant des années, mais à présent elle *était* véritablement seule.

Il lui toucha le bras, presque une caresse, qu'elle ressentit dans tout son corps comme une décharge électrique. Incapable de se retenir, elle le regarda.

Il était tout près d'elle, ses lèvres presque contre celles de Vianne. Au moindre encouragement de la part de celle-ci – un souffle, un signe de tête, un effleurement –, il franchirait ce dernier espace qui les séparait. Pendant un instant, elle oublia qui elle était et ce qui s'était passé ce jour-là ; elle rêvait que quelqu'un l'apaise, elle rêvait d'oublier. Elle se pencha à peine en avant, juste assez pour sentir son haleine, percevoir son souffle sur ses lèvres, puis elle se souvint – tout à coup, dans un élan de colère – et le repoussa, ce qui le fit trébucher en arrière.

Elle se frotta les lèvres, comme si elles avaient touché celles de Beck.

— Nous ne pouvons pas, dit-elle.

— Bien sûr que non.

Mais lorsqu'il la regarda – et qu'elle le regarda –, ils surent tous les deux qu'il existait quelque chose de pire que d'embrasser la mauvaise personne.

C'était d'en avoir envie.

L'été s'acheva. Les chaudes journées ensoleillées cédèrent la place à des ciels lavés et à la pluie. Isabelle était si concentrée sur son programme d'évasion qu'elle remarqua à peine ces changements météorologiques.

Par un après-midi frais d'octobre, elle descendit du wagon et se mêla à la foule de passagers, un bouquet de fleurs d'automne à la main.

Elle parcourut le boulevard embouteillé de voitures allemandes qui donnaient de puissants coups de klaxon. Des soldats marchaient d'un pas confiant parmi les Parisiens à l'air effrayé et triste. Des drapeaux ornés de croix gammées battaient dans le vent. Elle descendit rapidement les marches du métro.

Le couloir était gorgé de monde et ses murs couverts d'affiches de propagande nazie qui diabolisaient les Britanniques et les juifs et présentaient le Führer comme la réponse à tous les problèmes.

Tout à coup, une alerte aérienne se mit à hurler. L'électricité se coupa subitement, plongeant tout le monde dans le noir. Isabelle entendit des gens qui grommelaient, des bébés qui pleuraient, des vieux messieurs qui toussaient. Puis elle reconnut au loin le bruit sourd d'explosions. C'était sans doute Boulogne-Billancourt

– à nouveau –, et pourquoi pas ? Renault fabriquait des camions pour les Allemands.

Quand le signal de fin d'alerte résonna enfin, personne ne bougea jusqu'à ce que, au bout de quelques instants, l'électricité et la lumière reviennent.

Isabelle était presque dans la rame quand un sifflet retentit.

Elle s'immobilisa. Des soldats nazis, accompagnés de collaborateurs français, parcouraient le quai en parlant entre eux, désignaient des gens du doigt, les tiraient de côté et les forçaient à se mettre à genoux.

Un fusil apparut devant Isabelle.

— Papiers, exigea l'Allemand.

Isabelle serra les fleurs dans une main et fouilla nerveusement dans son sac de l'autre. Elle avait un message pour Anouk enveloppé dans le bouquet. Ce contrôle n'était bien sûr pas inattendu. Depuis que les Alliés avaient commencé à cumuler les succès en Afrique du Nord, les Allemands arrêtaient sans cesse des gens pour leur demander leurs papiers. Dans les rues, les magasins, les gares, les églises. Personne n'était à l'abri, où qu'il se trouve. Isabelle lui tendit sa fausse carte d'identité.

— J'ai rendez-vous avec une amie de ma mère pour le déjeuner.

Un Français arriva près de l'Allemand et examina attentivement les papiers. Il secoua la tête, et l'Allemand rendit sa carte à Isabelle en lui disant :

— Circulez.

Avec un sourire furtif, Isabelle hocha la tête en guise de merci, se précipita vers le métro et parvint à se glisser dans une rame juste avant que les portes se referment.

Lorsqu'elle en ressortit un peu plus tard dans le VIᵉ arrondissement, elle avait retrouvé son calme. Un brouillard humide enveloppait les rues, voilant les immeubles et les péniches qui voguaient lentement sur la Seine. Cette brume amplifiait les sons, les rendait étranges. Quelque part, un ballon rebondissait (sans doute de jeunes garçons qui jouaient dans la rue). La sirène d'une des péniches retentit et le bruit persista.

Dans l'avenue, elle tourna et entra dans un bistrot – l'un des rares dont les lumières étaient allumées. Un vent désagréable agitait l'auvent. Elle passa parmi les tables libres et se rendit au comptoir extérieur, où elle commanda un café au lait (qui ne contenait ni café ni lait, évidemment).

— Juliette ? C'est toi ?

Isabelle vit Anouk et sourit.

— Gabrielle. Comme ça me fait plaisir de te voir ! fit Isabelle en donnant les fleurs à Anouk.

Celle-ci commanda un café. Tandis qu'elles sirotaient leurs cafés dans le froid glacial, Anouk dit :

— J'ai parlé avec mon oncle Henri, hier. Tu lui manques.

— Est-ce qu'il est souffrant ?

— Non. Non. Bien au contraire. Il organise une fête mardi soir prochain. Il m'a demandé de te transmettre l'invitation.

— Dois-je lui apporter un cadeau de ta part ?

— Non, mais une lettre, ce serait gentil. Tiens, je l'ai ici toute prête pour toi.

Isabelle prit la lettre et la glissa dans la doublure de son sac à main.

433

Anouk la regarda. Elle avait les yeux cernés. De nouvelles rides avaient commencé à plisser ses joues et son front. Cette vie dans l'ombre commençait à laisser des traces sur elle.

— Tout va bien, mon amie ? demanda Isabelle.

Anouk eut un sourire fatigué mais sincère.

— Oui.

Elle marqua une pause.

— J'ai vu Gaëtan hier soir. Il sera à la réunion à Carriveau.

— Pourquoi me dis-tu cela ?

— Isabelle, tu es la personne la plus transparente que j'aie jamais rencontrée. On peut lire chacune de tes pensées et de tes émotions dans tes yeux. N'as-tu pas conscience du nombre de fois où tu m'as parlé de lui ?

— Vraiment. Je pensais l'avoir pourtant bien caché.

— Mais ça fait plaisir à voir, en fait. Ça me rappelle ce pour quoi on se bat. Des choses simples : une fille et un garçon et leur avenir.

Elle embrassa Isabelle sur les joues. Puis elle lui dit à l'oreille :

— Il parle de toi aussi.

*

Par chance pour Isabelle, il pleuvait à Carriveau en cette journée de fin octobre.

Personne ne prêtait attention à qui que ce soit par un temps pareil, pas même les Allemands. Elle mit sa capuche et tint son manteau fermé jusqu'au menton ; malgré cela, la pluie lui fouetta le visage et s'immisça en coulées froides le long de son cou lorsqu'elle descendit son vélo du train et parcourut le quai en le poussant.

À la périphérie de la ville, elle l'enfourcha. Choisissant une ruelle moins passante, elle entra dans Carriveau et évita la place principale. Par un jour d'automne pluvieux comme celui-ci, il y avait peu de gens dehors, mis à part les femmes et les enfants qui faisaient la queue devant les magasins, leurs manteaux et chapeaux dégoulinant. Les Allemands étaient pour la plupart à l'intérieur.

Quand elle arriva à l'hôtel Bellevue, elle était épuisée. Elle descendit de son vélo, l'attacha à un réverbère et entra.

Une cloche retentit au-dessus de sa tête, annonçant son arrivée aux soldats allemands qui étaient assis dans le hall en train de boire leur café de l'après-midi.

— Mademoiselle, dit l'un des officiers en prenant un pain au chocolat feuilleté et doré. Vous êtes trempée jusqu'à l'os.

— Ces Français, ils ne savent pas qu'il faut éviter la pluie.

Cette remarque les fit rire.

Isabelle continua de sourire quand elle passa devant eux. À la réception de l'hôtel, elle donna un coup de sonnette.

Henri sortit de la cuisine chargé d'un plateau de cafés. Il la vit et hocha la tête.

— Un instant, madame, dit-il en passant près d'elle avec adresse pour porter le plateau à la table où deux agents SS étaient assis telles des araignées dans leurs uniformes noirs.

Quand Henri revint à la réception, il dit :

— Madame Gervaise, bienvenue. Content de vous revoir. Votre chambre est prête, bien sûr. Si vous voulez bien me suivre…

Elle acquiesça de la tête et suivit Henri dans l'étroit couloir puis dans l'escalier jusqu'au deuxième étage. Là, il enfonça un passe-partout dans une serrure, le tourna et ouvrit la porte pour révéler une petite chambre meublée d'un lit simple, d'une table de chevet et d'une lampe. Il la fit entrer, ferma la porte d'un coup de pied et la prit dans ses bras.

— Isabelle. Ça me fait plaisir de te voir.

Il la lâcha et recula.

— Avec ce qui s'est passé à Romainville… j'étais inquiet.

Isabelle abaissa sa capuche mouillée.

— Oui.

Au cours des deux derniers mois, les nazis avaient sévi contre ce qu'ils appelaient les « saboteurs » et les « résistants ». Ils avaient finalement commencé à voir le rôle que les femmes jouaient dans la guerre et avaient emprisonné plus de deux cents Françaises au fort de Romainville.

Elle déboutonna son manteau et le pendit au montant du lit. Puis elle fouilla dans la doublure et en sortit une enveloppe qu'elle tendit à Henri.

— Tiens, dit-elle en lui donnant l'argent fourni par le MI9.

L'hôtel d'Henri était une des caches clés de leur groupe. Isabelle se délectait à l'idée qu'ils hébergeaient des Britanniques, des Américains et des résistants juste sous le nez des nazis. Ce soir-là, elle serait l'occupante dans cette toute petite chambre.

Elle tira une chaise de derrière un secrétaire éraflé et s'assit.

— La réunion est prévue pour ce soir ?

— À 23 heures. Dans la grange abandonnée de la ferme d'Angeler.

— C'est à quel sujet ?

— Je ne suis pas au courant.

Il s'assit au bout du lit. Elle vit à son expression qu'il s'apprêtait à devenir sérieux et elle grogna.

— J'ai entendu dire que les nazis veulent à tout prix trouver le Rossignol. Il paraît qu'ils essaient d'infiltrer le dispositif d'évasion.

— Je sais, Henri, dit-elle en haussant un sourcil. J'espère que tu ne vas pas me dire que c'est dangereux.

— Tu y vas trop souvent, Isabelle. Combien de fois as-tu fait le trajet ?

— Vingt-quatre.

Henri secoua la tête.

— Pas étonnant qu'ils soient prêts à tout pour te trouver. On a entendu parler d'un autre dispositif d'évasion, via Marseille et Perpignan, qui fonctionne bien aussi. Il va y avoir des problèmes, Isabelle.

Elle fut surprise de constater comme l'inquiétude d'Henri la touchait et comme ça lui faisait plaisir d'entendre son vrai prénom. C'était agréable de redevenir Isabelle Rossignol, même si ce n'était que pour quelques instants, et d'être avec quelqu'un qui la connaissait. Elle passait une si grande partie de sa vie dans des caches avec des inconnus ou sur les routes…

Cependant, elle ne voyait aucune raison de parler de cela. Le dispositif d'évasion était très précieux et méritait les risques qu'ils prenaient.

437

— Tu veilles bien sur ma sœur, n'est-ce pas ?

— Oui.

— Le nazi cantonne toujours chez elle ?

Le regard d'Henri se déroba au sien.

— Qu'y a-t-il ?

— Vianne a perdu son poste d'institutrice il y a quelque temps.

— Pourquoi ? Ses élèves l'adorent. C'est une excellente enseignante.

— On raconte qu'elle a posé des questions à un agent de la Gestapo.

— Ça ne ressemble pas à Vianne. Alors elle n'a plus de revenus. De quoi est-ce qu'elle vit ?

Henri parut mal à l'aise.

— Des ragots circulent.

— Des ragots ?

— À propos d'elle et du nazi.

*

Durant tout l'été, Vianne avait caché le fils de Rachel au Jardin. Elle avait veillé à ne jamais se risquer à sortir avec lui, pas même pour jardiner. Sans papiers, elle ne pouvait le faire passer pour quelqu'un d'autre qu'Ariel de Champlain. Elle devait donc laisser Sophie à la maison avec le petit, si bien que chaque sortie en ville constituait un moment d'angoisse toujours trop long. Elle racontait à toutes les personnes auxquelles elle pensait – commerçants, bonnes sœurs, villageois – que Rachel avait été déportée avec ses deux enfants.

C'était tout ce qu'elle avait trouvé.

Ce jour-là, après plusieurs longues et pénibles heures passées à faire la queue pour s'entendre finalement dire qu'il ne restait plus rien, Vianne quitta la ville démoralisée. On parlait de nouvelles déportations, de nouvelles rafles dans toute la France. Des milliers de juifs français étaient détenus dans des camps d'internement.

Une fois à la maison, elle suspendit son manteau trempé à un crochet extérieur près de la porte d'entrée. Elle n'espérait pas vraiment qu'il sèche d'ici le lendemain, mais au moins il ne dégoulinerait pas partout sur le sol. Elle retira ses bottes en caoutchouc boueuses et entra. Comme d'habitude, Sophie l'attendait debout près de la porte.

— Je vais bien, indiqua Vianne.

Sophie hocha gravement la tête.

— Nous aussi.

— Peux-tu donner un bain à Ari pendant que je prépare le dîner ?

Sophie prit Ari dans ses bras et quitta la pièce.

Vianne déroula le foulard qu'elle avait dans les cheveux et le suspendit. Puis elle posa son panier dans l'évier pour qu'il sèche et descendit dans le garde-manger où elle choisit une saucisse, quelques pommes de terre chétives et molles et des oignons.

De retour dans la cuisine, elle alluma le poêle et préchauffa son poêlon en fonte noir. Y versant une précieuse goutte d'huile, elle fit dorer la saucisse.

Les yeux rivés sur le morceau de viande, Vianne le coupa en morceaux avec sa cuiller en bois et le regarda virer du rose au gris puis à un beau brun croustillant. Quand la saucisse fut suffisamment grillée, elle ajouta les pommes de terre en cubes, les oignons émincés et de l'ail. Ce dernier crépita, dora et libéra ses arômes dans l'air.

— Quelle odeur délicieuse !

— Herr Capitaine, dit doucement Vianne. Je n'ai pas entendu votre moto.

— Mlle Sophie m'a ouvert la porte.

Elle baissa le feu sur le poêle et couvrit le poêlon puis lui fit face. Suivant un accord tacite, tous deux faisaient comme si cette soirée dans le verger n'avait jamais eu lieu. Aucun n'en avait parlé, cependant son souvenir planait entre eux à chaque instant.

Les choses avaient changé ce soir-là, de manière subtile. Il dînait désormais avec eux presque tous les soirs ; essentiellement de la nourriture qu'il rapportait – jamais en grande quantité, juste une tranche de jambon, un sachet de farine ou quelques saucisses. Il parlait ouvertement de sa femme et de ses enfants, et elle parlait d'Antoine. Toutes leurs paroles avaient pour but de renforcer un mur dans lequel une brèche s'était déjà ouverte. Il proposait sans cesse – et très gentiment – d'expédier les colis de Vianne pour Antoine, qu'elle remplissait avec toutes les petites choses dont elle pouvait se passer : de vieux gants d'hiver trop grands, des cigarettes que Beck laissait traîner, un précieux pot de confiture.

Vianne faisait en sorte de ne jamais être seule avec Beck. C'était le plus gros changement. Elle ne sortait pas dans la cour le soir et allait se coucher en même temps que Sophie. Elle se méfiait trop d'elle-même pour rester seule avec lui.

— J'ai un cadeau pour vous, dit-il.

Il lui tendit des papiers d'identité. Un certificat de naissance pour un bébé né en juin 1939 d'Étienne et Aimée Mauriac. Un garçon dénommé Daniel Antoine Mauriac.

Vianne regarda Beck. Lui avait-elle dit qu'Antoine et elle avaient voulu prénommer leur fils Daniel ? Certainement, bien qu'elle ne s'en souvînt pas.

— C'est devenu dangereux d'abriter des enfants juifs chez soi. Ou ça le sera très bientôt.

— Vous avez pris un tel risque pour lui. Pour nous.

— Pour vous, dit-il à voix basse. Et ce sont de faux papiers, madame. Souvenez-vous-en. Prévus pour que vous racontiez que vous l'avez adopté d'un parent.

— Je ne dirai jamais qu'ils me viennent de vous.

— Ce n'est pas pour moi que je m'inquiète, madame. Ari doit immédiatement devenir Daniel. Totalement. Et vous devez être extrêmement prudente. Les agents de la Gestapo et les SS sont… des brutes. Les victoires des Alliés en Afrique nous déstabilisent fortement. Et cette Solution finale pour les juifs… c'est un mal incompréhensible. Je…

Il marqua une pause et la regarda.

— Je veux vous protéger.

— Vous l'avez fait, dit-elle en le regardant à son tour.

Il s'approcha d'elle, et elle de lui, même si elle savait que c'était une erreur.

Sophie arriva en courant dans la cuisine.

— Ari a faim, maman. Il n'arrête pas de se plaindre.

Beck s'arrêta. Il tendit la main – et effleura son bras – pour prendre une fourchette sur le plan de travail. Puis il piqua un morceau parfait de saucisse, un cube de pomme de terre doré et croustillant et un bout d'oignon caramélisé.

Il dévisagea Vianne en mangeant. Il était si près d'elle à présent qu'elle sentit son souffle sur sa joue.

— Vous êtes une cuisinière hors pair, madame.

— Merci, dit-elle d'une voix tendue.

Il recula d'un pas.

— Je regrette de ne pas pouvoir rester dîner, madame. Je dois partir.

Vianne détacha péniblement ses yeux de Beck et sourit à Sophie.

— Mets la table pour trois, lui dit-elle.

*

Plus tard, tandis que le dîner mijotait sur le poêle, Vianne rassembla les enfants sur leur lit.

— Sophie, Ari, venez ici. Il faut que je vous parle.

— Qu'est-ce qui se passe, maman ? demanda Sophie, l'air déjà inquiète.

— Les Allemands déportent les juifs nés en France maintenant.

Elle marqua une pause.

— Les enfants aussi.

Sophie prit une grande inspiration et regarda le petit Ari âgé de seulement trois ans, qui faisait gaiement des bonds sur le lit. Il était trop petit pour apprendre une nouvelle identité. Vianne pouvait lui expliquer qu'il s'appelait désormais Daniel Mauriac, et ce pour toujours, il ne comprendrait pas pourquoi. S'il croyait au retour de sa mère et l'attendait, tôt ou tard il ferait une erreur qui lui vaudrait d'être déporté, voire qui leur vaudrait à tous d'être tués. Elle ne pouvait courir ce risque. Elle allait devoir lui briser le cœur pour tous les protéger.

Pardonne-moi, Rachel.

Sophie et elle échangèrent un regard peiné. Elles savaient toutes les deux ce qu'il fallait faire, mais comment une mère pouvait-elle faire cela à l'enfant d'une autre femme ?

— Ari, dit-elle doucement en prenant son visage entre ses mains. Ta maman est avec les anges au paradis. Elle ne reviendra pas.

Il cessa de cabrioler.

— Quoi ?

— Elle est partie pour toujours, insista Vianne, et elle sentit ses propres larmes lui monter aux yeux et refluer.

Elle lui répéterait cela jusqu'à ce qu'il le croie.

— Je suis ta maman maintenant. Et on t'appellera Daniel.

Il fronça les sourcils, se mordilla bruyamment l'intérieur de la joue, écarta les doigts comme s'il comptait.

— Tu m'as dit qu'elle allait revenir.

Vianne fut répugnée de devoir prononcer ces mots.

— Elle ne va pas revenir. Elle est partie. Comme le bébé lapin malade qu'on a perdu le mois dernier, tu te souviens ?

Ils l'avaient enterré très solennellement dans le jardin.

— Partie comme le petit lapin ?

Des larmes inondèrent ses yeux bruns et ruisselèrent sur ses joues. Ses lèvres tremblaient. Vianne le prit dans ses bras, le serra contre elle et lui frotta le dos.

Mais elle ne pouvait l'apaiser suffisamment, ni le lâcher. Finalement, elle se recula assez pour le regarder.

— Est-ce que tu comprends… Daniel ?

— Tu seras mon frère, dit Sophie d'une voix mal assurée. Pour de vrai.

Vianne sentit son cœur se briser, mais elle savait que c'était le seul moyen de protéger le fils de Rachel. Elle pria qu'il soit assez petit pour oublier qu'il avait un jour été Ari, et la tristesse de cette prière l'accabla.

— Dis-le, lui demanda-t-elle d'une voix égale. Dis-moi ton nom.

— Daniel, répondit-il, de toute évidence déconcerté, essayant de lui faire plaisir.

Vianne le lui fit répéter une dizaine de fois ce soir-là, pendant qu'ils mangeaient le dîner de saucisse et de pommes de terre, et plus tard, quand ils firent la vaisselle et se préparèrent à se coucher. Elle pria pour que cette ruse suffise à le sauver et que ses papiers ne soient pas détectés en cas de contrôle. Plus jamais elle ne l'appellerait Ari ni même ne penserait à lui sous ce nom. Le lendemain, elle lui couperait les cheveux le plus court possible. Puis elle irait en ville et présenterait à tout le monde (à cette commère d'Hélène Ruelle en premier lieu) cet enfant qu'elle avait adopté d'une cousine de Nice décédée.

Que Dieu leur vienne en aide.

25

Habillée en noir, ses cheveux dorés couverts, Isabelle marchait à pas de loup dans les rues désertes de Carriveau. Le couvre-feu était en vigueur. Une faible lune éclairait de temps en temps les pavés inégaux, mais elle était le plus souvent cachée par des nuages.

Isabelle guettait les bruits de pas et de moteurs de camions et se figeait au moindre d'entre eux. À la sortie de la ville, elle escalada un mur recouvert de rosiers sans se soucier des épines, et retomba dans une prairie mouillée et obscure. Elle était à mi-chemin du point de rendez-vous quand trois avions passèrent en vrombissant au-dessus d'elle, si bas dans le ciel que les arbres tressaillirent et que le sol trembla. Ils se tiraient dessus à la mitrailleuse, provoquant de bruyantes rafales lumineuses.

Le plus petit avion vira brusquement. Isabelle aperçut l'emblème américain sur le dessous de son aile tandis qu'il tournait à gauche et s'élevait. Quelques instants plus tard, elle entendit le sifflement d'une bombe – ce hurlement aigu et inhumain – suivi d'une explosion.

L'aérodrome. Ils le bombardaient.

Les avions repassèrent au-dessus d'elle. Il y eut une nouvelle rafale, et l'avion américain fut touché.

Il dégagea une épaisse fumée. Un hurlement envahit la nuit ; l'avion plongea vers le sol, tournoya, ses ailes reflétant la lumière de la lune.

Il s'écrasa assez violemment pour faire trembler les os d'Isabelle et secouer le sol sous ses pieds ; l'acier heurta la terre, les rivets sautèrent de l'appareil, des racines furent arrachées. L'avion glissa dans la forêt, cassant les arbres comme s'il s'agissait d'allumettes. Alors que l'odeur de la fumée était suffocante, l'avion prit soudain feu dans un gigantesque souffle.

Dans le ciel apparut un parachute qui se balançait d'avant en arrière, l'homme suspendu à celui-ci paraissant petit comme une virgule.

Isabelle s'avança sur la bande dégagée d'arbres en flammes. La fumée lui piquait les yeux.

Où était-il ?

Elle aperçut une tache blanche et accourut dans sa direction.

Le pilote était attaché au parachute dégonflé, étalé sur le sol.

Isabelle entendit des voix – à proximité – et des bruits de pas. Elle espéra de tout son cœur que c'étaient ses collègues venus pour le rendez-vous, mais elle n'avait aucun moyen de le savoir. Les nazis devaient être occupés à l'aérodrome, mais pas pour longtemps.

Elle se jeta à genoux, décrocha le parachute de l'aviateur, le ramassa et l'emporta aussi loin qu'elle osa pour l'enterrer du mieux qu'elle put sous un tas de feuilles mortes. Puis elle s'empressa de retourner auprès du pilote, le prit par les poignets et le tira plus loin dans la forêt.

— Vous ne devez pas faire de bruit. Vous me comprenez ? Je vais revenir, mais vous devez rester immobile et silencieux.

— Pour… sûr, dit-il d'une voix à peine audible.

Isabelle le recouvrit de feuilles et de branches, mais quand elle s'écarta, elle vit qu'elle avait laissé des empreintes dans la boue, qui se remplissaient maintenant d'eau noire, et des traces en le traînant jusque-là. Un nuage de fumée lui arriva dessus et l'enveloppa. Le feu se rapprochait et était de plus en plus vif.

— Merde ! grommela-t-elle.

Elle entendit des voix. Des gens qui criaient.

Elle essaya d'essuyer ses mains, mais la boue ne fit que s'étaler pour mieux la dénoncer.

Trois silhouettes sortirent du bois et vinrent dans sa direction.

— Isabelle ? appela une voix d'homme. C'est toi ?

Une lampe de poche s'alluma et révéla les visages d'Henri et de Didier. Et de Gaëtan.

— Tu as trouvé le pilote ? demanda Henri.

Isabelle hocha la tête.

— Il est blessé.

Des chiens aboyèrent au loin. Les nazis arrivaient.

Didier jeta un coup d'œil derrière eux.

— Nous n'avons pas beaucoup de temps.

— On n'arrivera jamais à retourner en ville, dit Henri.

Isabelle prit une décision en une fraction de seconde.

— Je connais un endroit à proximité où on peut le cacher.

*

— Ce n'est pas une bonne idée, dit Gaëtan.

— Dépêchez-vous, ordonna Isabelle d'un ton sec.

Ils étaient maintenant dans la grange du Jardin, la porte fermée derrière eux. L'aviateur gisait inconscient sur le sol sale, et le manteau et les gants de Didier étaient maculés de son sang.

— Poussez la voiture.

Henri et Didier avancèrent l'automobile puis soulevèrent la porte du cellier. Celle-ci grinça en signe de protestation et retomba sur le pare-chocs de la voiture.

Isabelle alluma une lampe à huile, la prit dans une main et descendit l'échelle bancale à tâtons. Une partie des provisions qu'elle avait entreposées avait été utilisée.

Elle leva la lampe.

— Descendez-le.

Les hommes échangèrent un regard inquiet.

— Je ne suis pas sûr que ce soit une bonne idée, déclara Henri.

— Est-ce qu'on a le choix ? fit Isabelle d'un ton brusque. Maintenant, descendez-le.

Gaëtan et Henri firent descendre le pilote dans le cellier obscur et humide et l'étendirent sur le matelas, qui produisit une sorte de bruissement sous son poids.

Henri regarda Isabelle d'un air anxieux. Puis il ressortit du cellier et se tourna vers eux d'en haut.

— Viens, Gaëtan.

Gaëtan regarda Isabelle.

— Nous allons devoir remettre la voiture à sa place. Tu ne pourras pas ressortir d'ici avant qu'on vienne te chercher. Si quelque chose nous arrivait, personne ne saura que tu es là.

Elle sentit qu'il voulait la toucher, et elle mourut d'envie qu'il le fasse. Mais ils restèrent où ils étaient, les bras ballants.

— Les nazis vont remuer ciel et terre pour retrouver ce pilote. Si tu te fais attraper…

Elle baissa le menton pour tenter de dissimuler sa peur.

— Ne les laisse pas m'attraper.

— Tu crois que je ne veux pas te protéger ?

— Je sais que si, dit-elle doucement.

Avant qu'il puisse répondre, Henri dit :

— Viens, Gaëtan. Il faut qu'on trouve un médecin et un moyen de les sortir d'ici demain.

Gaëtan recula d'un pas. Le monde entier parut contenu dans cet espace qui les séparait.

— Quand on reviendra, on frappera trois coups et on sifflera, alors ne nous tire pas dessus.

— Je vais essayer, dit-elle.

Il marqua une pause.

— Isabelle…

Elle attendit, mais il n'avait rien d'autre à dire, juste son nom, prononcé avec ce ton de regret qui était devenu ordinaire. Il soupira, se retourna et emprunta l'échelle.

Quelques instants plus tard, la trappe se referma en claquant. Isabelle entendit les planches gémir au-dessus de sa tête quand ils remirent la Renault à sa place.

Puis ce fut le silence.

Elle fut prise de panique. Elle était de retour dans la chambre fermée à clé ; Madame Malheur claquait la porte, fermait la serrure, lui ordonnait de se taire et d'arrêter de demander des choses.

Elle ne pouvait sortir de là, même en cas d'urgence.

Arrête. Calme-toi. Tu sais ce qu'il faut faire. Elle se dirigea vers les étagères, écarta le fusil de chasse de son père et prit la boîte à pharmacie. Après un rapide inventaire, elle disposait de ciseaux, d'une aiguille et de fil, d'alcool, de bandes, de chloroforme, de cachets de benzédrine et de ruban adhésif.

Elle s'agenouilla à côté de l'aviateur, posa la lampe par terre près d'elle. Sa combinaison de vol était imbibée de sang, et elle eut beaucoup de mal à décoller le tissu de sa peau. Quand elle y parvint, elle découvrit un énorme trou béant dans sa poitrine et sut qu'il n'y avait rien à faire.

Elle s'assit à côté de lui et lui tint la main jusqu'à ce qu'il prenne une dernière pénible inspiration ; puis il cessa de respirer. Sa bouche s'ouvrit lentement en grand.

Elle récupéra délicatement ses plaques d'identification suspendues à son cou. Ils devraient les cacher. Elle les examina.

— Lieutenant Keith Johnson, lut-elle.

Isabelle éteignit la lampe et resta assise dans le noir avec un homme mort.

*

Le lendemain matin, Vianne enfila une salopette en jean et une des chemises de flanelle d'Antoine qu'elle avait retaillée pour elle. Mais elle était si maigre à présent que la chemise flottait sur son corps frêle. Elle allait devoir la reprendre à nouveau. Son dernier colis pour

Antoine était posé sur le plan de travail de la cuisine, prêt à partir.

Sophie avait eu une nuit agitée, et Vianne la laissa donc dormir. Elle descendit préparer du café et faillit heurter le capitaine Beck, qui faisait les cent pas dans le salon.

— Oh ! Herr Capitaine. Je suis désolée.

Il parut ne pas l'entendre. Elle ne l'avait jamais vu aussi agité. Ses cheveux habituellement pommadés étaient décoiffés ; une mèche tombait sans arrêt sur son visage et il jurait chaque fois qu'il la dégageait. Il portait son pistolet sur lui, ce qui n'était jamais le cas dans la maison.

Il passa devant elle à grandes enjambées, les poings serrés. La colère crispait son beau visage, le rendait presque méconnaissable.

— Un avion s'est écrasé près d'ici cette nuit, indiqua-t-il en la regardant enfin. Un avion américain. Un de ceux qu'ils appellent les Mustangs.

— Je croyais que vous vouliez abattre leurs avions. Ce n'est pas pour ça que vous leur tirez dessus ?

— Nous avons cherché toute la nuit sans trouver le pilote. Quelqu'un le cache.

— Le *cache* ? Oh, ça m'étonnerait. Il est très probablement mort.

— Dans ce cas, il y aurait un corps, madame. Nous avons trouvé un parachute mais pas de corps.

— Mais qui serait assez bête ? dit Vianne. Est-ce que vous… n'exécutez pas les gens pour ça ?

— Sans délai.

Vianne ne l'avait jamais entendu parler de la sorte. Elle eut un mouvement de recul et se souvint du fouet qu'il avait eu en main le jour où Rachel et les autres avaient été déportés.

— Pardonnez mon comportement, madame. Mais nous nous sommes conduits de manière exemplaire avec vous, et voilà ce que l'on reçoit en échange de la part d'un grand nombre d'entre vous autres Français. Mensonges, trahison et sabotage.

Vianne resta bouche bée.

Il la regarda, vit comme elle le dévisageait et s'efforça de sourire.

— Pardonnez-moi encore. Je ne parle pas de vous, bien sûr. Le Kommandant me tient pour responsable du fait que nous n'avons pas retrouvé ce pilote. Il m'a ordonné de faire mieux aujourd'hui.

Il alla à la porte, l'ouvrit.

— Si je n'y parviens pas…

À l'extérieur, Vianne entrevit des silhouettes gris-vert dans son jardin. Des soldats.

— Bonne journée, madame.

Vianne le suivit jusqu'au perron.

— Fermez toutes vos portes à clé, madame. Ce pilote pourrait être prêt à tout. Vous ne voudriez pas qu'il entre chez vous.

Vianne hocha la tête d'un air hébété.

Beck rejoignit son escorte de soldats et prit la tête du groupe. Leurs chiens aboyaient fort, tiraient sur leurs laisses et reniflaient le sol à la base du mur effondré.

Vianne jeta un coup d'œil vers le haut de la colline et remarqua que la porte de la grange était entrouverte.

— Herr Capitaine ! cria-t-elle.

Le capitaine s'arrêta, ainsi que ses hommes. Les chiens excités continuèrent de tirer sur leurs laisses.

452

Puis elle pensa à Rachel. C'était l'endroit où Rachel se réfugierait si elle s'échappait.

— R... rien, Herr Capitaine, lança Vianne.

Il hocha la tête et partit sur la route avec ses hommes.

Vianne enfila ses bottes près de la porte. Dès qu'elle ne vit plus les soldats, elle s'empressa de grimper le coteau en direction de la grange. Dans sa précipitation, elle glissa à deux reprises dans l'herbe humide et faillit tomber, mais se rattrapa à la dernière seconde. Une fois devant, elle prit une profonde inspiration et ouvrit la porte en grand.

Elle s'aperçut immédiatement que la voiture avait été déplacée.

— J'arrive, Rachel ! dit-elle.

Elle mit la voiture au point mort et la poussa en avant jusqu'à ce que la porte du cellier fût découverte. Puis elle s'accroupit, chercha de la main la poignée plate en métal et ouvrit la trappe. Quand celle-ci fut au plus haut, elle la laissa retomber contre le pare-chocs de la voiture.

Elle trouva une lanterne, l'alluma et scruta l'obscurité du cellier.

— Rach ?

— Va-t'en, Vianne. TOUT DE SUITE.

— Isabelle ? fit Vianne en descendant à l'échelle. Isabelle, qu'est-ce que tu...

Elle se laissa tomber par terre et se retourna, sur quoi la lumière de la lampe dans sa main oscilla.

Son sourire s'évanouit. La robe d'Isabelle était couverte de sang, ses cheveux blonds étaient dans un état épouvantable – pleins de feuilles et de brindilles – et son visage était si égratigné qu'elle donnait l'impression d'avoir traversé un champ de ronces.

Mais ce n'était pas le pire.

— Le pilote, murmura Vianne en regardant l'homme étendu sur le matelas informe.

Elle fut si effrayée qu'elle recula et se heurta aux étagères. Quelque chose tomba par terre et roula.

— Celui qu'ils cherchent.

— Tu n'aurais pas dû descendre ici.

— C'est moi qui ne devrais pas être ici ? Espèce d'imbécile ! Sais-tu ce qu'ils nous feront s'ils le trouvent ici ? Comment as-tu pu amener un tel danger chez moi ?

— Je suis désolée. Ferme simplement la porte du cellier et remets la voiture en place. Quand tu te réveilleras demain, nous serons partis.

— Tu es *désolée*, reprit Vianne.

La colère l'envahit. Comment sa sœur osait-elle faire cela, mettre Sophie et elle en péril ? Et à présent, il y avait aussi Ari, qui ne comprenait pas encore qu'il devait être Daniel.

— On va tous se faire tuer à cause de toi.

Vianne recula et posa la main sur l'échelle. Il fallait qu'elle mette le plus de distance possible entre elle et cet aviateur… et son irresponsable et égoïste de sœur.

— Sois partie d'ici demain matin, Isabelle. Et ne reviens pas.

Isabelle eut le culot de paraître blessée.

— Mais…

— Non, l'arrêta Vianne. J'en ai assez de te trouver des excuses. J'ai été méchante avec toi étant enfant, maman est morte, papa est un ivrogne, Mme Dumas t'a maltraitée. Tout ça, c'est la vérité, et j'ai voulu du fond du cœur être une meilleure sœur pour toi, mais c'est fini. Tu es aussi irréfléchie et insouciante que tu l'as toujours été, si ce n'est que maintenant tu vas causer la mort de gens. Je ne peux pas te laisser mettre Sophie en danger. Ne reviens pas. Tu n'es pas la bienvenue ici. Si tu reviens, je te dénoncerai moi-même.

Sur ces paroles, Vianne grimpa à l'échelle et claqua violemment la porte du cellier derrière elle.

*

Si elle ne voulait pas sombrer dans un état de panique totale, Vianne devait s'occuper. Elle réveilla les enfants, leur fit prendre un petit déjeuner léger et s'attela à ses tâches quotidiennes.

Après avoir récolté les derniers légumes de l'automne, elle prépara des bocaux de courgettes et de cornichons au vinaigre ainsi que des conserves de purée de potiron. Durant tout ce temps-là, elle pensa à Isabelle et au pilote dans la grange.

Que devait-elle faire ? Revenant sans cesse à la charge, cette question la hanta toute la journée. Tous les choix possibles présentaient des risques. À l'évidence, elle ne devait rien dire au sujet du pilote dans la grange. Le silence était toujours plus sûr.

Mais que se passerait-il si Beck, la Gestapo, les SS et leurs chiens allaient d'eux-mêmes dans la grange ? Si Beck trouvait l'aviateur sur la propriété où il était cantonné, le Kommandant ne serait pas content. Beck serait humilié.

Le Kommandant me tient pour responsable du fait que nous n'avons pas retrouvé ce pilote.

Les hommes humiliés pouvaient être dangereux.

Elle devait peut-être dire la vérité à Beck. C'était un homme bien. Il avait essayé de sauver Rachel. Il avait obtenu des papiers pour Ari. Il avait fait parvenir les colis de Vianne à son mari.

Elle pouvait peut-être persuader Beck d'arrêter le pilote et de laisser Isabelle en dehors de tout ça. L'aviateur serait envoyé dans un camp de prisonniers de guerre ; ce n'était pas une si mauvaise solution.

Elle était toujours aux prises avec ces questions bien après que le dîner fut terminé et qu'elle eut couché les enfants. Elle n'essaya même pas de s'endormir. Comment aurait-elle pu dormir alors que sa famille était menacée par un tel danger ? Cette pensée réveilla sa colère contre Isabelle. À 22 heures, elle entendit des bruits de pas devant la maison et deux coups secs frappés à la porte.

Elle posa le vêtement qu'elle raccommodait et se leva. Elle recoiffa ses cheveux, alla à la porte et l'ouvrit. Ses mains tremblaient tellement qu'elle serra les poings.

— Herr Capitaine, dit-elle. Vous rentrez tard. Voulez-vous que je vous prépare quelque chose à manger ?

Il marmonna « Non, merci » et entra en la bousculant plus brusquement que jamais auparavant. Il alla dans sa chambre et revint avec une bouteille d'eau-de-vie. Il se servit une énorme dose dans un verre de bistrot ébréché, la but d'un trait puis se resservit.

— Herr Capitaine ?

— Nous n'avons pas retrouvé le pilote, dit-il avant de vider son deuxième verre et de s'en servir un troisième.

— Oh.

— Ces agents de la Gestapo, dit-il en la regardant. Il vont me tuer, dit-il à voix basse.

— Non, tout de même.

— Ils n'aiment pas être déçus.

Il but son troisième verre et le reposa si brutalement sur la table qu'il faillit le casser.

— J'ai cherché partout, dit-il. Dans chaque coin et recoin de cette ville paumée. J'ai cherché dans les caves, les celliers, les poulaillers. Dans les buissons d'épines, sous les tas d'ordures. Et que m'ont rapporté mes efforts ? Un parachute taché de sang, mais pas de pilote.

— Vous... vous n'avez sûrement pas cherché partout, dit-elle pour le réconforter. Voulez-vous quelque chose à manger ? Je vous ai gardé un peu du dîner.

Tout à coup, il se figea. Elle vit ses yeux se plisser et l'entendit dire :

— Ce n'est pas possible, mais...

Il s'empara d'une lampe de poche, alla à grands pas jusqu'au placard de la cuisine et ouvrit la porte d'un coup sec.

— Que... que faites-vous ?

— Je fouille votre maison.

— Vous ne pensez quand même pas...

Elle resta debout sur place, le cœur battant, tandis qu'il fouillait les pièces une à une, sortait les manteaux de l'armoire et décollait le divan du mur.

— Vous êtes satisfait ?

— Satisfait, madame ? Nous avons perdu quatorze pilotes cette semaine, et Dieu sait combien de membres d'équipage. Une usine Mercedes-Benz a sauté il y a deux jours, et tous les ouvriers ont été tués. Mon oncle travaille dans cette usine. Travaillait, je suppose.

— Je suis navrée, dit Vianne.

Pensant que c'était fini, elle prit une grande inspiration, mais elle le vit alors qui sortait.

Avait-elle émis un son ? Elle eut peur que ce fût le cas. Elle se précipita derrière lui pour l'attraper par la manche, mais elle arrivait trop tard. Il était déjà dehors en train de suivre le rayon de sa lampe de poche, la porte de la cuisine ouverte derrière lui.

Elle lui courut après.

Il était au pigeonnier, en train d'en ouvrir la porte.

— Herr Capitaine.

Elle ralentit, essaya de calmer sa respiration en frottant ses paumes moites sur les jambes de son pantalon.

— Vous ne trouverez rien ni personne ici, Herr Capitaine. Sachez-le.

— Êtes-vous une menteuse, madame ?

Il n'était pas en colère. Il avait peur.

— Non. Vous savez bien que non. Wolfgang, répondit-elle, l'appelant par son prénom pour la première fois. Je suis sûre que vos supérieurs ne vont rien vous reprocher.

— C'est ça le problème avec vous, les Français, dit-il. Vous ne voyez pas la vérité quand elle est sous votre nez.

Il la bouscula et gravit le coteau en direction de la grange.

Il allait trouver Isabelle et le pilote…

Et si cela arrivait ?

C'était la prison pour eux tous. Peut-être pire.

Il ne croirait jamais qu'elle n'était pas au courant. Elle lui en avait déjà trop montré pour reprendre une attitude innocente. Et il était maintenant trop tard pour espérer qu'il sauve Isabelle en vertu de son sens de l'honneur. Vianne lui avait menti.

Il ouvrit la porte de la grange et regarda autour de lui, les mains sur les hanches. Il posa la lampe de poche et alluma une lampe à huile. Il plaça celle-ci par terre et fouilla la grange de fond en comble, box après box, ainsi que le grenier à foin.

— Vous… vous voyez ? fit Vianne. Maintenant, revenez à la maison. Vous avez peut-être envie d'un autre verre d'eau-de-vie ?

Il regarda par terre. Il y avait de légères traces de pneus dans la poussière.

— Vous m'avez dit un jour que Mme de Champlain s'était cachée dans un cellier.

Non. Vianne voulut dire quelque chose, mais lorsqu'elle ouvrit la bouche, aucun mot n'en sortit.

Beck ouvrit la portière de la Renault, la mit au point mort et la poussa suffisamment en avant pour découvrir la porte du cellier.

— Capitaine, s'il vous plaît…

Il se baissa devant elle. Il fit glisser ses doigts sur le sol à la recherche des rainures marquant le contour de la trappe.

S'il ouvrait cette trappe, c'était fini. Il tirerait sur Isabelle, ou il l'arrêterait et l'enverrait en prison. Et Vianne et les enfants seraient arrêtés aussi. Il serait impossible de lui parler, de le convaincre.

Beck sortit son pistolet, l'arma.

Vianne chercha désespérément une arme et vit une pelle appuyée contre le mur.

Il souleva la trappe et cria quelque chose. Lorsque la porte s'ouvrit en retombant bruyamment, il se releva et braqua son pistolet. Vianne s'empara de la pelle et le frappa de toutes ses forces. La lame en métal produisit un sinistre *boum* en l'atteignant à l'arrière de la tête et lui ouvrit profondément le crâne. Du sang gicla sur le dos de son uniforme.

Au même moment, deux coups de feu retentirent ; l'un provenant du pistolet de Beck, l'autre du cellier.

Beck chancela sur le côté et tourna sur lui-même. Il avait un trou de la taille d'un oignon dans la poitrine, d'où dégoulinait du sang. Un morceau de cuir chevelu lui tombait sur l'œil.

— Madame, dit-il en s'effondrant à genoux.

Son pistolet tomba par terre. La torche roula sur les planches inégales.

Vianne jeta la pelle de côté et s'agenouilla près de Beck, qui était vautré à plat ventre dans une mare de sang. Usant de tout son poids, elle le retourna. Il était déjà pâle, blafard même. Son sang collait ses cheveux, lui coulait par les narines, ruisselait de sa bouche à chaque respiration.

— Je suis désolée, dit Vianne.

Les yeux de Beck s'ouvrirent en papillonnant.

460

Vianne essaya d'essuyer le sang sur son visage, mais cela ne fit qu'empirer les choses. Elle avait maintenant les mains rouges.

— Il fallait que je vous arrête, dit-elle doucement.

— Dites à ma famille…

Vianne vit la vie quitter son corps, elle vit sa poitrine cesser de se soulever, son cœur s'arrêter de battre.

Derrière elle, elle entendit sa sœur qui montait à l'échelle.

— Vianne !

Vianne ne pouvait plus bouger.

— Est-ce que… est-ce que ça va ? demanda Isabelle d'une voix rauque et essoufflée.

Elle était pâle et un peu tremblante.

— Je l'ai tué. Il est mort, dit Vianne.

— Non, tu ne l'as pas tué. Je lui ai tiré dans la poitrine, dit Isabelle.

— Je lui ai donné un coup de pelle sur la tête. De *pelle*.

Isabelle s'approcha d'elle.

— Vianne…

— Non, s'écria Vianne. Je ne veux pas entendre d'excuse de ta part. Tu sais ce que tu as fait ? Un nazi. Mort dans ma grange.

Avant qu'Isabelle puisse répondre, quelqu'un siffla fort, puis un chariot tiré par une mule pénétra dans la grange.

Vianne se jeta sur le pistolet de Beck, se leva en chancelant sur le plancher glissant et braqua l'arme sur les inconnus.

— Vianne, ne tire pas, lui dit Isabelle. Ce sont des amis.

Vianne regarda les hommes dépenaillés dans le chariot, puis sa sœur, habillée tout en noir, le teint laiteux
et les yeux cernés.

— Évidemment.

Elle se déplaça sur le côté, mais maintint le pistolet
braqué sur les hommes amassés à l'avant du chariot
bringuebalant. Derrière eux, sur le plateau du chariot,
se trouvait un cercueil en pin.

Vianne reconnut Henri – l'homme qui tenait l'hôtel
en ville, avec qui Isabelle était partie à Paris. Le communiste dont Isabelle pensait être peut-être un peu
amoureuse.

— Bien sûr, dit-elle. Ton amoureux.

Henri descendit d'un bond du chariot et referma la
porte de la grange.

— Mais qu'est-ce qui s'est passé, nom de Dieu ?

— Vianne l'a frappé avec une pelle et je lui ai tiré
dessus, expliqua Isabelle. On a un petit différend entre
sœurs quant à qui l'a tué, mais il est mort. Le capitaine
Beck. Le soldat qui cantonne ici.

Henri échangea un regard avec un des inconnus – un
jeune homme en haillons, aux traits anguleux et aux
cheveux trop longs.

— C'est un problème, dit l'homme.

— Est-ce que vous pouvez vous débarrasser du
corps ? demanda Isabelle.

Elle avait la main appuyée sur la poitrine, comme si
son cœur battait trop vite.

— De celui de l'aviateur aussi... il n'a pas survécu.

Un homme costaud et hirsute vêtu d'un manteau
rapiécé et d'un pantalon trop petit descendit du
chariot.

— Se débarrasser des corps, c'est la partie facile. Qui étaient ces gens ?

Isabelle hocha la tête.

— Ils vont venir chercher Beck. Ma sœur ne peut pas résister à un interrogatoire. Il faut qu'on la mette dans une cache avec Sophie.

C'était le bouquet. Ils parlaient de Vianne comme si elle n'était pas là.

— M'enfuir ne ferait que prouver ma culpabilité.

— Tu ne peux pas rester, dit Isabelle. C'est trop dangereux.

— C'est ça, Isabelle, inquiète-toi pour moi *maintenant*, après avoir mis en danger les enfants et moi et m'avoir forcée à tuer un homme respectable.

— Vianne, s'il te plaît…

Vianne sentit quelque chose se durcir en elle. C'était comme si chaque fois qu'elle pensait avoir touché le fond dans cette guerre, un événement plus dramatique encore se produisait. À présent, c'était une meurtrière, et ce, par la faute d'Isabelle. S'il y avait bien une chose qu'elle n'allait pas faire maintenant, c'était suivre le conseil de sa sœur et partir du Jardin.

— Je dirai que Beck est parti à la recherche du pilote et qu'il n'est jamais revenu. Qu'est-ce qu'une femme au foyer lambda comme moi connaît à ce genre de choses ? Il était là, et puis il a disparu. C'est la vie.

— Ce n'est pas une si mauvaise réponse, estima Henri.

— C'est ma faute, dit Isabelle en s'approchant de Vianne.

Vianne vit que sa sœur regrettait et se sentait coupable, mais elle s'en moquait. Elle avait trop peur pour les enfants pour se soucier des états d'âme d'Isabelle.

— Oui, c'est vrai, mais c'est aussi la mienne à cause de toi. Nous avons tué un homme bien, Isabelle.

Isabelle tangua légèrement.

— V. Ils vont venir te chercher.

Vianne commença à répliquer « Et de qui est-ce la faute ? », mais quand elle regarda Isabelle, les mots restèrent bloqués dans sa gorge.

Elle vit du sang suinter entre les doigts d'Isabelle. Durant une fraction de seconde, le monde ralentit, s'inclina, ne devint plus que bruit – les hommes qui parlaient derrière elle, le mulet qui frappait le plancher avec son sabot, sa propre respiration difficile. Isabelle s'effondra à terre, inconsciente.

Avant que Vianne puisse pousser un cri, une main se plaqua sur sa bouche et des bras la tirèrent en arrière. En l'espace d'un instant, on l'arracha à sa sœur. Elle se débattit pour se libérer, mais l'homme qui la tenait était trop fort.

Elle vit Henri tomber à genoux à côté d'Isabelle, ouvrir d'un geste son manteau et déchirer son chemisier pour dévoiler un impact de balle juste sous sa clavicule. Puis il enleva rapidement sa chemise et la pressa contre la blessure.

Vianne donna à l'homme qui la retenait un coup de coude assez violent pour lui couper le souffle. Elle se dégagea d'un mouvement brusque et se précipita vers Isabelle, manquant tomber en glissant dans le sang.

— Il y a une trousse de secours dans le cellier.

L'homme brun – qui semblait tout à coup aussi affolé que l'était Vianne – descendit d'un bond dans le cellier et remonta rapidement avec le nécessaire.

Vianne tremblait lorsqu'elle prit le flacon d'alcool et se lava les mains du mieux qu'elle put.

Après une grande inspiration, elle remplaça Henri et appuya la chemise de ce dernier contre la blessure, qu'elle sentit battre sous ses mains.

Elle dut retirer la chemise à deux reprises pour en essorer le sang, mais l'hémorragie finit par s'arrêter. Tout doucement, elle prit Isabelle dans ses bras et vit que la balle était ressortie dans son dos.

Dieu merci.

Elle recoucha délicatement Isabelle sur le dos.

— Ça va faire mal, murmura-t-elle. Mais tu es forte, n'est-ce pas, Isabelle ?

Elle arrosa la blessure d'alcool. Isabelle eut un sursaut au contact du produit, mais elle ne se réveilla pas ni ne cria.

— C'est bien, dit Vianne.

Le son de sa propre voix la calmait, lui rappelait qu'elle était mère et que les mères prenaient soin de leur famille.

— C'est bien que tu restes inconsciente.

Elle trouva l'aiguille dans la trousse à pharmacie, aussi usée fût-elle, et l'enfila. Puis elle versa de l'alcool dessus et se pencha sur la blessure. Avec le plus grand soin, elle commença à suturer la plaie béante. Il ne lui fallut pas longtemps, et le résultat n'était pas très beau, mais c'était le mieux qu'elle pût faire.

À présent qu'elle avait recousu la blessure d'entrée de la balle, elle se sentait un peu confiante, assez pour suturer la blessure de sortie puis mettre des pansements.

Lorsqu'elle termina enfin, elle se détendit et regarda fixement ses mains et sa jupe couvertes de sang.

Isabelle était très pâle et semblait fragile, pas du tout elle-même. Elle avait les cheveux sales et emmêlés, ses vêtements étaient trempés de son propre sang – et de celui du pilote –, et elle paraissait si jeune.

Si jeune.

Vianne eut un sentiment de honte si profond qu'elle en fut écœurée. Avait-elle vraiment dit à sa sœur – sa *sœur* – de partir et de ne pas revenir ?

Combien de fois Isabelle avait-elle entendu cela durant sa vie, et de la bouche des membres de sa famille, de personnes qui étaient censées l'aimer ?

— Je vais l'emmener à la cache de Brantôme, dit l'homme aux cheveux bruns.

— Oh non, sûrement pas, dit Vianne.

Elle détacha son regard de sa sœur et vit que les trois hommes étaient réunis près du chariot, en train de conspirer. Elle se leva.

— Elle n'ira nulle part avec vous. C'est à cause de vous qu'elle est ici.

— C'est à cause d'elle que nous sommes ici, répliqua le brun. Je l'emmène. Maintenant.

Vianne s'approcha du jeune homme. Il y avait quelque chose dans son regard – une intensité – qui l'aurait normalement effrayée, mais elle avait maintenant dépassé la peur, de même que la prudence.

— Je sais qui vous êtes, déclara Vianne. Elle m'a fait votre description. Vous êtes le type de Tours qui l'a abandonnée avec un mot épinglé sur sa poitrine comme si elle n'était qu'un chien errant. Gaston, c'est ça ?

— Gaëtan, corrigea-t-il d'une voix si basse qu'elle dut se pencher vers lui pour l'entendre. Et vous devez savoir de quoi vous parlez. N'est-ce pas vous qui n'avez pas pu vous donner la peine d'être sa sœur quand elle en avait besoin ?

— Si vous essayez de l'emmener, je vous tue.

— Vous me tuez, reprit-il en souriant.

Elle désigna Beck d'un mouvement de tête.

— Je l'ai tué avec une pelle, et je *l'aimais* bien.

— Ça suffit, dit Henri en s'interposant. Elle ne peut pas rester ici, Vianne. Réfléchissez. Les Allemands vont venir chercher leur capitaine mort. Ce n'est pas la peine qu'ils trouvent une femme blessée par balle avec des faux papiers. Vous comprenez ?

Le costaud s'avança.

— On va enterrer le capitaine et l'aviateur. Et faire disparaître la moto. Gaëtan, tu emmènes Isabelle à une planque dans la zone libre.

Vianne les regarda à tour de rôle.

— Mais le couvre-feu est en vigueur, la frontière est à six kilomètres et elle est blessée. Comment allez-vous…

Elle n'avait pas terminé sa question qu'elle trouva la réponse.

Le cercueil.

Elle recula d'un pas. Cette idée était si effroyable qu'elle secoua la tête.

— Je vais m'occuper d'elle, dit Gaëtan.

Vianne ne le crut pas. Pas une seconde.

— Je viens avec vous. Jusqu'à la frontière. Puis je rentrerai à pied quand j'aurai vu que vous l'avez fait passer en zone libre.

— Vous ne pouvez pas faire ça, dit Gaëtan.

Elle leva les yeux vers lui.

— Vous seriez surpris de ce que je peux faire. Allez, en route.

26

6 mai 1995
Côte de l'Oregon

Cette maudite invitation hante mon esprit. Je jurerais qu'elle a un pouls.

Je fais semblant de ne pas la voir depuis des jours, mais en cette belle matinée de printemps, je me retrouve devant le plan de travail de ma cuisine, les yeux rivés sur celle-ci. C'est drôle. Je ne me rappelle pas avoir marché jusqu'ici, et pourtant je suis là.

La main d'une autre femme s'en approche. Cette monstruosité tremblotante, pleine de veines et aux jointures énormes, ne peut pas être ma main. Elle ramasse l'enveloppe, cette autre femme.

Ses mains tremblent encore plus que d'habitude.

Nous vous prions de vous joindre à nous pour la réunion de l'AFEES à Paris, le 7 mai 1995.
Le cinquantième anniversaire de la fin de la guerre.

Pour la première fois, des familles et amis de passeurs seront réunis pour rendre hommage à l'extraordinaire « Rossignol », aussi connu sous le nom de Juliette

*Gervaise, dans la grande salle de réception de l'hôtel
Île-de-France à Paris, à 19 heures.*

À côté de moi, le téléphone sonne. Lorsque je tends
la main pour décrocher, l'invitation me glisse des doigts
et tombe sur le plan de travail.

— Allô ?

Quelqu'un me parle en français. Ou est-ce que je
l'imagine ?

— C'est pour une publicité ? demandé-je, décon-
certée.

— Non ! Non. C'est au sujet de notre invitation.

Je manque de lâcher le combiné sous l'effet de la
surprise.

— Nous avons eu beaucoup de mal à vous retrouver,
madame. Je vous appelle au sujet de la réunion de
passeurs de demain soir. Nous nous réunissons pour
rendre hommage aux personnes qui ont fait le succès
du dispositif d'évasion du Rossignol. Avez-vous reçu
l'invitation ?

— Oui, dis-je en serrant le combiné.

— La première que nous vous avons envoyée nous
est revenue, malheureusement. Pardonnez-nous de
vous avoir fait parvenir cette invitation si tard. Mais…
allez-vous venir ?

— Ce n'est pas moi que les gens veulent voir. C'est
Juliette. Et elle n'existe plus depuis longtemps.

— Vous vous trompez complètement, madame.
Beaucoup de gens accorderaient une grande importance à votre présence.

Je raccroche le téléphone aussi violemment que si
j'écrasais un cafard.

Mais soudain, l'idée d'y retourner – de *rentrer* – est ancrée dans mon esprit. Je ne peux plus penser à quoi que ce soit d'autre.

Pendant des années, j'ai mis de côté mes souvenirs. Je les ai cachés dans un grenier poussiéreux, à l'abri des regards indiscrets. J'ai dit à mon mari, à mes enfants, et je me suis même dit à moi-même qu'il n'y avait rien pour moi en France. Je pensais que je pouvais venir en Amérique, me construire cette nouvelle vie et oublier ce que j'avais fait pour survivre.

Mais je ne peux pas oublier.

Est-ce que je prends une décision ? Une décision consciente, mûrement réfléchie ?

Non. Je téléphone à mon agence de voyages habituelle et réserve un billet d'avion pour Paris, via New York. Puis je prépare ma valise. Elle est petite, juste un bagage à main avec des roulettes, le type de valise qu'une femme d'affaires emporterait pour deux jours. Dedans, je mets des bas en nylon, quelques pantalons et des pulls, les boucles d'oreilles en perles que mon mari m'a offertes pour notre quarantième anniversaire de mariage et quelques autres affaires. Je ne sais pas du tout de quoi je vais avoir besoin, et de toute façon je n'ai pas les idées vraiment claires. Puis j'attends. Impatiemment.

Au dernier moment, après avoir appelé un taxi, je téléphone à mon fils et tombe sur son répondeur. C'est une chance. Je ne sais pas si j'aurais eu le courage de lui dire la vérité de but en blanc.

— Bonjour, Julien, dis-je d'un ton aussi jovial que possible. Je pars à Paris pour le week-end. Mon avion décolle à 13 h 10, je t'appellerai en arrivant. Embrasse bien les filles de ma part.

Je marque une pause, sachant l'effet que ce message va lui faire, comme il va le bouleverser. C'est parce que je l'ai laissé penser que j'étais faible, pendant toutes ces années ; il m'a regardée me reposer sur son père et m'en remettre à ses décisions. Il m'a entendue dire un million de fois : « Si c'est ce que tu penses, mon chéri. » Il m'a regardée rester en marge de sa vie au lieu de l'inviter au cœur de la mienne. C'est ma faute. Pas étonnant qu'il aime une version de ma personne qui est incomplète.

— J'aurais dû te dire la vérité.

Au moment où je raccroche, je vois le taxi qui s'arrête devant ma fenêtre. Et je pars.

27

Octobre 1942
France

Vianne était assise avec Gaëtan à l'avant du chariot. Le cercueil faisait un bruit sourd sur le plateau de bois derrière eux. Le sentier à travers la forêt était difficile à trouver dans le noir ; sans cesse, ils s'arrêtaient, changeaient de direction, repartaient. À un moment donné, il se mit à pleuvoir. Les seules paroles qu'ils avaient échangées au cours de la dernière heure et demie concernaient le chemin.

— Là-bas, dit Vianne plus tard, quand ils arrivèrent à la lisière de la forêt.

Une lumière brillait au loin, filtrait à travers les arbres et les faisait ressembler à deux piquets noirs sur un fond blanc aveuglant.

La frontière.

— Holà ! fit Gaëtan en tirant sur les rênes.

Vianne ne put s'empêcher de repenser à la dernière fois qu'elle était venue là.

— Comment allez-vous traverser ? Le couvre-feu est encore en vigueur, dit-elle en joignant les mains pour calmer ses tremblements.

— Je serai Laurence Olivier. Un homme accablé par le chagrin, qui ramène sa sœur bien-aimée à la maison pour l'enterrer.

— Et s'ils vérifient si elle respire ?

— Alors quelqu'un à la frontière mourra, répondit-il doucement.

Vianne entendit très nettement son sous-entendu derrière les mots qu'il choisit. Elle fut étonnée de ne pas savoir quoi répondre. Il venait de lui dire qu'il était prêt à mourir pour protéger Isabelle. Il se tourna vers elle, la regarda. La *dévisagea*, en réalité. Elle perçut à nouveau cette intensité prédatrice dans ses yeux gris, mais il y avait autre chose. Il attendait – patiemment – ce qu'elle allait dire. Cela semblait important pour lui.

— Mon père est rentré changé de la Grande Guerre, expliqua-t-elle à voix basse, en s'étonnant d'une telle confidence.

Ce n'était pas une chose dont elle parlait.

— Il était colérique. Méchant. Il s'est mis à trop boire. Tant que maman était en vie, il était différent… dit-elle en haussant les épaules. Après sa mort, il a arrêté de faire semblant. Il nous a envoyées, Isabelle et moi, vivre avec une inconnue. Nous n'étions que des petites filles, et nous étions effondrées. La différence entre nous, c'est que j'ai accepté que notre père nous ait rejetées. Je l'ai exclu de ma vie, et j'ai trouvé quelqu'un d'autre à aimer. Mais Isabelle… elle ne sait pas s'avouer vaincue. Pendant des années, elle s'est heurtée au mur froid de l'indifférence de notre père et elle a essayé désespérément de gagner son amour.

— Pourquoi me racontez-vous ça ?

— Isabelle paraît inébranlable. Elle a une carapace d'acier, mais qui protège un cœur d'artichaut. Ne lui faites pas de mal, voilà ce que je suis en train de vous dire. Si vous ne l'aimez pas…

— Je l'aime.

Vianne le regarda attentivement.

— Est-ce qu'elle le sait ?

— J'espère que non.

Vianne n'aurait pas compris cette réponse un an plus tôt. Elle n'aurait pas compris comme l'amour pouvait avoir un côté sombre, pourquoi le fait de le cacher était parfois la chose la plus généreuse que l'on pouvait faire.

— Je ne sais pas pourquoi il m'est si facile d'oublier à quel point je l'aime. On commence à se disputer, et…

— Vous êtes sœurs.

Vianne soupira.

— Je suppose, même si je ne l'ai pas été beaucoup pour elle.

— Vous aurez une autre chance.

— Vous croyez ?

Le silence de Gaëtan suffit à répondre à sa question. Finalement, il dit :

— Prenez soin de vous, Vianne. Elle aura besoin d'un endroit où se sentir chez elle quand tout cela sera terminé.

— Si cela se termine un jour.

— Ça viendra.

Vianne descendit du chariot ; ses bottes s'enfoncèrent dans l'herbe trempée et boueuse.

— Je ne suis pas sûre qu'elle considère ma maison comme un endroit où se sentir chez elle.

— Il va falloir être courageuse, indiqua Gaëtan. Quand les nazis vont venir chercher leur capitaine. Vous connaissez nos vrais noms. C'est dangereux pour nous tous. Y compris pour vous.

— Je serai courageuse. Dites simplement à ma sœur qu'il faut qu'elle commence à avoir peur.

Pour la première fois, Gaëtan sourit et Vianne comprit pourquoi Isabelle avait eu le coup de foudre pour cet homme décharné aux traits anguleux et habillé comme un mendiant. Il avait ce genre de sourire qui inonde chaque parcelle d'un visage : ses yeux, ses joues, il avait même une fossette. *Je n'ai pas peur de montrer mes sentiments*, disait ce sourire, une transparence qui ne pouvait laisser aucune femme indifférente.

— Entendu, dit-il. Parce qu'on peut tout dire très facilement à votre sœur.

*

Du feu.

Partout autour d'elle, les flammes jaillissent, dansent. Un feu de joie. Elle voit des langues rouges vacillantes qui vont et viennent. Une flamme lui lèche le visage, la brûle en profondeur.

Le feu est partout et soudain… il disparaît.

Le monde est gelé, blanc, nu et fissuré. Le froid lui donne des frissons, elle regarde ses doigts virer au bleu, se craqueler et se désagréger. Ils tombent en poussière comme de la craie sur ses pieds glacés.

— Isabelle.

476

Le chant d'un oiseau. Un rossignol. Elle l'entend chanter un air triste. Le rossignol est un symbole de chagrin, n'est-ce pas ? De l'amour qui se termine ou ne dure pas ou n'a même jamais existé. Il y a un poème à ce sujet, lui semble-t-il. Une ode.

Non, pas un oiseau.

Un homme. Le roi du feu peut-être. Un prince caché dans les bois gelés. Un loup.

Elle cherche des traces de pas dans la neige.

— Isabelle. Réveille-toi.

Elle entendait sa voix dans son imagination. Gaëtan.

Il n'était pas vraiment là. Elle était seule – elle était toujours seule –, et cette situation était trop étrange pour être autre chose qu'un rêve. Elle avait à la fois chaud et froid, mal partout, et elle se sentait épuisée.

Un souvenir lui revint : un grand bruit. La voix de Vianne : *Ne reviens pas.*

— Je suis là.

Elle sentit qu'il s'asseyait à côté d'elle. Le matelas bougea pour s'adapter à son poids imaginaire.

Quelque chose de frais et humide tamponna son front, et ce fut si agréable que son attention fut détournée pendant un instant. Puis elle sentit les lèvres de Gaëtan effleurer les siennes et se poser dessus ; il dit quelque chose qu'elle n'entendit pas bien, puis il s'écarta. La fin de ce baiser lui fit autant d'effet que le début.

Cela semblait si… réel.

Elle avait envie de dire « Ne me laisse pas », mais elle ne le pouvait pas, pas encore. Elle en avait assez de supplier les gens de l'aimer.

Et puis, il n'était pas vraiment là, aussi à quoi cela aurait-il servi de dire quoi que ce soit ?

Elle ferma les yeux et s'écarta de l'homme qui n'était pas là en roulant sur le côté.

*

Vianne s'assit sur le lit de Beck.

C'était ridicule qu'elle voie les choses ainsi, mais c'était comme ça. Elle était assise dans cette chambre qui était devenue celle de Beck, et espéra qu'elle ne le resterait pas éternellement dans son esprit. Elle tenait dans sa main le petit portrait de sa famille.

Vous adoreriez Hilda. Tenez, elle vous a envoyé ce strudel, madame. Pour vous remercier de supporter un rustre comme moi.

Vianne eut la gorge serrée. Elle se retint de pleurer à nouveau sa mort. Elle refusait, mais bon sang, elle avait envie de pleurer sur elle-même, sur ce qu'elle avait fait, sur la personne qu'elle était devenue. Elle avait envie de pleurer sur l'homme qu'elle avait tué et la sœur qui ne survivrait peut-être pas. Elle n'avait eu aucun mal à décider de tuer Beck pour sauver Isabelle. Alors comment se faisait-il qu'elle ait été si prompte à s'en prendre à Isabelle avant cela ? *Tu n'es pas la bienvenue ici.* Comment avait-elle pu dire cela à sa propre sœur ? Et si ces paroles comptaient parmi les dernières qu'elles auraient échangées ?

Elle était assise là, les yeux rivés sur le portrait (*dites à ma famille*), à attendre que quelqu'un frappe à la porte. Quarante-huit heures s'étaient écoulées depuis le meurtre de Beck. Les nazis allaient arriver d'un instant à l'autre.

La question n'était pas « si », mais « quand ». Ils donneraient de grands coups à sa porte et la bousculeraient pour entrer. Elle avait passé des heures à chercher la meilleure solution. Devait-elle se rendre au bureau du Kommandant pour signaler la disparition de Beck ?

(Non, c'était stupide. Quel Français ferait une telle chose ?)

Ou devait-elle attendre qu'ils viennent la voir ?

(Ce n'était jamais une bonne chose non plus.)

Ou devait-elle tenter de s'enfuir ?

Cela ne faisait que réveiller le souvenir de Sarah et de cette nuit de lune qui lui ferait à tout jamais penser à des traînées de sang sur un visage d'enfant et la ramenait systématiquement au début de sa réflexion.

— Maman ? fit Sophie dans l'embrasure de la porte, avec le petit Ari sur sa hanche. Il faut que tu manges quelque chose.

Elle avait grandi et faisait presque la taille de Vianne. Quand cela s'était-il produit ? Et elle était maigre. Vianne se rappela quand sa fille avait eu des joues rondes comme des pommes et des yeux pétillants de malice. À présent, elle était comme tout le monde, filiforme, sèche comme un vieux bout de viande, et avait l'air plus âgée qu'elle ne l'était.

— Ils vont bientôt venir à la porte, dit Vianne.

Elle avait répété cela tant de fois depuis deux jours que ses paroles ne surprirent personne.

— Tu te rappelles ce que tu dois faire ?

Sophie hocha la tête avec gravité. Elle savait à quel point cela était important, même si elle ne savait pas ce qu'était devenu le capitaine. Curieusement, elle n'avait pas demandé.

Vianne dit :

— S'ils m'emmènent…

— Ils ne t'emmèneront pas, rétorqua Sophie.

— Et si cela arrive ?

— On attend que tu reviennes pendant trois jours, puis on va voir Mère Marie-Thérèse au couvent.

Quelqu'un frappa de grands coups à la porte. Vianne se releva si vite qu'elle trébucha sur le côté et lâcha le portrait en se cognant la hanche sur le coin de la table. La vitre se fêla.

— Monte, Sophie. Tout de suite.

Sophie écarquilla les yeux, mais elle se garda bien de parler. Elle serra le petit garçon contre elle et partit en vitesse. Quand Vianne entendit la porte de la chambre se fermer, elle lissa sa jupe usée. Elle avait choisi sa tenue avec soin : un gilet de laine gris et une jupe noire souvent raccommodée. Une allure respectable. Elle avait bouclé ses cheveux et s'était fait des crans qui adoucissaient le contour de son visage maigre.

On frappa à nouveau. Elle s'accorda une inspiration apaisante en traversant la pièce. Elle respirait presque normalement lorsqu'elle ouvrit la porte.

Deux soldats allemands de la Schutzstaffel – SS –, équipés d'armes de poing, se trouvaient là. Le plus petit des deux bouscula Vianne pour entrer dans la maison. Il la parcourut de pièce en pièce, déplaçant les meubles et envoyant les quelques bibelots restants se fracasser au sol. À la porte de la chambre de Beck, il s'arrêta et se retourna.

— C'est la chambre du Hauptmann Beck ?

Vianne fit oui de la tête.

Le plus grand des soldats se précipita vers Vianne et se pencha en avant comme si un vent violent lui soufflait dans le dos. Il la regarda de haut, son front caché par un képi à la visière brillante.

— Où est-il ?

— Co… comment le saurais-je ?

— Qui est là haut ? demanda le soldat avec autorité. J'entends quelque chose.

C'était la première fois qu'on l'interrogeait au sujet d'Ari.

— Mes… enfants.

Le mensonge transpira dans sa voix trop faible. Elle s'éclaircit la gorge et réessaya.

— Vous pouvez monter, bien sûr, mais s'il vous plaît, ne réveillez pas le petit. Il… a la grippe. Ou peut-être la tuberculose.

Elle ajouta ce dernier détail, car elle savait à quel point les nazis avaient peur de tomber malades. Elle ramassa son sac à main et le serra contre sa poitrine comme s'il lui offrait une protection.

Le soldat fit un signe de tête à son collègue, qui monta l'escalier d'un pas assuré. Vianne l'entendit se déplacer à l'étage. Le plafond grinça. Quelques instants plus tard, il redescendit et dit quelque chose en allemand.

— Venez avec nous, dit le plus grand. Je suis sûr que vous n'avez rien à cacher.

Il empoigna Vianne par le bras et l'entraîna dehors jusqu'à la Citroën noire garée devant le portail. Il la poussa sur la banquette arrière et claqua la portière.

Vianne eut environ cinq minutes pour considérer la situation avant qu'ils s'arrêtent à nouveau et la traînent sur les marches en pierre de l'hôtel de ville. Il y avait des gens partout sur la place, des soldats et des habitants.

Les villageois se dispersèrent rapidement quand la Citroën se gara.

— C'est Vianne Mauriac, entendit-elle quelqu'un dire – une femme.

L'étreinte du nazi sur son bras la meurtrissait, mais elle ne fit pas un bruit lorsqu'il la tira dans le bâtiment et lui fit descendre un escalier étroit. Au bas de celui-ci, il la poussa dans une pièce à la porte ouverte et ferma derrière elle.

Il fallut quelques instants pour que les yeux de Vianne s'habituent à l'obscurité. Elle était dans une petite pièce aveugle dont les murs étaient en pierre et le sol revêtu d'un plancher. Au milieu trônait un bureau orné d'une lampe noire toute simple qui projetait un cône de lumière sur le bois éraflé. Derrière et devant le bureau se trouvaient des chaises en bois à dossier droit.

Elle entendit la porte s'ouvrir derrière elle et se refermer. Puis des pas ; elle savait que quelqu'un était entré. Elle sentait son haleine – de saucisse et de tabac – et l'odeur musquée de sa sueur.

— Madame, dit l'homme si près de son oreille qu'elle tressaillit.

Des mains la prirent par la taille et serrèrent avec force.

— Avez-vous des armes ? demanda-t-il dans un français abominable.

Il tâta les côtés de son corps, fit glisser ses doigts arachnéens sur ses seins – qu'il pressa très légèrement –, puis passa ses mains le long de ses jambes.

— Pas d'arme. Bien.

Il passa à côté d'elle et s'assit derrière le bureau. Ses yeux bleus la dévisagèrent sous son képi noir luisant.

— Asseyez-vous.

Elle s'exécuta et joignit les mains sur ses genoux.

— Je suis le Sturmbannführer von Richter. Vous êtes madame Vianne Mauriac ?

Elle acquiesça de la tête.

— Vous savez pourquoi vous êtes ici, dit-il en prenant une cigarette dans sa poche, qu'il alluma avec une allumette qui rayonna dans la pénombre.

— Non, dit-elle d'une voix mal assurée, les mains légèrement tremblantes.

— L'Hauptmann Beck a disparu.

— Disparu. Vous en êtes sûr ?

— Quand l'avez-vous vu pour la dernière fois, madame ?

Elle fronça les sourcils.

— Je ne prête guère attention à ses allées et venues, mais si je réfléchis… je dirais avant-hier soir. Il était assez agité.

— Agité ?

— À cause de l'aviateur en fuite. Il était très contrarié de ne pas l'avoir retrouvé. Herr Capitaine croyait que quelqu'un le cachait.

— Quelqu'un ?

Vianne se força à ne pas détourner le regard ; elle ne tapa pas non plus nerveusement du pied sur le sol et ne gratta pas son cou qui la démangeait.

— Il a cherché le pilote toute la journée. Quand il est rentré, il était… agité, est le seul mot que je connais pour ça. Il a bu une bouteille entière d'eau-de-vie et a cassé quelques objets chez moi dans sa fureur. Et puis…

Elle marqua une pause, fronça davantage les sourcils.

— Et puis ?

— Je suis sûre que ça ne veut absolument rien dire.

Il tapa si fort sur la table avec la paume de sa main que la lumière vacilla.

— Quoi ?

— Herr Capitaine a dit tout à coup : « Je sais où il se cache », puis il a pris son pistolet et il est sorti en claquant la porte derrière lui. Je l'ai vu sauter sur sa moto et partir sur la route à une vitesse déraisonnable, et puis… rien. Il n'est pas revenu. J'ai présumé qu'il était occupé à la kommandantur. Comme je vous l'ai dit, ses allées et venues ne me regardent pas.

L'homme tira une longue bouffée sur sa cigarette. Le bout rougeoya puis redevint lentement noir. Des cendres plurent sur le bureau. Il scruta le visage de Vianne à travers un voile de fumée.

— Aucun homme ne voudrait quitter une belle femme comme vous.

Vianne ne bougea pas.

— Bon, dit-il enfin en laissant tomber son mégot par terre.

Il se leva brusquement, mit le pied sur la cigarette encore allumée et l'écrasa avec le talon de sa botte.

— J'ai le sentiment que le jeune Hauptmann n'était pas aussi habile avec une arme qu'il aurait dû l'être. La Wehrmacht… fit-il en secouant la tête. Souvent, ils nous déçoivent. Ils sont disciplinés, mais pas… enthousiastes.

Il marcha vers Vianne. Lorsqu'il approcha, elle se leva. La politesse l'exigeait.

— Le malheur du Hauptmann va faire mon bonheur.

— Pardon ?

Le regard de l'homme glissa le long du cou de Vianne jusqu'à la peau pâle au-dessus de ses seins.

— J'ai besoin d'un endroit pour cantonner. L'hôtel Bellevue ne me satisfait pas. Je crois que votre maison me conviendra parfaitement.

*

À sa sortie de l'hôtel de ville, Vianne eut l'impression qu'elle venait d'essuyer un naufrage. Elle ne tenait pas bien sur ses jambes et tremblait légèrement, ses paumes de main étaient moites, son front la grattait. Partout où elle regardait sur la place, il y avait des soldats ; ces derniers temps, les uniformes noirs des SS dominaient. Elle entendit quelqu'un crier « *Halt !* » et se retourna, vit deux femmes portant des manteaux miteux ornés de l'étoile jaune à la poitrine qu'un soldat armé d'un pistolet força à s'agenouiller. L'homme attrapa ensuite une des deux femmes et la releva brutalement tandis que l'autre plus âgée hurlait. C'était Mme Fournier, la bouchère. Son fils, Gilles, cria : « Vous ne pouvez pas emmener ma maman ! » et commença à bondir sur deux gendarmes français qui se trouvaient à proximité.

L'un d'eux saisit le garçon et tira suffisamment fort sur son col pour qu'il s'arrête.

— Ne fais pas l'idiot.

Vianne ne réfléchit pas. Elle vit son ancien élève en difficulté et alla vers lui. Ce n'était qu'un enfant, pour l'amour du ciel. Il avait l'âge de Sophie. Vianne avait été son institutrice depuis la maternelle.

— Que faites-vous ? exigea-t-elle de savoir, se rendant compte une seconde trop tard qu'elle aurait dû modérer sa voix.

Le gendarme se tourna pour la regarder. Paul. Il était encore plus gros que la fois précédente. Son visage était si bouffi que ses yeux semblaient aussi petits et fins que des aiguilles à coudre.

— Restez hors de tout cela, madame, dit Paul.

— Madame Mauriac ! s'écria Gilles. Ils emmènent ma maman au train ! Je veux aller avec elle !

Vianne regarda la mère de Gilles, Mme Fournier, la bouchère, et lut le découragement dans ses yeux.

— Viens avec moi, Gilles, dit Vianne sans vraiment réfléchir.

— Merci, murmura Mme Fournier.

Paul tira à nouveau sur le col de Gilles.

— Ça suffit. Ce garçon a fait un scandale. Il vient avec nous.

— Non ! dit Vianne. Paul, s'il vous plaît, nous sommes tous français.

Elle espéra que l'emploi de son prénom lui rappellerait qu'avant tout cela ils avaient formé une communauté. Elle avait été l'institutrice de ses filles.

— Ce garçon est un citoyen français. Il est né ici !

— Peu nous importe où il est né, madame. Il vient, dit-il en plissant les yeux. Vous voulez porter plainte ?

Mme Fournier pleurait désormais, cramponnée à la main de son fils. L'autre gendarme donna un coup de sifflet et fit avancer Gilles en le poussant avec le canon de son pistolet.

Gilles et sa mère se mêlèrent au groupe que l'on menait en troupeau vers la gare.

Peu nous importe où il est né, madame.

Beck ne s'était pas trompé. Le fait d'être français ne protégerait plus Ari.

Vianne serra son sac à main sous son bras et prit le chemin de chez elle. Comme d'habitude, la route devenue boueuse avait souillé ses chaussures lorsqu'elle arriva au portail du Jardin.

Les deux enfants attendaient dans le salon. Les épaules de Vianne se relâchèrent de soulagement. Elle sourit d'un air las en posant son sac à main.

— Est-ce que ça va ? s'enquit Sophie.

Ari se dirigea immédiatement vers elle en ouvrant les bras et lui dit « Maman » avec un sourire pour prouver qu'il avait compris les règles de leur nouveau jeu.

Elle prit le petit de trois ans dans ses bras et le serra fort. Puis elle dit à Sophie :

— On m'a interrogée et laissée partir. Ça, c'est la bonne nouvelle.

— Et la mauvaise ?

Vianne regarda sa fille avec abattement. Sophie grandissait dans un monde où les garçons de sa classe étaient mis dans des wagons comme du bétail sous la menace d'un pistolet pour ne peut-être jamais revenir.

— Un autre Allemand va cantonner ici.

— Est-ce qu'il sera comme Herr Capitaine Beck ?

Vianne pensa à la lueur sauvage dans les yeux bleu électrique de von Richter et à la manière dont il l'avait « fouillée ».

— Non, répondit-elle doucement. Je ne pense pas. Tu ne dois pas lui parler, à moins d'y être obligée. Ne le regarde pas. Fais-toi aussi invisible que possible. Et Sophie, ils déportent des juifs français maintenant – des enfants aussi –, ils les mettent dans des trains et les envoient dans des camps de travail, expliqua Vianne en serrant davantage le fils de Rachel dans ses bras. Son nom est Daniel maintenant. C'est ton frère. *En toutes circonstances*. Même quand on est seuls. Il faut dire que c'est le fils d'un parent de Nice qu'on a adopté. Nous n'avons pas le droit à l'erreur sinon ils l'emmèneront – et nous aussi. Tu comprends ? Je veux que personne ne *regarde* seulement ses papiers.

— J'ai peur, maman, dit Sophie à voix basse.

— Moi aussi, Sophie, fut tout ce que put dire Vianne.

Elles étaient désormais ensemble dans cette situation, qui représentait un risque énorme. Avant qu'elle puisse dire autre chose, on frappa à la porte et von Richter entra chez elle, droit comme une baïonnette, le visage impassible sous son képi brillant. Il avait des croix en argent accrochées à divers endroits sur son uniforme noir – son col droit, son torse. Un badge orné d'une croix gammée décorait sa poche de poitrine gauche.

— Madame Mauriac, dit-il. Je vois que vous êtes rentrée à pied sous la pluie.

— Mais oui, répondit-elle en lissant ses cheveux mouillés qui frisottaient.

— Vous auriez dû demander à mes hommes de vous raccompagner. Une belle femme comme vous ne devrait pas piétiner dans la boue comme une génisse à l'abreuvoir.

— D'accord, merci, j'oserai leur demander la prochaine fois.

Il s'avança sans ôter son képi. Il regarda autour de lui, examina la pièce en détail. Vianne fut certaine qu'il remarqua les marques aux murs là où des tableaux avaient été accrochés, le manteau de cheminée nu et la décoloration du sol là où des tapis s'étaient trouvés durant des décennies. Tous désormais disparus.

— Oui. Ça fera l'affaire, dit-il, puis il regarda les enfants. Et qui avons-nous là ? demanda-t-il avec un accent affreux.

— Mon fils, répondit Vianne, debout à côté de lui, se rapprochant assez pour les toucher tous les deux.

Elle ne dit pas « Daniel » au cas où Ari l'aurait reprise.

— Et ma fille, Sophie.

— Je n'ai pas le souvenir que l'Hauptmann Beck m'ait parlé de deux enfants.

— Et pourquoi l'aurait-il fait, Herr Sturmbannführer. Ce n'est pas d'un grand intérêt.

— Bon, dit-il en adressant un vif signe de tête à Sophie. Toi, petite, va chercher mes affaires.

Puis il dit à Vianne :

— Montrez-moi les chambres. Je vais choisir celle qui me plaît.

28

Isabelle se réveilla dans une pièce plongée dans le noir total. Elle avait mal.

— Tu es réveillée, n'est-ce pas ? demanda une voix à côté d'elle.

Elle reconnut la voix de Gaëtan. Combien de fois au cours des deux dernières années s'était-elle imaginée étendue dans un lit avec lui ?

— Gaëtan, dit-elle, et avec son nom revinrent les souvenirs.

La grange. Beck.

Elle s'assit si vite qu'elle fut prise de vertiges.

— Vianne, dit-elle.

— Ta sœur va bien.

Gaëtan alluma une lampe à huile et la laissa sur le cageot à pommes retourné à côté du lit. La lueur dorée les nimba, créant un petit halo ovale dans l'obscurité. Elle toucha son épaule à l'endroit où elle souffrait et grimaça.

— Ce salaud m'a tiré dessus, dit-elle, étonnée de se rendre compte qu'elle avait pu oublier une telle chose.

Elle se rappela avoir caché l'aviateur et s'être fait surprendre par Vianne… Elle se rappela avoir attendu dans le cellier avec le pilote mort…

— Et tu lui as tiré dessus.

Elle se rappela Beck qui ouvrait la trappe et braquait son pistolet sur elle. Elle se rappela deux coups de feu... puis qu'elle était sortie du cellier, chancelante et étourdie. Savait-elle alors qu'elle était touchée ?

Vianne tenant une pelle couverte de sang. À côté d'elle, Beck dans une mare écarlate.

Vianne pâle comme un linge et tremblante. *Je l'ai tué.*

Après cela, ses souvenirs étaient confus, si ce n'est celui de Vianne en colère. *Tu n'es pas la bienvenue ici. Si tu reviens, je te dénoncerai moi-même.*

Isabelle se rallongea lentement. Ce souvenir était plus douloureux que sa blessure. Pour une fois, Vianne avait eu raison de chasser Isabelle. Que lui avait-il pris de cacher un aviateur sur la propriété de sa sœur, où un capitaine allemand de la Wehrmacht cantonnait ? Pas étonnant que les gens ne lui fassent pas confiance.

— Depuis combien de temps suis-je ici ?

— Quatre jours. Ta blessure cicatrise bien. Ta sœur l'a bien recousue. Ta fièvre est tombée hier.

— Et... Vianne ? Elle ne va pas bien, évidemment. Alors comment se porte-t-elle ?

— On l'a protégée du mieux qu'on a pu. Elle a refusé qu'on la cache. Henri et Didier ont donc enterré les deux corps, nettoyé la grange et mis la moto en pièces détachées.

— Les Allemands vont l'interroger, dit Isabelle. Et le fait d'avoir tué cet homme va la hanter. La haine n'est pas dans sa nature.

— Ça le sera avant que cette guerre se termine.

Isabelle sentit son estomac se nouer de honte et de regret.

491

— Je l'aime, tu sais. Du moins, je veux l'aimer. Comment se fait-il que j'oublie ça dès l'instant où on n'est pas d'accord sur quelque chose ?

— Elle m'a dit quelque chose de très similaire à la frontière.

Isabelle commença à se retourner et eut le souffle coupé par la douleur dans son épaule. Elle prit une grande inspiration, s'arma de courage et se mit lentement sur le côté. Elle avait mal évalué à quel point il était près d'elle, à quel point le lit était petit. Ils étaient étendus comme un couple ; elle sur le côté qui le regardait, lui sur le dos les yeux rivés au plafond.

— Vianne est allée à la frontière ?

— Tu étais dans le cercueil à l'arrière du chariot. Elle voulait s'assurer qu'on traverserait sans encombre.

Elle entendit un sourire dans sa voix, ou elle l'imagina.

— Elle a menacé de me tuer si je ne m'occupais pas bien de toi.

— Ma *sœur* a dit ça ?

Isabelle n'en revenait pas. Mais elle ne croyait certainement pas que Gaëtan était le genre d'homme à mentir pour réunir des sœurs. De profil, les traits de son visage étaient extrêmement anguleux, même à la lumière d'une lampe. Il refusait de la regarder et se tenait le plus près possible du bord du lit.

— Elle avait peur que tu meures. Et moi aussi.

Sa voix était si basse qu'elle l'entendit à peine.

— On se croirait il y a bien longtemps, dit-elle prudemment, effrayée à l'idée de dire ce qu'il ne fallait pas.

Et plus encore à celle de ne rien dire du tout. Qui savait combien d'occasions il y aurait en une période si incertaine ?

— Toi et moi seuls dans le noir. Tu te souviens ?

— Je me souviens.

— J'ai déjà l'impression que notre passage à Tours remonte à une éternité, poursuivit-elle. Je n'étais qu'une gamine.

Il ne dit rien.

— Regarde-moi, Gaëtan.

— Dors, Isabelle.

— Tu sais que je vais continuer à te le demander jusqu'à ce que tu n'y tiennes plus.

Il soupira et roula sur le côté.

— Je pense à toi, dit-elle.

— Arrête, fit-il d'un ton rude.

— Tu m'as embrassée. Ce n'était pas un rêve.

— Tu ne peux pas te rappeler ça.

Ces mots éveillèrent une sensation étrange chez Isabelle, un petit pincement d'excitation dans sa poitrine.

— Tu as envie de moi autant que j'ai envie de toi, déclara-t-elle.

Il fit non de la tête, mais ce fut le silence qu'elle entendit, et le souffle de Gaëtan qui s'accélérait.

— Tu me trouves trop jeune, trop innocente, trop impétueuse. Trop tout. Je comprends. Les gens ont toujours dit cela de moi. Je suis immature.

— Ce n'est pas ça.

— Mais tu te trompes. Peut-être que tu n'avais pas tort il y a deux ans. Je t'ai bien dit « Je t'aime », ce qui a dû te paraître insensé. Mais ce n'est plus insensé maintenant, Gaëtan. C'est peut-être même la seule chose sensée dans tout ça. L'amour, je veux dire. On a vu des immeubles exploser sous nos yeux et nos amis se font arrêter et déporter. Dieu sait si on les reverra un jour. Je pourrais mourir, Gaëtan, dit-elle doucement. Je ne dis pas ça comme une adolescente qui veut que le garçon l'embrasse. C'est la vérité et tu le sais. On pourrait l'un comme l'autre mourir demain. Et tu sais ce que je regretterais ?

— Quoi ?

— Nous.

— Il ne peut pas y avoir de nous, Isa. Pas maintenant. C'est ce que j'essaie de t'expliquer depuis le début.

— Si je te promets de ne plus parler de ça, est-ce que tu veux bien répondre honnêtement à une question ?

— Juste une.

— Une. Ensuite, je dors. Je te le promets.

Il hocha la tête.

— Si nous n'étions pas ici – cachés dans cette planque –, si le monde n'était pas en train de se déchirer, si ce n'était qu'un jour normal dans un monde normal, voudrais-tu qu'il y ait un nous, Gaëtan ?

Elle vit son visage se décomposer, et sa souffrance dévoiler son amour.

— Ce n'est pas ça qui compte, tu ne comprends pas ça ?

— C'est la seule chose qui compte, Gaëtan.

Elle vit l'amour dans ses yeux. Quelle importance avaient les mots après cela ?

Elle était plus avisée qu'autrefois. Elle savait à présent à quel point la vie et l'amour étaient fragiles.

Peut-être l'aimerait-elle pour cette journée seulement, ou peut-être pour la semaine suivante seulement, ou peut-être encore jusqu'à ce qu'elle devienne une très vieille dame. Peut-être qu'il serait l'amour de sa vie… ou son amour le temps de cette guerre… ou peut-être qu'il ne serait que son premier amour. Tout ce qu'elle savait, c'était que dans ce monde atroce et effrayant, elle était tombée sur quelque chose d'inattendu.

Et elle n'allait pas laisser passer cette occasion une nouvelle fois.

Je le savais, se dit-elle en souriant.

Le souffle de Gaëtan effleura ses lèvres, aussi intime qu'un baiser. Elle se pencha vers lui, le fixa d'un regard calme, honnête, et éteignit la lampe.

Dans le noir, elle se blottit contre lui, s'enfonça davantage sous les couvertures. Dans un premier temps, il resta raide contre elle, comme s'il avait peur de seulement la toucher, puis peu à peu, il se détendit. Il roula sur le dos et se mit à ronfler. À un moment donné – elle ne savait pas quand –, elle ferma les yeux et posa une main dans le creux du ventre de Gaëtan, qu'elle sentit se soulever et s'abaisser au rythme de sa respiration. C'était comme de mettre sa main sur l'océan en été, quand la marée montait.

Au contact de sa peau, elle s'endormit.

*

Les cauchemars ne cessaient pas. Dans une zone éloignée de son cerveau, elle entendait ses propres gémissements, elle entendait Sophie dire : « Maman, tu prends toutes les couvertures », mais rien de tout cela ne la réveillait. Dans son cauchemar, elle était assise sur une chaise en train de subir un interrogatoire. *Le garçon, Daniel. Il est juif. Donnez-le-moi*, disait von Richter en braquant son pistolet sur elle… puis le visage du nazi se transformait, semblait fondre un peu, et il devenait Beck, qui tenait la photo de sa fille et secouait la tête, mais il manquait un côté de son visage… et puis Isabelle était étendue par terre, en sang, et disait *Je suis désolée, Vianne*, et Vianne hurlait. *Tu n'es pas la bienvenue ici…*

Vianne se réveilla en sursaut, haletante. Les mêmes cauchemars la hantaient depuis six jours ; elle se réveillait systématiquement épuisée et inquiète. C'était désormais le mois de novembre, et elle n'avait absolument aucune nouvelle d'Isabelle. Elle sortit doucement de sous les couvertures. Le sol était froid, mais pas autant qu'il le serait d'ici quelques semaines. Elle récupéra le châle qu'elle avait laissé au pied du lit et l'enveloppa autour de ses épaules.

Von Richter s'était approprié la chambre du premier. Vianne lui avait donc laissé l'étage et s'était installée avec les enfants dans la plus petite chambre du rez-de-chaussée, où ils dormaient ensemble dans le lit deux places.

La chambre de Beck. Ce n'était pas étonnant qu'elle rêve de lui dans cette pièce. L'air était encore chargé de son odeur et lui rappelait que l'homme qu'elle avait connu ne vivait plus, qu'elle l'avait tué. Elle mourait d'envie de faire pénitence pour ce péché, mais comment le pouvait-elle ? Elle avait tué un homme – un homme convenable, malgré tout. Peu lui importait qu'il fût l'ennemi ou même qu'elle ait agi pour sauver sa sœur. Elle savait qu'elle avait pris la bonne décision. Mais c'était l'acte même qui la tourmentait. *Un meurtre.*

Elle sortit de la chambre et ferma la porte derrière elle avec un petit déclic.

Von Richter était assis sur le divan en train de lire un journal et de boire un vrai café. L'arôme la rendit presque malade tant elle en rêvait. Le nazi cantonnait là depuis déjà plusieurs jours, et chaque matin cette odeur de café torréfié riche et amer flottait dans l'air – et von Richter avait veillé à ce qu'elle la sente et en ait envie. Mais elle ne pouvait en avoir la plus petite gorgée ; il veillait à cela également. La veille au matin, il avait versé une cafetière entière dans l'évier en lui souriant.

C'était un homme qui avait par hasard trouvé l'occasion de gagner un peu de pouvoir et l'avait saisie à deux mains. Vianne l'avait compris dès les premières heures suivant son arrivée, quand il avait choisi la meilleure chambre et récupéré les plus chaudes couvertures pour son lit, quand il avait pris tous les oreillers qu'il restait dans la maison et toutes les bougies, laissant seulement une lampe à huile à Vianne.

— Herr Sturmbannführer, dit-elle en lissant sa robe informe et son gilet usé.

Il ne leva pas les yeux du journal allemand qui retenait son attention.

— Je reveux du café.

Elle ramassa la tasse vide et se rendit dans la cuisine d'où elle rapporta rapidement la tasse remplie.

— Les Alliés perdent leur temps en Afrique du Nord, dit-il en lui prenant la tasse qu'il posa sur la table à côté de lui.

— Oui, Herr Sturmbannführer.

La main de von Richter sortit tel un serpent et s'enroula autour du poignet de Vianne en la serrant assez fort pour lui laisser un bleu.

— J'ai invité des hommes à dîner ce soir. Vous cuisinerez. Et tenez ce garçon à distance de moi. On dirait un cochon qu'on égorge quand il pleure.

Il la lâcha.

— Oui, Herr Sturmbannführer.

Elle s'éloigna de lui rapidement et se rendit dans la chambre. Elle se pencha sur le lit et réveilla Daniel, dont elle sentit la respiration douce contre le creux de son cou.

— Maman, marmonna-t-il avec son pouce dans la bouche, qu'il suçait avec acharnement. Sophie ronfle trop fort.

Vianne sourit et tendit la main pour ébouriffer les cheveux de Sophie. Étonnamment, bien que ce fût la guerre, qu'ils fussent terrifiés et affamés, une fille de son âge parvenait encore à dormir comme une souche.

— On croirait entendre un buffle, Sophie, la taquina Vianne.

— Très drôle, grommela Sophie en s'asseyant. Herr Doryphore est-il encore ici ?

— Sophie ! gronda Vianne en jetant un regard inquiet sur la porte fermée.

— Il ne peut pas nous entendre, dit Sophie.

— Mais quand même, gronda Vianne à voix basse, je ne vois pas pourquoi tu pourrais comparer notre hôte à un insecte qui mange des pommes de terre, fit-elle en se retenant de sourire.

Daniel enlaça Vianne et lui donna un baiser baveux.

Alors qu'elle lui caressait le dos et le serrait contre elle, le nez collé à sa joue duvetée, elle entendit le moteur d'une voiture qui démarrait.

Dieu merci.

— Il part, murmura-t-elle au garçon. Viens, Sophie.

Elle porta Daniel dans le salon, où régnait encore une odeur de café et d'eau de Cologne, et commença sa journée.

*

D'aussi loin qu'elle se souvint, les gens avaient dit d'Isabelle qu'elle était impétueuse. Et insouciante, et dernièrement, irresponsable. Durant l'année écoulée, elle avait suffisamment mûri pour constater que c'était vrai. Dès ses plus lointains souvenirs, elle avait d'abord agi et songé ensuite aux conséquences. Peut-être était-ce parce qu'elle s'était sentie seule pendant si longtemps. Elle n'avait jamais eu personne pour l'écouter, un meilleur ami. Elle n'avait eu personne pour l'aider à réfléchir ou à trouver une solution à ses problèmes.

Au-delà de ça, elle n'avait jamais bien su contrôler ses impulsions. Peut-être parce qu'elle n'avait jamais rien eu à perdre.

À présent, elle savait ce que signifiait avoir peur, et vouloir quelque chose – ou quelqu'un – au point d'en souffrir.

L'ancienne Isabelle aurait simplement dit à Gaëtan qu'elle l'aimait et aurait laissé le sort décider de la suite.

La nouvelle Isabelle avait envie de partir sans même essayer. Elle ne savait pas si elle avait la force de se voir à nouveau rejetée.

Et pourtant.

C'était la guerre. Le temps était le seul luxe que personne n'avait plus. Demain semblait aussi éphémère qu'un baiser dans le noir.

Elle était dans la petite soupente qui leur servait de salle de bains dans leur cache. Gaëtan avait monté des seaux d'eau chaude pour le bain d'Isabelle, et elle s'était prélassée dans la baignoire en cuivre jusqu'à ce que l'eau refroidisse. Le miroir au mur était fêlé et de travers ; son reflet semblait disloqué, avec un côté de son visage légèrement plus bas que l'autre.

— Comment peux-tu avoir peur ? demanda-t-elle à son double.

Elle avait traversé les Pyrénées à pied sous la neige et les eaux froides de la Bidassoa sous l'éclat éblouissant d'un projecteur espagnol ; elle avait un jour demandé à un agent de la Gestapo de porter sa valise pleine de faux papiers d'identité pour passer un poste de contrôle allemand « parce qu'il avait l'air si fort et qu'elle était très fatiguée par son voyage », mais elle n'avait jamais été aussi tendue qu'à cet instant. Elle sut tout à coup qu'une femme pouvait changer le cours de sa vie en faisant un seul choix.

Prenant une grande inspiration, elle s'enveloppa dans une serviette abîmée et retourna dans la pièce principale. Elle s'arrêta juste assez longtemps à la porte pour calmer son cœur battant (sans y parvenir) puis ouvrit.

Gaëtan était debout près de la fenêtre occultée dans ses vêtements usés et troués, encore tachés du sang d'Isabelle. Elle sourit nerveusement et approcha la main du coin de la serviette qu'elle avait coincé au-dessus de sa poitrine.

Il se figea au point qu'il semblait avoir cessé de respirer, tandis que la respiration d'Isabelle s'accéléra.

— Ne fais pas ça, Isa.

Il plissa les yeux – auparavant, elle aurait dit que c'était de colère, mais elle savait à présent que la raison était tout autre.

Elle défit la serviette et la laissa tomber. Elle n'était désormais plus couverte que du seul pansement sur sa blessure.

— Qu'est-ce que tu veux de moi ? demanda-t-il.

— Tu le sais.

— Tu es une innocente. C'est la guerre. Je suis un criminel. Combien de raisons te faut-il pour rester loin de moi ?

C'étaient là des arguments pour un autre monde.

— En d'autres circonstances, je ferais en sorte que tu me cours après, dit-elle en avançant d'un pas. Je t'aurais fait faire des pieds et des mains pour que je me mette nue. Mais nous n'avons pas le temps, si ?

Elle eut un accès de tristesse lorsque Gaëtan acquiesça silencieusement. Telle était la vérité entre eux depuis le début : ils n'avaient pas le temps. Ils ne pouvaient se séduire, tomber amoureux, se marier et avoir des enfants. Ils ne connaîtraient peut-être pas de lendemain. L'idée que sa première fois soit baignée de chagrin lui était insupportable, une première fois imprégnée du sentiment d'avoir déjà perdu ce qu'ils venaient de trouver. Mais le monde était ainsi, désormais.

Cependant, elle était sûre d'une chose : elle voulait que ce soit lui le premier homme dans son lit. Elle voulait se souvenir de lui pour toujours.

— Les bonnes sœurs disaient sans cesse que je finirais mal. Je pense qu'elles parlaient de toi.

Il s'approcha d'elle, prit son visage entre ses mains.

— Tu me terrifies, Isabelle.

« Embrasse-moi » fut tout ce qu'elle put répondre.

Au premier contact de ses lèvres, tout changea, ou Isabelle changea. Un frisson de désir la parcourut, lui coupa le souffle. Elle se sentit, dans ses bras, perdue et retrouvée, détruite et rétablie. Les mots « Je t'aime » bouillonnaient en elle, lui brûlaient les lèvres. Mais plus encore, elle avait envie d'*entendre* ces mots, qu'on lui dise, juste une fois, qu'on l'aimait.

— Tu vas regretter d'avoir fait ça, dit-il.

Comment pouvait-il dire cela ?

— Jamais. Et toi, tu vas le regretter ?

— Je le regrette déjà, dit-il tout bas.

Puis il l'embrassa encore.

29

La semaine qui suivit, Isabelle nagea dans un bonheur presque insupportable. Une semaine de longues conversations à la lueur d'une bougie, main dans la main, de caresses ; de nuits où ils se réveillaient animés par un puissant désir, faisaient l'amour et se rendormaient.

Ce jour-là, comme tous les autres, Isabelle se réveilla encore fatiguée et un peu en proie à la douleur. La blessure à son épaule avait suffisamment commencé à cicatriser pour la démanger. Elle sentit la présence de Gaëtan à côté d'elle, son corps chaud et ferme. Elle sut qu'il était éveillé ; c'était peut-être sa respiration, ou la façon dont il frottait distraitement son pied contre le sien, ou le silence. Elle savait, simplement. Au cours des derniers jours, il était devenu son sujet d'étude. Rien de ce qu'il faisait n'était trop insignifiant pour qu'elle le remarque. À maintes reprises, elle s'était dit *Souviens-toi de ça*, à propos du moindre détail.

Elle avait lu d'innombrables romans d'amour dans sa vie et elle rêvait d'amour depuis toujours ; malgré cela, elle n'avait jamais su qu'un simple vieux matelas deux places pouvait devenir un monde en soi, une oasis. Elle se tourna sur le côté et passa le bras au-dessus de Gaëtan pour allumer la lampe. Dans la pâle lueur de celle-ci, elle se serra contre lui et posa le bras sur son torse. Une minuscule cicatrice argentée se dessinait à la naissance de ses cheveux en bataille. Elle en approcha sa main, la suivit du bout du doigt.

— Mon frère m'a jeté un caillou. Je ne me suis pas baissé assez vite, expliqua-t-il. Georges, dit-il avec tendresse.

Le ton de sa voix rappela à Isabelle que le frère de Gaëtan était prisonnier de guerre.

Il avait vécu une vie entière dont elle ne savait presque rien. Une mère couturière et un père éleveur de cochons… Il avait grandi dans une forêt quelque part, dans une maison sans eau courante qui ne comptait qu'une pièce pour tous. Il répondait à toutes ses questions, mais ne racontait presque rien de lui-même. Il disait qu'il préférait écouter ses aventures qui lui avaient valu d'être renvoyée de tant d'écoles. *C'est mieux que des histoires de gens pauvres qui essaient simplement de s'en sortir*, disait-il.

Mais derrière toutes ces paroles, derrière les récits qu'ils échangeaient, elle sentait leur temps s'épuiser. Ils ne pouvaient pas se cacher encore longtemps. Ils étaient déjà restés plus qu'ils n'auraient dû. Elle était suffisamment remise pour voyager. Pas pour traverser les Pyrénées, peut-être, mais elle n'avait assurément plus besoin de repos.

Comment pouvait-elle le quitter ? Ils ne se reverraient peut-être jamais.

C'était là le fond de sa peur.

— Je comprends, tu sais, dit Gaëtan.

Elle ne savait pas ce qu'il voulait dire par là, mais elle perçut le peu d'entrain dans sa voix et sut que ce n'était pas bon signe. La tristesse qu'entraînait le fait de se trouver dans son lit – qui était autant une source de bonheur – grandit.

— Qu'est-ce que tu comprends ? demanda-t-elle, bien qu'elle n'eût pas envie de l'entendre.

— Qu'à chaque fois qu'on s'embrasse, c'est un au revoir.

Elle ferma les yeux.

— C'est la guerre dehors, Isa. Je dois y retourner.

Elle le savait et était d'accord avec lui, même si cela lui causait une sensation oppressante dans la poitrine. « Je sais » fut tout ce qu'elle put répondre, de peur de ne pouvoir supporter la douleur que provoquerait une réflexion plus poussée.

— Il y a un groupe qui se réunit à Urrugne, dit-elle. Je devrais y être avant la tombée de la nuit mercredi, avec un peu de chance.

— Nous n'avons pas de chance. Tu devrais le savoir maintenant.

— Tu te trompes, Gaëtan. Maintenant que tu m'as rencontrée, tu ne pourras jamais m'oublier. C'est quelque chose, dit-elle, puis elle l'embrassa.

Il murmura quelques mots en réponse, contre ses lèvres, peut-être « ça ne suffit pas ». Elle s'en moquait. Elle ne voulait pas le savoir.

*

En novembre, les habitants de Carriveau commencèrent à se préparer à affronter un nouvel hiver. Ils savaient désormais ce qu'ils n'avaient pas su l'hiver précédent : les choses pouvaient empirer. La guerre sévissait partout dans le monde : en Afrique, en Union soviétique, au Japon, quelque part sur une île du nom de Guadalcanal. Du fait que les Allemands combattaient sur tant de fronts, la nourriture était devenue d'autant plus rare, de même que le bois, le gaz, l'électricité et les produits de tous les jours.

Ce vendredi matin était particulièrement froid et gris. Ce n'était pas un bon jour pour s'aventurer dehors, mais Vianne avait décidé que c'était le Grand Jour. Il lui avait fallu un certain temps pour trouver le courage de sortir de la maison avec Daniel, mais elle savait qu'il le fallait. Elle l'avait déguisé par tous les moyens possibles : elle lui avait coupé les cheveux si courts qu'il était presque chauve et l'avait habillé de vêtements trop grands pour qu'il paraisse plus petit.

Elle s'efforça de faire bonne contenance en traversant la ville, avec un enfant de chaque côté d'elle – Sophie et Daniel.

Daniel.

À la boulangerie, elle prit place au bout de la queue. Elle attendit en retenant son souffle que quelqu'un l'interroge au sujet du garçon qui l'accompagnait, mais les femmes dans la file étaient trop fatiguées, affamées et terrifiées pour ne fût-ce que lever les yeux. Quand le tour de Vianne arriva enfin, Yvette la regarda. Ç'avait été une belle femme seulement deux ans plus tôt, aux cheveux cuivrés flottants et aux yeux noirs comme du charbon. À présent, après trois années de guerre, elle semblait âgée et épuisée.

— Vianne Mauriac. Ça fait un moment que je ne vous ai pas vue avec votre fille. Bonjour, Sophie, tu as tellement grandi, dit-elle, puis elle pencha la tête par-dessus le comptoir. Et qui est ce beau jeune homme ?

— Daniel, répondit-il fièrement.

Vianne posa une main tremblante sur sa tête tondue.

— Je l'ai adopté, c'est le fils d'une cousine d'Antoine à Nice. Elle… est morte.

Yvette dégagea ses cheveux frisottants de devant ses yeux et en enleva un de sa bouche en regardant le petit. Elle-même avait trois fils, dont un était à peine plus vieux que Daniel.

Le cœur de Vianne palpitait dans sa poitrine.

Yvette s'éloigna du comptoir, et partit vers la petite porte qui séparait le magasin du fournil.

— Herr Lieutenant, dit-elle. Pouvez-vous venir un instant ?

Vianne serra l'anse de son panier en osier dans sa main et le tritura comme s'il s'agissait d'un clavier de piano.

Un Allemand corpulent sortit tranquillement du fournil, les bras chargés de baguettes fraîches. Il vit Vianne et s'arrêta.

— Madame, dit-il, ses joues roses bombées tant il avait la bouche pleine.

Vianne put à peine le saluer de la tête.

Yvette dit au militaire :

— Il n'y a plus de pain aujourd'hui, Herr Lieutenant. Si j'en refais, je garderai le meilleur pour vous et vos hommes. Cette pauvre femme n'a même pas pu avoir une baguette d'hier.

L'homme plissa les yeux d'un air consentant. Il se dirigea vers Vianne, traînant lourdement ses pieds plats. Sans un mot, il laissa tomber une baguette à moitié mangée dans son panier. Puis il hocha la tête et sortit du magasin, faisant tinter la sonnette.

Quand elles furent seules, Yvette s'approcha de Vianne, à tel point que celle-ci dut réprimer son envie de reculer.

— J'ai entendu dire que vous aviez un officier SS chez vous maintenant. Qu'est devenu le beau capitaine ?

— Il a disparu, répondit Vianne d'une voix égale. Personne ne sait.

— Personne ? Pourquoi vous ont-ils fait passer un interrogatoire ? Tout le monde vous a vue entrer dans l'hôtel de ville.

— Je ne suis qu'une femme au foyer. Que pourrais-je savoir de ce genre de choses ?

Yvette la dévisagea un peu plus longuement. Puis elle recula.

— Vous êtes une bonne amie, Vianne Mauriac, dit-elle doucement.

Vianne la salua d'un bref hochement de tête et se dirigea vers la porte avec les enfants. La période où on s'arrêtait pour parler à ses amis dans la rue était révolue. Désormais, le simple fait de croiser le regard de quelqu'un était dangereux ; les conversations amicales étaient devenues comme le beurre, le café et le porc.

Dehors, Vianne s'arrêta sur le pas de la porte en pierre qui présentait une fissure dans laquelle poussait une épaisse touffe de mauvaises herbes couvertes de givre. Vianne portait un manteau d'hiver qu'elle s'était confectionné à partir d'un dessus-de-lit orné de tapisseries. Elle avait copié un modèle qu'elle avait vu dans une revue : croisé, à hauteur des genoux, avec un large revers et des boutons qu'elle avait récupérés sur une des vestes en gros tweed préférées de sa mère. Il était assez chaud pour ce jour-là, mais il lui faudrait bien mettre des couches de papier journal entre son pull et le manteau.

Vianne renoua son foulard sur sa tête et le serra davantage sous son menton quand le vent glacial lui cingla le visage. Des feuilles glissaient sur le trottoir et passaient en tournoyant devant ses pieds bottés.

Elle agrippa la main couverte d'une moufle de Daniel et descendit dans la rue. Elle sut immédiatement que quelque chose n'allait pas. Il y avait des soldats allemands et des gendarmes français partout – dans des voitures, sur des motos, en troupes marchant au pas, rassemblés en petits groupes devant les cafés.

Quoi qu'il se passât, ça ne pouvait rien être de bon, et il valait toujours mieux se tenir à l'écart des soldats – surtout depuis les victoires des Alliés en Afrique du Nord.

— Venez, les enfants. Rentrons à la maison.

Elle essaya de tourner à droite, mais trouva la rue barricadée. Partout dans celle-ci, les portes et les volets étaient fermés. Les bistrots étaient déserts. Une terrible sensation de danger planait dans l'air.

La rue suivante était aussi barricadée. Deux soldats nazis montaient la garde au bout de celle-ci, leurs fusils pointés vers elle. Derrière eux, des soldats allemands arrivaient au pas de l'oie dans leur direction, en formation serrée.

Vianne prit les enfants par la main et les fit accélérer, mais toutes les rues étaient barricadées et gardées. Il devint évident qu'une opération était en cours. Des camions et des cars roulaient dans les rues pavées en direction de la place principale.

Lorsqu'elle arriva sur la place, Vianne s'arrêta, essoufflée, et serra les enfants contre elle.

C'était le chaos. Des cars alignés les uns derrière les autres déversaient des passagers – qui portaient tous une étoile jaune. Des femmes et des enfants se faisaient tirer, pousser, mener en troupeau sur la place. Des nazis encadraient le périmètre, formant une barrière terrifiante, tandis que des policiers français tiraient les gens des cars, arrachaient les colliers aux cous des femmes, les faisaient avancer sous la menace de leurs pistolets.

— Maman ! cria Sophie.

Vianne plaqua une main sur la bouche de sa fille.

À sa gauche, un policier mit une jeune femme à terre, puis la releva en la tirant par les cheveux et l'entraîna à travers la foule.

— Vianne ?

Vianne se retourna, vit Hélène Ruelle chargée d'une petite valise en cuir, qui tenait un garçonnet par la main. Un deuxième garçon plus grand se tenait près d'elle. Elle portait une étoile jaune abîmée.

— Prenez mes fils, dit Hélène à Vianne d'un ton désespéré.

— Ici ? demanda Vianne en regardant autour d'elle.

— Non, maman, dit le plus grand garçon. Papa m'a demandé de veiller sur toi. Je ne te quitterai pas. Si tu pars, je te suivrai. Il vaut mieux qu'on reste ensemble.

Derrière eux retentit un nouveau coup de sifflet.

Hélène poussa le plus petit garçon vers Vianne, qui vint se cogner contre Daniel.

— C'est Jean-Georges, comme son oncle. Il a eu quatre ans en juin dernier. La famille de mon mari est en Bourgogne.

— Je n'ai pas de papiers pour lui… ils me tueront si je le prends.

— Vous ! cria un nazi à Hélène.

Il arriva derrière elle, l'attrapa par les cheveux et faillit la faire tomber en la tirant. Elle heurta son fils aîné, qui fit son possible pour la maintenir debout.

Puis Hélène et son fils disparurent dans la foule. Le garçon était à côté de Vianne, gémissant « Maman ! », en sanglots.

— Il faut qu'on parte, dit Vianne à Sophie. *Tout de suite*.

Elle saisit si fermement la main de Jean-Georges qu'il pleura de plus belle. Chaque fois qu'il criait « Maman ! », Vianne tressaillait et priait pour qu'il se taise. D'un pas rapide, ils prirent une rue puis l'autre, contournant les barricades et évitant les soldats qui enfonçaient les portes et emmenaient des juifs vers la place. À deux reprises, on les arrêta et les laissa passer parce qu'ils n'avaient pas d'étoiles sur leurs vêtements. Sur la route boueuse, Vianne dut ralentir, mais elle ne cessa pas de marcher, pas même quand les deux petits garçons se mirent à pleurer.

Au Jardin, elle s'arrêta enfin.

La Citroën noire de von Richter était garée devant la maison.

— Oh non ! fit Sophie.

Vianne regarda sa fille terrifiée et vit sa propre peur reflétée dans les yeux de son enfant chérie, et tout à coup elle sut ce qu'elle devait faire.

— Nous devons essayer de le sauver, ou alors nous ne valons pas mieux qu'eux, dit-elle.

C'était dit. L'idée d'entraîner sa fille là-dedans l'insupportait, mais quel choix avait-elle ?

— Je dois sauver ce garçon.

— Comment ?

— Je ne sais pas encore, reconnut-elle.

— Mais von Richter…

Comme attiré par son propre nom, le nazi apparut à la porte d'entrée, tiré à quatre épingles dans son uniforme.

— Ah, madame Mauriac, dit-il, et il s'approcha d'elle en plissant les yeux. Vous voilà.

Vianne s'efforça de se calmer.

— Nous étions allés faire des courses en ville.

— Ce n'est pas un bon jour pour ça. Nous rassemblons les juifs pour les déporter.

Il venait vers elle, ses bottes écrasant l'herbe mouillée. À côté de lui, le pommier avait perdu toutes ses feuilles ; des morceaux de tissu flottaient sur ses branches nues. Rouge. Rose. Blanc. Et un nouveau pour Beck – noir.

— Et qui est ce charmant petit garçon ? demanda von Richter en touchant la joue sillonnée de larmes de l'enfant d'un doigt ganté.

— Le… le fils d'une amie. Sa mère est morte de la tuberculose la semaine dernière.

Von Richter fit un bond en arrière, comme si Vianne avait parlé de la peste bubonique.

— Je ne veux pas de cet enfant dans la maison. Compris ? Emmenez-le immédiatement à l'orphelinat.

L'orphelinat. Mère Marie-Thérèse.

Elle hocha la tête.

— Bien sûr, Herr Sturmbannführer.

Il fit un petit geste de la main comme pour dire *Partez, maintenant.* Puis il s'éloigna. Soudain, il s'arrêta et se retourna vers Vianne.

— Je veux que vous soyez rentrée ce soir pour le dîner.

— Je suis toujours à la maison le soir, Herr Sturmbannführer.

— Nous partons demain, et je veux que vous prépariez un bon repas pour mes hommes et moi avant notre départ.

— Vous partez ? demanda-t-elle avec une lueur d'espoir.

— Nous allons occuper le reste de la France demain. Plus de zone libre. Il en est grand temps, bon sang. C'était ridicule de vous laisser, vous autres Français, gouverner vous-mêmes votre pays. Bonne journée, madame.

Vianne resta immobile, la main de l'enfant dans la sienne. Au-dessus des pleurs de Jean-Georges, elle entendit le portail s'ouvrir et se refermer en grinçant. Puis le bruit d'un moteur.

Quand il fut parti, Sophie dit :

— Est-ce que Mère Marie-Thérèse pourra le cacher ?

— Je l'espère. Rentre dans la maison avec Daniel et ferme la porte à clé. N'ouvre à personne d'autre que moi. Je reviens dès que je peux.

Sophie parut soudain vieille et pleine de sagesse pour son âge.

— Bonne chance, maman.

— On va voir, dit-elle avec tout l'espoir qu'il lui restait.

Quand ses enfants furent en sécurité dans la maison, derrière la porte verrouillée, elle dit au garçon à côté d'elle :

— Viens, Jean-Georges, on va faire un tour.

— Pour retrouver ma maman ?

Vianne ne put le regarder.

— Viens.

*

Tandis que Vianne et le garçon retournaient en ville, une pluie intermittente se mit à tomber. Jean-Georges pleurait, se plaignait tour à tour, mais Vianne était si inquiète qu'elle l'entendait à peine.

Comment pouvait-elle demander à la Mère supérieure de prendre ce risque ?

Et comment pouvait-elle ne pas le faire ?

Ils passèrent devant l'église et se dirigèrent vers le couvent caché derrière. L'ordre des sœurs de Saint-Joseph avait été fondé en 1650 par six femmes de même sensibilité qui souhaitaient simplement aider les pauvres. Il s'était développé peu à peu pour compter des milliers de membres à travers la France jusqu'à ce que les communautés religieuses soient interdites par l'État durant la Révolution française. Certaines des six premières sœurs étaient devenues des martyres – guillotinées en raison de leur foi.

Vianne se rendit à la porte principale du couvent, souleva le lourd heurtoir en fer et le laissa retomber bruyamment contre la porte en chêne.

— Pourquoi est-ce qu'on est là ? demanda Jean-Georges d'une voix geignarde. Est-ce que ma maman est ici ?

— Chut.

Une bonne sœur vint ouvrir, son doux visage rondelet encadré par la guimpe blanche et le capuchon noir de son habit.

— Ah, Vianne, dit-elle en souriant.

— Sœur Agatha, j'aimerais parler à la Mère supérieure, si c'est possible.

La sœur recula, et son habit bruissa sur le sol en pierre.

— Je vais voir. Vous vous asseyez tous les deux dans le jardin en attendant ?

Vianne hocha la tête.

— Merci.

Jean-Georges et elle parcoururent les galeries froides du cloître. Au bout d'un couloir cintré, ils tournèrent à gauche et arrivèrent dans le jardin. Il était de bonne taille, carré, son herbe marron couverte de givre, agrémenté d'une fontaine en marbre représentant une tête de lion et de plusieurs bancs en pierre ici et là. Vianne s'assit sur l'un de ceux-ci à l'abri de la pluie et hissa le garçon à côté d'elle.

Elle ne dut pas attendre longtemps.

— Vianne, dit la Mère en arrivant, son habit traînant dans l'herbe et ses doigts fermés sur un grand crucifix qui pendait au bout d'une chaîne autour de son cou. Comme je suis heureuse de vous voir. Ça fait trop longtemps. Et qui est ce jeune homme ?

Le garçon leva les yeux.

— Est-ce que ma maman est ici ?

Vianne croisa le regard serein de la Mère supérieure.

— Il s'appelle Jean-Georges Ruelle, Mère. J'aimerais vous parler seule à seule si c'est possible.

La Mère frappa dans ses mains et une jeune sœur arriva pour emmener le petit garçon. Quand elles furent seules, la Mère supérieure s'assit à côté de Vianne.

Vianne ne parvenait pas à mettre de l'ordre dans ses pensées, si bien qu'il y eut un silence entre elles.

— Je suis désolée pour votre amie, Rachel.

— Et tant d'autres, dit Vianne.

La Mère hocha la tête.

— Nous avons entendu des rumeurs effroyables sur Radio Londres à propos de ce qui se passe dans les camps.

— Peut-être que notre Saint-Père…

— Il reste muet à ce sujet, répliqua la Mère d'un ton chargé de déception.

Vianne prit une grande inspiration.

— Hélène Ruelle et son fils aîné ont été déportés aujourd'hui. Jean-Georges est seul. Sa mère… me l'a confié.

— Confié ? répéta la Mère, avant de marquer une pause. C'est dangereux d'avoir un enfant juif chez vous, Vianne.

— Je veux le protéger.

La Mère la regarda. Elle garda le silence si longtemps que la peur de Vianne commença à s'enraciner et à grandir.

— Et comment comptez-vous faire ? demanda-t-elle enfin.

— En le cachant.

— Où ?

Vianne regarda la Mère sans rien dire.

Le visage de celle-ci perdit ses couleurs.

— Ici ?

— Un orphelinat. Quel meilleur endroit ?

La Mère supérieure se leva et se rassit. Puis elle se releva et prit sa croix dans ses mains. Lentement, elle se rassit de nouveau. Ses épaules s'affaissèrent puis se redressèrent quand sa décision fut prise.

— Un enfant sous notre garde a besoin de papiers. Les certificats de baptême, je peux... m'en procurer, bien sûr, mais les papiers d'identité...

— Je vais lui en trouver, déclara Vianne, bien qu'elle ne sût absolument pas si c'était possible.

— Vous savez qu'il est désormais illégal de cacher des juifs. La peine encourue est la déportation si nous avons de la chance, et dernièrement, je crois que personne n'a de chance en France.

Vianne fit oui de la tête.

Puis la Mère supérieure dit :

— Je vais prendre ce garçon. Et je... pourrais trouver de la place pour accueillir plus d'un enfant juif.

— Plus ?

— Bien sûr qu'il y en a plus, Vianne. Je vais parler à un homme que je connais à Girot. Il travaille pour l'Œuvre de secours aux enfants. Je suppose qu'il connaîtra de nombreuses familles cachées avec des enfants. Je lui dirai d'attendre votre visite.

— M-moi ?

— Vous êtes à la tête de ce projet désormais, et si nous risquons nos vies pour un enfant, autant essayer d'en sauver davantage.

La Mère se leva brusquement.

Elle prit Vianne par le bras, et les deux femmes firent tranquillement le tour du petit jardin.

— Personne ici ne peut savoir la vérité. Il va falloir préparer les enfants et leur trouver des papiers qui puissent passer un contrôle. Il va aussi vous falloir un poste ici – peut-être en tant qu'enseignante, oui, en tant que professeur à temps partiel. Cela nous permettra de vous verser un petit salaire et cela expliquera pourquoi vous êtes ici avec les enfants.

— Entendu, répondit Vianne, flageolante.

— Ne prenez pas cet air effrayé. Vous faites le bon choix.

Vianne ne doutait pas que c'était vrai, cependant, elle était terrifiée.

— C'est ce qu'ils nous ont fait. Nous avons peur de nos propres ombres, expliqua-t-elle, puis elle regarda la Mère. Comment vais-je m'y prendre ? Je vais aller voir des femmes apeurées et affamées et leur demander de me confier leurs enfants ?

— Vous leur demanderez si elles ont vu leurs amies monter de force dans des trains et être déportées. Vous leur demanderez ce qu'elles risqueraient pour s'assurer que leur enfant ne monte pas à bord de ces trains. Ensuite, vous laisserez chaque mère décider.

— C'est un choix inconcevable. Je ne suis pas sûre que je pourrais si facilement confier mes enfants à une inconnue.

La Mère se pencha vers Vianne.

— J'ai entendu dire qu'un de ces affreux SS cantonne chez vous. Vous avez conscience que cela vous met – ainsi que Sophie – en très grand danger.

— Bien sûr. Mais comment puis-je la laisser croire que ce n'est pas grave de ne rien faire en une période comme celle-ci ?

La Mère s'arrêta. Elle lâcha le bras de Vianne, lui caressa la joue de sa main douce et sourit tendrement.

— Soyez prudente, Vianne. Je suis déjà allée à l'enterrement de votre mère. Je ne veux pas assister au vôtre.

30

Un jour glacial de mi-novembre, Isabelle et Gaëtan quittèrent Brantôme et prirent un train pour Bayonne. Le wagon était bondé de soldats allemands sérieux – plus que d'habitude –, et quand ils descendirent, ils en trouvèrent d'autres attroupés sur le quai.

Isabelle tint la main de Gaëtan tandis qu'ils se faufilaient parmi les uniformes gris-vert. Deux jeunes amoureux qui se rendaient au bord de l'océan.

— Ma maman adorait aller à la plage. Je t'ai raconté ça ? demanda Isabelle tandis qu'ils passaient près de deux officiers SS.

— Vous, les gosses de riches, vous profitez de tout ce qu'il y a de mieux.

Elle sourit.

— On était loin d'être riches, Gaëtan, dit-elle quand ils furent sortis de la gare.

— Mais vous n'étiez pas pauvres. Je sais ce que c'est qu'être pauvre.

Il marqua une pause, laissa cette remarque faire son effet, puis il ajouta :

— Un jour, je pourrais être riche. Un jour, répéta-t-il avec un soupir, et Isabelle sut à quoi il pensait.

C'était ce à quoi ils songeaient tout le temps : y aura-t-il une France dans notre avenir ? Gaëtan ralentit.

Isabelle vit ce qui avait capté son attention.

— Ne t'arrête pas, dit-il.

Un barrage avait été dressé devant eux. Il y avait des soldats partout, armés de fusils.

— Qu'est-ce qui se passe ? demanda Isabelle.

— Ils nous ont vus, dit Gaëtan.

Il serra la main d'Isabelle dans la sienne. Ils se dirigèrent tranquillement vers l'essaim de soldats allemands.

Un factionnaire musclé à la tête carrée leur barra le passage et exigea de voir leurs laissez-passer et leurs papiers.

Isabelle lui présenta ses papiers au nom de Juliette. Gaëtan montra ses faux papiers également, mais le soldat était plus intéressé par ce qui se passait derrière lui. Il jeta à peine un coup d'œil aux papiers et les leur rendit.

Isabelle lui adressa son sourire le plus innocent.

— Que se passe-t-il aujourd'hui ?

— Plus de zone libre, répondit le soldat en leur faisant signe d'avancer.

— Plus de zone libre ? Mais…

— Nous prenons le contrôle de toute la France, indiqua-t-il d'un ton rude. On arrête de faire croire que votre ridicule gouvernement de Vichy a le pouvoir quelque part. Maintenant, circulez !

Gaëtan la tira en avant entre les militaires qui s'amassaient.

Pendant des heures, alors qu'ils marchaient, ils furent klaxonnés par des autos et des camions allemands pressés de passer.

Ce fut seulement lorsqu'ils arrivèrent à la pittoresque station balnéaire de Saint-Jean-de-Luz qu'ils purent fuir les nazis. Ils se baladèrent sur la digue déserte, perchés au-dessus des énormes vagues de l'océan Atlantique. Au-dessous d'eux, une sinueuse plage de sable jaune tenait à distance l'océan déchaîné. Au loin s'étirait une péninsule luxuriante parsemée de maisons construites dans la tradition basque : murs blancs, portes rouges et toits de tuiles carmin. Le ciel était d'un bleu délavé et strié de nuages fins comme des cordes à linge. Il n'y avait personne d'autre dehors ce jour-là, ni sur la plage ni en promenade sur la digue ancienne.

Pour la première fois depuis des heures, Isabelle put respirer.

— Qu'est-ce que ça signifie, plus de zone libre ?

— Ce n'est pas une bonne chose, c'est certain. Ça va rendre ton travail plus dangereux.

— J'ai déjà voyagé en territoire occupé.

Elle serra la main de Gaëtan et lui fit quitter la digue. Ils descendirent les marches inégales et regagnèrent la route.

— On venait ici en vacances quand j'étais petite. Avant que ma mère meure. Du moins, c'est ce qu'on m'a raconté. Je m'en souviens à peine.

Elle avait envie que ce soit le début d'une conversation, mais ses paroles tombèrent dans le nouveau silence qui planait entre eux et restèrent sans réponse. Dans ce silence, Isabelle sentit le poids écrasant de leur séparation à venir, bien qu'il lui tînt la main. Pourquoi ne lui avait-elle pas posé plus de questions au cours des jours qu'ils avaient passés ensemble, pour tout savoir sur lui ? À présent, ils n'avaient plus le temps et le savaient tous les deux. Ils marchèrent dans ce silence pesant.

Dans la brume du début de soirée, Gaëtan aperçut pour la première fois les Pyrénées.

Les montagnes déchiquetées s'élevaient dans le ciel de plomb, leurs cimes enneigées entourées de nuages.

— Merde. Tu as traversé ces montagnes combien de fois ?

— Vingt-sept.

— Tu es un prodige.

— En effet, dit-elle avec un sourire.

Continuant leur chemin, ils commencèrent à gravir les rues sombres et désertes d'Urrugne en passant devant les magasins fermés et les bistrots pleins de vieux messieurs. À la sortie de la ville se trouvait le chemin de terre qui conduisait aux contreforts. Enfin, ils arrivèrent au chalet niché parmi ceux-ci, dont la cheminée crachait des bouffées de fumée.

— Ça va ? demanda-t-il en remarquant qu'elle avait ralenti.

— Tu vas me manquer. Combien de temps peux-tu rester ?

— Je dois partir demain matin.

Elle avait envie de lâcher sa main, mais c'était difficile. Elle avait cette peur affreuse et irrationnelle que, si elle le lâchait, elle ne le toucherait plus jamais et cette pensée la paralysait. Cependant, elle avait une mission à accomplir. Elle abandonna sa main et frappa trois coups secs et rapides à la porte.

Mme Babineau ouvrit. Habillée en homme, une Gauloise aux lèvres, elle s'exclama :

— Juliette ! Entrez, entrez.

Elle recula et accueillit Isabelle et Gaëtan dans la pièce principale où quatre aviateurs se trouvaient debout autour de la table à manger. Un feu brûlait dans l'âtre, et une marmite en fonte bouillonnait au-dessus des flammes. Isabelle sentit l'odeur des ingrédients du ragoût : de la viande de chèvre, du vin, du lard, un bouillon épais et riche, des champignons et de la sauge. Son arôme était divin et rappela à Isabelle qu'elle n'avait rien mangé de la journée.

Mme Babineau réunit les hommes et les présenta – trois pilotes de la RAF et un aviateur américain. Les trois Britanniques étaient là depuis des jours, à attendre l'Américain, qui était arrivé la veille. Eduardo les conduirait à travers les montagnes le lendemain.

— Ravi de vous rencontrer, dit l'un d'eux en serrant la main d'Isabelle comme si elle était une pompe à eau. Vous êtes vraiment aussi belle qu'on nous l'a décrit.

Les hommes se mirent à parler tous en même temps. Gaëtan se mêla aisément à eux, comme s'il était l'un des leurs. Isabelle s'approcha de Mme Babineau et lui tendit l'enveloppe d'argent qu'elle aurait dû lui remettre près de deux semaines plus tôt.

— Je m'excuse du retard.

— Tu avais une bonne excuse. Comment te sens-tu ?

Isabelle fit bouger son épaule pour voir ce qu'elle ressentait.

— Mieux. Encore une semaine et je serai prête pour refaire la traversée.

Mme Babineau passa la Gauloise à Isabelle, qui tira une longue bouffée et cracha la fumée en observant les hommes qui étaient maintenant sous sa responsabilité.

— Comment sont-ils ?

— Tu vois le grand maigre, avec un nez d'empereur romain ?

Isabelle ne put s'empêcher de sourire.

— Je le vois.

— Il prétend être lord ou duc ou quelque chose comme ça. Sarah, de Pau, a dit que c'était un casse-pieds. Il refusait d'obéir à une femme.

Isabelle en prit note. Ce n'était pas rare, bien sûr, les aviateurs qui ne voulaient pas recevoir d'ordres de femmes – ou de gonzesses, de nanas, de bonnes femmes –, mais c'était toujours un souci.

Mme Babineau donna à Isabelle une lettre froissée et couverte de taches de terre.

— L'un d'eux m'a donné ça pour que je te le remette.

Isabelle l'ouvrit et lut attentivement le mot. Elle reconnut l'écriture peu soignée d'Henri :

J – ton amie a survécu à ses vacances en Allemagne, mais elle a des invités.
Ne passe pas la voir. Je veille sur elle.

Vianne allait bien – on l'avait relâchée après son interrogatoire –, mais un autre soldat, ou plusieurs, cantonnait chez elle. Isabelle roula la lettre en boule et la jeta dans le feu. Elle ne savait pas si elle devait être soulagée ou plus inquiète. D'instinct, elle chercha Gaëtan des yeux, qui la regardait tout en parlant avec un aviateur.

— Je vois la façon dont tu le regardes, tu sais.

— Lord grand nez ?

Mme Babineau éclata de rire.

— Je suis vieille mais pas aveugle. Le beau jeune homme au regard avide. Il ne te quitte pas des yeux non plus.

— Il part demain matin.

— Ah.

Isabelle se tourna vers la femme qui était devenue son amie au cours des deux dernières années.

— J'ai peur de le laisser partir, ce qui est fou avec tous les risques que je prends.

De ses yeux sombres, Mme Babineau lui adressa un regard à la fois complice et compatissant.

— Je te dirais d'être prudente si nous vivions une époque normale. Je te ferais remarquer qu'il est jeune et engagé dans des affaires dangereuses et que les jeunes hommes en danger peuvent être inconstants. Mais nous sommes prudents à trop d'égards ces temps-ci, alors pourquoi ajouter l'amour à la liste ?

— L'amour, répéta Isabelle à voix basse.

— Cependant, je dois ajouter une chose, puisque je suis mère et que nous ne pouvons nous en empêcher : un cœur brisé fait autant souffrir en temps de guerre qu'en temps de paix. Fais un bel au revoir à ton jeune homme.

*

Isabelle attendit que le silence règne dans la maison – du moins autant que cela fut possible dans une pièce où des hommes dormaient par terre en ronflant et se retournant. Avec précaution, elle s'extirpa de sous les couvertures, se faufila dans la pièce principale et sortit.

Les étoiles scintillaient au-dessus d'elle, le ciel immense dans ce paysage nocturne. La lune éclairait les chèvres devenues des taches argentées sur le coteau.

Elle s'accouda sur la barrière en bois et contempla ce panorama. Elle n'eut pas longtemps à attendre.

Gaëtan arriva derrière elle et la prit dans ses bras. Elle se blottit contre lui.

— Je me sens en sécurité dans tes bras, dit-elle.

Voyant qu'il ne réagissait pas, elle sut que quelque chose n'allait pas. Son cœur se serra. Elle se retourna lentement et le regarda.

— Qu'est-ce qu'il y a ?

— Isabelle.

La façon dont il prononça son prénom l'effraya. Elle se dit *Non, ne me dis rien. Quoi que ce soit, ne me le dis pas.* Dans le silence, elle remarqua divers bruits : le bêlement des chèvres, les battements de son cœur, un caillou qui dégringolait au loin.

— Ce rendez-vous. Celui où on se rendait à Carriveau quand tu as trouvé le pilote.

— Oui ?

Elle l'avait tant observé ces derniers jours et avait tant regardé toutes les nuances d'émotion se dessiner sur son visage qu'elle sut que, quoi qu'il s'apprêtât à dire, ce ne serait pas une chose agréable.

— Je quitte le groupe de Paul. Je vais me battre… d'une manière différente.

— Comment ça, différente ?

— Avec des fusils. Et des bombes. Tout ce qu'on peut trouver. Je vais rejoindre un groupe de partisans qui vivent dans les bois. Mon boulot, c'est les explosifs, dit-il avec un sourire. Et de voler des pièces de bombes.

— Ton passé devrait t'aider pour ça.

Sa plaisanterie tomba à plat. Le sourire de Gaëtan s'effaça.

— Je ne peux plus me contenter de distribuer des tracts, Isa. J'ai besoin de faire plus. Et… je ne vais pas te voir pendant un moment, je crois.

Elle hocha la tête, mais au même moment, elle pensa *Comment ? Comment vais-je m'éloigner et le quitter maintenant ?* Et elle comprit de quoi il avait eu peur depuis le début.

Le regard qu'il lui adressa fut aussi intime qu'un baiser. Elle y vit le reflet de sa propre peur. Ils ne se reverraient peut-être jamais.

— Fais-moi l'amour, Gaëtan, dit-elle.
Comme si c'était la dernière fois.

*

Vianne était devant l'hôtel Bellevue sous une pluie battante. Les vitres du bâtiment étaient embuées ; à travers celles-ci, elle pouvait voir une foule d'uniformes gris-vert.

Allez, Vianne, tu es dans le coup maintenant.

Elle redressa les épaules et ouvrit la porte. Une clochette tinta gaiement au-dessus d'elle, et les hommes dans la salle cessèrent leurs activités et se retournèrent pour la regarder. Wehrmacht, SS, Gestapo. Elle se sentit comme un agneau en route pour l'abattoir.

À la réception, Henri leva les yeux. La voyant, il contourna le comptoir et se dirigea vers elle en se faufilant rapidement entre les soldats.

Il la prit par le bras et lui souffla : « Souris ! » Elle s'efforça de s'exécuter, mais n'était pas sûre d'y arriver.

Il la conduisit à la réception, où il lâcha son bras. Il disait quelque chose – en rigolant comme s'il avait fait une plaisanterie – lorsqu'il reprit sa place près du lourd téléphone noir et de la caisse enregistreuse.

— Votre père, c'est ça ? dit-il d'une voix forte. Une chambre pour deux nuits ?

Elle hocha la tête d'un air hébété.

— Voyons, laissez-moi vous montrer la chambre que nous avons de libre.

Elle quitta le hall après lui et le suivit dans l'étroit couloir. Ils passèrent devant une petite table sur laquelle se trouvait un compotier de fruits frais (un luxe que seuls les Allemands pouvaient s'offrir) et un cabinet de toilette où il n'y avait personne. Au bout du couloir, il lui fit monter un escalier exigu et l'emmena dans une chambre si petite qu'elle ne contenait qu'un lit simple et une fenêtre occultée.

Il ferma la porte derrière eux.

— Vous ne devriez pas venir ici. Je vous ai fait passer un mot pour vous dire qu'Isabelle allait bien.

— Oui, merci, répondit-elle avant de prendre une grande inspiration. J'ai besoin de papiers d'identité. Vous étiez la seule personne de ma connaissance susceptible de pouvoir m'aider.

Il fronça les sourcils.

— C'est une requête dangereuse, madame. Pour qui ?

— Un enfant juif caché.

— Caché où ?

— Je ne pense pas que vous vouliez le savoir, si ?

— Non. Non. Est-ce un endroit sûr ?

Elle haussa les épaules, sa réponse était évidente dans le silence. Qui savait encore où l'on était en sécurité ?

— J'ai entendu dire que le Sturmbannführer von Richter cantonne chez vous. Il était ici avant cela. C'est un homme dangereux. Vindicatif et cruel. S'il vous attrapait…

— Que pouvons-nous faire, Henri, les regarder faire en restant les bras croisés ?

— Vous me rappelez votre sœur, dit-il.

— Croyez-moi, je ne suis pas une femme courageuse.

Henri resta coi pendant un moment. Puis il dit :

— Je vais tâcher de vous trouver des papiers vierges. Vous devrez apprendre à les falsifier vous-même. Je suis trop occupé pour me rajouter du travail. Entraînez-vous en examinant les vôtres.

— Merci.

Elle marqua une pause, le regarda et se rappela le mot qu'il lui avait remis des mois auparavant – et les suppositions que Vianne avait alors faites au sujet de sa sœur. Elle savait maintenant qu'Isabelle avait eu des activités dangereuses depuis le début. Des activités importantes. Isabelle avait gardé le secret là-dessus pour protéger Vianne, quitte à passer pour une imbécile. Elle avait misé sur le fait que sa sœur croirait facilement les pires choses à son sujet.

Vianne avait honte d'avoir cru si aisément ses mensonges.

— Ne dites pas à Isabelle que je fais ça. Je veux la protéger.

Henri acquiesça d'un signe de tête.

— Au revoir, dit Vianne.

En partant, elle l'entendit dire : « Votre sœur serait fière de vous », mais elle ne ralentit pas et ne répondit rien. Ignorant les sifflets des soldats allemands, elle traversa le hall, sortit et prit le chemin de chez elle.

*

Toute la France était maintenant occupée par les Allemands, mais cela changea peu de choses dans le quotidien de Vianne. Elle passait toujours ses journées à faire la queue ici et là. Son plus gros problème était Daniel. Il lui semblait toujours plus malin de le cacher aux villageois, même si son histoire d'adoption ne semblait avoir éveillé les soupçons de personne quand elle l'avait racontée (et elle l'avait racontée à tous ceux qu'elle avait croisés, mais les gens étaient trop occupés à survivre pour s'en soucier, ou peut-être devinaient-ils la vérité et approuvaient, qui savait).

Elle laissait désormais les enfants à la maison, à l'abri derrière les portes verrouillées. Mais elle était par conséquent toujours tendue et agitée en ville. Ce jour-là, quand elle eut récupéré tout ce qui était disponible en échange de ses tickets de rationnement, elle renoua son écharpe en laine autour de son cou et sortit de la boucherie.

Tandis qu'elle bravait le froid dans la rue Victor-Hugo, elle était si préoccupée qu'elle mit un moment à se rendre compte qu'Henri marchait à côté d'elle.

Il jetait des coups d'œil tout autour de lui, mais avec le vent et le froid, il n'y avait personne. Les volets cliquetaient et les auvents tremblaient. Les bistrots étaient déserts.

Il lui tendit une baguette de pain.

— La garniture est inhabituelle. C'est la recette de ma mère.

Elle comprit. Les papiers étaient à l'intérieur. Elle hocha la tête.

— C'est difficile de trouver du pain avec une garniture spéciale ces temps-ci. Mangez-le avec discernement.

— Et si jamais il me fallait encore du… pain ?

— Encore ?

— Il y a tant d'enfants qui ont faim.

Il s'arrêta, se tourna vers elle et l'embrassa avec détachement sur les deux joues.

— Revenez me voir, madame.

Elle lui chuchota à l'oreille :

— Dites à ma sœur que j'ai demandé de ses nouvelles. On s'est quittées en mauvais termes.

Il sourit.

— Je me dispute sans arrêt avec mon frère, même en temps de guerre. En fin de compte, on reste frères.

Vianne hocha la tête, espérant qu'il disait vrai. Elle mit la baguette dans son panier avec la poudre de flan et les flocons d'avoine qu'elle avait pu se procurer ce jour-là et la couvrit avec son linge. Alors qu'elle regardait Henri s'éloigner, le panier lui parut de plus en plus lourd. Elle serra l'anse dans sa main et se remit en marche.

Elle avait presque dépassé la place principale quand elle l'entendit.

— Madame Mauriac. Quelle surprise !

Sa voix était une flaque d'huile à ses pieds, glissante et collante. Elle s'humecta les lèvres et mit les épaules en arrière pour se donner un air à la fois confiant et détaché. Il était revenu la veille au soir, triomphant, et s'était vanté de la facilité avec laquelle ils avaient pris le contrôle de toute la France. Elle avait préparé le dîner pour ses hommes et lui et leur avait servi du vin à foison ; à la fin du repas, il avait jeté les restes aux poulets. Vianne et les enfants s'étaient couchés le ventre vide.

Dans son uniforme, couvert de croix gammées et de croix de fer, il fumait une cigarette dont il cracha la fumée un peu à gauche du visage de Vianne.

— Vous avez fini vos courses pour aujourd'hui ?

— Pour ce qu'il en est, Herr Sturmbannführer. Il y avait très peu de choses disponibles aujourd'hui, même avec nos tickets de rationnement.

— Peut-être que si vos hommes n'avaient pas été si lâches, leurs femmes n'auraient pas si faim.

Elle serra les dents en espérant simuler un sourire.

Il regarda son visage, qu'elle savait pâle comme de la craie.

— Est-ce que ça va, madame ?

— Ça va, Herr Sturmbannführer.

— Permettez-moi de porter votre panier. Je vais vous raccompagner chez vous.

Elle se cramponna au panier.

— Non, vraiment, ce n'est pas la peine…

Il tendit vers elle une main gantée de noir. Elle n'eut d'autre choix que de placer le panier en osier dans celle-ci.

Il agrippa l'anse et se mit en marche. Vianne se régla sur son pas à côté de lui, avec l'impression d'attirer les regards en marchant avec un SS dans les rues de Carriveau.

En chemin, von Richter fit la conversation. Il parla de la défaite certaine des Alliés en Afrique du Nord, il parla de la lâcheté des Français et de la cupidité des juifs, il parla de la Solution finale comme s'il s'agissait d'une recette à échanger entre amis.

Vianne distinguait à peine ses paroles par-dessus les hurlements dans son esprit. Quand elle osa jeter un coup d'œil au panier, elle vit la baguette qui dépassait de sous le linge rouge et blanc.

— Vous respirez comme un cheval de course, madame. Vous ne vous sentez pas bien ?

Oui. C'était la solution.

Elle se força à tousser en mettant la main devant sa bouche.

— Je suis désolée, Herr Sturmbannführer. J'espérais ne pas vous embêter avec ça, mais malheureusement, je crains d'avoir attrapé la grippe de ce garçon l'autre jour.

Il s'arrêta.

— Ne vous ai-je pas demandé de me préserver de vos microbes ?

Il lui rendit le panier avec une telle violence qu'il cogna dans la poitrine. Elle le saisit avec empressement de peur qu'il tombe, que la baguette se casse en deux et que les faux papiers atterrissent à ses pieds.

— Je... je suis désolée. C'était inconscient de ma part.

— Je ne dînerai pas chez vous ce soir, dit-il en tournant les talons.

Vianne resta immobile quelques instants – juste assez longtemps pour être polie, si jamais il se retournait –, puis se dépêcha de rentrer.

*

Bien après minuit ce soir-là, quand von Richter fut couché depuis des heures, Vianne sortit à pas de loup de sa chambre et se rendit dans la cuisine. Elle rapporta une chaise dans la chambre et referma sans bruit la porte derrière elle. Elle approcha la chaise de la table de nuit et s'assit. À la lueur d'une unique bougie, elle tira les papiers d'identité vierges de sa gaine.

Elle sortit ensuite ses papiers à elle et les examina dans le moindre détail. Puis elle prit la bible familiale et l'ouvrit. Sur tous les espaces blancs qu'elle trouva, elle s'entraîna à contrefaire des signatures. Au début, elle était si tendue que son écriture était mal assurée, mais plus elle s'exerça, plus elle sentit le calme grandir. Quand ses mains cessèrent de trembler et que sa respiration fut régulière, elle fit un nouveau certificat de naissance pour Jean-Georges, sous le nom d'Émile Duval.

Mais les nouveaux papiers ne suffisaient pas. Qu'allait-il se passer quand la guerre se terminerait et qu'Hélène Ruelle reviendrait ? Si Vianne n'était pas là (étant donné le risque qu'elle prenait, elle devait envisager cette effroyable possibilité), Hélène ne saurait absolument pas où chercher son fils ou quel nom on lui avait donné.

Il fallait que Vianne crée une fiche contenant toutes les informations qu'elle avait sur lui : qui il était réellement, qui étaient ses parents, les membres de sa famille qu'elle connaissait. Tout ce à quoi elle penserait.

Elle arracha trois pages de la bible et fit une liste sur chacune.

Sur la première, à l'encre noire par-dessus les prières, elle écrivit :
Ari de Champlain 1
Jean-Georges Ruelle 2

Sur la deuxième, elle nota :
1 Daniel Mauriac
2 Émile Duval

Et sur la troisième :
1 Carriveau. Mauriac
2 Abbaye de la Trinité

Elle roula soigneusement chaque page en un petit cylindre. Le lendemain, elle les cacherait à trois endroits différents. Une dans un bocal sale dans l'abri de jardin, qu'elle remplirait de clous ; une dans un vieux pot de peinture dans la grange ; et une qu'elle enterrerait dans une boîte dans le poulailler. Elle confierait les fiches à la Mère supérieure à l'abbaye.

Les fiches et les listes, une fois rassemblées, permettraient d'identifier les enfants après la guerre et de les rendre à leurs familles. C'était dangereux, bien sûr, de noter ces renseignements, mais si elle ne laissait pas une trace écrite – et que le pire lui arrivait –, comment les enfants cachés seraient-ils réunis avec leurs parents ?

Pendant un long moment, Vianne garda les yeux rivés sur son travail, si longtemps que les enfants qui dormaient dans son lit se mirent à remuer et à marmonner et que la flamme de la bougie commença à crépiter. Elle se pencha et posa la main sur le dos chaud de Daniel pour le réconforter. Puis elle se glissa sous les couvertures avec ses enfants. Elle mit ensuite longtemps à s'endormir.

31

6 mai 1995
Portland, Oregon

— Je m'enfuis de chez moi, dis-je à la jeune femme assise à mon côté.

Elle a les cheveux couleur barbe à papa et plus de tatouages qu'un Hell's Angel, mais elle est seule comme moi dans cet aéroport plein de gens affairés. Elle s'appelle, comme je l'ai appris, Felicia. Au cours des deux dernières heures – depuis l'annonce indiquant que notre vol est retardé –, nous sommes devenues compagnes de voyage. Nous avons naturellement fait connaissance. Elle m'a vue chipoter avec les épouvantables frites que les Américains adorent, et j'ai vu qu'elle me regardait. Elle avait faim, c'était évident. Spontanément, je l'ai appelée et j'ai proposé de lui offrir à manger. Mère un jour, mère toujours.

— Ou peut-être que je rentre enfin chez moi après des années passées à fuir. C'est parfois difficile de savoir la vérité.

— Moi, je fuis, dit-elle en buvant bruyamment le soda que je lui ai pris, dans un gobelet gros comme une boîte à chaussures. Si Paris n'est pas assez loin, ma prochaine destination, c'est l'Antarctique.

Je distingue ce qui se cache derrière les piercings sur son visage et ses tatouages provocateurs, et je sens un lien étrange avec elle, une sorte de compatriotisme. Nous sommes toutes deux des fuyardes.

— Je suis malade, lui dis-je, surprise moi-même de cette confession.

— Malade, genre vous avez un zona ? Ma tante en a eu un. C'était dégueulasse.

— Non, malade d'un cancer.

— Oh.

Slurp. Slurp. Elle continue d'aspirer sur sa paille.

— Et alors, pourquoi est-ce que vous allez à Paris ? Vous ne devez pas faire une chimio, un truc comme ça ?

Je commence à lui répondre (non, pas de traitements pour moi, j'arrête tout ça), quand sa question fait son chemin dans mon esprit. *Pourquoi est-ce que vous allez à Paris ?* Et je me tais.

— Je comprends. Vous êtes en train de mourir.

Elle remue son grand gobelet, et les glaçons à moitié fondus s'entrechoquent à l'intérieur.

— Vous en avez marre d'essayer. Vous avez perdu espoir, et cetera.

— Mais qu'est-ce que c'est que cette *histoire* ?

Je suis tellement plongée dans mes pensées – et frappée par la dureté inattendue de ses paroles (*vous êtes en train de mourir*) qu'il me faut un moment pour me rendre compte que c'est Julien qui vient de parler. Je lève les yeux vers mon fils. Il porte la veste sport en soie bleu marine que je lui ai offerte à Noël cette année et un jean foncé délavé à la mode. Il a les cheveux ébouriffés et un sac fourre-tout en cuir noir suspendu à l'épaule. Il n'a pas l'air content.

— Paris, maman ?

— L'embarquement pour le vol Air France numéro 605 va commencer dans cinq minutes.

— C'est nous, dit Felicia.

Je sais ce que pense mon fils. Enfant, il m'a suppliée de l'emmener à Paris. Il voulait voir les endroits dont je lui parlais dans mes histoires du soir – il voulait savoir quelle sensation ça faisait de se balader la nuit tombée sur les quais de Seine ou de faire le tour des galeries d'art place des Vosges, de s'asseoir au jardin des Tuileries pour manger un macaron Ladurée. J'ai dit non chaque fois qu'il m'a demandé, en répondant simplement *Je suis américaine maintenant, chez moi c'est ici*.

— Nous aimerions commencer l'embarquement des personnes voyageant avec des enfants de moins de deux ans, des personnes qui ont besoin d'un peu plus de temps et de nos passagers de première classe…

Je me lève et tire la poignée extensible de ma valise à roulettes.

— C'est moi.

Julien se tient juste devant moi comme s'il voulait me barrer l'accès à la porte.

— Tu pars à Paris, subitement, toute seule ?

— C'est une décision de dernière minute. Je me suis dit : « Après tout, pourquoi pas ? »

Je lui adresse le plus beau sourire dont je suis capable dans ces circonstances. Je l'ai blessé, ce qui n'a jamais été mon intention.

— C'est cette invitation, dit-il. Et la vérité que tu ne m'as jamais dite.

Pourquoi ai-je dit ça au téléphone ?

— Ça a l'air si sérieux quand tu en parles, lui dis-je avec un geste de ma main noueuse. Ça ne l'est pas. Et maintenant, je dois embarquer. Je t'appellerai…

— Pas le peine. Je viens avec toi.

Je vois tout à coup le chirurgien en lui, l'homme habitué à rester insensible à la vue du sang pour trouver ce qui est cassé.

Felicia prend son sac à dos camouflage sur une épaule et jette son gobelet vide dans la poubelle, qui rebondit contre le couvercle et tombe avec un bruit mat.

— Fini l'escapade en solo, l'amie.

Je ne sais pas ce que je ressens avec le plus de force – du soulagement ou de la déception.

— Tu es assis à côté de moi ?

— En prenant mon billet à la dernière minute ? Non.

Je saisis la poigné de ma valise à roulettes et me dirige vers la jolie jeune femme en uniforme bleu et blanc. Elle prend ma carte d'embarquement, me souhaite un bon voyage, sur quoi je hoche distraitement la tête et continue mon chemin.

La passerelle télescopique m'aspire en avant. J'ai soudain une sensation de claustrophobie. Je peux à peine respirer, je n'arrive pas à faire entrer ma valise dans l'avion, à passer la petite marche en métal.

— Je suis là, maman, dit doucement Julien en prenant ma valise qu'il soulève facilement et franchit l'obstacle.

Le son de sa voix me rappelle que je suis une mère et que les mères ne peuvent s'accorder le luxe de s'effondrer devant leurs enfants, même quand elles ont peur, même quand leurs enfants sont des adultes.

Une hôtesse me regarde et prend l'air de dire *Ça, c'est une vieille dame qui a besoin d'aide.* Vivant là où je vis maintenant, dans ce placard à balais avec les cotons-tiges que deviennent les personnes âgées, j'ai appris à reconnaître cette expression. D'habitude, cela m'agace, je me redresse et repousse le ou la jeune qui sont sûrs que je ne peux pas m'en sortir seule dans ce monde, mais à cet instant je suis fatiguée, effrayée, et un petit coup de main ne me semble pas être une mauvaise chose. Je la laisse m'aider à gagner ma place près du hublot dans la deuxième rangée de l'avion. Je me suis offert un billet en première classe. Pourquoi pas ? Je ne vois plus beaucoup de raisons d'économiser mon argent.

— Merci, dis-je à l'hôtesse en m'asseyant.

Mon fils monte alors dans l'avion. Quand il sourit à l'hôtesse, j'entends un petit soupir et je me dis *Bien sûr.* Les femmes craquent pour Julien depuis avant qu'il ait mué.

— Est-ce que vous voyagez ensemble ? demande-t-elle, et je sais qu'elle l'admire d'autant plus que c'est un bon fils.

Julien lui adresse un de ses sourires irrésistibles.

— Oui, mais on n'a pas pu avoir des places côte à côte. Je suis trois rangées derrière elle.

Il lui tend sa carte d'embarquement.

— Oh, je suis sûre que je peux arranger ça pour vous, dit-elle tandis que Julien range ma valise et son sac dans le compartiment au-dessus de mon siège.

Je regarde au hublot, m'attendant à voir le tarmac grouillant d'hommes et de femmes en gilet orange en train de remuer les bras et de décharger des bagages, mais je vois en fait de l'eau qui dégouline sur la surface en Plexiglas, et mon reflet qui se dessine entre ces lignes argentées ; mes propres yeux me dévisagent.

— Merci beaucoup, entends-je dire Julien, puis il s'assied à côté de moi, attache sa ceinture de sécurité et la serre à sa taille.

— Alors, dit-il après un moment assez long pour que les autres passagers soient passés à côté de nous en flot continu et que la belle hôtesse (qui s'est recoiffée et remaquillée) nous ait offert du champagne. L'invitation.

Je soupire.

— L'invitation.

Oui. C'est le point de départ. Ou d'arrivée, tout dépend.

— C'est pour une réunion. À Paris.

— Je ne comprends pas, dit-il.

— Tu n'as jamais été censé comprendre.

Il prend ma main dans la sienne, si sûre et réconfortante, au toucher de guérisseur.

Sur son visage, je vois toute ma vie. Je vois un bébé qui m'est venu longtemps après que j'ai renoncé... et une trace de la beauté qui était autrefois la mienne. Je vois... ma vie dans ses yeux.

— Je sais que tu veux me dire quelque chose et que, quoi que ce soit, c'est difficile pour toi. Commence simplement par le début.

Je ne peux m'empêcher de sourire à cette remarque. Mon fils est tellement américain. Il pense qu'une vie peut être condensée en un récit qui a un début et une fin. Il ne sait rien du genre de sacrifice qui, une fois fait, ne peut jamais totalement s'oublier ni se supporter.

Et comment pourrait-il le savoir ? Je l'ai préservé de tout ça.

Néanmoins, je suis là, dans un avion qui me ramène chez moi, et j'ai une occasion de faire un choix différent de celui que j'ai fait quand ma blessure était récente et qu'un avenir fondé sur le passé semblait impossible.

— Plus tard, lui dis-je, et je suis sincère cette fois-ci.

Je vais lui raconter l'histoire de ma guerre, et celle de ma sœur. Pas intégralement, bien sûr, pas les pires passages, mais une partie. Assez pour qu'il ait une vision plus juste de la personne que je suis.

— Mais pas ici. Je suis épuisée.

Je me laisse aller dans le grand fauteuil de première classe et ferme les yeux.

Comment puis-je commencer par le début, alors que je n'arrive à penser qu'à la fin ?

32

« Si tu traverses l'enfer, continue d'avancer. »

Winston Churchill

Mai 1944
France

Au cours des dix-huit mois écoulés depuis que les nazis occupaient toute la France, la vie était devenue encore plus dangereuse, si seulement c'était possible. Les prisonniers politiques français avaient été internés à Drancy et emprisonnés à Fresnes – et des centaines de milliers de juifs français avaient été déportés dans des camps de concentration en Allemagne. Les Allemands avaient vidé les orphelinats de Neuilly-sur-Seine et de Montreuil et envoyé les enfants dans des camps, et les enfants qui avaient été détenus au Vél' d'Hiv' – plus de quatre mille – avaient été séparés de leurs parents et envoyés seuls dans des camps de concentration eux aussi. Les forces alliées bombardaient jour et nuit. Des gens étaient arrêtés ; on les tirait de chez eux ou de leur magasin pour la moindre infraction, parce que le bruit courait qu'ils étaient résistants, et ils étaient emprisonnés ou déportés. Des otages innocents étaient abattus en représailles de choses dont ils ne savaient rien, et tous les hommes entre dix-huit et cinquante ans étaient censés aller dans des camps de travaux forcés. Personne ne se sentait en sécurité. Il n'y avait plus d'étoiles jaunes sur les vêtements. Personne ne regardait les inconnus dans les yeux ni ne leur parlait. L'électricité avait été coupée.

Isabelle se trouvait au coin d'une rue fréquentée de Paris, prête à traverser, mais avant que sa chaussure usée à semelle en bois ne se pose sur les pavés, un sifflet retentit. Elle recula dans l'ombre d'un marronnier en fleur.

Ces derniers temps, Paris était une femme hurlante. Du bruit, du bruit, du bruit. Sifflets, coups de feu, grondements de camions, cris de soldats. Le cours de la guerre avait changé. Les Alliés avaient débarqué en Italie, et les nazis n'étaient pas parvenus à les repousser. Les pertes subies par les nazis avaient accru leur agressivité. En mars, ils avaient massacré plus de trois cents Italiens à Rome en représailles d'un attentat à la bombe par des résistants qui avait tué vingt-huit Allemands. Enfin, Charles de Gaulle avait pris le commandement de toutes les forces de la France libre, et une action de grande envergure était prévue cette semaine-là.

Une colonne de soldats allemands marchaient au pas sur le boulevard Saint-Germain en direction des Champs-Élysées, conduite par un officier monté sur un étalon blanc.

Dès qu'ils furent passés, Isabelle traversa la rue et se fondit dans la foule de soldats allemands réunis sur l'autre trottoir. Elle garda les yeux baissés et ses mains gantées agrippées à son sac à main. Ses vêtements étaient aussi usés et abîmés que ceux de la plupart des Parisiens, et le bruit des semelles en bois résonnait. Plus personne n'avait de cuir. Elle contourna de longues queues de ménagères et d'enfants aux joues creuses devant des boulangeries et des boucheries. Les rations avaient été réduites à d'innombrables reprises au cours des deux dernières années ; les Parisiens survivaient avec huit cents calories par jour. On ne voyait plus un chien ni un chat ou un rat dans les rues. Cette semaine-là, on pouvait acheter du tapioca et des haricots verts. Rien d'autre. Boulevard de la Gare, les Allemands stockaient des tas de meubles, d'œuvres d'art et de bijoux – tous les objets de valeur pris aux personnes déportées. Leurs affaires étaient triées, mises en caisses et envoyées en Allemagne.

Isabelle entra aux Deux Magots à Saint-Germain et s'installa au fond du café ; sur la banquette en moleskine rouge, elle attendit sous le regard des statues de mandarins chinois. Une femme qui pouvait être Simone de Beauvoir était assise à une table près de l'entrée du café. Penchée sur une feuille de papier, elle écrivait comme une forcenée. Isabelle se laissa aller sur la banquette confortable ; elle était exténuée. Au cours du mois passé seulement, elle avait traversé les Pyrénées trois fois et s'était rendue dans toutes les caches pour payer les passeurs. Chaque pas était dangereux maintenant qu'il n'existait plus de zone libre.

— Juliette.

Elle leva les yeux et vit son père. Il avait vieilli ces dernières années – comme tout le monde. Le manque de sommeil, la faim, le désespoir et la peur l'avaient marqué – sa peau avait la couleur et la texture du sable et était toute ridée.

Il était si maigre que sa tête semblait désormais disproportionnée par rapport à son corps.

Il se glissa dans le box en face d'elle et posa ses mains fripées sur la table en acajou usé.

Isabelle mit les mains sur ses poignets. Lorsqu'elle les retira, elle avait caché au creux de sa main le rouleau de faux papiers d'identité de la taille d'un crayon qu'il avait dans sa manche. Elle le glissa habilement dans sa gaine et sourit à la serveuse qui venait d'arriver.

— Un café, dit son père d'une voix lasse.

Isabelle secoua la tête.

La serveuse revint, déposa une tasse de café d'orge et disparut à nouveau.

— Il y a eu une réunion aujourd'hui, dit son père. Entre nazis haut placés. Les SS étaient là. J'ai entendu le mot « Rossignol ».

— Nous sommes prudents, murmura Isabelle. Et tu prends plus de risques que moi en volant des papiers d'identité vierges.

— Je suis un vieil homme. Ils ne me voient même pas. Tu devrais peut-être faire une pause. Laisser quelqu'un d'autre aller dans les montagnes à ta place.

Elle lui adressa un regard éloquent. Les gens disaient-ils des choses comme ça aux hommes ? Les femmes faisaient partie intégrante de la Résistance. Pourquoi les hommes ne pouvaient-ils concevoir cela ?

Il soupira en comprenant sa réponse à son air offensé.

— As-tu besoin d'un endroit où loger ?

Isabelle lui fut reconnaissante de sa proposition. Cela lui rappela tout le chemin qu'ils avaient fait. Ils n'étaient toujours pas proches, mais ils travaillaient ensemble, et c'était quelque chose. Il ne la repoussait plus, et maintenant il l'invitait même. Cela la laissa espérer qu'un jour, quand la guerre serait finie, ils pourraient réellement *parler*.

— Je ne peux pas. Je te mettrais en danger.

Cela faisait plus de dix-huit mois qu'elle n'était pas allée chez lui. Elle ne s'était pas rendue non plus à Carriveau et n'avait pas vu Vianne pendant tout ce temps. Isabelle avait en fait rarement passé trois nuits au même endroit. Sa vie n'était qu'une suite de séjours dans des chambres cachées aux matelas poussiéreux et de rencontres avec des inconnus suspects.

— As-tu eu des nouvelles de ta sœur ?

— J'ai des amis qui veillent sur elle. J'ai entendu dire qu'elle ne prenait aucun risque, elle fait profil bas et protège sa fille. Tout va bien aller pour elle, dit-elle et elle entendit comme l'espoir adoucissait cette dernière phrase.

— Elle te manque, déclara-t-il.

Isabelle se surprit soudain à penser au passé, à souhaiter pouvoir simplement l'oublier. Oui, sa sœur lui manquait, mais Vianne lui manquait depuis des années, depuis toujours.

— Bon.

Il se leva brusquement.

Isabelle remarqua ses mains.

— Tu trembles.

— J'ai arrêté de boire. Il m'a semblé que c'était une mauvaise période pour être un ivrogne.

— Je ne suis pas sûre, répliqua-t-elle en lui souriant. Il me semble que c'est une bonne période pour se soûler.

— Sois prudente, Juliette.

Le sourire d'Isabelle s'effaça. Chaque fois qu'elle voyait quelqu'un ces derniers temps, c'était difficile de se dire au revoir. On ne savait jamais si l'on reverrait les gens.

— Toi aussi.

*

Minuit.

Isabelle était tapie dans le noir derrière un mur en pierre croulant. Elle était au cœur de la forêt, habillée en paysanne : une salopette en jean défraîchie, des bottes avec des semelles en bois et une blouse légère confectionnée à partir d'un vieux rideau de douche. Étant sous le vent, elle sentait l'odeur de la fumée des feux tout proches, mais n'en voyait pas même une lueur.

Derrière elle, une brindille craqua.

Elle se tapit davantage en respirant à peine.

Il y eut un sifflement. C'était le chant mélodieux d'un rossignol. Ou quelque chose approchant. Elle siffla en réponse.

Elle entendit des bruits de pas ; une respiration. Puis :

— Isa ?

Elle se leva et se retourna. Un faisceau de lumière passa sur elle puis s'éteignit. Elle enjamba un rondin de bois et se jeta dans les bras de Gaëtan.

— Tu m'as manqué, dit-il après l'avoir embrassée, puis il recula avec une réticence qu'elle perçut.

Ils ne s'étaient pas vus depuis plus de huit mois. Chaque fois qu'elle entendait parler d'un train qui déraillait, d'un hôtel occupé par des Allemands qui sautait ou d'une escarmouche avec des partisans, elle s'inquiétait.

Il prit sa main et la conduisit à travers une forêt si sombre qu'elle ne voyait pas l'homme qui était à côté d'elle ni le sentier sous leurs pieds. À aucun moment Gaëtan n'alluma sa lampe. Vivant là depuis bien plus d'un an, il connaissait ces bois par cœur.

Au bout de la forêt, ils arrivèrent dans un immense pré où des gens se tenaient en rangs. Ils avaient des lampes torches avec lesquelles ils balayaient la zone plane entre les arbres, comme s'il s'agissait de balises.

Elle entendit le bruit d'un moteur d'avion au-dessus d'eux, sentit un courant d'air sur ses joues et perçut l'odeur de gaz d'échappement. L'avion descendit en piqué au-dessus d'eux et vola si bas que les arbres frémirent. Elle entendit un bruyant crissement mécanique, le bruit de deux objets métalliques s'entre-choquant puis un parachute apparut, au-dessous duquel se balançait une énorme caisse.

— Une livraison d'armes, indiqua Gaëtan.

La tirant par la main, il l'emmena à nouveau dans les bois et la fit monter sur une butte où se trouvait le campement, au cœur de la forêt. Au centre de celui-ci, un grand feu répandait une lumière orange vif dissimulée par l'épais rideau d'arbres. Plusieurs hommes étaient debout autour du feu en train de fumer et de discuter. La plupart d'entre eux étaient venus là pour éviter le STO – la déportation obligatoire dans des camps de travaux forcés en Allemagne. Une fois là, ils avaient pris les armes et étaient devenus des partisans qui menaient une guérilla contre l'Allemagne ; en secret, à la faveur de la nuit. Le Maquis. Ils faisaient sauter des trains et des dépôts de munitions, faisaient déborder des canaux et menaient toutes les actions possibles pour perturber la circulation de marchandises et d'hommes de la France vers l'Allemagne. Ils tenaient leurs approvisionnements – et leurs renseignements – des Alliés. Leurs vies étaient toujours en danger. Quand l'ennemi les trouvait, les représailles étaient immédiates et souvent violentes : brûlures, aiguillons électriques, aveuglement. Chaque maquisard avait une capsule de cyanure dans sa poche.

Les hommes avaient l'air sales, affamés, défaits. La plupart portaient un pantalon en velours marron et un béret noir, qui étaient effilés, rapiécés et décolorés.

Bien qu'Isabelle crût fermement à leur cause, elle n'aurait pas voulu être seule ici.

— Viens, lui dit Gaëtan.

Contournant le feu, il l'emmena à une petite tente d'aspect sale dotée d'un rabat de toile ouvert laissant voir un unique sac de couchage, un tas de vêtements et une paire de bottes crottées. Comme d'habitude, il régnait une odeur de chaussettes sales et de sueur.

Isabelle baissa la tête et entra.

Gaëtan s'assit à côté d'elle et ferma le rabat. Il n'alluma pas de lampe (les hommes auraient vu leurs silhouettes à l'intérieur et sifflé).

— Isabelle. Tu m'as manqué.

Elle se pencha vers lui, laissa Gaëtan la prendre dans ses bras et l'embrasser. Quand ce baiser se termina – trop tôt –, elle respira à fond.

— J'ai un message pour toi de ton groupe à Londres. Paul l'a reçu aujourd'hui à 17 heures : « Les sanglots longs des violons de l'automne. »

Elle l'entendit prendre une inspiration. De toute évidence, ces mots, qu'ils avaient reçus par la BBC, constituaient un code.

— Est-ce important ? demanda-t-elle.

Les mains de Gaëtan se posèrent sur le visage d'Isabelle et, avec douceur, l'attirèrent pour l'embrasser à nouveau. Ce baiser-là était chargé de tristesse. Un nouvel au revoir.

— Assez important pour que je doive partir sur-le-champ.

— Nous n'avons jamais le temps, chuchota-t-elle.

Tous les moments qu'ils avaient pu partager étaient en quelque sorte volés, arrachés. Ils se retrouvaient, se réfugiaient dans des coins sombres, des tentes sales, des arrière-boutiques, ils faisaient l'amour dans le noir, mais ils n'avaient jamais la possibilité de rester ensuite étendus ensemble comme des amoureux et de discuter. Il fallait toujours qu'il la quitte, ou qu'elle le quitte. Chaque fois qu'il la tenait dans ses bras, elle pensait : « Ça y est, c'est la dernière fois que je le vois. » Et elle attendait qu'il dise qu'il l'aimait.

Elle se disait que c'était la guerre. Qu'il l'aimait vraiment, mais qu'il avait peur de cet amour, peur de la perdre, et qu'ils souffriraient plus encore s'il l'avait déclaré. Dans les bons jours, elle pouvait même y croire.

— Est-ce que c'est très dangereux, cette chose que tu pars faire ?

À nouveau, le silence.

— Je te trouverai, dit-il doucement. Peut-être que je viendrai à Paris pour une soirée, qu'on entrera en douce dans un cinéma, qu'on fera *bouh* au moment des actualités et qu'on ira se balader dans le jardin du musée Rodin.

— Comme un couple, dit-elle en essayant de sourire.

C'était ce qu'ils se disaient toujours, évoquant ce rêve partagé d'une vie qu'il leur paraissait impossible de se rappeler et qui semblait avoir peu de chances d'exister de nouveau un jour.

Il caressa son visage avec une telle douceur que des larmes montèrent aux yeux d'Isabelle.

— Comme un couple.

*

Durant les dix-huit derniers mois, alors que la guerre s'était intensifiée et que les nazis se montraient de plus en plus agressifs, Vianne avait trouvé et caché treize enfants à l'orphelinat. Elle avait commencé par sonder la campagne environnante en suivant des pistes que lui donnait l'Œuvre de secours aux enfants. Pendant ce temps-là, la Mère supérieure était entrée en relation avec le Collectif américain de secours aux juifs – une fédération d'organisations caritatives juives aux États-Unis qui finançait la lutte pour sauver les enfants juifs – qui avait orienté Vianne vers d'autres enfants dans le besoin. Parfois, des mères venaient sonner à sa porte, en pleurs, désespérées, et la suppliaient de les aider.

Vianne n'éconduisait jamais personne, mais elle était toujours terrifiée.

À présent, par une chaude journée de juin 1944, quelques jours après que les Alliés eurent débarqué plus de cent cinquante mille soldats en Normandie, Vianne se trouvait dans sa salle de classe à l'orphelinat et regardait fixement les enfants assis à leurs pupitres, avachis et fatigués. Bien sûr qu'ils étaient fatigués.

Durant la dernière année, les bombardements avaient rarement cessé. Les raids aériens étaient si continuels que Vianne ne s'embêtait plus à emmener ses enfants dans le garde-manger de la cave quand l'alerte sonnait la nuit. Elle se contentait de rester au lit avec eux et de les serrer contre elle jusqu'à ce que le signal de fin d'alerte retentisse ou que les bombardements s'arrêtent.

Mais ils ne s'arrêtaient jamais longtemps.

Vianne tapa dans ses mains pour attirer leur attention. Peut-être qu'un jeu leur remonterait le moral.

— Est-ce qu'il y a un nouveau raid aérien, madame ? demanda Émile.

Il avait maintenant six ans et ne parlait plus jamais de sa maman. Quand on l'interrogeait, il expliquait qu'elle « était morte parce qu'elle était tombée malade », et c'était tout. Il n'avait aucun souvenir d'avoir été Jean-Georges Ruelle.

De même que Daniel n'avait aucun souvenir d'avoir été Ari.

— Non. Pas de raid aérien, répondit-elle. En fait, je me disais qu'il fait une chaleur insupportable à l'intérieur.

Elle tira sur son col lâche.

— C'est à cause des fenêtres occultées, madame, dit Claudine (anciennement Bernadette). La Mère supérieure dit qu'elle a l'impression d'être un jambon fumé dans son habit en laine.

Les enfants rigolèrent.

— C'est mieux que le froid de l'hiver, indiqua Sophie, à quoi ses camarades acquiescèrent de la tête.

— Je me disais, dit Vianne, qu'aujourd'hui serait un bon jour pour…

Avant qu'elle puisse terminer d'exprimer sa pensée, elle entendit le bruit d'une moto dehors ; quelques instants plus tard, des pas – des bottes cavalières – résonnèrent dans le couloir en pierre.

Tout le monde s'immobilisa.

La porte de la salle s'ouvrit.

Von Richter entra dans la pièce. Puis, s'approchant de Vianne, il ôta son képi et le coinça sous son bras.

— Madame, dit-il. Voulez-vous bien venir avec moi dans le couloir ?

Vianne hocha la tête.

— Un instant, les enfants, dit-elle. Lisez en silence pendant mon absence.

Von Richter la prit par le bras – en serrant de manière affreusement douloureuse – et l'emmena dans la cour pavée. L'eau qui coulait dans la fontaine pleine de mousse gargouillait non loin.

— Je suis venu vous interroger au sujet d'une de vos connaissances. Henri Navarre.

Vianne pria pour ne pas tressaillir.

— Qui ça, Herr Sturmbannführer ?

— Henri Navarre.

— Ah. Oui. L'hôtelier.

Elle serra les poings pour ne pas trembler.

— Vous êtes son amie ?

— Non, Herr Sturmbannführer. Je le connais simplement de vue. C'est une petite ville, vous savez.

Von Richter la dévisagea.

— Si vous me mentez à propos d'une chose aussi simple, je vais peut-être me demander sur quoi d'autre vous me mentez.

— Herr Sturmbannführer, non…

— On vous a vue avec lui.

Son haleine sentait la bière et le lard, et il avait les yeux plissés.

Il va me tuer, songea-t-elle pour la première fois. Elle faisait attention depuis si longtemps de ne jamais l'irriter ni lui désobéir, de ne jamais croiser son regard si elle le pouvait. Mais ces dernières semaines, il était devenu versatile, imprévisible.

— C'est une petite ville, mais…

— Il a été arrêté pour assistance à l'ennemi, madame.

— Oh, fit-elle.

— Nous allons reparler de cela, madame. Dans une petite pièce sans fenêtres. Et croyez-moi, je vais vous faire dire la vérité. Je découvrirai si vous travaillez avec lui.

— Moi ?

Il serra tant son étreinte qu'elle crut que ses os allaient se fêler.

— Si je m'aperçois que vous étiez au courant de quoi que ce soit, j'interrogerai vos enfants… avec vigueur… puis je vous enverrai tous à la prison de Fresnes.

— Ne leur faites pas de mal, je vous en supplie.

C'était la première fois qu'elle le suppliait et, entendant le désespoir dans sa voix, il se figea. Sa respiration s'accéléra. Et ce fut évident, clair comme le bleu de ses yeux : il était excité. Depuis plus d'un an et demi, elle avait toujours fait très attention à son attitude en sa présence, elle s'était habillée et comportée comme un petit moineau, n'attirant jamais son attention, ne disant jamais rien d'autre que oui ou non, Herr Sturmbannführer. Mais désormais, en un instant, tout cela était fichu. Elle avait révélé son point faible, et il l'avait vu. Il savait maintenant comment lui faire mal.

*

Quelques heures plus tard, Vianne se trouvait dans une pièce aveugle dans les entrailles de l'hôtel de ville. Elle était assise bien droite, les mains fermement agrippées aux accoudoirs.

Elle était là depuis longtemps, seule, à essayer de décider quelles pouvaient être les meilleures réponses. De quoi étaient-ils au courant ? Que croiraient-ils ? Henri avait-il mentionné son nom ?

Non. S'ils savaient qu'elle avait fait de faux papiers et caché des enfants juifs, ils l'auraient déjà arrêtée.

Derrière elle, la porte s'ouvrit en grinçant et se referma.

— Madame Mauriac.

Elle se leva.

Von Richter lui tourna lentement autour et détailla son corps d'un regard importun. Vianne portait une robe décolorée et souvent raccommodée, sans bas, et des oxfords avec des semelles en bois. Ses cheveux, qu'elle n'avait pas lavés depuis deux jours, étaient recouverts d'un turban vichy. Elle n'avait plus de rouge à lèvres depuis bien longtemps et ses lèvres étaient pâles.

Il s'arrêta devant elle, trop près, les mains jointes dans le dos.

Il fallut du courage à Vianne pour lever le menton, et lorsqu'elle le fit – quand elle regarda dans ses yeux bleu électrique –, elle sut qu'elle était dans l'embarras.

— On vous a vue marcher sur la place avec Henri Navarre. Nous le soupçonnons de travailler avec le maquis du Limousin, ces lâches qui vivent comme des animaux dans les bois et ont aidé l'ennemi en Normandie.

Au moment même où les Alliés débarquaient en Normandie, le maquis avait semé le chaos à travers le pays en coupant des lignes de chemin de fer, en posant des bombes et en faisant déborder des canaux. Les nazis étaient prêts à tout pour trouver et punir les résistants.

— Je le connais à peine, Herr Sturmbannführer ; je ne sais rien au sujet d'hommes qui aident l'ennemi.

— Vous vous moquez de moi ?

Elle fit non de la tête.

Il avait envie de la frapper. Elle le voyait dans ses yeux bleus : un désir pervers, malsain. Il s'était installé en lui quand elle l'avait supplié, et elle ne savait maintenant pas comment l'éradiquer.

Il leva la main et effleura du doigt la mâchoire de Vianne. Elle tressaillit.

— Êtes-vous réellement si innocente ?

— Herr Sturmbannführer, vous vivez dans ma maison depuis dix-huit mois. Vous me voyez tous les jours. Je nourris mes enfants, je travaille dans mon jardin et j'enseigne à l'orphelinat. Je ne vois pas comment j'aiderais les Alliés.

Le doigt de von Richter caressa sa bouche et la força à entrouvrir les lèvres.

— Si je découvre que vous me mentez, je vais vous faire du mal, madame. Et j'y prendrai plaisir, dit-il avant de laisser retomber sa main. Mais si vous me dites la vérité – maintenant –, je vous épargnerai. Vous et vos enfants.

Elle eut un frisson à la pensée qu'il découvre qu'il avait vécu tout ce temps avec un enfant juif. Il serait ridiculisé.

— Je ne vous mentirais jamais, Herr Sturmbannführer. Il faut que vous le sachiez.

— Voici ce que je sais, dit-il en s'approchant d'elle pour chuchoter à son oreille. J'*espère* que vous me mentez, madame.

Il se recula.

— Vous avez peur, constata-t-il en souriant.

— Je n'ai aucune raison d'avoir peur, dit-elle, incapable de donner du volume à sa voix.

— Nous verrons si c'est vrai. Pour l'instant, madame, rentrez chez vous. Et priez pour que je ne découvre pas que vous m'avez menti.

*

Le même jour, Isabelle gravit la rue pavée dans le village perché d'Urrugne. Elle entendait l'écho de bruits de pas derrière elle. Durant le trajet depuis Paris, ses deux derniers « chants » – le commandant Foley et le sergent Smythe – avaient parfaitement suivi ses instructions et passé les divers postes de contrôle. Elle ne s'était pas retournée depuis un bon moment, mais elle était sûre qu'ils marchaient comme elle le leur avait demandé – à cent mètres de distance au moins.

Au sommet de la colline, elle vit un homme assis sur un banc devant la poste fermée. Il tenait un panonceau indiquant : SOURD ET MUET. J'ATTENDS MA MÈRE QUI VIENT ME CHERCHER. Étonnamment, cette simple ruse fonctionnait encore pour duper les nazis.

Isabelle s'approcha de lui.

— J'ai un parapluie, dit-elle dans son anglais teinté d'un fort accent.

— On dirait qu'il va pleuvoir, répliqua-t-il.

Elle hocha la tête.

— Marchez cinquante mètres derrière moi au moins.

Elle continua son chemin, seule.

Lorsqu'elle atteignit enfin la propriété de Mme Babineau, la nuit commençait à tomber. Elle s'arrêta dans un virage sur la route et attendit que les aviateurs la rattrapent.

L'homme qu'elle avait trouvé assis sur le banc arriva en premier.

— Bonjour, mademoiselle, dit-il en ôtant le béret qu'on lui avait prêté. Commandant Tom Dowd, mademoiselle. Je dois vous transmettre les amitiés de Sarah à Pau, mademoiselle. Elle a été une hôtesse parfaite.

Isabelle eut un sourire las. Ils étaient si… hauts en couleur, ces Américains, avec leurs sourires faciles et leurs voix retentissantes. Et leur gratitude. Pas du tout comme les Britanniques, qui la remerciaient d'un ton sec et calme en lui serrant fermement la main. Elle ne savait plus combien de fois un Américain l'avait serrée si fort dans ses bras qu'elle avait décollé du sol.

— Je suis Juliette, dit-elle au commandant.

Le commandant Jack Foley arriva ensuite. Il lui fit un grand sourire et dit :

— Sacrées montagnes !

— C'est le moins qu'on puisse dire, rétorqua Dowd en lui tendant la main. Dowd. De Chicago.

— Foley. De Boston. Enchanté.

Le sergent Smythe fermait la marche. Il arriva quelques minutes plus tard.

— Bonjour, messieurs, dit-il avec raideur. Quelle marche !

— Attendez de voir la suite, répondit Isabelle en riant.

Elle les conduisit au chalet et frappa trois coups à la porte d'entrée.

Mme Babineau entrouvrit, vit Isabelle dans l'interstice, sourit et recula pour les laisser entrer. Comme toujours, un chaudron en fonte était suspendu au-dessus des flammes dans la cheminée noire de suie. La table était mise pour leur arrivée, garnie de verres de lait chaud et d'assiettes à soupe vides.

Isabelle fouilla la pièce du regard.

— Eduardo ?

— Dans la grange, avec deux autres aviateurs. Nous avons du mal à nous approvisionner. C'est à cause de tous ces foutus bombardements. La moitié de la ville est en ruine.

Elle posa une main sur la joue d'Isabelle.

— Tu as l'air fatiguée, Juliette. Est-ce que ça va ?

Le contact de sa main était si réconfortant qu'Isabelle ne put s'empêcher de s'y blottir juste un instant. Elle avait envie de raconter ses problèmes à son amie, de s'épancher pendant quelques minutes, mais c'était encore un luxe que cette guerre avait aboli. Chacun portait seul ses problèmes. Isabelle ne dit pas à Mme Babineau que la Gestapo avait élargi ses recherches concernant le Rossignol ni qu'elle s'inquiétait pour son père, sa sœur et sa nièce. À quoi bon ? Tous avaient des proches pour lesquels ils se faisaient du souci. C'étaient là des tracas ordinaires, des points fixes sur la carte de cette guerre.

Isabelle prit les mains de la vieille femme dans les siennes. Il y avait tant d'aspects atroces dans ce qu'était désormais leur vie, mais il y avait aussi ceci : des amitiés forgées dans le feu qui s'étaient révélées aussi solides que le fer. Après tant d'années de solitude, passées recluse dans des couvents et oubliée dans des pensionnats, Isabelle ne prenait jamais pour acquis le fait qu'elle avait maintenant des amis, des gens à qui elle tenait et qui tenaient à elle.

— Ça va, mon amie.

— Et ton beau jeune homme ?

— Il continue de faire sauter des dépôts et dérailler des trains. Je l'ai vu juste avant le débarquement en Normandie. J'ai compris que quelque chose d'important se préparait. Je sais qu'il est au cœur de tout ça. Je m'inquiète…

Isabelle entendit le vrombissement lointain d'un moteur. Elle se tourna vers Mme Babineau.

— Vous attendez quelqu'un ?

— Personne ne monte jamais ici.

Les aviateurs entendirent aussi le bruit. Ils interrompirent leur conversation. Smythe leva les yeux. Foley sortit un couteau de sa ceinture.

Dehors, les chèvres se mirent à bêler. Une ombre passa devant la fenêtre.

Avant qu'Isabelle puisse crier pour donner l'alerte, la porte s'ouvrit brutalement et la lumière entra à flots dans la pièce, ainsi que plusieurs SS.

— Les mains sur la tête !

Isabelle reçut un violent coup de crosse de fusil derrière la tête. Le souffle coupé, elle trébucha en avant.

Ses jambes se dérobèrent sous elle, et elle tomba de tout son poids, se cognant le crâne sur le sol en pierre.

La dernière chose qu'elle entendit avant de perdre conscience fut :

— Vous êtes tous en état d'arrestation.

33

Isabelle se réveilla les chevilles et les poignets atta-chés à une chaise en bois ; les cordes mordaient sa chair et étaient si serrées qu'elle ne pouvait bouger. Elle ne sentait plus ses doigts. Une seule ampoule pendait du plafond au-dessus d'elle, un cône de lumière dans le noir. Il régnait une odeur de moisi et d'urine et d'eau suintant par les fissures dans le mur.

Quelque part devant elle, une allumette s'enflamma.

Elle entendit le frottement, sentit le soufre et essaya de relever la tête, mais cela lui fit si mal qu'elle poussa un gémissement malgré elle.

— *Gut*, dit quelqu'un. Ça fait mal.

La Gestapo.

L'homme tira une chaise de l'obscurité et s'assit en face d'elle.

— Souffrir, dit-il simplement. Ou ne pas souffrir. À vous de choisir.

— Dans ce cas, ne pas souffrir.

Il lui donna un grand coup. La bouche d'Isabelle se remplit de sang au goût âcre et métallique, qu'elle sentit dégouliner le long de son menton.

Deux jours, pensa-t-elle. *Seulement deux jours.*

Il fallait qu'elle tienne quarante-huit heures d'in-terrogatoire sans donner de noms. Si elle y parvenait sans craquer, son père, Gaëtan, Henri, Didier, Paul et Anouk auraient le temps de se protéger. Ils sauraient rapidement qu'on l'avait arrêtée, s'ils ne le savaient pas déjà. Eduardo ferait passer l'information puis se cacherait. C'était leur plan.

— Votre nom ? demanda l'homme en tirant un petit carnet et un crayon de sa poche de poitrine.

Elle sentait encore le sang qui coulait de sa bouche sur ses genoux.

— Juliette Gervaise. Mais vous le savez. Vous avez mes papiers.

— Nous avons des papiers qui vous attribuent le nom de Juliette Gervaise, c'est vrai.

— Alors, pourquoi me poser la question ?

— Qui êtes-vous vraiment ?

— Je suis vraiment Juliette.

— Née où ? demanda-t-il avec paresse en examinant ses ongles soignés.

— À Nice.

— Et que faisiez-vous à Urrugne ?

— J'étais à Urrugne ? fit-elle.

L'homme se redressa et la regarda à nouveau dans les yeux avec intérêt.

— Quel âge avez-vous ?

— Vingt-deux ans, je crois, ou presque. Les anniversaires ne signifient plus grand-chose.

— Vous paraissez plus jeune.

— J'ai l'impression d'être plus vieille.

Il se leva lentement et la toisa.

— Vous travaillez pour le Rossignol. Je veux son nom.

Ils ne savaient pas qui elle était.

— Je n'y connais rien en oiseaux.

Le coup, totalement inattendu, eut un effet étourdissant. La tête d'Isabelle partit sur le côté et se cogna violemment contre le dossier de la chaise.

— Parlez-moi du Rossignol.

— Je vous ai dit…

Cette fois-ci, il la frappa sur la joue avec une règle en fer, si fort qu'elle sentit sa peau se déchirer et le sang couler.

Il sourit et répéta :

— Le Rossignol.

Elle cracha aussi fort qu'elle put, mais de sa bouche ne sortit qu'un filet de sang qui atterrit sur ses genoux. Elle secoua la tête pour retrouver une vue nette et regretta aussitôt.

Il s'approchait à nouveau d'elle en tapant méthodiquement la règle rouge de sang dans sa paume de main ouverte.

— Je suis le Rittmeister Schmidt, Kommandant de la Gestapo à Amboise. Et vous êtes ?

Il va me tuer, se dit Isabelle. Elle tira sur les liens qui l'immobilisaient, haletante. Elle avait en bouche le goût de son propre sang.

— Juliette, murmura-t-elle, espérant maintenant de tout cœur qu'il la croie.

Elle ne pouvait tenir deux jours.

C'était le risque à propos duquel tout le monde l'avait avertie, la terrible réalité de ce qu'elle faisait. Comment avait-elle pu considérer cela comme une aventure ? Par sa propre faute, elle allait se faire tuer – et causer la mort de tous ceux qui comptaient pour elle.

— Nous détenons la plupart de vos compagnons. Ça ne sert à rien de mourir pour protéger des morts.

Était-ce vrai ?

Non. Si cela avait été vrai, elle serait morte elle aussi.

— Juliette Gervaise, répéta-t-elle.

Il la frappa si fort avec la règle du revers de la main que la chaise bascula sur le côté et qu'elle s'écrasa par terre. Sa tête percuta le sol tandis qu'il lui donnait un coup de pied dans le ventre avec le bout de sa botte. Elle n'avait jamais connu une telle douleur. Elle l'entendit dire : « Maintenant, mademoiselle, donnez-moi le nom du Rossignol », mais elle n'aurait pu répondre si elle l'avait voulu.

Il la frappa à nouveau du pied de toutes ses forces.

*

Isabelle reprit connaissance dans la douleur.

Elle avait mal partout. Au crâne, au visage, dans tout son corps. Il lui fallut un effort – et du courage – pour lever la tête. Elle avait toujours les chevilles et les poignets attachés. Les cordes frottaient contre sa peau écorchée et ensanglantée, entaillaient sa chair contusionnée.

Où suis-je ?

Elle était plongée dans l'obscurité, mais une obscurité inhabituelle, différente d'une pièce sans lumière. C'était autre chose ; des ténèbres impénétrables qui écrasaient son visage meurtri. Elle sentait la présence d'une paroi à quelques centimètres seulement de son visage. Elle essaya de faire un infime mouvement du

568

pied pour toucher ce qui se trouvait devant elle, mais cela réveilla une nouvelle douleur atroce lorsque la corde s'enfonça dans les blessures qu'elle avait aux chevilles.

Elle était dans une boîte.

Et elle avait froid. Elle percevait son souffle et savait qu'il aurait été visible à la lumière. Les poils de ses narines étaient gelés. Elle frissonnait de façon incontrôlable.

Elle hurla de terreur, mais son cri lui revint aussitôt et se perdit dans le silence.

*

Un froid glacial.

Tremblotante, Isabelle gémit. Elle devinait les panaches de vapeur devant son visage qui se transformaient en givre sur ses lèvres. Ses cils étaient gelés.

Réfléchis, Isabelle. Tiens bon.

Elle bougea légèrement son corps en luttant contre le froid et la douleur.

Elle était assise, toujours attachée au niveau des chevilles et des poignets.

Nue.

Elle ferma les yeux, dégoûtée par la vision de cet homme en train de la déshabiller, de la toucher pendant qu'elle était sans connaissance.

Dans l'obscurité fétide, elle prit conscience d'un bourdonnement. Elle crut d'abord que c'était son sang qui battait dans ses tempes, ou son cœur qui palpitait à tout rompre pour la maintenir en vie, mais ce n'était pas ça.

C'était un moteur, à proximité, qui ronflait. Elle connaissait ce bruit, mais qu'était-ce ?

Elle trembla à nouveau lorsqu'elle essaya de remuer ses doigts et ses orteils pour lutter contre la sensation d'engourdissement qui avait envahi ses extrémités. Avant cela, elle avait eu mal aux pieds, puis des picotements, et maintenant… plus rien. Elle bougea la seule chose qu'elle pouvait – sa tête –, qui heurta quelque chose de dur. Elle était nue, attachée à une chaise dans un…

Glacial. Sombre. Ronflant. Petit…

Un réfrigérateur.

Prise de panique, elle essaya désespérément de se libérer, de renverser sa prison, mais ses efforts ne firent que l'essouffler. La terrasser. Elle ne pouvait pas bouger. Rien d'autre que ses doigts et ses orteils, qui étaient trop gelés pour lui obéir. *Pas comme ça, pitié.*

Elle allait mourir de froid. Ou d'asphyxie.

Sa respiration résonnait à ses oreilles, l'enveloppait, un souffle tremblant. Elle se mit à pleurer et ses larmes gelèrent et se transformèrent en glaçons sur ses joues. Elle pensa à tous les gens qu'elle aimait – Vianne, Sophie, Gaëtan, son père. Pourquoi ne leur avait-elle pas dit chaque jour qu'elle les aimait quand elle en avait eu l'occasion ? Et maintenant, elle allait mourir sans pouvoir dire un mot à Vianne.

Vianne, songea-t-elle. Seulement cela. Ce prénom. À la fois une prière, une source de regrets, un adieu.

*

Un cadavre pendait à chaque réverbère de la place du village.

Vianne s'arrêta, incapable de croire à ce qu'elle voyait. En face d'elle, une vieille femme se tenait sous l'un des corps. Le grincement aigu des cordes tendues hantait la place. Vianne la traversa prudemment en prenant soin de rester à distance des lampadaires...

Des corps aux visages bleus, boursouflés, mous.

Il devait y avoir dix hommes – des Français, elle le voyait. Des maquisards à leur apparence – les partisans qui vivaient à la dure dans les bois. Ils portaient des pantalons marron, des bérets noirs et des brassards tricolores.

Vianne s'approcha de la vieille dame et la prit par les épaules.

— Vous ne devriez pas être là, lui dit-elle.

— Mon fils, dit la femme d'une voix rauque. Il ne peut pas rester là...

— Venez, lui dit Vianne, avec moins de douceur cette fois.

Elle força la dame à quitter la place. Dans la rue La Grande, la femme se dégagea et s'éloigna en marmonnant toute seule et en pleurant.

Vianne passa devant trois autres cadavres sur le chemin de la boucherie. Carriveau semblait retenir son souffle. Les Alliés avaient bombardé la zone à maintes reprises durant les derniers mois, et plusieurs bâtiments de la ville avaient été réduits en ruines. On avait en permanence l'impression que quelque chose tombait ou s'effondrait.

L'air était chargé d'une odeur de mort et la ville était silencieuse ; le danger menaçait dans chaque zone d'ombre, à chaque coin de rue.

Dans la file devant la boucherie, Vianne entendit des femmes qui parlaient à voix basse.

— En représailles…

— Pire à Tulle…

— Vous avez entendu ce qui s'est passé à Oradour-sur-Glane ?

Malgré toutes les arrestations, les déportations, les exécutions, Vianne n'arrivait pas à croire les dernières rumeurs. La veille au matin, les nazis étaient entrés dans le village d'Oradour-sur-Glane – à proximité de Carriveau – et avaient conduit tout le monde, sous la menace de leurs fusils, dans l'église du village, soi-disant pour contrôler les papiers des habitants.

— Tous les habitants du village, murmura la femme à qui Vianne parlait. Les hommes. Les femmes. Les enfants. Les nazis les ont tous abattus, puis ils ont fermé les portes et ont mis le feu à l'église.

Des larmes lui montèrent aux yeux.

— C'est la vérité.

— Ce n'est pas possible, dit Vianne.

— Ma Dédée les a vus tirer dans le ventre d'une femme enceinte.

— Elle a *vu* ça ? demanda Vianne.

La vieille femme acquiesça.

— Dédée est restée cachée pendant des heures derrière une cabane à lapins et a vu la ville en flammes. Elle a dit qu'elle n'oublierait jamais les hurlements. Les gens n'étaient pas tous morts quand ils ont mis le feu.

Il s'agissait soi-disant d'une opération de représailles après la capture d'un Sturmbannführer par le maquis.

La même chose allait-elle se produire ici ? La prochaine fois que les Allemands subiraient un revers, est-ce que la Gestapo ou les SS rassembleraient les villageois de Carriveau, les emprisonneraient dans l'hôtel de ville et ouvriraient le feu ?

Vianne prit le petit bidon d'huile auquel lui donnait droit le ticket de rationnement cette semaine-là et sortit du magasin en remettant sa capuche pour cacher son visage.

Quelqu'un l'attrapa par le bras et la tira brutalement sur la gauche. Elle trébucha de côté, perdit l'équilibre et faillit tomber.

L'homme l'entraîna dans une ruelle obscure et révéla qui il était.

— Papa ! fit Vianne, trop frappée par son apparence pour en dire plus.

Elle vit ce que la guerre lui avait fait, les rides qui s'étaient creusées sur son front et les poches de chair qui étaient apparues sous ses yeux fatigués, sa peau devenue blême et ses cheveux blancs. Il était affreusement maigre, et ses joues pendantes étaient parsemées de taches de vieillesse. Cela rappela à Vianne le moment où il était revenu de la Grande Guerre et où il avait eu l'air aussi mal en point.

— Connais-tu un endroit tranquille où on peut parler ? demanda-t-il. Je préférerais ne pas rencontrer ton Allemand.

— Ce n'est pas *mon* Allemand, mais oui.

Elle ne pouvait guère lui en vouloir de ne pas souhaiter rencontrer von Richter.

— La maison de mes voisins est vide. À l'est. Les Allemands l'ont trouvée trop petite pour s'en soucier. On peut s'y retrouver.

— Dans vingt minutes, dit-il.

Vianne remit sa capuche sur ses cheveux couverts d'un foulard et sortit de la ruelle. En quittant la ville puis sur la route boueuse en direction de chez elle, elle essaya d'imaginer pourquoi son père était là. Elle savait – ou supposait – qu'Isabelle vivait avec lui à Paris, bien que même cela fût une conjecture. Pour ce qu'elle en savait, sa sœur et son père menaient des vies indépendantes dans la même ville. Elle n'avait pas eu de nouvelles d'Isabelle depuis cette nuit effroyable dans la grange, même si Henri lui avait rapporté qu'elle allait bien.

Elle passa en vitesse devant l'aérodrome, sans prêter attention aux avions en miettes et encore fumants après un récent raid aérien.

Au portail de Rachel, elle s'arrêta et jeta un coup d'œil de chaque côté de la route. Personne ne l'avait suivie ou ne semblait l'observer. Elle se glissa dans le jardin et se dirigea rapidement vers la maison abandonnée. La porte d'entrée avait été cassée longtemps auparavant et pendait de travers. Vianne entra.

L'intérieur était sombre et envahi par la poussière. Presque tous les meubles avaient été réquisitionnés ou volés par des pillards, et les cadres manquants avaient laissé des carrés noirs aux murs ; il ne restait qu'une vieille causeuse avec des coussins sales et un pied cassé dans le salon. Vianne s'y assit et attendit nerveusement en tapant du pied sur le sol couvert d'une natte de jonc.

Elle mâchonna l'ongle de son pouce, incapable de rester tranquille, puis elle entendit des pas. Elle alla à la fenêtre et souleva le store occultant. Son père était à la porte. Si ce n'est que ce vieil homme voûté n'était pas son père.

Elle le fit entrer dans la maison. Quand il la regarda, les rides de son visage se creusèrent ; les plis de sa peau ressemblaient à des poches de cire fondue. Il passa la main dans ses cheveux clairsemés. Ses longues mèches blanches restèrent curieusement dressées en l'air, comme s'il avait pris la foudre.

Il s'approcha lentement d'elle en boitant légèrement. Cette démarche maladroite rappela aussitôt toute sa vie à Vianne. Sa maman disant : *Pardonne-lui, Vianne, il n'est plus lui-même, et il ne peut pas se pardonner… C'est à nous de le faire.*

— Vianne.

Il prononça doucement son prénom, en laissant traîner sa voix dure. À nouveau, Vianne se trouva subtilement replongée dans cet Avant où il avait été lui-même. Un passé enterré depuis longtemps. Dans les années de l'Après, elle avait mis au placard tous les souvenirs qu'elle avait de lui ; avec le temps, elle avait oublié. Mais à présent, elle se rappelait. Elle fut effrayée par ce sentiment. Il l'avait tant fait souffrir.

— Papa.

Il se dirigea vers la causeuse et s'y assit. Les coussins fatigués s'affaissèrent sous son maigre poids.

— J'ai été un père effroyable pour vous deux.

C'était si surprenant – et vrai – que Vianne ne sut absolument pas quoi répliquer.

Il soupira.

— Il est trop tard maintenant pour rattraper tout ça.

Elle vint s'asseoir à côté de lui sur la causeuse.

— Il n'est jamais trop tard, dit-elle avec prudence.

Était-ce vrai ? Pouvait-elle lui pardonner ?

Oui. La réponse lui vint immédiatement, aussi inattendue que sa venue ici.

Il se tourna vers elle.

— J'ai tant de choses à te dire et pas le temps de le faire.

— Reste ici, suggéra-t-elle. Je m'occuperai de toi et…

— Vianne a été arrêtée et inculpée pour assistance à l'ennemi. Elle est emprisonnée à Girot.

Vianne prit une vive inspiration. Elle fut prise d'un immense sentiment de regret et de culpabilité. Quelles avaient été ses dernières paroles à sa sœur ? *Ne reviens pas.*

— Que pouvons-nous faire ?

— Nous ? fit son père. C'est une question très touchante, mais que tu ne dois pas poser. Tu ne dois rien faire. Tu restes ici à Carriveau et tu évites les ennuis, comme tu l'as fait. Tu protèges ma petite-fille. Et tu attends ton mari.

Vianne put tout juste se retenir de dire *Je suis différente maintenant, papa. J'aide à cacher des enfants juifs.* Elle avait envie de se voir en reflet dans son regard, de le rendre fier d'elle, juste une fois.

Fais-le. Dis-lui.

Comment le pourrait-elle ? Il avait l'air si vieux, assis là, vieux, brisé et perdu. Il ne restait qu'une trace infime de l'homme qu'il avait été. Ce n'était pas la peine qu'il sache que Vianne risquait sa vie elle aussi, qu'il craigne de perdre ses deux filles. Autant le laisser croire qu'elle était le plus en sécurité possible. Qu'elle était lâche.

— Isabelle va avoir besoin de se réfugier chez toi quand tout cela sera fini. Tu lui diras qu'elle a fait ce qu'il fallait. Elle va s'inquiéter de ça un jour. Elle se dira qu'elle aurait dû rester avec toi pour te protéger. Elle se souviendra de t'avoir laissée avec ce nazi, d'avoir mis vos vies en danger, et elle va se ronger les sangs par rapport au choix qu'elle a fait.

Vianne entendit la confession sous-jacente. Il lui racontait sa propre histoire de la seule manière qu'il le pouvait, dissimulée sous celle d'Isabelle. Il lui disait qu'il s'en était voulu du choix de s'être engagé dans l'armée pendant la Grande Guerre, de ce que cette expérience avait fait à sa famille. Il savait à quel point il en était revenu changé, et au lieu de l'avoir rapproché de ses enfants et de sa femme, la douleur l'en avait éloigné. Il regrettait de les avoir rejetées, de les avoir confiées à Mme Dumas tant d'années auparavant.

Quel fardeau devait être un tel choix. Pour la première fois, Vianne vit sa propre enfance en tant qu'adulte, avec recul, et avec la sagesse que cette guerre lui avait apportée. Le combat avait anéanti son père ; elle l'avait toujours su. Sa mère l'avait expliqué maintes fois, mais maintenant Vianne comprenait.

Le combat l'avait *anéanti*.

— Vous, mes filles, vous allez faire partie de la génération qui poursuit son chemin, qui se souvient. Les souvenirs de ce qui s'est passé vont être… durs à oublier. Vous aurez besoin de rester ensemble. Montre à Isabelle qu'elle est aimée. C'est malheureusement une chose que je n'ai jamais faite. Maintenant, il est trop tard.

— On dirait que tu nous dis au revoir.

Vianne vit son regard triste et comprit pourquoi il était là, ce qu'il était venu lui dire. Il allait se sacrifier pour Isabelle. Elle ne savait pas comment, mais elle savait tout de même que c'était vrai. C'était sa façon de se faire pardonner pour toutes les fois où il les avait déçues.

— Papa, dit-elle. Qu'est-ce que tu vas faire ?

Il posa la main sur sa joue, une main paternelle et chaude, ferme et rassurante. Elle ne s'était pas rendu compte – ou avoué – à quel point il lui avait manqué. Et maintenant, juste au moment où elle entrevoyait un avenir différent, une rédemption, ceux-ci s'évanouissaient devant elle.

— Que ferais-tu pour sauver Sophie ?

— N'importe quoi.

Vianne dévisagea cet homme qui, avant que la guerre ne l'eût changé, lui avait appris à aimer les livres, à écrire et à regarder attentivement un coucher de soleil. Ça faisait longtemps qu'elle ne s'était pas souvenue de cet homme.

— Je dois y aller, dit-il en lui tendant une enveloppe.

Dessus était écrit *Isabelle et Vianne* de son écriture incertaine.

— Lisez-la ensemble.

Il se leva et se retourna pour partir.

Elle n'était pas prête à le perdre. Elle l'agrippa. Un morceau de sa manchette se déchira et lui resta dans la main. Elle regarda le bout de tissu : une bande de coton à carreaux marron et blanc reposait dans le creux de sa main. Une bande de tissu comme les autres attachées à la branche de son arbre. En souvenir des êtres chers défunts ou absents.

— Je t'aime, papa, dit-elle doucement, et elle se rendit compte à quel point c'était vrai, à quel point ça l'avait toujours été.

L'amour s'était transformé en un chagrin qu'elle avait repoussé mais, d'une manière ou d'une autre, incroyablement, un peu de cet amour avait survécu. L'amour d'une fille pour son père. Inaltérable. Insupportable mais indestructible.

— Comment le peux-tu ?

La gorge serrée, elle vit qu'il avait les larmes aux yeux.

— Comment ne le pourrais-je pas ?

Il la regarda une dernière fois, longuement, l'embrassa sur chaque joue et s'écarta. À voix si basse qu'elle faillit ne pas entendre, il dit : « Je t'aimais aussi » et partit.

Vianne le regarda s'éloigner. Quand il eut complètement disparu, elle rentra chez elle. Là, elle s'arrêta sous le pommier chargé de morceaux de tissu. Au cours des années où elle avait attaché ces lambeaux aux branches, l'arbre était mort et ses fruits étaient devenus amers. Les autres pommiers étaient en pleine santé, mais celui-ci, l'arbre du souvenir, était aussi noir et abîmé que la ville bombardée qui se trouvait derrière lui.

Vianne accrocha le tissu à carreaux à côté de celui de Rachel.

Puis elle rentra dans la maison.

Un feu était allumé dans le salon ; toute la maison était chaude et enfumée. Du gâchis. Elle ferma la porte derrière elle et fronça les sourcils.

— Les enfants ! appela-t-elle.

— Ils sont en haut dans ma chambre. Je leur ai donné des chocolats et un jeu.

Von Richter. Que faisait-il là en pleine journée ?

L'avait-il vue avec son père ?

Était-il au courant pour Isabelle ?

— Votre fille m'a remercié pour les chocolats. Elle est mignonne comme tout.

Vianne se garda de montrer sa peur à cette remarque. Elle resta immobile et silencieuse et essaya de calmer son cœur battant.

— Mais votre *fils*, dit-il en insistant légèrement sur le mot. Il ne vous ressemble absolument pas.

— M-mon mari, Ant…

Il fut si rapide qu'elle ne le vit même pas bouger. Il l'attrapa par le bras, serra fort, pinça sa chair tendre. Elle lâcha un petit cri lorsqu'il la poussa contre le mur.

— Allez-vous encore me mentir ?

Il prit ses deux mains, les tira au-dessus de sa tête et les cloua au mur d'une main gantée.

— Pitié, dit-elle, ne faites pas…

Elle se rappela aussitôt qu'il ne fallait pas le supplier.

— J'ai vérifié les registres. Il n'y a qu'un enfant né de vous et Antoine. Une fille, Sophie. Vous avez enterré les autres. Qui est ce garçon ?

Vianne était trop effrayée pour avoir les idées claires. Une seule chose était sûre, elle ne pouvait dire la vérité, sans quoi Daniel serait déporté. Et Dieu savait ce qu'ils feraient à Vianne… et à Sophie.

— La cousine d'Antoine est morte en donnant naissance à Daniel. Nous avons adopté le bébé juste avant le début de la guerre. Vous savez comme il est difficile

580

d'obtenir des papiers officiels en ce moment, mais j'ai des certificats de naissance et de baptême. C'est notre fils maintenant.

— Votre neveu, plutôt. Votre sang, mais pas votre sang. Qui peut affirmer que son père n'est pas un communiste ? Ou un juif ?

Vianne déglutit convulsivement. Il ne soupçonnait pas la vérité.

— Nous sommes catholiques. Vous le savez.

— Que feriez-vous pour le garder ici avec vous ?

— N'importe quoi, répondit-elle.

Il déboutonna son chemisier, lentement, en faisant passer tout doucement chaque bouton dans son trou usé. Quand le chemisier s'ouvrit, il glissa sa main à l'intérieur, sur son sein et lui pinça le mamelon si fort qu'elle cria de douleur.

— N'importe quoi ? demanda-t-il.

Elle eut la gorge sèche.

— La chambre, s'il vous plaît, dit-elle. Mes enfants.

Il recula.

— Après vous, madame.

— Vous me laisserez garder Daniel ici ?

— Êtes-vous en train de *négocier* avec moi ?

— Oui.

Il la saisit par les cheveux et la tira dans la chambre. Il ferma la porte d'un coup de pied botté puis plaqua Vianne contre le mur. Elle expira bruyamment sous le choc. Il la bloqua, remonta sa jupe et arracha sa culotte en tricot.

Elle tourna la tête, ferma les yeux et entendit qu'il débouclait sa ceinture et défaisait ses boutons.

— Regardez-moi, dit-il.

Elle ne bougea pas, ne respira pas. Elle n'ouvrit pas les yeux non plus.

Il la frappa à nouveau. Mais elle resta encore où elle était, les paupières serrées.

— Si vous me regardez, Daniel reste.

Elle tourna la tête et ouvrit lentement les yeux.

— C'est mieux.

Elle serra les dents alors qu'il baissait son slip, lui écartait davantage les jambes et violait son corps et son âme. Elle ne fit pas le moindre bruit.

Et ne détourna pas le regard.

34

Isabelle essaya de s'éloigner en rampant de... de quoi ? Est-ce qu'on venait de lui donner un coup de pied ou de la brûler ? Ou de l'enfermer dans le frigo ? Elle ne se rappelait plus. Elle tira ses pieds endoloris et ensanglantés en arrière sur le sol, douloureux centimètre par douloureux centimètre. Elle avait mal partout. À la tête, à la joue, à la mâchoire, aux poignets et aux chevilles.

Quelqu'un l'empoigna par les cheveux et lui tira la tête en arrière. Des doigts ronds et sales la forcèrent à ouvrir la bouche, puis on lui fit couler de l'eau-de-vie dans la gorge, ce qui lui donna un haut-le-cœur. Elle recracha le liquide.

Ses cheveux dégelaient. De l'eau glacée coulait le long de son visage.

Elle ouvrit lentement les yeux.

Un homme était debout devant elle, en train de fumer une cigarette. L'odeur l'écœura.

Depuis combien de temps était-elle là ?

Réfléchis, Isabelle.

On l'avait emmenée dans cette cellule froide et humide qui sentait le renfermé. Le jour s'était levé deux fois où elle avait pu voir le soleil, n'est-ce pas ?

Deux ? Ou juste une ?

Avait-elle laissé assez de temps au réseau pour que les gens se cachent ? Elle n'arrivait pas à réfléchir.

L'homme parlait, lui posait des questions. Sa bouche s'ouvrait, se refermait, crachait de la fumée.

D'instinct, elle tressaillit, s'accroupit, se replia sur elle-même. L'homme qui était derrière elle lui donna un grand coup de pied dans la colonne vertébrale et elle s'immobilisa.

Donc. Deux hommes. Un devant elle et un derrière. *Prête attention à celui qui parle.*

Que disait-il ?

— Asseyez-vous.

Elle eut envie de lui désobéir, mais n'en avait pas la force. Elle se hissa sur la chaise. La peau autour de ses poignets était lacérée, pleine de sang, et du pus en suintait. Elle tenta de cacher son corps nu avec ses mains, mais c'était inutile, elle le savait. Il allait lui écarter les jambes pour attacher ses chevilles aux pieds de la chaise.

Quand elle fut assise, un objet doux heurta son visage et tomba sur ses genoux. Elle baissa mollement les yeux.

Une robe. Pas la sienne.

Elle la serra contre ses seins nus et releva la tête.

— Mettez-la, dit l'homme.

Les mains tremblantes, elle se leva et enfila maladroitement la robe de lin bleue informe et froissée qui était au moins trois tailles trop grandes pour elle. Elle mit une éternité à boutonner le corsage pendant.

— Le Rossignol, dit-il en tirant une longue bouffée sur sa cigarette.

Le bout rougeoya, et Isabelle recula machinalement sur sa chaise.

Schmidt. C'était son nom.

— Je n'y connais rien en oiseaux, dit-elle.

— Vous êtes Juliette Gervaise, dit-il.

— Je vous l'ai déjà dit cent fois.

— Et vous ne savez rien au sujet du Rossignol.

— C'est ce que je vous ai dit.

L'homme fit un bref mouvement de tête et Isabelle entendit des bruits de pas, puis la porte derrière elle s'ouvrit en grinçant.

Elle pensa : *Ça ne fait pas mal, ce n'est que mon corps. Ils ne peuvent pas toucher mon âme.* C'était devenu son mantra.

— On en a fini avec vous.

Il lui souriait d'une manière qui lui donna la chair de poule.

— Faites-le entrer.

Un homme avec des chaînes entra en trébuchant. *Papa.*

Isabelle vit l'horreur dans ses yeux et sut à quoi elle ressemblait : les lèvres fendues, les yeux au beurre noir, la joue lacérée... des brûlures de cigarettes sur les avant-bras, les cheveux collés par le sang. Il fallait qu'elle reste tranquille, debout là où elle se trouvait, mais elle ne le pouvait pas. Elle avança en clopinant, les dents serrées sous l'effet de la douleur.

Son père n'avait ni bleus sur les bras ni coupures aux lèvres et il ne tenait pas ses bras serrés contre son corps.

Ils ne l'avaient ni battu ni torturé, ce qui signifiait qu'ils ne l'avaient pas interrogé.

— Je suis le Rossignol, dit son père à l'homme qui l'avait torturée. C'est ce que vous voulez entendre ?

Isabelle secoua la tête, dit *non* d'une voix si faible que personne ne l'entendit.

— Je suis le Rossignol, déclara-t-elle, debout sur ses pieds brûlés et pleins de sang.

Elle se tourna vers Schmidt.

Celui-ci rigola.

— Vous, une fille ? Le célèbre Rossignol ?

Son père dit quelque chose en anglais à l'Allemand, qui ne saisit manifestement pas.

Isabelle comprit : ils pouvaient parler en anglais.

Elle était assez près de lui pour le toucher, mais elle n'en fit rien.

— Ne fais pas ça, le supplia-t-elle.

— C'est déjà fait.

Le sourire qu'il lui adressa mit longtemps à se former, et quand il apparut, elle sentit la peine lui serrer la poitrine. Des souvenirs lui revinrent par vagues qui déferlaient par-dessus la digue qu'elle avait construite durant ses années d'isolement. Elle le voyait qui la soulevait à bout de bras et la faisait tournoyer, qui la ramassait après une chute, époussetait ses vêtements et lui chuchotait : *Pas si fort, ma petite terreur, tu vas réveiller ta maman…*

Le souffle court, elle s'essuya les yeux. Il essayait de se rattraper, de lui demander pardon tout en cherchant la rédemption, en se sacrifiant pour elle. C'était un aperçu de l'homme qu'il avait été, le poète dont sa mère était tombée amoureuse. Cet homme, celui d'avant la guerre, aurait peut-être connu un autre moyen ou trouvé les mots parfaits pour réparer leur passé fracturé. Mais il n'était plus cet homme. Il avait trop perdu, et ces pertes l'avaient conduit à abandonner plus de choses encore. C'était la seule manière qu'il voyait de lui dire qu'il l'aimait.

— Pas comme ça, dit-elle tout bas.

— Il n'y a pas d'autre moyen. Pardonne-moi.

L'agent de la Gestapo se plaça entre eux. Il prit son père par le bras et le tira vers la porte.

Isabelle les suivit en boitant.

— C'est moi le Rossignol ! cria-t-elle.

La porte se ferma sous son nez. Elle se traîna jusqu'à la fenêtre de la cellule et s'agrippa aux barreaux rugueux et rouillés.

— C'est moi le Rossignol ! hurla-t-elle.

Dehors, sous le soleil jaune du matin, l'agent tira son père vers la place, où un peloton d'exécution était prêt à faire feu.

D'un pas vacillant, le père d'Isabelle traversa la place pavée, passa devant une fontaine. Le soleil jetait une belle lumière dorée.

— Nous étions censés avoir le temps, murmura Isabelle, et elle sentit les larmes lui monter aux yeux.

Combien de fois avait-elle imaginé un nouveau départ pour son père et elle, pour eux tous ? Ils se retrouveraient après la guerre, Isabelle, Vianne et Papa, ils apprendraient à rire, à discuter et à former de nouveau une famille.

Cela n'arriverait jamais ; elle n'aurait jamais l'occasion de connaître son père, elle ne sentirait jamais la chaleur de sa main dans la sienne, ne s'endormirait jamais sur le divan à côté de lui, ne pourrait jamais dire tout ce qui devait être dit entre eux. Ces paroles étaient perdues, transformées en ombres qui allaient partir à la dérive sans être prononcées. Ils ne formeraient jamais la famille que Maman leur avait promise.

— Papa, dit-elle.

C'était un mot tellement fort, tout à coup, un rêve à part entière.

Il se tourna face au peloton. Isabelle le regarda relever la tête et redresser les épaules. Il écarta ses cheveux blancs de devant ses yeux secs. Leurs regards se croisèrent. Isabelle se cramponna aux barreaux pour se soutenir.

— Je t'aime, articula-t-il en silence.

Les coups de feu éclatèrent.

*

Vianne avait mal partout.

Couchée dans le lit entre ses enfants endormis, elle s'efforçait de ne pas se remémorer le viol de la veille au soir dans les moindres détails.

Lentement, elle alla à la pompe et fit un brin de toilette à l'eau froide en grimaçant chaque fois qu'elle touchait une zone contusionnée.

Elle s'habilla avec des vêtements faciles à mettre : une robe à boutons en lin froissée avec un haut ajusté et une jupe évasée.

Toute la nuit, elle était restée éveillée dans le lit, ses enfants serrés contre elle, à tantôt pleurer à cause de ce qu'il lui avait fait – ce qu'il lui avait pris – et à tantôt rager de n'avoir pu l'en empêcher.

Elle avait envie de le tuer.

Elle avait envie de se tuer.

Que penserait Antoine d'elle, maintenant ?

À vrai dire, elle avait surtout envie de se rouler en boule dans un coin sombre et de ne plus jamais se montrer.

Mais même ce sentiment – la honte – était un luxe en cette période. Comment pouvait-elle se soucier d'elle-même alors qu'Isabelle était en prison et que leur père allait tenter de la sauver ?

— Sophie, dit-elle quand ils terminèrent leur petit déjeuner composé de pain sec grillé et d'un œuf poché. Je dois aller faire une course aujourd'hui. Tu vas rester à la maison avec Daniel. Ferme la porte à clé.

— Von Richter…

— Est parti jusqu'à demain.

Elle sentit son visage devenir chaud. C'était le genre de choses personnelles qu'elle n'était pas censée savoir.

— Il me l'a dit hier… soir.

Sa voix se brisa sur ce dernier mot.

Sophie se leva.

— Maman ?

Vianne essuya rapidement ses larmes.

— Ça va. Mais je dois y aller. Soyez sages.

Elle les embrassa tous les deux et s'empressa de partir avant de se trouver des raisons de rester.

Sophie et Daniel, par exemple.

Et von Richter. Il avait *dit* qu'il serait absent pour la nuit à venir, mais qui savait ? Il pouvait bien avoir demandé qu'on la suive. Mais si elle se préoccupait trop des « et si », elle n'arriverait jamais à rien. Depuis qu'elle avait commencé à cacher des enfants juifs, elle avait appris à aller de l'avant malgré sa peur.

Elle devait aider Isabelle…

(Ne reviens pas.)

(Je te dénoncerai moi-même.)

… et Papa si elle le pouvait.

Elle monta dans le train et s'assit sur une banquette en bois dans le wagon de troisième classe. Plusieurs des autres passagers – essentiellement des femmes – avaient la tête baissée et les mains jointes sur leurs genoux. Un grand Hauptsturmführer montait la garde à côté de la porte, son fusil prêt à faire feu. Un groupe d'hommes de la Milice – la violente police du régime de Vichy – était installé dans une autre partie du wagon.

Vianne ne regarda aucune des deux femmes qui partageaient son compartiment. L'une d'elles sentait l'ail et l'oignon. Cette odeur donna légèrement mal au cœur à Vianne dans cet espace chaud et confiné. Heureusement, elle n'allait pas loin et à 10 heures du matin à peine passées, elle descendit du train à la petite gare de la périphérie de Girot.

Et maintenant ?

Le soleil voguait haut dans le ciel et accablait la ville de sa chaleur. Vianne serra son sac à main contre elle, sentit la sueur dégouliner dans son dos et goutter de ses tempes. Une grande partie des bâtiments couleur sable avaient été bombardés ; partout gisaient des tas de décombres. Quelqu'un avait peint une croix de Lorraine bleue sur les murs en pierre d'une école abandonnée.

Vianne croisa peu de gens dans les rues pavées et tortueuses. De temps à autre, une jeune fille à vélo ou un garçon avec une brouette passait bruyamment près d'elle, mais elle remarqua surtout le silence, un air de désertion.

Puis une femme hurla.

Vianne tourna le dernier coin de rue avant la place du village. Un cadavre était attaché à la fontaine de la place. Son sang teintait l'eau qui clapotait au niveau de ses chevilles. On lui avait fixé la tête en arrière avec un ceinturon, si bien qu'il semblait presque détendu avec sa mâchoire relâchée, ses yeux ouverts, aveugles. Il avait la poitrine criblée d'impacts de balles, et son pull-over était en lambeaux, foncé par son sang, de même que son pantalon.

C'était son père.

*

Isabelle avait passé la nuit précédente recroquevillée dans le coin humide et noir de sa cellule. Elle revivait en continu la scène atroce de la mort de son père.

On allait bientôt la tuer aussi. Elle n'avait aucun doute là-dessus.

Au fur et à mesure que les heures passaient – le temps étant mesuré en respirations, en battements du cœur –, elle écrivait des lettres d'adieu imaginaires à son père, à Gaëtan, à Vianne. Elle formait à partir de ses souvenirs des phrases qu'elle mémorisait, du moins elle essayait, mais toutes se terminaient par : « Je suis désolée ». Quand les soldats vinrent la chercher, que les clés en fer cliquetèrent dans les serrures, que les portes vermoulues s'ouvrirent en frottant sur le sol inégal, elle eut envie de hurler pour protester, de crier *NON*, mais elle n'avait plus de voix.

On la leva brutalement. Une femme bâtie comme un panzer lui jeta des chaussures et des chaussettes et lui dit quelque chose en allemand. Elle ne parlait manifestement pas français.

Elle rendit à Isabelle ses papiers d'identité au nom de Juliette. Ils étaient tachés et froissés.

Les chaussures étaient trop petites et lui serraient les orteils, mais Isabelle était heureuse de les avoir. La femme la traîna hors de sa cellule puis dans l'escalier aux marches irrégulières et la fit sortir sur la place dans la lumière aveuglante du soleil. Devant les bâtiments d'en face, plusieurs soldats, leurs fusils dans le dos, vaquaient à leurs occupations. Isabelle vit le cadavre criblé de balles de son père attaché à la fontaine et hurla.

Tout le monde sur la place se tourna. Les soldats se moquèrent d'elle et la montrèrent du doigt.

— Silence, souffla l'Allemande aux airs de tank.

Isabelle s'apprêtait à dire quelque chose quand elle vit Vianne qui venait dans sa direction.

Elle avançait d'un pas maladroit, comme si elle ne maîtrisait pas bien son corps. Elle portait une robe en loques qui, Isabelle s'en souvenait, avait autrefois été jolie. Ses cheveux blond vénitien étaient ternes et plats, coincés derrière ses oreilles. Elle avait le visage maigre et creusé comme une tasse à thé en porcelaine tendre.

— Je suis venue t'aider, dit doucement Vianne.

Isabelle aurait pu pleurer. Plus que tout au monde, elle avait envie de courir vers sa grande sœur, de tomber à genoux, de lui demander pardon, de lui faire part de sa reconnaissance. De lui dire « Je suis désolée » et « Je t'aime » et tous les mots qu'il fallait entre les deux. Mais elle ne pouvait rien faire de tout ça. Elle devait protéger Vianne.

— Lui aussi, dit-elle en inclinant la tête en direction de son père. Pars. *S'il te plaît*. Oublie-moi.

L'Allemande tira Isabelle en avant. Isabelle la suivit en trébuchant, ses pieds l'élançant à chaque pas, sans se permettre de se retourner. Elle pensa qu'on la conduisait devant un peloton d'exécution, mais elle passa devant le corps affaissé de son père, quitta la place et fut emmenée dans une rue adjacente, où un camion attendait.

La femme fit monter Isabelle à l'arrière du camion. Elle se traîna à quatre pattes jusqu'au coin où elle s'assit sur ses talons, seule. Les rabats de toile se fermèrent et la plongèrent dans le noir. Lorsque le moteur démarra, elle posa son menton dans le creux dur entre ses genoux osseux et ferma les yeux.

Quand elle se réveilla, tout était calme. Le camion s'était arrêté. Quelque part, un sifflet retentit.

Quelqu'un ouvrit les rabats et une lumière si vive inonda l'arrière du camion qu'Isabelle ne distingua rien d'autre que des silhouettes d'hommes venant vers elle et criant : « *Schnell, schnell !* »

Un des hommes la tira dehors et la jeta comme un sac d'ordures dans la rue pavée. Il y avait quatre fourgons à bestiaux le long du quai. Les trois premiers étaient fermés par des verrous. Le quatrième était ouvert – et plein à craquer de femmes et d'enfants. Le bruit était étourdissant, entre les hurlements, les pleurs, les aboiements de chiens, les cris des soldats, les coups de sifflet, le *teuf-teuf* du train en attente.

Le nazi poussa Isabelle dans la foule, la bouscula chaque fois qu'elle s'arrêtait, jusqu'à ce qu'elle se trouve devant le dernier wagon.

Il la souleva alors et la jeta à l'intérieur ; elle se heurta à la foule et faillit tomber. Seuls les autres corps la maintinrent debout. Les gens continuaient d'entrer, d'avancer en pleurant, cramponnés à la main de leurs enfants, pour essayer de trouver un espace de vingt centimètres où tenir debout.

Les fenêtres étaient garnies de barreaux de fer. Dans le coin, Isabelle aperçut un baril.

Leurs toilettes.

Des valises étaient entassées sur une pile de bottes de foin.

Clopinant sur ses pieds endoloris, Isabelle se faufila vers le fond du wagon à travers la foule de femmes qui pleuraient et gémissaient, d'enfants qui hurlaient. Dans le coin, elle vit une femme seule debout, les bras croisés sur la poitrine avec un air de défi, ses épais cheveux gris couverts d'un foulard noir.

Le visage contusionné de Mme Babineau se fendit d'un sourire aux dents brunes. Isabelle fut si soulagée à la vue de son amie qu'elle faillit pleurer.

— Madame Babineau, murmura-t-elle en serrant son amie dans ses bras.

— Je pense qu'il est temps que tu m'appelles Micheline, dit son amie.

Elle était vêtue d'un pantalon d'homme trop long pour elle et d'une chemise de travail en flanelle. Elle toucha le visage tailladé et couvert de sang séché d'Isabelle.

— Qu'est-ce qu'ils t'ont fait ?

— Le pire qu'ils pouvaient, répondit-elle en essayant de parler normalement.

— Je ne pense pas.

594

Micheline laissa ces paroles faire leur chemin pendant quelques instants, puis elle baissa la tête vers un seau qui se trouvait près de ses pieds bottés. Il était rempli d'une eau grise qui giclait par-dessus le rebord au rythme des tremblements du sol sous les mouvements de tant de corps. Une louche en bois fendue était posée à côté.

— Bois. Tant qu'il est là.

Isabelle remplit la louche de cette eau fétide. Prise d'un haut-le-cœur, elle se força à avaler. Elle se releva, tendit une louche pleine à Micheline, qui but d'un trait et essuya ses lèvres mouillées du revers de sa manche.

— On va en baver, dit Micheline.

— Je suis désolée de t'avoir embarquée là-dedans.

— Tu ne m'as embarquée dans rien, Juliette. Je voulais participer à tout ça.

Après un nouveau coup de sifflet, les portes du wagon se fermèrent, ce qui les plongea dans l'obscurité. Les verrous glissèrent, et ils se retrouvèrent enfermés. Le train fit un bond en avant. Les gens se tombèrent les uns sur les autres, certains par terre. Les bébés hurlaient et les enfants geignaient. Quelqu'un urinait dans le baril, et l'odeur s'ajouta à la puanteur de la sueur et de la peur.

Micheline serra Isabelle contre elle, et les deux femmes grimpèrent au sommet du tas de bottes de foin et s'assirent.

— Je m'appelle Isabelle Rossignol, dit-elle doucement, et elle entendit son nom se perdre dans le noir.

Si elle devait mourir dans ce train, elle voulait que quelqu'un sache qui elle était.

Micheline soupira.

— Tu es la fille de Julien et Madeleine.

— Tu le savais depuis le début ?

— Oui. Tu as les yeux de ta mère et le tempérament de ton père.

— Il a été exécuté, dit-elle. Il a prétendu être le Rossignol.

Micheline prit la main d'Isabelle.

— Naturellement. Un jour, quand tu seras mère, tu comprendras. Je me rappelle m'être dit que tes parents n'allaient pas bien ensemble – Julien, calme et intellectuel, et ta maman pleine de vivacité et d'une volonté de fer. Je me disais qu'ils n'avaient rien en commun, mais maintenant je sais que les choses sont très souvent ainsi en amour. C'était la guerre, tu sais ; ça l'a brisé. De manière irrémédiable. Elle a essayé de le sauver. De tout son cœur.

— Quand elle est morte…

— Oui. Au lieu de se reprendre en main, il a bu et est allé encore plus mal, mais l'homme qu'il est devenu n'était pas l'homme qu'il avait été, dit Micheline. Certaines histoires ne finissent pas bien. Même les histoires d'amour. Peut-être surtout les histoires d'amour.

Les heures s'écoulèrent lentement. Souvent, le train s'arrêtait pour embarquer d'autres femmes et enfants ou pour éviter des bombardements. Les femmes restaient assises ou debout à tour de rôle et s'entraidaient quand elles le pouvaient. L'eau s'épuisa et le baril d'urine déborda. Chaque fois que le train ralentissait, Isabelle se faufilait jusqu'au côté du wagon et regardait entre les lattes de bois pour essayer de voir où ils étaient, mais elle ne voyait que de nouveaux soldats avec des fouets et des chiens… et de nouvelles femmes qu'on chargeait comme du bétail dans de nouveaux wagons. Des femmes écrivaient leur nom sur des morceaux de papier ou de tissu et les glissaient dans les interstices des parois du wagon, espérant en dépit de tout qu'on se souviendrait d'elles.

Le deuxième jour, tout le monde était si épuisé, affamé et assoiffé que personne ne parlait, pour économiser sa salive. La chaleur et la puanteur dans le fourgon étaient insupportables.

Aie peur.

N'était-ce pas ce que Gaëtan lui avait dit ? Il avait précisé que cette mise en garde venait de Vianne la nuit du drame dans la grange.

Isabelle n'avait pas très bien saisi sur le coup. Maintenant, elle comprenait. Elle s'était crue indestructible.

Mais qu'aurait-elle fait autrement ?

— Rien, dit-elle tout bas dans le noir.

Elle l'aurait refait sans hésiter.

Et ce n'était pas fini. Elle devait se souvenir de ça. Chaque jour qu'elle vivait, il y avait une chance qu'elle soit sauvée. Elle ne pouvait pas baisser les bras. Elle ne pouvait *jamais* baisser les bras.

*

Le train s'arrêta. Isabelle s'assit, les yeux troubles, endolorie par les coups qu'elle avait reçus pendant son interrogatoire. Elle entendit des voix menaçantes et des aboiements. Un sifflet retentit.

— Réveille-toi, Micheline, dit Isabelle en remuant gentiment sa voisine.

Micheline se redressa doucement.

Les soixante-dix autres passagers du wagon – des femmes et des enfants – se sortirent lentement de la torpeur du voyage. Ceux qui étaient assis se levèrent. Les femmes se rassemblèrent instinctivement et s'agglutinèrent.

Isabelle grimaça de douleur en se levant sur ses pieds lacérés dans des chaussures trop petites. Elle prit la main froide de Micheline.

Les gigantesques portes du wagon s'ouvrirent. La lumière du soleil entra à flots et les aveugla tous. Isabelle vit les SS habillés en noir, avec leurs chiens qui montraient les dents et aboyaient. Ils criaient des ordres aux femmes et aux enfants, des mots incompréhensibles au sens pourtant évident. *Sortez, avancez, mettez-vous en file.*

Les femmes s'entraidaient. Isabelle se cramponna à la main de Micheline et descendit sur le quai.

Elle reçut un coup de matraque si violent sur la tête qu'elle perdit l'équilibre et tomba à genoux.

— Lève-toi, lui dit une femme. Il le faut.

Isabelle la laissa l'aider à se relever. Prise de vertiges, elle s'appuya sur elle. Micheline se plaça de l'autre côté et la soutint par la taille.

À la gauche d'Isabelle, la lanière d'un fouet fendit l'air en ondulant et vint entailler la chair rose de la joue d'une femme. Celle-ci cria et plaqua la main sur sa joue balafrée. Du sang ruissela entre ses doigts, mais elle continua d'avancer.

Les femmes formèrent des colonnes irrégulières et avancèrent sur le terrain accidenté jusqu'à un portail ouvert entouré de barbelés. Une tour de guet se dressait au-dessus d'elles.

De l'autre côté du portail, Isabelle vit des centaines – des milliers – de femmes qui ressemblaient à des fantômes en mouvement dans un paysage gris irréel, leurs corps émaciés, leurs yeux au regard mort enfoncés dans des visages grisâtres, les cheveux tondus. Elles portaient des robes rayées sales et flottantes ; certaines étaient pieds nus. Seulement des femmes et des enfants. Pas d'hommes.

Plus loin, sous la tour de guet, elle aperçut des baraquements qui se succédaient.

Un cadavre de femme gisait dans la boue devant elles. Isabelle l'enjamba, trop hébétée pour se dire autre chose que *Continue d'avancer*. La dernière femme qui s'était arrêtée avait reçu un tel coup qu'elle ne s'était pas relevée.

Des soldats leur prenaient leurs valises des mains, arrachaient leurs colliers, retiraient leurs boucles d'oreilles et leurs alliances. Quand elles n'avaient plus aucun objet de valeur, on les entassait dans une pièce, où elles transpiraient sous l'effet de la chaleur et étaient étourdies par la soif. Une femme attrapa Isabelle par les bras et la tira sur le côté. Avant même qu'elle puisse réfléchir, on la déshabilla complètement – comme toutes les autres femmes. Des mains brusques aux ongles sales lui griffèrent la peau. On la rasa de toutes parts – les aisselles, la tête, les poils pubiens – avec une telle brutalité qu'elle saigna.

— *Schnell !*

Isabelle attendit ensuite avec les autres femmes rasées, gelées, nues, les pieds endoloris, encore sonnée par les coups. Puis on les fit à nouveau avancer pour les conduire en troupeau vers un autre bâtiment.

Elle se rappela soudain les histoires qu'elle avait entendues du MI9 et à la BBC, des bulletins d'information à propos de juifs gazés dans les camps de concentration.

Elle fut prise d'un léger sentiment de panique en entrant avec la foule dans l'immense salle pleine de pommes de douche.

Tremblante, Isabelle s'arrêta sous l'une d'elles. Par-dessus le brouhaha des gardes, des prisonniers et des chiens, elle entendit le bruit de ferraille d'un vieux système d'aération. Quelque chose arrivait dans les tuyaux.

C'est la fin.

Les portes du bâtiment se fermèrent en claquant.

Une eau glaciale jaillit des pommes de douche, ce qui surprit Isabelle et la transit. Au bout de quelques instants seulement, l'eau s'arrêta de couler et on les fit repartir. Agitée de frissons, essayant vainement de cacher son corps nu de ses mains tremblantes, elle se mêla aux autres femmes et avança avec elles. Une par une, on les épouilla. Puis on donna à Isabelle une robe rayée informe, un slip d'homme sale et deux chaussures gauches sans lacets.

Alors qu'elle serrait ses nouveaux biens contre ses seins humides, on la poussa dans un bâtiment semblable à une grange contenant des enfilades de couchettes en bois superposées. Elle grimpa sur une des couchettes et s'y étendit avec neuf autres femmes. Lentement, elle s'habilla puis se rallongea, en fixant le dessous gris de la couchette.

— Micheline ? fit-elle à voix basse.

— Je suis là, Isabelle, lui répondit son amie au-dessus.

Isabelle était trop fatiguée pour parler plus. Dehors, elle entendit le claquement de ceintures de cuir, le sifflement de fouets, et les cris des femmes qui avançaient trop doucement.

— Bienvenue à Ravensbrück, lui dit sa voisine.

Isabelle sentit la hanche squelettique de la femme contre sa jambe.

Elle ferma les yeux et essaya de faire abstraction des bruits, de l'odeur, de la peur, de la douleur.

Reste en vie, se dit-elle.

Reste. En vie.

35

Août.

Vianne respirait le plus discrètement possible. Dans la chaleur lourde et l'obscurité de cette chambre à l'étage – *sa* chambre, celle qu'elle avait partagée avec Antoine –, le moindre bruit était amplifié. Elle entendit les ressorts du sommier grincer en signe de protestation quand von Richter se tourna sur le côté. Elle observa chacune de ses expirations. Quand il se mit à ronfler, elle s'écarta peu à peu et retira le drap humide de sur son corps nu.

Au cours des derniers mois, Vianne avait appris ce qu'étaient la douleur, la honte et l'humiliation. Elle savait aussi ce qu'était la survie – comment jauger les humeurs de von Richter et décider quand se tenir à l'écart et quand se taire. Parfois, si elle faisait exactement ce qu'il fallait, il la voyait à peine. C'était seulement quand il avait passé une mauvaise journée, quand il rentrait en colère, qu'elle avait des ennuis. Comme la veille au soir.

Il était rentré d'humeur exécrable, en maugréant au sujet des combats à Paris. Le maquis s'était mis à se battre dans les rues. Vianne avait su immédiatement ce qu'il voudrait ce soir-là.

Lui faire mal.

Elle avait rapidement fait sortir les enfants de la pièce et les avait couchés dans la chambre du bas. Puis elle était montée.

C'est peut-être ça le pire : il la forçait à venir à lui et elle le faisait. Elle retira ses vêtements pour éviter qu'il ne les déchire.

À présent, en se rhabillant, elle remarqua à quel point elle avait mal quand elle levait les bras. Elle s'arrêta devant la fenêtre occultée. Derrière celle-ci s'étendaient des champs détruits par des bombes incendiaires, des arbres brisés en deux, beaucoup d'entre eux encore fumants, des cheminées et des portails cassés. Un paysage apocalyptique. L'aérodrome n'était plus qu'un amas de pierres et de morceaux de bois entouré d'avions démolis et de camions explosés. Depuis que le général de Gaulle avait pris le commandement de l'armée de la France libre et que les Alliés avaient débarqué en Normandie, le bombardement de l'Europe était devenu continuel.

Antoine était-il toujours quelque part là-dehors ? Était-il dans son camp de prisonniers, en train de regarder par une fissure dans le mur de son baraquement ou par un interstice dans une fenêtre condamnée, en train de regarder cette lune qui avait autrefois brillé sur une maison pleine d'amour ? Et Isabelle. Ça ne faisait que deux mois qu'elle était partie, mais ils paraissaient une éternité à Vianne. Elle s'inquiétait constamment pour elle, mais il n'y avait rien à faire contre l'inquiétude ; il fallait la supporter.

Une fois en bas, elle alluma une bougie. L'électricité ne fonctionnait plus depuis longtemps déjà. Dans la salle de bains, elle posa la bougie à côté du lavabo et se regarda dans le miroir ovale. Même à la lueur d'une bougie, elle avait le teint cireux et les traits tirés. Ses cheveux ternes pendaient mollement des deux côtés de son visage. Au fil de ces années de privation, son nez semblait s'être allongé et ses pommettes étaient devenues saillantes. Une ecchymose colorait sa tempe. Bientôt, elle le savait, celle-ci foncerait. Elle sut sans regarder qu'elle avait des empreintes de mains sur le haut des bras et un vilain bleu sur son sein gauche.

Il était de plus en plus méchant. Et furieux. Les forces alliées avaient débarqué dans le sud de la France et commençaient à libérer des villes. Les Allemands étaient en train de perdre la guerre, et von Richter semblait vouloir à tout prix le faire payer à Vianne.

Elle se déshabilla et se lava à l'eau tiède. Elle se frotta jusqu'à ce que sa peau soit marbrée de rouge, mais elle ne se sentait toujours pas propre. Elle ne se sentait plus jamais propre.

Quand elle n'en put plus, elle se sécha et enfila sa chemise de nuit puis une robe de chambre. Elle noua la ceinture à sa taille et sortit de la salle de bains en emportant la bougie.

Sophie l'attendait dans le salon. Elle était assise sur le dernier élément de mobilier en bon état dans la pièce – le divan –, les jambes ramenées contre elle et les mains jointes. Les autres meubles avaient été soit réquisitionnés soit brûlés.

— Que fais-tu debout si tard ?

— Je pourrais te poser la même question, mais ce n'est pas vraiment la peine, si ?

Vianne serra la ceinture de sa robe de chambre. C'était un réflexe nerveux, une manière d'occuper ses mains.

— Allons nous coucher.

Sophie la regarda. À presque quatorze ans, son visage avait commencé à devenir adulte. Le noir de ses yeux ressortait sur sa peau pâle, et ses cils étaient épais et longs. Leur mauvaise alimentation avait désépaissi ses cheveux, mais ils faisaient toujours des boucles. Elle pinça ses lèvres charnues.

— Vraiment, maman ? Pendant combien de temps doit-on faire comme si de rien n'était ?

La tristesse et la colère dans ses beaux yeux étaient déchirantes. Vianne n'avait apparemment rien caché à cette enfant à qui la guerre avait fait perdre son innocence.

Qu'est-ce qu'une bonne mère était censée dire à sa fille presque adulte à propos de la laideur du monde ? Comment pouvait-elle être sincère ? Comment Vianne pouvait-elle espérer que sa fille la juge moins sévèrement qu'elle se jugeait elle-même ?

Vianne s'assit à côté d'elle. Elle pensa à sa vie d'avant : les rires, les baisers, les dîners en famille, les matins de Noël, les dents de lait perdues, les premiers mots.

— Je ne suis pas bête, dit Sophie.

— Je n'ai jamais pensé ça. Pas un instant, dit-elle avant de prendre une grande respiration. J'ai seulement voulu te protéger.

— De la vérité ?

— De tout.

— Ce n'est pas possible, répliqua amèrement Sophie. Tu n'as toujours pas compris ça ? Rachel est partie. Sarah est morte. Grand-père est mort. Tante Isabelle est…

Ses yeux se remplirent de larmes.

— Et papa… quand a-t-on eu des nouvelles de lui pour la dernière fois ? Il y a un an ? Huit mois ? Il est sans doute mort aussi.

— Ton père est vivant. De même que ta tante. Je le sentirais s'ils étaient morts, déclara-t-elle en posant une main sur son cœur. Je le sentirais ici.

— Dans ton cœur ? Tu le sentirais dans ton *cœur* ?

Vianne savait que Sophie était façonnée par cette guerre, endurcie par la peur et le désespoir qui la rendaient plus incisive, plus cynique, mais c'était encore difficile à percevoir très précisément.

— Comment peux-tu… aller vers lui ? J'ai vu tes bleus.

— C'est *ma* guerre, dit Vianne à voix basse, presque plus honteuse qu'elle ne pouvait le supporter.

— Tante Isabelle l'aurait étranglé dans son sommeil.

— Oui, reconnut-elle. Isabelle est une femme forte. Moi non. Je suis juste… une mère qui essaie de protéger ses enfants.

— Tu crois qu'on veut que tu nous sauves de cette manière ?

— Tu es jeune, dit-elle, les épaules voûtées d'accablement. Quand tu seras mère à ton tour…

— Je ne serai pas mère, rétorqua-t-elle.

— Je suis désolée de t'avoir déçue.

— J'ai envie de le tuer, dit Sophie après un moment de silence.

— Moi aussi.

— On pourrait lui mettre un oreiller sur la tête pendant qu'il dort.

— Tu crois que je n'en ai pas rêvé ? Mais c'est trop dangereux. Beck a déjà disparu alors qu'il vivait dans cette maison. S'il arrivait la même chose à un deuxième officier ? Ils porteraient leur attention sur nous, ce que nous ne voulons pas.

Sophie hocha la tête d'un air sombre.

— Je peux supporter ce que von Richter me fait, Sophie. Je ne pourrais supporter de vous perdre, toi ou Daniel, ou qu'on m'envoie loin de vous. Ou de vous voir souffrir.

Sophie ne détourna pas les yeux.

— Je le déteste.

— Moi aussi, dit doucement Vianne. Moi aussi.

*

— Il fait chaud aujourd'hui. Je me disais que ce serait un bon jour pour se baigner, dit Vianne avec un sourire.

Le tumulte fut immédiat et unanime.

Vianne fit sortir les enfants de la salle de classe de l'orphelinat et leur fit parcourir le cloître en rangs serrés. Ils passaient devant le bureau de la Mère supérieure quand la porte s'ouvrit.

— Madame Mauriac, dit la Mère en souriant. Votre petite troupe a l'air assez joyeuse pour se mettre à chanter.

— Pas par une telle chaleur, ma Mère.

Elle prit la Mère par le bras.

— Venez à l'étang avec nous.

— Une excellente idée pour un jour de septembre.

— Mettez-vous en file, dit Vianne aux enfants quand ils arrivèrent sur la route.

Les enfants obéirent aussitôt. Elle entonna une chanson qu'ils reprirent immédiatement à tue-tête en tapant des mains et en sautillant.

Remarquèrent-ils seulement les bâtiments bombardés devant lesquels ils passèrent ? Les décombres fumants qui avaient été leurs maisons ? Ou la destruction constituait-elle un spectacle ordinaire de leur enfance, anodin, banal ?

Daniel – comme toujours – restait avec Vianne, agrippé à sa main. Il était comme ça dernièrement, il avait peur d'être séparé d'elle longtemps. Parfois, cela inquiétait Vianne et même lui brisait le cœur. Elle se demandait si, quelque part au fond de lui, il se rappelait tout ce qu'il avait perdu : sa mère, son père, sa sœur. Elle craignait que, durant son sommeil, pelotonné contre elle, il soit Ari, le petit garçon laissé pour compte.

Vianne tapa dans ses mains.

— Les enfants, vous devez traverser la route de manière ordonnée. Sophie, tu prends la tête.

Les enfants avancèrent avec prudence puis gravirent la butte en courant en direction du grand étang saisonnier qui était un des lieux préférés de Vianne. C'était à cet endroit précis qu'Antoine l'avait embrassée pour la première fois.

Au bord de l'eau, les élèves se déshabillèrent. En un rien de temps, ils furent tous dans l'eau.

Vianne regarda Daniel.

— Est-ce que tu veux aller jouer dans l'eau avec ta sœur ?

Daniel mordilla sa lèvre inférieure et regarda les enfants barboter dans l'eau bleue immobile.

— Je ne sais pas…

— Tu n'es pas obligé de te baigner si tu n'en as pas envie. Tu pourrais juste te mouiller les pieds.

Il réfléchit en fronçant les sourcils et en gonflant ses joues rondes. Puis il lâcha la main de Vianne et se dirigea prudemment vers Sophie.

— Il continue de rester collé à vous, dit la Mère.

— Il fait des cauchemars, aussi.

Vianne allait ajouter *Dieu sait que moi aussi*, quand elle fut prise de nausée. Elle marmonna un « excusez-moi » et courut dans l'herbe haute jusqu'à un bosquet d'arbres où elle se pencha et vomit. Elle n'avait presque rien dans l'estomac, mais elle fut agitée longuement de spasmes qui la laissèrent faible et épuisée.

Elle sentit la main de la Mère qui lui frottait le dos, l'apaisait.

Vianne se redressa. Elle s'efforça de sourire.

— Je suis désolée. Je ne…

Elle s'arrêta. La vérité lui apparut tout à coup. Elle se tourna vers la Mère.

— J'ai déjà vomi hier matin.

— Oh, non, Vianne. Un bébé ?

Vianne ne sut pas si elle devait rire, pleurer ou crier après Dieu. Elle avait prié maintes et maintes fois pour qu'un autre enfant grandisse dans son ventre.

Mais pas maintenant.

Pas le *sien*.

*

Vianne n'avait pas dormi depuis une semaine. Elle se sentait frêle, fatiguée et terrifiée. Et ses vomissements matinaux avaient empiré.

Assise au bord du lit, elle regardait Daniel. Maintenant qu'il avait cinq ans, son pyjama commençait à nouveau à être trop petit pour lui ; ses chevilles et ses poignets tout maigres dépassaient des jambes du pantalon et de ses manches élimées. Contrairement à Sophie, il ne se plaignait jamais d'avoir faim, de devoir lire à la bougie ni du pain gris abominable que leurs tickets de rationnement leur permettaient d'obtenir. Il n'avait aucun autre souvenir.

— Bonjour, capitaine Dan, dit Vianne en dégageant ses boucles noires humides de ses yeux.

Il se mit sur le dos et lui fit un grand sourire qui révéla ses dents de devant manquantes.

— Maman, j'ai rêvé qu'il y avait des bonbons.

La porte de la chambre s'ouvrit d'un coup. Sophie apparut essoufflée.

— Viens vite, maman !

— Oh, Sophie, je suis…

— Maintenant !

— Viens, Daniel. Elle a l'air sérieuse.

Il lui sauta dessus. Il était trop grand pour qu'elle le porte, aussi elle le serra fort dans ses bras puis s'en libéra. Elle prit les seuls vêtements qui allaient encore au garçon : un pantalon confectionné à partir d'une toile de peintre qu'elle avait trouvée dans la grange et un pull-over qu'elle avait tricoté avec de la précieuse laine bleue. Quand il fut habillé, elle le prit par la main et l'emmena dans le salon. La porte d'entrée était ouverte.

Des cloches sonnaient. Des cloches d'église. On aurait dit que quelqu'un passait de la musique quelque part. *La Marseillaise* ? Un mardi matin à 9 heures ?

Dehors, Sophie se tenait sous le pommier. Une colonne de nazis passa au pas devant la maison. Quelques instants plus tard, des véhicules suivirent. Des chars, des camions et des voitures défilèrent devant le Jardin en soulevant la poussière.

Une Citroën noire se gara sur le côté de la route. Von Richter en descendit et vint vers elle dans ses bottes sales, les yeux cachés derrière des lunettes de soleil, la bouche pincée et l'air furieux.

— Madame Mauriac.

— Herr Sturmbannführer.

— Nous quittons votre petite ville minable.

Elle ne parla pas. Si elle l'avait fait, elle aurait dit quelque chose qui aurait pu lui coûter la vie.

— Cette guerre n'est pas finie, déclara-t-il, mais Vianne ne sut pas si c'était à son intention à elle ou pour lui-même.

Le regard de von Richter passa sur Sophie et se posa sur Daniel.

Vianne resta parfaitement immobile, le visage impassible.

Il se tourna vers elle. Le nouveau bleu sur sa joue le fit sourire.

— Von Richter ! cria un de ces collègues. Laisse tomber ta putain française.

— C'est ce que vous étiez, vous savez, dit-il.

Elle serra les lèvres pour se retenir de parler.

— Je vais vous oublier, dit-il, puis il se pencha vers elle. Je me demande si vous pouvez en dire autant.

Il entra dans la maison d'un pas énergique et en ressortit avec sa valise en cuir. Sans un regard pour Vianne, il retourna à sa voiture. La portière claqua derrière lui.

Vianne posa la main sur le portail pour se soutenir.

— Ils s'en vont, dit Sophie.

Les jambes de Vianne se dérobèrent. Elle s'effondra à genoux.

— Il est parti.

Sophie s'agenouilla à côté de Vianne et la serra dans ses bras.

Daniel accourut pieds nus vers elles sur le rectangle de terre qui les séparait.

— Moi aussi ! cria-t-il. Je veux un câlin !

Il se jeta si fort sur elles qu'elles basculèrent dans l'herbe sèche.

*

Durant le mois qui suivit le départ des Allemands de Carriveau, on rapporta de toutes parts que les Alliés enchaînaient les victoires, mais la guerre n'était pas terminée. L'Allemagne n'avait pas capitulé. Le black-out avait été assoupli et les fenêtres laissaient à nouveau entrer la lumière – un cadeau surprenant. Cependant, Vianne n'arrivait toujours pas à se détendre. Bien qu'elle n'eût plus à se préoccuper de von Richter (aussi longtemps qu'elle vivrait, elle ne prononcerait plus jamais son nom, mais elle ne pouvait cesser de penser à lui), elle était folle d'inquiétude pour Isabelle, Rachel et Antoine. Elle écrivait presque tous les jours à Antoine et faisait la queue pour poster ses lettres, même si la Croix-Rouge avait informé les familles que le courrier ne passait pas. Ils n'avaient pas eu de nouvelles de lui depuis plus d'un an.

— Tu fais encore les cent pas, maman, dit Sophie.

Elle était assise sur le divan avec Daniel blotti contre elle, un livre ouvert entre eux. Sur le manteau de la cheminée se trouvaient quelques-unes des photos que Vianne avait rapportées du cellier. C'était une des rares choses qu'elle avait trouvées à faire pour rendre son âme au Jardin.

— Maman ?

La voix de Sophie ramena Vianne à la réalité.

— Il va rentrer, déclara Sophie. Tante Isabelle aussi.

— Oui.

— Qu'est-ce qu'on va dire à papa ? demanda Sophie, et Vianne sut à son regard qu'elle voulait lui poser cette question depuis un moment.

Vianne posa la main sur son abdomen encore plat. Il n'y avait jusque-là aucun signe de la présence du bébé, mais Vianne connaissait bien son corps ; une vie se développait en elle. Elle sortit du salon et se rendit à la porte d'entrée qu'elle ouvrit. Pieds nus, elle descendit les marches du perron et sentit la mousse tendre sur sa peau. Veillant à ne pas marcher sur un caillou pointu, elle gagna la route et se dirigea vers la ville. Elle continua de marcher.

Le cimetière apparut à sa droite. Il avait été dévasté par une bombe deux mois auparavant. De vieilles pierres tombales gisaient couchées sur le côté, cassées en morceaux. Le sol était crevassé et présentait des trous béants ici et là ; des squelettes pendaient aux branches des arbres, leurs os cliquetant dans la brise.

Au loin, elle aperçut un homme qui arrivait dans le virage sur la route.

Durant toutes les années qui suivraient, elle se demanderait ce qui l'avait attirée là par cette chaude journée d'automne à cette heure précise, mais elle le savait.

Antoine.

Elle se mit à courir, sans se soucier de ses pieds nus. Ce fut seulement quand elle fut presque dans ses bras, assez près pour le toucher, qu'elle s'arrêta net. Il lui suffirait d'un regard sur elle pour savoir qu'elle avait été salie par un autre homme.

— Vianne, dit-il d'une voix qu'elle reconnut à peine. Je me suis évadé.

Il était si changé ; son visage s'était affûté et ses cheveux étaient devenus gris. Une barbe naissante blanche recouvrait ses joues creuses et son menton, et il était d'une maigreur extrême. Son bras gauche pendait suivant un angle étrange, comme s'il avait été cassé et mal soigné.

Il se dit la même chose à propos d'elle. Elle le voyait dans ses yeux.

Elle murmura à peine son nom.

— Antoine.

Elle sentit les larmes lui brûler les yeux et vit qu'il pleurait aussi. Elle l'embrassa, mais quand il s'écarta, il eut l'air d'un homme qu'elle n'avait jamais vu auparavant.

— Je peux faire mieux, dit-il.

Elle lui prit la main. Elle avait plus que tout envie de se sentir proche de lui, liée à lui, mais la honte née de ce qu'elle avait subi dressait un mur entre eux.

— J'ai pensé à toi toutes les nuits, dit-il tandis qu'ils rentraient chez eux. Je t'imaginais dans notre lit, je te revoyais dans ta chemise de nuit blanche… Je savais que tu étais aussi seule que moi.

Vianne n'arrivait pas à parler.

— Tes lettres et tes colis m'ont permis de tenir, indiqua-t-il.

Il s'arrêta devant le portail cassé du Jardin.

Vianne vit la maison à travers ses yeux. Le portail pendant, le mur écroulé, le pommier mort sur lequel poussaient des morceaux de tissu sale au lieu de beaux fruits rouges.

Il poussa le battant du portail, qui n'était plus accroché au poteau descellé que par une vis et un boulon desserré. Le battant grinça en signe de protestation.

— Attends, dit-elle.

Elle devait le lui dire maintenant, avant qu'il ne soit trop tard. Toute la ville savait que des nazis avaient cantonné chez Vianne. Il entendrait forcément des ragots. Si un bébé naissait dans huit mois, les gens auraient des soupçons.

— Ça a été dur sans toi, commença-t-elle tout en cherchant ses mots. Le Jardin est si près de l'aérodrome. Les Allemands ont remarqué la maison en arrivant. Deux officiers ont cantonné ici…

La porte d'entrée s'ouvrit d'un coup et Sophie cria « Papa ! » et traversa le jardin en courant.

Antoine se posa maladroitement sur un genou, ouvrit les bras et Sophie lui sauta dessus.

Vianne sentit une douleur naître en elle et l'envahir. Il était rentré, ses prières étaient exaucées, mais

615

elle savait maintenant que les choses n'étaient plus pareilles ; elles ne pouvaient pas l'être. Il était changé. Elle était changée. Elle posa une main sur son ventre plat.

— Tu as tellement grandi, dit Antoine à sa fille. J'ai laissé une petite fille en partant et je retrouve une jeune femme à mon retour. Tu vas devoir me raconter ce que j'ai raté.

Sophie regarda Vianne derrière son père.

— Je pense qu'on ne devrait pas parler de la guerre. Ne rien se dire du tout. Jamais. C'est terminé.

Sophie voulait que Vianne mente.

Daniel apparut sur le pas de la porte, vêtu d'un short, d'un pull à col roulé rouge déformé et de chaussettes qui tombaient sur ses chaussures de seconde main trop grandes. Serrant un livre d'images contre sa poitrine étroite, il descendit le perron d'un bond et se dirigea vers eux en fronçant les sourcils.

— Et qui est ce beau jeune homme ? demanda Antoine.

— Je suis Daniel, dit-il. Et toi ?

— Je suis le père de Sophie.

Les yeux de Daniel s'écarquillèrent. Il laissa tomber son livre et se jeta sur Antoine en criant :

— Papa ! Tu es rentré !

Antoine prit le petit garçon dans ses bras et le souleva.

— Je t'expliquerai, dit Vianne. Mais maintenant, rentrons et fêtons nos retrouvailles.

*

Vianne avait rêvé mille fois du retour de son mari. Au début, elle l'avait imaginé qui laissait tomber sa valise en la voyant et qui la portait dans ses bras musclés.

Puis Beck s'était installé dans leur maison, éveillant chez elle des sentiments pour un homme – un ennemi – qu'elle refusait encore maintenant de nommer. Quand il lui avait annoncé qu'Antoine était prisonnier, elle avait revu ses attentes à la baisse. Elle avait imaginé son mari plus maigre, plus déguenillé à son retour, mais étant toujours *Antoine*.

L'homme qui se trouvait à la table du dîner était un inconnu. Voûté au-dessus de sa nourriture, les bras enroulés autour de son assiette, il avalait son bouillon à la moelle comme si ce repas était une épreuve chronométrée. Quand il se rendit compte de ce qu'il faisait, il s'empourpra d'un air coupable et s'excusa en marmonnant.

Daniel parlait sans arrêt, alors que Sophie et Vianne observaient l'ombre d'Antoine. Il sursautait au moindre bruit, tressaillait quand on le touchait, et la souffrance dans son regard était flagrante.

Après le dîner, il coucha les enfants pendant que Vianne faisait la vaisselle. Elle était contente d'être séparée de lui, ce qui ne faisait qu'accentuer son sentiment de culpabilité. C'était son mari, l'amour de sa vie, et pourtant, quand il la touchait, elle pouvait à peine se retenir de se détourner. À présent, debout à la fenêtre de leur chambre, elle était nerveuse en l'attendant.

Il arriva derrière elle. Elle sentit ses mains fortes et sûres sur ses épaules, l'entendit respirer dans son dos. Elle rêvait de s'appuyer en arrière, de laisser reposer son corps contre le sien avec la complicité des années de vie commune, mais elle ne le pouvait pas. Il lui caressa les épaules, laissa ses mains glisser le long de ses bras et se poser sur ses hanches. Il la fit doucement tourner pour qu'elle soit face à lui.

Il tira le col de sa robe sur le côté et l'embrassa sur l'épaule.

— Tu es si maigre, dit-il, d'une voix éraillée par la passion et par autre chose, quelque chose de nouveau entre eux – un sentiment de perte, peut-être, l'aveu que des changements s'étaient produits pendant cette période de séparation.

— J'ai repris du poids depuis l'hiver, dit-elle.

— Oui, dit-il. Moi aussi.

— Comment t'es-tu évadé ?

— Quand ils ont commencé à perdre la guerre, les choses ont… dégénéré. Ils m'ont battu si violemment que j'ai perdu l'usage de mon bras gauche. J'ai alors décidé que je préférais me faire tuer en essayant de revenir vers vous que de mourir sous la torture. Une fois qu'on est prêt à mourir, le plan devient facile.

C'était le moment de lui dire la vérité. Il comprendrait peut-être que le viol était une torture et qu'elle aussi avait été prisonnière. Ce n'était pas sa faute, ce qui lui était arrivé. Elle le pensait sincèrement, mais la notion de faute importait sans doute peu dans une situation comme celle-là.

Il prit son visage dans ses mains et la força à lever le menton.

Leur baiser fut triste, presque une excuse, une évocation de ce qu'ils avaient un jour partagé. Elle trembla lorsqu'il la déshabilla. Elle vit les marques rouges qui striaient son dos et son torse et les vilaines cicatrices irrégulières et plissées sur tout son bras gauche.

Elle savait qu'Antoine n'allait pas la frapper ni lui faire de mal. Mais elle avait tout de même peur.

— Qu'est-ce qui se passe, Vianne ? lui demanda-t-il en reculant.

Elle lança un regard vers le lit, leur lit, et ne put penser qu'à *lui*. Von Richter.

— Pendant ton absence…

— Est-ce qu'il faut vraiment qu'on en parle ?

Elle avait envie de tout lui avouer, de pleurer dans ses bras et qu'il la réconforte et lui dise que tout allait bien se passer. Mais qu'en était-il d'Antoine ? Il avait vécu l'enfer, lui aussi. Elle le voyait bien. Il avait des entailles rouges sur la poitrine, qui ressemblaient à des marques de fouet.

Il l'aimait. Elle le voyait aussi, le sentait.

Mais c'était un homme. Si elle lui disait qu'elle avait été violée – et que le bébé d'un autre homme grandissait dans son ventre –, cela le rongerait. Avec le temps, il se demanderait si elle aurait pu empêcher von Richter de le faire. Un jour peut-être, il se demanderait si elle avait pris du plaisir.

Telle était la situation. Elle pouvait lui parler de Beck, même lui raconter qu'elle l'avait tué, mais elle ne pourrait jamais dire à Antoine qu'on l'avait violée. Cet enfant dans son ventre naîtrait prématurément. Cela arrivait tout le temps que des enfants naissent avec un mois d'avance.

Elle ne pouvait s'empêcher de se demander si ce secret les détruirait.

— Je pourrais tout te raconter, dit-elle doucement.

Ses larmes étaient des larmes de honte, de chagrin et d'amour. D'amour surtout.

— Je pourrais te parler des officiers allemands qui ont cantonné ici, te raconter à quel point la vie a été dure, comment nous avons tout juste survécu, comment Sarah est morte sous mes yeux, comme Rachel a été forte quand ils l'ont mise dans le wagon à bestiaux et que je lui ai promis de protéger Ari. Je pourrais te raconter comment mon père est mort, comment Isabelle a été arrêtée et déportée… mais je crois que tu sais tout ça.

Dieu me pardonne.

— Et peut-être que ça ne sert à rien de parler de tout ça. Peut-être…

Elle suivit du bout du doigt une zébrure rouge qui dessinait un éclair sur son biceps gauche.

— Peut-être que le mieux serait simplement d'oublier le passé et d'aller de l'avant.

Il l'embrassa. Puis il laissa ses lèvres tout près de celles de Vianne.

— Je t'aime, Vianne.

Elle ferma les yeux et lui rendit son baiser, attendant que son corps s'anime à son contact, mais quand elle se coucha sous lui et sentit leurs corps s'unir comme ils l'avaient fait tant de fois, elle ne ressentit rien du tout.

— Moi aussi, je t'aime, Antoine.

Elle s'efforça de ne pas pleurer en disant ces mots.

*

Une nuit froide de novembre. Antoine était rentré depuis près de deux mois.

Ils n'avaient aucune nouvelle d'Isabelle.

Vianne n'arrivait pas à dormir. Elle était couchée à côté de son mari et l'écoutait ronfler légèrement. Cela ne l'avait jamais dérangée auparavant, jamais empêché de dormir, mais c'était le cas à présent.

Non.

Ce n'était pas vrai.

Elle tourna sur elle-même, se mit sur le côté et le regarda. Dans la pénombre, sous la lumière de la pleine lune qui pénétrait par la fenêtre, elle le reconnaissait mal : il était maigre, avait le visage anguleux, les cheveux déjà gris à trente-cinq ans. Elle sortit tout doucement du lit et le couvrit avec l'épais édredon qui avait appartenu à sa grand-mère.

Elle enfila sa robe de chambre. Au rez-de-chaussée, elle erra de pièce en pièce à la recherche de… de quoi ? Son ancienne vie, peut-être, ou l'amour pour un homme qu'elle avait perdu.

Plus rien ne semblait aller. Ils étaient comme des étrangers. Il le ressentait, lui aussi. Vianne le savait. La guerre s'immisçait entre eux la nuit.

Elle prit une couverture dans le salon, s'enroula dedans et sortit.

La pleine lune planait au-dessus des champs ravagés. Sa lumière tombait sur le sol craquelé sous les pommiers. Vianne alla sous l'arbre du milieu. La branche morte noire était arquée au-dessus d'elle, sans feuilles et noueuse. Tous les morceaux de tissu et de ruban y étaient accrochés.

Quand elle avait attaché ces souvenirs à cette branche, Vianne avait naïvement pensé que tout ce qui importait, c'était de rester en vie. La porte s'ouvrit derrière elle et se referma discrètement. Elle perçut la présence de son mari comme cela avait toujours été le cas.

— Vianne, dit-il en arrivant derrière elle.

Il passa ses bras autour d'elle. Elle avait envie de s'appuyer contre lui mais n'y parvenait toujours pas. Elle regarda le premier bout de tissu qu'elle avait attaché à cet arbre. Celui d'Antoine. La couleur de celui-ci était changée, aussi abîmée qu'ils l'étaient.

Le moment était venu. Elle ne pouvait pas attendre davantage. Son ventre grossissait.

Elle se retourna, leva les yeux vers lui. « Antoine » fut tout ce qu'elle put dire.

— Je t'aime, Vianne.

Elle prit une profonde inspiration et lui dit :

— Je vais avoir un bébé.

Il se figea. Il s'écoula un long moment avec qu'il dise :

— Quoi ? Quand ?

Elle le regarda et se rappela ses autres grossesses, le chagrin et la joie qu'ils avaient partagés.

— Ça fait presque deux mois, je crois. Ça a dû arriver... cette première nuit à ton retour.

Elle vit toutes les nuances d'émotion dans ses yeux : la surprise, l'inquiétude, la perplexité et, enfin, la joie.

Il lui effleura le menton, souleva son visage.

— Je sais pourquoi tu as l'air si effrayée, mais ne t'en fais pas, V. Celui-ci, on ne va pas le perdre, dit-il. Pas après tout ça. C'est un miracle.

Des larmes montèrent aux yeux de Vianne. Elle essaya de sourire, mais sa culpabilité l'étouffait.

— Tu en as tellement bavé.

— On en a tous bavé.

— C'est pour ça que nous devons croire aux miracles.

Était-ce sa manière de dire qu'il savait la vérité ? Le doute s'était-il installé dans son esprit ? Que dirait-il quand le bébé naîtrait prématurément ?

— Que... qu'est-ce que tu veux dire ?

Elle vit qu'il avait les larmes aux yeux.

— Je veux dire qu'il faut oublier le passé, V. L'important, c'est ce qui se passe maintenant. Nous nous aimerons toujours. C'est la promesse qu'on s'est faite quand on avait quatorze ans. Près de l'étang, quand je t'ai embrassée pour la première fois, tu te souviens ?

— Je me souviens.

Quelle chance elle avait d'avoir rencontré cet homme. Ce n'était pas étonnant qu'elle soit tombée amoureuse de lui. Et elle trouverait comment raviver son amour pour lui, tout comme il avait ravivé son amour pour elle.

— Cet enfant sera notre nouveau départ.

— Embrasse-moi, murmura-t-elle. Fais-moi oublier.

— Ce n'est pas d'oublier que nous avons besoin, Vianne, dit-il en se penchant pour l'embrasser. C'est de nous souvenir.

36

En février 1945, la neige couvrait les corps nus entassés devant le four crématoire récemment construit du camp. Une fumée noire nauséabonde s'élevait de ses cheminées en tourbillonnant.

Isabelle se tenait debout, tremblotante, à sa place pour l'*Appell* – l'appel – du matin. Le froid qui régnait était de ceux qui faisaient mal aux poumons, gelaient les cils et brûlaient les doigts et les orteils.

Elle attendait la fin de l'appel, mais aucun sifflet ne retentissait.

La neige tombait encore. Dans les rangs de prisonnières, des femmes commençaient à tousser. Une autre tomba en avant dans la neige à demi fondue, boueuse, et personne ne put la relever. Un vent cinglant soufflait sur le camp.

Finalement, un SS à cheval passa devant les femmes et les considéra une par une. Il semblait faire attention à tout : leurs cheveux tondus, les piqûres de puces, les bouts bleus de leurs doigts gelés, et les écussons qui les identifiaient comme étant juives, homosexuelles ou prisonnières politiques. Au loin, des bombes tombaient et explosaient tel un orage distant.

Quand le SS montrait une femme du doigt, des soldats la sortaient aussitôt du rang.

Il désigna Isabelle, qui faillit tomber quand on la tira à l'écart.

Les soldats SS entourèrent ensuite les femmes qui avaient été choisies et les forcèrent à former deux colonnes. Un sifflet hurla.

— *Schnell ! Eins ! Zwei ! Drei !*

Isabelle se mit en marche, les pieds endoloris par le froid, les poumons brûlants. Micheline suivit le mouvement à côté d'elle.

Elles avaient fait environ un kilomètre et demi à l'extérieur du camp quand un camion passa près d'elles, son plateau lourdement chargé de corps nus.

Micheline trébucha. Isabelle rattrapa son amie et la maintint debout.

Et elles continuèrent d'avancer.

Elles arrivèrent enfin dans un champ enneigé et enveloppé de brouillard.

Les Allemands séparèrent à nouveau les femmes. Un soldat éloigna Isabelle de Micheline et la poussa dans un groupe d'autres prisonnières politiques *Nacht und Nebel*.

Les Allemands les regroupèrent, leur crièrent dessus et leur firent des gestes jusqu'à ce qu'Isabelle comprenne.

La femme qui se trouvait à côté d'elle hurla quand elle vit ce pour quoi elles avaient été choisies. Les travaux de déneigement.

— Chut, fit Isabelle au moment où une matraque s'abattait si violemment sur la femme qu'elle s'étala de tout son long.

Isabelle était hébétée comme une mule de trait quand les nazis lui passèrent un harnais sur les épaules qu'ils serrèrent au niveau de sa ceinture. Elle était harnachée à onze autres jeunes femmes, coude à coude. Derrière elles, une roue en acier de la taille d'une automobile était fixée au harnais.

Isabelle essaya de faire un pas en avant, n'y parvint pas.

Un fouet claqua sur son dos, lui brûla la chair. Elle agrippa les sangles du harnais et réessaya, fit cette fois un pas en avant. Elles étaient épuisées. Elles n'avaient plus de force et leurs pieds étaient gelés sur le sol couvert de neige, mais il fallait qu'elles avancent ou elles seraient fouettées. Isabelle se pencha en avant et poussa de toutes ses forces pour faire bouger l'énorme roue. Les sangles lui sciaient la poitrine. Une des femmes glissa et tomba ; les autres continuèrent de tirer. Le harnais en cuir grinça et la roue tourna.

Elles tirèrent et tirèrent encore, créant une route sur le sol enneigé. D'autres femmes dégageaient le passage à l'aide de pelles et de brouettes.

Pendant ce temps-là, les gardes, assis en petits groupes autour de braseros, discutaient et riaient entre eux.

Un pas.

Un pas.

Un pas.

Isabelle ne pouvait penser à rien d'autre. Ni au froid, ni à la faim, ni aux piqûres de puces et de poux qui couvraient son corps. Et ni à la vraie vie. C'était là le pire. Ce qui pouvait lui faire faire un faux pas, attirer l'attention sur elle, lui valoir des coups de matraque ou de fouet ou pire encore.

Un pas.

Ne penser qu'à avancer.

Une de ses jambes se déroba sous elle. Elle tomba dans la neige. La femme qui se trouvait à côté lui tendit la main. Isabelle saisit cette main tremblante et bleue avec ses doigts engourdis et se remit à quatre pattes pour se relever. Serrant les dents, elle refit péniblement un pas en avant. Puis un autre.

*

La sirène retentit à 3 h 30 du matin, comme chaque jour pour l'appel. Comme ses neuf compagnes de couchette, Isabelle dormait avec tous les vêtements qu'elle possédait : des chaussures et des sous-vêtements trop grands, la robe flottante à rayures avec son numéro de prisonnière cousu sur la manche. Mais aucun d'eux n'était chaud. Elle essaya d'encourager les femmes autour d'elle à tenir bon, mais elle-même faiblissait. L'hiver avait été abominable ; toutes mouraient, certaines rapidement, du typhus et de la cruauté des nazis, certaines lentement, de faim et de froid, mais toutes mouraient.

Isabelle avait de la fièvre depuis des semaines, mais pas assez pour qu'on l'envoie à l'infirmerie, et on l'avait battue si sauvagement la semaine précédente qu'elle avait perdu connaissance au travail – puis on l'avait battue parce qu'elle était tombée par terre. Son corps, qui ne devait pas peser plus de quarante kilos, était couvert de plaies ouvertes.

Ravensbrück était un endroit dangereux depuis le début, mais à présent, en mars 1945, il l'était d'autant plus. Des centaines de femmes avaient été tuées, gazées ou battues au cours du dernier mois. Les seules femmes qu'on avait laissées en vie étaient les *Verfügbaren* – celles dont on pouvait disposer, qui étaient malades, frêles ou âgées – et les femmes de *Nacht und Nebel*, « Nuit et brouillard ». Les prisonnières politiques, comme Isabelle et Micheline. Les femmes de la Résistance. Le bruit courait que les nazis avaient peur de les gazer maintenant que le cours de la guerre avait changé.

— Tu vas t'en sortir.

Isabelle se rendit compte qu'elle titubait sur place et commençait à tomber.

Micheline Babineau lui adressa un sourire d'encouragement fatigué.

— Ne pleure pas.

— Je ne pleure pas, affirma Isabelle.

Elles savaient toutes les deux que les femmes qui pleuraient la nuit étaient celles qui mouraient le matin. Chaque inspiration qu'elles prenaient était chargée de tristesse et de chagrin, qu'elles ne recrachaient jamais. Il ne fallait pas baisser les bras. Pas une seule seconde.

Isabelle le savait. Dans ce camp, elle résistait de la seule façon qu'elle connaissait : en s'occupant de ses codétenues et en les aidant à rester fortes. Tout ce qu'elles avaient dans cet enfer, c'était la présence des autres. Le soir, elles s'accroupissaient dans leurs couchettes obscures et parlaient entre elles à voix basse, chantonnaient, essayaient de maintenir en vie quelques souvenirs de celles qu'elles avaient été. Au cours des neuf mois qu'Isabelle avait passés là, elle avait trouvé – et perdu – d'innombrables amies.

Mais Isabelle était fatiguée désormais, et malade.

D'une pneumonie, elle en était presque sûre. Et du typhus, peut-être. Elle toussait discrètement, faisait son travail et s'efforçait de ne pas attirer l'attention. La dernière chose qu'elle voulait, c'était terminer dans la « tente » – un petit bâtiment en brique fermé par des bâches goudronnées, dans lequel les nazis plaçaient toutes les femmes atteintes d'une maladie incurable. C'était là que les femmes allaient mourir.

— Reste en vie, dit doucement Isabelle.

Micheline hocha la tête en signe de soutien.

Elles devaient rester en vie. Maintenant plus que jamais. La semaine précédente, des prisonnières étaient arrivées avec des nouvelles : les Russes avançaient à travers l'Allemagne et écrasaient l'armée nazie. Auschwitz avait été libéré. Les Alliés remportaient apparemment victoire sur victoire à l'Ouest.

Une course à la survie était lancée et tout le monde le savait. La guerre touchait à sa fin. Isabelle devait rester en vie assez longtemps pour voir une victoire des Alliés et une France libre.

Un sifflet hurla à l'avant de la file.

Le silence s'installa parmi la foule des prisonniers – des femmes, principalement, et quelques enfants. Devant eux, trois SS allaient et venaient avec leurs chiens.

Le commandant du camp apparut. Il s'arrêta et joignit les mains dans son dos. Il cria quelque chose en allemand et les SS s'avancèrent. Isabelle entendit les mots *Nacht und Nebel*.

Un SS la désigna du doigt et un autre traversa la foule en jetant des femmes à terre et en les enjambant ou les piétinant. Il attrapa le bras tout maigre d'Isabelle et la tira violemment. Elle le suivit d'un pas titubant et pria pour que ses chaussures restent sur ses pieds – perdre une chaussure était une faute punie à coups de fouet, et si cela lui arrivait, elle passerait le reste de cet hiver avec un pied nu et gelé.

Elle aperçut Micheline non loin, qu'un autre officier emmenait aussi.

Isabelle ne pensait qu'à une chose : ne pas perdre ses chaussures.

Un SS cria un mot qu'Isabelle reconnut.

On les envoyait dans un autre camp.

Elle fut prise d'un accès de rage impuissante. Jamais elle ne survivrait à une marche forcée dans la neige jusqu'à un autre camp.

« Non », dit-elle entre ses dents. Parler toute seule était devenu un mode de vie. Depuis des mois, quand elle se trouvait dans le rang en train d'accomplir une tâche qui la dégoûtait ou l'horrifiait, elle parlait toute seule à voix basse. Lorsqu'elle était accroupie au-dessus d'un trou dans une rangée de fosses d'aisance, entourée d'autres femmes atteintes de dysenterie, et qu'elle regardait les femmes accroupies en face d'elle qui retenaient des haut-le-cœur causés par la puanteur de leurs selles, elle parlait toute seule. Au début, elle s'était imaginé l'avenir ou remémoré des souvenirs à voix haute.

À présent, ce n'étaient plus que des mots. Du charabia parfois, n'importe quoi qui lui rappelât qu'elle était humaine et vivante.

Son orteil buta contre quelque chose et elle tomba la tête la première dans la neige sale.

— Debout ! cria quelqu'un. En route.

Isabelle ne pouvait pas bouger, mais si elle restait là, ils la fouetteraient à nouveau. Ou pire.

— Debout, lui dit Micheline.

— Je ne peux pas.

— Tu peux. Maintenant. Avant qu'ils voient que tu es tombée.

Micheline l'aida à se relever.

Elles se rangèrent dans la file irrégulière de prisonnières, se mirent péniblement en marche et passèrent de l'autre côté du mur d'enceinte en brique du camp, sous l'œil attentif du soldat dans la tour de guet.

Elles marchèrent pendant deux jours et parcoururent cinquante-cinq kilomètres ; le soir, elles s'effondrèrent sur le sol froid, se blottirent les unes contre les autres afin de trouver de la chaleur et prièrent de voir le jour se lever, pour qu'en fin de compte on les réveille à coups de sifflet et qu'on leur ordonne de se remettre en route.

Combien moururent durant le trajet ? Isabelle voulait se souvenir de leurs noms, mais elle avait si froid, si faim et était si épuisée que son cerveau fonctionnait à peine.

Elles arrivèrent finalement à leur destination, une gare, où on les obligea à monter dans des wagons à bestiaux qui sentaient la mort et les excréments. Une fumée noire s'élevait dans le ciel enneigé. Les arbres étaient dénudés. Il n'y avait plus d'oiseaux qui volaient, plus de gazouillis, de cris stridents ni de jacassements d'êtres vivants dans cette forêt.

Isabelle grimpa avec peine sur les bottes de foin empilées le long de la paroi et essaya de se faire aussi petite que possible. Elle ramena ses genoux ensanglantés contre sa poitrine et enveloppa ses bras autour de ses chevilles pour préserver le peu de chaleur qu'elle avait encore.

La douleur dans sa poitrine était insoutenable. Elle se couvrit la bouche juste au moment où une quinte de toux l'assaillit, la plia en deux.

— Nous y voilà, dit Micheline dans l'obscurité en s'installant à côté d'elle sur la botte de foin.

Isabelle lâcha un soupir de soulagement et se remit aussitôt à tousser. Elle mit sa main devant sa bouche et sentit des gouttelettes de sang dans sa paume. Elle crachait du sang depuis maintenant des semaines.

Isabelle sentit une main sèche se poser sur son front et toussa à nouveau.

— Tu es brûlante.

Les portes du fourgon se refermèrent bruyamment. Il s'ébranla et les roues en fer se mirent à tourner. Le train s'élança en oscillant sur les rails. À l'intérieur, les femmes se regroupèrent et s'assirent. Au moins, avec ce temps, leur urine gèlerait dans le baril et ne se répandrait pas partout.

Isabelle s'affaissa à côté de son amie et ferma les yeux.

Tout à coup, elle entendit un lointain sifflement aigu. Une bombe qui tombait. Le train s'arrêta dans un grincement de freins et la bombe explosa suffisamment près pour que le wagon soit secoué. Une odeur de fumée et de feu envahit l'air. La prochaine pourrait tomber sur ce train et les tuer.

*

Quatre jours plus tard, quand le train s'arrêta enfin pour de bon (il avait ralenti des dizaines de fois pour éviter d'être bombardé), les portes s'ouvrirent et dévoilèrent un paysage blanc maculé seulement par les pardessus noirs des SS qui attendaient dehors.

Isabelle s'assit, étonnée de se rendre compte qu'elle n'avait pas froid. Elle avait même chaud ; si chaud qu'elle transpirait.

Elle vit combien de ses amies étaient mortes pendant la nuit, mais elle n'avait pas le temps de les pleurer, ni de dire une prière ou de leur chuchoter un adieu. Les nazis sur le quai venaient vers elles en donnant des coups de sifflet et en criant :

— *Schnell ! Schnell !*

Isabelle réveilla Micheline d'un petit coup de coude.

— Prends ma main, dit Isabelle.

Les deux femmes descendirent avec précaution du tas de bottes de foin. Isabelle enjamba un cadavre, auquel quelqu'un avait déjà pris ses chaussures.

De l'autre côté du quai, une colonne de prisonnières se formait.

Isabelle avança en clopinant. La femme qui se trouvait devant elle trébucha et tomba à genoux.

Un SS la releva d'un geste brusque et lui tira une balle dans la tête.

Isabelle ne ralentit pas. Tantôt gelée et tantôt brûlante, chancelante, elle pénétra dans la forêt enneigée jusqu'à ce qu'un autre camp apparaisse.

— *Schnell !*

Isabelle suivit les femmes qui la précédaient. Elles franchirent le portail ouvert, passèrent devant une foule d'hommes et de femmes squelettiques en pyjamas à rayures grises qui les regardaient à travers un grillage.

— Juliette !

Elle entendit le nom. Il n'évoqua d'abord rien pour elle, ce n'était qu'un bruit quelconque. Puis elle se souvint.

Elle avait été Juliette. Et Isabelle avant cela. Et le Rossignol. Pas seulement F-5491.

Elle scruta le groupe de prisonniers décharnés alignés derrière le grillage.

Quelqu'un lui faisait signe de la main. Une femme, au teint gris, au nez recourbé et pointu et aux yeux enfoncés.

Ces yeux.

Isabelle reconnut le regard fatigué et complice fixé sur elle.

Anouk.

Isabelle s'approcha du grillage.

Anouk vint à sa rencontre. Leurs doigts s'entrecroisèrent à travers le treillis glacé.

— Anouk, dit-elle, et elle entendit sa voix se casser.

Elle toussa un peu, se couvrit la bouche.

La tristesse dans les yeux sombres d'Anouk était insupportable. Le regard de son amie se tourna vers un bâtiment dont les cheminées crachaient des bouffées de fumée noire nauséabonde.

— Ils sont en train de nous tuer pour cacher ce qu'ils ont fait.

— Henri ? Paul ?… Gaëtan ?

— Ils ont tous été arrêtés, Juliette. Henri a été pendu sur la place du village. Les autres…

Elle haussa les épaules.

Isabelle entendit un soldat SS crier après elle. Elle s'écarta du grillage. Elle avait envie de dire quelque chose de *vrai* à Anouk, quelque chose qui resterait, mais elle ne pouvait rien faire d'autre que tousser. Elle se couvrit la bouche, se retourna et rejoignit la file de femmes.

Isabelle vit son amie articuler un « au revoir » silencieux, mais elle ne put même pas répondre. Elle en avait tellement assez des au revoir.

37

Même par cette belle journée, l'appartement de l'avenue de La Bourdonnais ressemblait à un mausolée. Les surfaces et le sol étaient couverts de poussière. Vianne alla aux fenêtres, arracha les stores occultants et laissa pour la première fois depuis des années la lumière pénétrer dans cette pièce.

Personne ne semblait être venu là depuis un moment. Sans doute pas depuis le jour où Papa était parti pour sauver Isabelle.

La plupart des tableaux étaient encore aux murs, et les meubles n'avaient pas bougé – sauf certains qui avaient été transformés en petit bois empilé dans un coin. Une assiette à soupe vide et une cuiller trônaient sur la table de la salle à manger. Sur le manteau de cheminée étaient alignés les volumes de poésie auto-publiés de son père.

— Elle n'a pas l'air d'être venue là. Essayons l'hôtel Lutetia.

Vianne savait qu'elle devait emballer les affaires de sa famille, s'approprier ces vestiges d'une autre vie, mais elle ne pouvait le faire maintenant. Elle n'en avait pas envie. Plus tard.

Antoine, Sophie et elle quittèrent l'appartement. Dans la rue, la vie semblait reprendre un peu partout.

Les Parisiens étaient comme des taupes sortant au soleil après des années dans le noir. Cependant, le rationnement, le manque et les queues devant les magasins d'alimentation n'avaient pas cessé. La guerre touchait peut-être à sa fin – les Allemands battaient partout en retraite –, mais elle n'était pas encore terminée.

Ils se rendirent au Lutetia, où l'Abwehr s'était installée sous l'Occupation et qui servait désormais de centre d'accueil pour les survivants des camps.

Vianne pénétra dans l'élégant hall bondé. Lorsqu'elle regarda autour d'elle, elle eut mal au cœur et fut contente d'avoir laissé Daniel auprès de la Mère Marie-Thérèse. Le hall était rempli de gens faméliques et chauves au regard vide et en haillons. On aurait dit des cadavres ambulants. Parmi eux circulaient des médecins, des agents de la Croix-Rouge et des journalistes.

Un homme s'approcha de Vianne et lui mit une photo en noir et blanc ternie sous le nez.

— Vous l'avez vue ? demanda-t-il. La dernière fois qu'on a eu des nouvelles, elle était à Auschwitz.

La photo montrait une fille ravissante au sourire rayonnant debout à côté d'un vélo. Elle ne pouvait pas avoir plus de quinze ans.

— Non, répondit Vianne. Je suis désolée.

L'homme était déjà en train de s'éloigner, l'air aussi hébété que l'était Vianne.

Partout où Vianne regardait, elle voyait des familles inquiètes qui tenaient des photos dans leurs mains tremblantes et imploraient qu'on leur donne des nouvelles de leurs proches. Le mur situé à sa droite était recouvert de photos, de mots, de noms et d'adresses. Les vivants qui cherchaient les disparus.

Antoine s'approcha de Vianne et lui posa une main sur l'épaule.

— On va la trouver, V.

— Maman ? dit Sophie. Est-ce que ça va ?

Vianne regarda sa fille.

— On aurait peut-être dû te laisser à la maison.

— Il est trop tard pour me protéger. Tu dois le savoir.

Cette vérité faisait autant horreur à Vianne que n'importe quelle autre. Elle se cramponna à la main de sa fille et traversa la foule d'un pas résolu, avec Antoine à son côté. Dans un recoin sur la gauche, elle vit un rassemblement d'hommes en pyjamas rayés sales qui ressemblaient à des squelettes. Comment étaient-ils encore en vie ?

Elle ne se rendit même pas compte qu'elle s'était à nouveau arrêtée avant qu'une femme apparaisse devant elle.

— Madame ? dit gentiment la femme, une employée de la Croix-Rouge.

Vianne détacha son regard des survivants déguenillés.

— Je suis à la recherche de plusieurs personnes… ma sœur, Isabelle Rossignol. Elle a été arrêtée pour assistance à l'ennemi et déportée. Et ma meilleure amie, Rachel de Champlain, qui a été déportée. Son mari, Marc, était prisonnier de guerre. Je… ne sais pas ce qui leur est arrivé ni où les chercher. Et… j'ai une liste d'enfants juifs à Carriveau. Je dois retrouver leurs parents.

L'employée de la Croix-Rouge, une femme maigre aux cheveux gris, sortit un morceau de papier et nota les noms au fur et à mesure que Vianne les lui donnait.

— Je vais aller au bureau de renseignements pour voir si je trouve ces noms. Quant aux enfants, venez avec moi.

Elle les conduisit tous les trois dans une pièce au bout d'un couloir où un homme à l'air très âgé avec une longue barbe était assis derrière un bureau chargé de papiers.

— Monsieur Montand, dit l'employée de la Croix-Rouge, cette dame a des informations sur des enfants juifs.

Le vieil homme regarda Vianne de ses yeux injectés de sang et fit un petit geste de ses longs doigts couverts de touffes de poils.

— Entrez.

L'employée de la Croix-Rouge quitta la pièce. Le silence soudain était déconcertant après tant de bruit et d'agitation.

Vianne s'approcha du bureau. Ses mains étaient moites de transpiration. Elle les frotta sur les côtés de sa jupe.

— Je m'appelle Vianne Mauriac. De Carriveau.

Elle ouvrit son sac à main et en tira la liste qu'elle avait dressée la veille au soir à partir des trois listes qu'elle avait gardées durant la guerre. Elle la posa sur le bureau.

— Ce sont des enfants juifs cachés, monsieur. Ils se trouvent à l'orphelinat de l'abbaye de la Trinité sous la garde de la Mère supérieure Marie-Thérèse. Je ne sais pas comment les réunir avec leurs parents. Sauf le premier de la liste. Ari de Champlain est chez moi. Je cherche ses parents.

— Dix-neuf enfants, dit lentement le vieil homme.

— Ce n'est pas beaucoup, mais…

Il leva les yeux vers elle comme si elle était une héroïne et non une survivante effrayée.

— Ce sont dix-neuf enfants qui seraient morts dans les camps avec leurs parents, madame.

— Pouvez-vous les réunir avec leurs familles ? demanda-t-elle doucement.

— Je vais essayer, madame. Mais malheureusement, la plupart de ces enfants sont réellement orphelins maintenant. Les listes qui arrivent des camps sont toutes les mêmes : mère décédée, père décédé, aucun parent vivant en France. Et si peu d'enfants ont survécu.

Il passa la main dans ses cheveux gris clairsemés.

— Je vais transmettre votre liste à l'OSE à Nice. Ils essaient de réunir les familles. Merci, madame.

Vianne attendit quelques instants, mais l'homme ne dit rien de plus. Elle rejoignit son mari et sa fille, ils sortirent du bureau et retournèrent parmi la foule de réfugiés, de familles et de survivants des camps.

— Que fait-on, maintenant ? demanda Sophie.

— On attend les nouvelles de l'employée de la Croix-Rouge, dit Vianne.

Antoine montra le mur de photos et de noms des personnes disparues.

— On devrait la chercher là.

Ils échangèrent un regard à travers lequel ils s'avouèrent combien la souffrance serait terrible d'examiner ces photos de disparus. Néanmoins, ils s'approchèrent de la multitude de photos et de mots et commencèrent à les inspecter un par un.

Ils passèrent près de deux heures ainsi avant que l'employée de la Croix-Rouge ne revienne.

— Madame ?

Vianne se retourna.

— Je suis désolée, madame. Rachel et Marc de Champlain figurent sur la liste des défunts. Et il n'y a aucune trace nulle part d'Isabelle Rossignol.

En entendant le mot *défunts*, Vianne éprouva un chagrin quasi insupportable. Mais elle repoussa fermement ce sentiment. Elle penserait à Rachel plus tard, quand elle serait seule. Elle prendrait un verre de champagne dehors, sous l'if, et parlerait avec son amie.

— Comment ça ? Aucune trace d'Isabelle ? J'ai vu les Allemands l'emmener.

— Rentrez chez vous et attendez le retour de votre sœur, dit l'employée de la Croix-Rouge, puis elle posa la main sur le bras de Vianne. Et gardez espoir. Tous les camps n'ont pas encore été libérés.

Sophie regarda sa mère.

— Peut-être qu'elle s'est rendue invisible.

Vianne caressa le visage de sa fille et réussit à esquisser un sourire triste.

— Tu es si mûre. Ça me rend fière tout en me brisant le cœur.

— Viens, dit Sophie en la tirant par la main.

Vianne se laissa entraîner par sa fille. Elle avait plus l'impression d'être l'enfant que le parent quand elles traversèrent le hall bondé et sortirent dans la rue baignée de lumière.

Des heures plus tard, alors qu'ils étaient dans le train qui les ramenait chez eux, assis sur une banquette en bois dans le wagon de troisième classe, Vianne regarda la campagne dévastée par les bombardements à travers la vitre. Antoine dormait à côté d'elle, la tête appuyée contre la vitre sale.

— Comment te sens-tu ? lui demanda Sophie.

Vianne posa la main sur son abdomen gonflé. Elle sentit un tout petit mouvement – un coup de pied – dans sa paume. Elle prit la main de Sophie.

Celle-ci essaya de la retirer, mais Vianne insista gentiment. Elle plaça la main de sa fille sur son ventre.

Sophie sentit le bébé bouger et écarquilla les yeux. Elle regarda Vianne.

— Comment peux-tu…

— Cette guerre nous a tous changés, Sophie. Daniel est ton frère maintenant que Rachel est… partie. Vraiment ton frère. Et ce bébé… Il ou elle n'est pas responsable de… sa création.

— C'est dur d'oublier, dit-elle doucement. Et je ne lui pardonnerai jamais.

— Mais l'amour doit être plus fort que la haine, sans quoi il n'y a pas d'avenir pour nous.

Sophie soupira.

— Sans doute, dit-elle d'un ton trop adulte pour une fille de son âge.

Vianne posa la main sur celle de sa fille.

— On se le rappellera mutuellement, d'accord ? Dans les jours sombres. On sera fortes l'une pour l'autre.

*

L'appel durait depuis des heures. Isabelle tomba à genoux. Dès l'instant où elle toucha le sol, elle se dit *Reste en vie* et se releva péniblement.

Des gardes patrouillaient dans l'enceinte avec leurs chiens et sélectionnaient des femmes pour la chambre à gaz. Le bruit courait qu'une nouvelle marche était prévue. Cette fois à destination de Mauthausen, où des milliers de personnes étaient déjà mortes au travail : des prisonniers de guerre soviétiques, des juifs, des aviateurs alliés, des prisonniers politiques. On racontait que toute personne qui franchissait le portail de ce camp n'en ressortirait jamais.

Isabelle toussa. Des gouttelettes de sang maculèrent la paume de sa main. Elle s'empressa de s'essuyer sur sa robe sale, avant que les gardes la voient.

Sa gorge la brûlait, et elle avait un mal de tête lancinant. Elle endurait un tel supplice qu'il lui fallut un moment pour percevoir le bruit de moteurs.

— Tu entends ça ? dit Micheline.

Isabelle sentit de l'agitation parmi les prisonniers. C'était difficile de se concentrer avec une pareille douleur. Ses poumons la faisaient souffrir à chaque respiration.

— Ils partent, entendit-elle.

— Isabelle, regarde !

Elle ne vit d'abord que le ciel bleu, les arbres et les prisonniers. Puis elle remarqua.

— Les gardes sont partis, dit-elle d'une voix rauque.

Le portail s'ouvrit et un flot de camions américains pénétra dans le camp ; des soldats étaient assis sur les capots et suspendus à l'arrière, leur fusil contre la poitrine.

Les Américains.

Les genoux d'Isabelle se dérobèrent sous elle.

— Mi… che… line, murmura-t-elle d'une voix aussi cassée qu'elle était abattue. On… s'en est… sorties.

*

Ce printemps-là, la guerre toucha à sa fin. Le général Eisenhower réclama la capitulation de l'Allemagne dans un discours radiophonique. Les Américains traversèrent le Rhin et entrèrent en Allemagne ; les Alliés gagnaient bataille sur bataille et commencèrent à libérer les camps. Hitler vivait dans un bunker.

Mais Isabelle ne rentrait toujours pas.

Vianne laissa la boîte aux lettres se refermer avec un bruit métallique.

— C'est comme si elle avait disparu.

Antoine ne dit rien. Ils cherchaient Isabelle depuis des semaines. Vianne avait fait maintes fois la queue pendant des heures pour passer des coups de téléphone et envoyer d'innombrables lettres à des organismes et des hôpitaux. La semaine précédente, ils s'étaient rendus dans d'autres camps de réfugiés, mais en vain. Il n'y avait aucune trace nulle part d'Isabelle Rossignol. C'était comme si elle avait disparu de la surface de la Terre – avec des centaines de milliers d'autres personnes.

Peut-être qu'Isabelle avait survécu aux camps pour finalement être tuée la veille de l'arrivée des Alliés. On racontait que, dans un des camps, du nom de Bergen-Belsen, les Alliés avaient trouvé des tas de corps encore chauds à la Libération.

Pourquoi ?

Afin qu'ils ne parlent pas.

— Viens avec moi, dit Antoine en la prenant par la main.

Elle ne se raidissait plus à son contact, ne tressaillait plus, mais elle semblait pour autant incapable de se détendre lorsqu'il la touchait. Durant les derniers mois, depuis le retour d'Antoine, ils jouaient la comédie de l'amour et le savaient tous les deux. Il disait qu'il ne lui faisait pas l'amour à cause du bébé, et elle reconnaissait que c'était pour le mieux, mais ils savaient.

— J'ai une surprise pour toi, dit-il en l'emmenant dans l'arrière-cour.

Sous le ciel éclatant d'un bleu azuré, l'if offrait un coin d'ombre fraîche. Sous les pergolas, les quelques poules restantes picotaient la terre en gloussant et battant des ailes.

Un vieux drap avait été tendu entre une branche de l'if et un porte-chapeaux en fer qu'Antoine avait dû trouver dans la grange. Il la conduisit à une des chaises installées sur la terrasse en pierre. Au fil des années où il avait été absent, la mousse et l'herbe avaient commencé à envahir cette partie de la cour, si bien que la chaise était bancale sur la surface inégale. Vianne s'assit prudemment ; elle avait désormais du mal à se mouvoir. Le sourire que lui adressa son mari était à la fois éblouissant de joie et étonnant de complicité.

— Les enfants et moi, on a passé la journée à préparer ça. C'est pour toi.

Les enfants et moi.

Antoine prit place devant le drap pendant et fit un grand geste avec son bras valide.

— Mesdames et messieurs, chers enfants, chers lapins maigrichons et poulets qui sentent la crotte…

Derrière le rideau, Daniel gloussa et Sophie lui fit « chut ».

— Dans la riche tradition de Madeleine à Paris, qui fut le premier rôle principal de Mlle Mauriac, je vous présente les chanteurs du Jardin.

D'un mouvement ample, il décrocha un côté du drap et le rabattit, dévoilant une estrade en bois installée sur l'herbe et légèrement penchée. Sur celle-ci se tenaient Sophie et Daniel. Tous deux portaient des couvertures en guise de capes, agrémentées d'une branchette de fleurs de pommier au niveau du cou, et des couronnes faites dans un métal brillant, sur lesquelles ils avaient collé de jolis cailloux et des herbes colorées.

— Coucou, maman ! dit Daniel avec de grands signes de la main.

— Chut, lui fit Sophie. Tu te souviens ?

Daniel hocha la tête d'un air sérieux.

Ils se tournèrent prudemment – le plancher vacillait sous leurs pieds – et se prirent la main, face à Vianne.

Antoine porta un harmonica argenté à sa bouche et émit une note mélancolique. Celle-ci vibra pendant longtemps dans l'air, telle une invitation, puis il se mit à jouer.

Sophie commença à chanter d'une voix pure et aiguë.

— *Frère Jacques, Frère Jacques…*

Elle s'accroupit et Daniel se leva d'un bond en chantant :

— *Dormez-vous ? Dormez-vous ?*

Vianne mit la main sur sa bouche, mais pas avant d'avoir laissé échapper un petit rire.

Sur scène, la chanson continua. Vianne vit à quel point Sophie était heureuse de faire cette chose autrefois ordinaire, cette petite performance pour ses parents, et comme Daniel se concentrait pour bien chanter sa partie.

Ce moment était à la fois profondément magique et délicieusement banal. Un morceau de la vie qu'ils avaient eue avant.

Vianne sentit une grande joie s'éveiller en elle.

Tout va bien aller pour nous, pensa-t-elle en regardant Antoine. À l'ombre de l'arbre que son arrière-grand-père avait planté, bercée par les voix de ses enfants, elle vit son autre moitié et se dit à nouveau : *Tout va bien aller pour nous*.

— *... ding... dang... dong...*

Quand la chanson fut terminée, elle applaudit avec frénésie. Les enfants saluèrent majestueusement. Daniel se prit les pieds dans la couverture qui lui servait de cape, tomba dans l'herbe et se releva en riant. Vianne se dirigea vers la scène et couvrit ses enfants de baisers et de compliments.

— Quelle merveilleuse idée, dit-elle à Sophie, les yeux luisants d'amour et de fierté.

— Je me suis concentré, maman ! lança fièrement Daniel.

Vianne n'arrivait pas à les lâcher. Cet avenir dont elle venait d'avoir un aperçu remplissait son âme de joie.

— J'ai fait la mise en scène avec papa, indiqua Sophie. Exactement comme avant, maman.

— Moi aussi, j'ai fait la mise en scène, corrigea Daniel en bombant son petit torse.

Vianne rigola.

— Vous avez si magnifiquement chanté tous les deux. Et…

— Vianne ? fit Antoine derrière elle.

Elle ne pouvait détourner les yeux du sourire de Daniel.

— Combien de temps as-tu mis pour apprendre ta partie ?

— Maman, dit doucement Sophie. Il y a quelqu'un.

Vianne se retourna pour regarder derrière elle.

Antoine se trouvait près de la porte de la cuisine avec deux hommes, vêtus de costumes noirs élimés et de bérets noirs. L'un d'eux portait une valise abîmée.

— Sophie, occupe-toi de ton frère pendant une minute, dit Antoine. Nous devons discuter de quelque chose avec ces messieurs.

Il s'approcha de Vianne, posa une main au creux de ses reins, l'aida à se relever et la fit avancer. Un à un, ils pénétrèrent en silence dans la maison.

Quand la porte se referma derrière eux, les hommes se tournèrent pour faire face à Vianne.

— Je m'appelle Nathaniel Lerner, dit le plus âgé des deux.

Il avait les cheveux gris et la peau couleur de linge imbibé de thé, avec de grandes taches de vieillesse sur les joues.

— Et moi Philippe Horowitz, annonça l'autre. Nous travaillons pour l'OSE.

— Pourquoi êtes-vous là ? demanda Vianne.

— Nous sommes ici au sujet d'Ari de Champlain, dit Horowitz d'une voix douce. Il a des parents en Amérique – à Boston, précisément – et ils nous ont contactés.

Vianne se serait peut-être effondrée si Antoine ne l'avait pas soutenue.

— Il paraît que vous avez sauvé dix-neuf enfants juifs à vous seule. Et ce, alors que des officiers allemands cantonnaient chez vous. C'est impressionnant, madame.

— Héroïque, ajouta Lerner.

Antoine posa la main sur l'épaule de Vianne, ce qui lui fit se rendre compte qu'elle n'avait pas dit un mot depuis un moment.

— Rachel était ma meilleure amie, dit-elle à voix basse. J'ai essayé de l'aider à passer en zone libre avant sa déportation, mais…

— Sa fille a été tuée, déclara Lerner.

— Comment le savez-vous ?

— C'est notre travail de recueillir des témoignages et de réunir des familles, répondit-il. Nous avons parlé avec plusieurs femmes qui étaient à Auschwitz avec Rachel. Malheureusement, elle a survécu moins d'un mois là-bas. Son mari, Marc, a été tué au Stalag XIII A. Il n'a pas eu autant de chance que votre mari.

Vianne ne dit rien. Elle savait que ces hommes lui laissaient du temps, ce dont elle leur était reconnaissante, bien que cela lui fût aussi insupportable. Elle ne voulait rien accepter de tout cela.

— Daniel – *Ari* – est né une semaine avant que Marc parte pour la guerre. Il n'a de souvenirs d'aucun de ses parents. C'était le moyen le plus sûr de lui laisser croire qu'il était mon fils.

— Mais ce n'est pas votre fils, madame, dit Lerner d'une voix douce, mais ces paroles firent l'effet d'un coup de fouet à Vianne.

— J'ai promis à Rachel de le protéger.

— Et vous l'avez fait. Mais à présent, il est temps qu'Ari retourne dans sa famille. Auprès des siens.

— Il ne va pas comprendre, dit Vianne.

— Peut-être pas, admit Lerner. Mais ce n'est pas la question.

Vianne regarda Antoine dans l'espoir qu'il lui vienne en aide.

— Nous l'aimons. Il fait partie de notre famille. Il doit rester avec nous. Tu veux qu'il reste, n'est-ce pas, Antoine ?

Son mari hocha gravement la tête.

Vianne se tourna vers les hommes.

— Nous pourrions l'adopter, l'élever comme si c'était notre fils. Mais dans la tradition juive, bien sûr. Nous lui dirons qui il est, nous l'emmènerons à la synagogue et…

— Madame, la coupa Lerner avec un soupir.

Horowitz s'approcha de Vianne, prit ses mains dans les siennes.

— Nous savons que vous l'aimez et qu'il vous aime. Nous savons qu'Ari est trop petit pour comprendre, qu'il va pleurer et que vous allez lui manquer… peut-être pendant des années.

— Mais vous voulez l'emmener.

— Vous vous attachez à la douleur d'un enfant. Je suis ici à cause de la douleur de mon peuple. Vous comprenez ?

Son visage s'affaissa et il eut une petite moue.

— Des millions de juifs ont été tués durant cette guerre, madame. Des *millions.*

Il laissa ses paroles faire leur effet.

— Une génération entière a disparu. Nous devons nous rassembler maintenant, nous les quelques survivants ; nous devons reconstruire. Un garçon sans souvenir de qui il était peut sembler constituer une petite perte, mais pour nous, il est l'avenir. Nous ne pouvons pas vous laisser l'élever dans une religion qui n'est pas la vôtre et l'emmener à la synagogue quand vous y penserez. Ari a besoin d'être qui il est, et d'être avec son peuple. C'est assurément ce que voudrait sa mère.

Vianne songea aux gens qu'elle avait vus à l'hôtel Lutetia, ces squelettes ambulants au regard égaré, et au mur recouvert de photos.

Des millions de juifs étaient morts.

Une génération perdue.

Comment pouvait-elle empêcher Ari de rejoindre son peuple, sa famille ? Elle était prête à se battre jusqu'à la mort pour ses enfants, mais elle n'avait pas d'adversaire à affronter, seulement le malheur des deux côtés.

— Qui va l'accueillir ? demanda-t-elle sans se soucier du fait que sa voix avait déraillé à cette question.

— La cousine germaine de sa mère. Elle a une fille de onze ans et un fils de six ans. Ils aimeront Ari comme leur fils.

Vianne ne trouva pas la force de hocher la tête ni d'essuyer ses larmes.

— Ils m'enverront peut-être des photos ?

Horowitz la regarda dans les yeux.

— Il va avoir besoin de vous oublier, madame, de commencer une nouvelle vie.

Vianne savait au plus profond d'elle-même que c'était vrai.

— Quand allez-vous l'emmener ?

— Maintenant, répondit Lerner.

Maintenant.

— Nous ne pouvons rien y changer ? demanda Antoine.

— Non, monsieur, dit Horowitz. Ari doit retourner auprès des siens. Et il fait partie des chanceux – il a encore de la famille en vie.

Vianne sentit la main d'Antoine dans la sienne. Il la conduisit jusqu'à l'escalier, en la tirant à plusieurs reprises pour qu'elle ne s'arrête pas. Elle gravit les marches en bois sur ses jambes qui lui semblaient lourdes et molles.

Dans la chambre de son fils (non, pas de son fils), telle une somnambule, elle ramassa ses quelques vêtements et rassembla ses affaires : un singe en peluche abîmé dont les yeux avaient été arrachés à force de câlins, un bout de bois pétrifié qu'il avait trouvé près de la rivière l'été précédent, et l'édredon que Vianne avait confectionné à partir de morceaux de vêtements devenus trop grands pour lui. Sur l'envers de celui-ci, elle avait brodé : « Pour notre Daniel, Maman, Papa et Sophie qui t'aiment. »

Elle se rappela la première fois qu'il avait lu ce mot et qu'il avait dit : « Est-ce que papa va revenir ? », sur quoi elle avait hoché la tête et lui avait dit que les membres d'une famille avaient un don pour retrouver le chemin de chez eux.

— Je ne veux pas le perdre. Je ne peux pas…

Antoine la serra dans ses bras et la laissa pleurer. Quand elle se calma enfin, il lui murmura à l'oreille :

— Tu es forte. Il faut que nous le soyons. Nous l'aimons, mais ce n'est pas notre enfant.

Elle en avait tellement assez de devoir être forte. Combien de fois pouvait-elle supporter de perdre quelqu'un ?

— Tu veux que je le lui dise ? demanda Antoine.

Elle en avait envie, plus que tout, mais c'était le rôle d'une mère.

Les mains tremblantes, elle fourra les affaires de Daniel – d'Ari – dans un sac à dos en toile usé, puis elle sortit de la chambre et se rendit compte une seconde trop tard qu'elle avait laissé Antoine derrière elle. Elle dut rassembler tout son courage pour continuer de respirer et d'avancer. Elle ouvrit la porte de sa chambre à elle et fouilla dans son armoire jusqu'à ce qu'elle retrouve une petite photo encadrée de Rachel et elle. C'était la seule photo qu'elle avait de Rachel. Elle avait été prise dix ou douze ans plus tôt. Vianne écrivit leurs noms au dos puis la glissa dans la poche du sac et sortit de la chambre. Sans prêter attention aux hommes en bas, elle se rendit dans l'arrière-cour où les enfants – encore vêtus de leurs capes et coiffés de leurs couronnes – jouaient sur la scène improvisée.

Les trois hommes la suivirent.

Sophie les regarda tous.

— Maman ?

Daniel rigola. Pendant combien de temps se rappellerait-elle ce rire ? Pas assez longtemps. Elle le savait désormais. Les souvenirs – même les meilleurs – s'effaçaient.

— Daniel ?

Elle dut s'éclaircir la voix et réessayer.

— Daniel ? Tu peux venir là ?

— Qu'est-ce qui se passe, maman ? demanda Sophie. On dirait que tu as pleuré.

Elle s'approcha d'eux en serrant le sac à dos contre elle.

— Daniel ?

Il lui fit un grand sourire.

— Tu veux qu'on te rechante la chanson, maman ? demanda-t-il en redressant sa couronne qui glissait d'un côté de sa tête.

— Tu peux venir là ? demanda-t-elle à nouveau, juste pour être sûre.

Elle craignait que cette scène ne se déroulât en trop grande partie dans sa tête.

Daniel s'approcha d'elle à petits pas en tirant sur sa cape pour éviter de se reprendre les pieds dedans.

Vianne s'agenouilla dans l'herbe et prit ses mains dans les siennes.

— Il n'y a aucun moyen de te faire comprendre ça, dit-elle d'une voix cassée. J'aurais fini par tout t'expliquer. Quand tu serais plus grand. On serait même allés dans ton ancienne maison. Mais l'heure a sonné, capitaine Dan.

Il fronça les sourcils.

— Qu'est-ce que tu veux dire ?

— Tu sais à quel point nous t'aimons, dit-elle.

— Oui, maman.

— Nous t'aimons, Daniel, et nous t'avons aimé dès l'instant où tu es entré dans nos vies, mais tu faisais avant cela partie d'une autre famille. Tu avais une autre maman et un autre papa, et ils t'aimaient eux aussi.

Le front de Daniel se plissa.

— J'avais une autre maman ?

Derrière Vianne, Sophie fit :

— Oh, non…

— Elle s'appelait Rachel de Champlain, et elle t'aimait de tout son cœur. Et ton papa était un homme courageux du nom de Marc. J'aimerais beaucoup être la personne qui te racontera leurs histoires, mais je ne peux pas – elle essuya vivement les larmes dans ses yeux –, parce que la cousine de ta maman t'aime aussi, et elle veut que tu ailles vivre avec eux en Amérique, où les gens ont tout ce qu'ils veulent à manger et des tas de jouets.

Daniel avait les yeux remplis de larmes.

— Mais c'est *toi*, ma maman. Je ne veux pas partir.

Elle eut envie de dire ! : « Moi non plus je ne veux pas que tu partes », mais cela n'aurait fait que l'effrayer davantage, et sa dernière responsabilité en tant que mère était de le rassurer.

— Je sais, dit-elle doucement, mais tu vas adorer, capitaine Dan, et ta nouvelle famille va t'aimer très fort. Peut-être même qu'ils auront un chiot, comme tu l'as toujours voulu.

Il se mit à pleurer et elle le prit dans ses bras. Il ne lui avait sans doute jamais fallu autant de courage dans sa vie que pour le lâcher. Elle se leva. Les deux hommes apparurent aussitôt à côté d'elle.

— Bonjour, jeune homme, dit Horowitz à Daniel avec un sourire sincère.

Daniel gémit.

Vianne le prit par la main, lui fit traverser la maison pour ressortir dans le jardin. Ils passèrent devant le pommier mort parsemé de bouts de tissu en mémoire des disparus et franchirent le portail cassé jusqu'à la Peugeot bleue garée au bord de la route.

Lerner s'installa au volant tandis qu'Horowitz attendait près du pare-chocs arrière. Le moteur démarra ; un nuage de fumée sortit du pot d'échappement.

Horowitz ouvrit la portière arrière. Lançant un dernier regard triste à Vianne, il se glissa sur la banquette en laissant la portière ouverte.

Sophie et Antoine vinrent près de Vianne et se baissèrent ensemble pour serrer Daniel dans leurs bras.

— Nous t'aimerons toujours, Daniel, dit Sophie. J'espère que tu te souviendras de nous.

Vianne savait qu'elle était la seule personne à pouvoir faire monter Daniel dans la voiture. Il ne ferait confiance qu'à elle.

De toutes les choses déchirantes et horribles qu'elle avait faites durant cette guerre, aucune ne la fit autant souffrir : elle prit Daniel par la main et le conduisit à l'auto qui allait l'emmener loin d'elle. Il grimpa sur la banquette.

Il lui adressa un regard déconcerté et plein de larmes.

— Maman ?

Sophie s'écria : « Une minute ! » et courut dans la maison. Elle revint quelques instants plus tard avec Bébé et donna le lapin en peluche à Daniel.

Vianne se courba pour le regarder dans les yeux.

— Tu dois y aller maintenant, Daniel. Fais confiance à maman.

La lèvre inférieure de Daniel trembla. Il serra la peluche contre sa poitrine.

— Oui, maman.

— Sois un grand garçon.

Horowitz se pencha et ferma la portière.

Daniel se jeta contre la vitre et plaqua ses paumes de mains dessus. Il pleurait à présent et criait : « Maman ! Maman ! » Ils entendirent ses cris pendant plusieurs minutes après que l'auto eut disparu.

Vianne dit tout bas :

— Je te souhaite une belle vie, Ari de Champlain.

38

Isabelle était au garde-à-vous. Il fallait qu'elle se tienne bien droite pour l'appel. Si elle laissait ses vertiges l'emporter et qu'elle tombait, les gardes la fouetteraient, ou pire.

Non. Ce n'était pas l'appel. Elle était maintenant à Paris, dans une chambre d'hôpital.

Elle attendait quelque chose. Quelqu'un.

Micheline était partie pour parler aux agents de la Croix-Rouge et aux journalistes rassemblés dans le hall. Isabelle était censée attendre là.

La porte s'ouvrit.

— Isabelle, dit Micheline d'un ton réprobateur. Tu ne devrais pas être debout.

— J'ai peur de mourir si je reste allongée, répondit Isabelle.

Ou peut-être qu'elle pensa ces mots.

Tout comme Isabelle, Micheline était maigre comme un clou et les os de ses hanches saillaient comme des jointures de doigts sous sa robe informe. Elle était presque totalement chauve – elle n'avait que quelques touffes de cheveux ici et là – et n'avait plus de sourcils. La peau de son cou et de ses bras était criblée de plaies ouvertes et suintantes.

— Viens, dit Micheline.

Sortant de la chambre, elle lui fit traverser l'étrange foule de rapatriés silencieux en haillons qui traînaient les pieds et de parents larmoyants et bruyants à la recherche des leurs, puis elles passèrent devant les journalistes qui posaient des questions. Elle la guida doucement jusqu'à une pièce plus calme, où d'autres survivants des camps se tenaient voûtés dans des fauteuils.

Isabelle s'assit également et mit consciencieusement ses mains sur ses genoux. Ses poumons la faisaient souffrir et la brûlaient à chaque inspiration, et elle avait un mal de tête lancinant.

— Il est temps que tu rentres chez toi, dit Micheline.

Isabelle la regarda avec des yeux troubles et sans expression.

— Veux-tu que je fasse le voyage avec toi ?

Elle cligna lentement des yeux, essaya de réfléchir. Sa migraine était d'une intensité fulgurante.

— Où est-ce que je vais ?

— À Carriveau. Tu vas voir ta sœur. Elle t'attend.

— Vraiment ?

— Ton train part dans quarante minutes. Le mien dans une heure.

— Comment est-ce qu'on est rentrées ? osa demander Isabelle d'une voix à peine audible.

— Nous avons eu de la chance, dit Micheline, et Isabelle hocha la tête.

Micheline l'aida à se relever.

Elles clopinèrent ensemble jusqu'à la porte de service de l'hôpital, où une file de voitures et de camions de la Croix-Rouge se tenait prêts à transporter les survivants à la gare. Attendant leur tour, elles restèrent collées l'une à l'autre comme elles l'avaient si souvent fait durant la dernière année – dans les files pour l'*Appell*, dans les wagons à bestiaux, dans les queues pour recevoir à manger.

Une jeune femme au visage lumineux et en uniforme de la Croix-Rouge s'approcha d'elles avec une écritoire à pince.

— Rossignol ?

Isabelle prit le visage ridé et vieilli de Micheline entre ses mains chaudes et moites.

— Je t'ai aimée, Micheline Babineau, dit-elle doucement avant d'embrasser les lèvres sèches de son aînée.

— Ne parle pas de toi-même au passé.

— Mais j'appartiens au passé. La fille que j'étais…

— Elle n'a pas disparu, Isabelle. Elle est malade et elle a été maltraitée, mais elle ne peut pas avoir disparu. Elle avait un cœur de lion.

— Toi aussi, tu parles au passé.

En toute honnêteté, Isabelle n'arrivait plus à se souvenir de cette fille, celle qui s'était engagée dans la Résistance presque sans réfléchir. La fille qui avait imprudemment amené un aviateur chez son père et qui en avait bêtement amené un autre dans la grange de sa sœur. La fille qui avait traversé les Pyrénées à pied et qui était tombée amoureuse durant l'exode de Paris.

— On s'en est sorties, déclara Micheline.

Isabelle avait souvent entendu ces mots durant la dernière semaine. *On s'en est sorties.* Quand les Américains étaient arrivés pour libérer le camp, ces mots avaient été sur les lèvres de tous les prisonniers. Isabelle s'était alors sentie soulagée – après tout cela, les passages à tabac, le froid, l'humiliation, la maladie, la marche forcée dans la neige, elle avait survécu.

660

Mais à présent, elle se demandait quelle pouvait être sa vie. Elle ne pouvait pas redevenir celle qu'elle avait été, mais comment pouvait-elle aller de l'avant ? Elle dit une dernière fois au revoir à Micheline d'un signe de la main, puis monta dans le véhicule de la Croix-Rouge.

Plus tard, dans le train, elle fit semblant de ne pas remarquer la manière dont les gens la regardaient. Elle essaya de se tenir droite, mais n'y parvint pas. Elle s'affaissa sur le côté, appuya sa tête contre la vitre.

Elle ferma les yeux, s'endormit en un rien de temps et rêva fiévreusement d'un trajet bruyant dans un fourgon à bestiaux, de bébés en pleurs et de femmes tentant désespérément de les apaiser… puis les portes s'ouvrirent et les chiens attendaient…

Isabelle se réveilla en sursaut. Elle était si désorientée qu'il lui fallut un moment pour se rappeler qu'elle était hors de danger. Elle se tamponna le front avec le bout de sa manche. Elle avait de nouveau de la fièvre.

Deux heures plus tard, le train entra en gare de Carriveau.

Je m'en suis sortie. Mais alors, pourquoi ne *ressentait*-elle rien ?

Elle se leva et descendit péniblement du train. À peine sur le quai, elle fut prise d'une quinte de toux. Elle se courba, toussa et cracha du sang dans sa main. Quand elle put respirer à nouveau, elle se redressa avec la sensation d'être vidée. Et vieille.

Sa sœur se trouvait sur le quai. Elle était enceinte et vêtue d'une robe d'été décolorée et rapiécée. Ses cheveux blond vénitien étaient maintenant plus longs, au-dessous des épaules, et ondulés. Lorsqu'elle scruta la foule qui descendait du train, son regard passa sur Isabelle sans s'arrêter.

Isabelle leva sa main osseuse pour la saluer.

Vianne la vit et pâlit.

— Isabelle ! cria-t-elle en se précipitant vers elle.

Elle serra les joues creuses d'Isabelle dans ses mains.

— Ne t'approche pas trop. J'ai une toux abominable.

Vianne embrassa les lèvres sèches, gercées et gonflées d'Isabelle et lui murmura :

— Bienvenue à la maison, petite sœur.

— À la maison, répéta Isabelle, déroutée.

Elle était incapable de retrouver des images pour illustrer ces mots tant ses pensées étaient confuses et tant elle avait mal à la tête.

Vianne prit délicatement Isabelle dans ses bras et la serra contre elle. Isabelle sentit la peau douce de sa sœur et le parfum citronné de ses cheveux. Elle sentit sa sœur qui lui caressait le dos, comme elle l'avait fait quand elle était enfant, et Isabelle se dit *Je m'en suis sortie.*

Je rentre à la maison.

*

— Tu es brûlante, dit Vianne quand elles furent au Jardin et qu'Isabelle fut propre, sèche et couchée dans un lit chaud.

— Oui. Je n'arrive pas à me débarrasser de cette fièvre.

— Je vais te chercher de l'aspirine, dit Vianne en commençant à se lever.

— Non, dit Isabelle. Ne me laisse pas. S'il te plaît. Couche-toi avec moi.

662

Vianne se glissa dans le petit lit. Craignant que la moindre pression laisse un bleu à sa sœur, elle la prit dans ses bras avec le plus grand soin.

— Je suis désolée pour Beck. Pardonne-moi…, dit Isabelle en toussant.

Elle avait attendu si longtemps de pouvoir dire cela, imaginé cette conversation mille fois.

— … de vous avoir mises en danger, Sophie et toi…

— Non, Isabelle, reprit doucement Vianne, c'est à moi de me faire pardonner. Je n'ai jamais fait que te délaisser. À commencer quand papa nous a confiées à Mme Dumas. Et quand tu t'es enfuie à Paris, comment ai-je pu croire ton absurde histoire d'escapade amoureuse ? Ça a hanté mon esprit, dit Vianne en se penchant vers Isabelle. Est-ce qu'on peut repartir de zéro maintenant ? Être les sœurs que maman voulait qu'on soit ?

Isabelle luttait pour rester éveillée.

— J'aimerais bien.

— Je suis si fière de ce que tu as fait dans cette guerre, Isabelle.

Les yeux d'Isabelle se remplirent de larmes.

— Comment ça s'est passé pour toi, V ?

Vianne détourna le regard.

— Après Beck, un autre nazi a cantonné ici. Un sale type.

Vianne se rendait-elle compte qu'elle se touchait le ventre en disant cela ? Que la honte colorait ses joues ? Isabelle sut d'instinct ce que sa sœur avait enduré. Elle avait entendu un nombre incalculable d'histoires de femmes violées par les soldats qui cantonnaient chez elles.

— Tu sais ce que j'ai appris dans les camps ?

— Quoi ?

— Qu'ils ne pouvaient atteindre mon cœur. Ils ne pouvaient changer la personne que j'étais à l'intérieur. Mon corps... ils l'ont brisé dès les premiers jours, mais pas mon cœur, V. Quoi qu'ait fait ce nazi, c'est à ton corps, et ton corps va se rétablir.

Elle eut envie d'en dire davantage, d'ajouter peut-être « Je t'aime », mais elle fut prise d'une nouvelle quinte de toux. Quand celle-ci se calma, elle se rallongea, éreintée, le souffle court et saccadé.

Vianne se pencha plus près et pressa un linge frais et humide sur le front brûlant de sa sœur.

Isabelle regarda le sang sur l'édredon et se rappela les derniers jours de la vie de sa mère. Il y avait alors aussi eu du sang. Elle regarda Vianne et vit que sa sœur s'en souvenait également.

*

Isabelle se réveilla sur un plancher. Elle était à la fois gelée et brûlante, tremblante et en nage.

Elle n'entendait rien, ni rats ni cafards détalant à travers la pièce, ni eau dégoulinant des fissures dans les murs et se transformant en épaisses langues de glace, ni toux ni pleurs. Elle s'assit lentement, grimaçant à chaque mouvement, aussi infimes fussent-ils. Elle avait mal partout. Aux os, à la peau, à la tête, à la poitrine ; elle n'avait plus de muscles qui puissent l'élancer, mais ses articulations et ses ligaments la faisaient souffrir.

Elle entendit un *ra-ta-ta-ta* fracassant. Une rafale de balles. Elle se couvrit la tête et se précipita dans le coin de la chambre où elle se recroquevilla.

Non.

Elle était au Jardin, pas à Ravensbrück.

Ce bruit était celui de la pluie sur le toit.

Elle se leva lentement, étourdie. Depuis combien de temps était-elle là ?

Quatre jours ? Cinq ?

Elle se traîna jusqu'à la table de nuit, où une cruche en porcelaine reposait à côté d'une bassine d'eau tiède. Elle se lava les mains, s'aspergea le visage puis enfila les vêtements que Vianne avait sortis pour elle – une robe qui avait appartenu à Sophie quand elle avait dix ans et dans laquelle Isabelle flottait. Elle entama ensuite la longue et lente descente de l'escalier.

La porte d'entrée était ouverte. Dehors, les pommiers étaient voilés par la pluie. Isabelle se posta dans l'embrasure de la porte et respira l'air frais.

— Isabelle ? Laisse-moi te réchauffer un peu de bouillon d'os. Le médecin a dit que tu pouvais en boire.

Elle hocha distraitement la tête, laissant Vianne faire comme si les quelques cuillerées de bouillon que son estomac pouvait garder allaient changer quelque chose.

Elle sortit sous la pluie. Le monde grouillait de sons : les corbeaux qui croassaient, les cloches qui sonnaient, la pluie qui crépitait sur le toit et clapotait dans les flaques. L'étroite route boueuse était embouteillée : des voitures, des camions et des cyclistes se criaient les uns sur les autres en se faisant des signes de mains et klaxonnaient pour pouvoir rentrer chez eux. Un camion américain passa, plein de soldats souriants au visage juvénile qui saluaient les passants de la main.

En les voyant, Isabelle se souvint que Vianne lui avait raconté qu'Hitler s'était suicidé et que Berlin était cerné et tomberait bientôt.

Était-ce vrai ? La guerre était-elle finie ? Elle ne savait pas, n'arrivait pas à se rappeler. Il régnait une telle confusion dans son esprit ces derniers temps.

Isabelle s'engagea sur la route et se rendit compte trop tard qu'elle était pieds nus (on allait la battre parce qu'elle avait perdu ses chaussures), mais elle continua son chemin. Frissonnant, toussant, ruisselante de pluie, elle passa devant l'aérodrome bombardé, dont les troupes alliées avaient désormais repris le contrôle.

— Isabelle !

Elle se retourna, eut un accès de toux et cracha du sang dans sa main. Elle tremblait de froid. Sa robe était trempée.

— Qu'est-ce que tu fais là ? lui demanda Vianne. Et où sont tes chaussures ? Tu as le typhus, une pneumonie et tu es dehors sous la pluie.

Vianne ôta son manteau et le mit sur les épaules d'Isabelle.

— Est-ce que la guerre est finie ?

— On a parlé de ça hier soir, tu te souviens ?

La pluie troublait la vue d'Isabelle, coulait en filets dans son dos. Elle prit une inspiration tremblotante et sentit des larmes lui brûler les yeux.

Ne pleure pas. Elle savait que c'était important, mais elle ne se souvenait plus pourquoi.

— Isabelle, tu es malade.

— Gaëtan m'a promis de me retrouver une fois que la guerre serait finie, murmura-t-elle. Il faut que j'aille à Paris pour qu'il puisse me trouver.

— S'il te cherche, il viendra à la maison.

Isabelle ne comprenait pas. Elle secoua la tête.

— Il est déjà venu ici, tu te souviens ? Après Tours. Il t'a ramenée à la maison.

Mon rossignol, je t'ai ramenée chez toi.

— Oh. Il ne va plus me trouver belle.

Isabelle essaya de sourire, mais elle savait que c'était un échec.

Vianne prit Isabelle sous son bras et la força gentiment à faire demi-tour.

— On va rentrer lui écrire une lettre.

— Mais je ne sais pas où l'envoyer, dit Isabelle en s'appuyant sur sa sœur.

Comment était-elle ensuite rentrée à la maison ? Elle ne savait plus bien. Elle se souvenait vaguement d'Antoine la portant dans l'escalier, l'embrassant sur le front, et de Sophie lui apportant un bol de bouillon chaud, mais elle avait dû s'endormir à un moment donné, car quand elle reprit connaissance, la nuit était tombée.

Vianne était endormie dans un fauteuil sous la fenêtre.

Isabelle toussa.

Vianne se leva aussitôt pour remettre en place les oreillers derrière sa tête, la recaler. Elle trempa un linge dans la bassine d'eau au chevet du lit, l'essora et l'appliqua sur le front d'Isabelle.

— Tu veux un peu de bouillon d'os ?

— Mon Dieu, non.

— Tu ne manges rien.

— Je n'arrive pas à le garder.

Vianne retourna vers le fauteuil et le tira près du lit.

Elle toucha la joue chaude et humide d'Isabelle et regarda dans ses yeux enfoncés.

— J'ai quelque chose pour toi.

Vianne se leva du fauteuil et sortit de la pièce. Quelques instants plus tard, elle revint avec une enveloppe jaunie.

— C'est pour nous. De la part de papa. Il est passé ici avant de venir te voir à Girot.

— Vraiment ? Est-ce qu'il t'a dit qu'il allait se livrer aux Allemands pour me sauver ?

Vianne hocha la tête et tendit l'enveloppe à Isabelle.

Les lettres de son nom se brouillèrent et s'étirèrent sur le papier. La malnutrition avait dégradé sa vue.

— Tu peux me la lire ?

Vianne décacheta l'enveloppe, en sortit la lettre et commença à lire.

Chères Isabelle et Vianne,

Ce que je fais maintenant, je le fais sans hésitation. Ce n'est pas ma mort qui me cause des regrets, mais ma vie. Je suis désolé de ne pas avoir été un père pour vous.

Je pourrais me trouver des excuses – j'étais dévasté par la guerre, je buvais trop, je ne pouvais pas continuer sans votre maman –, mais rien de tout ça n'a d'importance.

Isabelle, je me souviens de la première fois que tu as fugué pour être avec moi. Tu as réussi à faire tout le trajet jusqu'à Paris toute seule. Tout en toi disait : « Aime-moi. » Et quand je t'ai vue sur ce quai, qui avais besoin de moi, je t'ai tourné le dos.

Comment ai-je pu ne pas voir que Vianne et toi étiez un don du ciel, que je n'avais qu'à saisir ?

Pardonnez-moi, mes filles, pour tout, et sachez qu'alors que je vous dis adieu, je vous aime toutes les deux de tout mon cœur meurtri.

Isabelle ferma les yeux et s'enfonça dans les coussins. Toute sa vie elle avait attendu ces mots – son amour – et à présent, elle ne ressentait que du chagrin. Ils ne s'étaient pas assez aimés pendant le temps qu'ils avaient partagé, puis ils en avaient manqué.

— Porte bien Sophie, Antoine et ton nouveau bébé dans ton cœur, Vianne. L'amour peut nous échapper si facilement.

— Ne fais pas ça, dit Vianne.

— Quoi ?

— Dire au revoir. Tu vas reprendre des forces, retrouver Gaëtan, te marier et tu seras là quand mon bébé va naître.

Isabelle soupira et ferma les yeux.

— Quel bel avenir ce serait.

*

Une semaine plus tard, Isabelle était assise dans un fauteuil dans l'arrière-cour, enveloppée de deux couvertures et d'un édredon. Le soleil de début mai dardait ses rayons sur elle, qui grelottait pourtant toujours. Assise dans l'herbe à ses pieds, Sophie lui lisait une histoire. Sa nièce essayait de prendre une voix différente pour chaque personnage et parfois, aussi mal en point que fût Isabelle, aussi lourds que ses os lui parussent à porter pour sa peau, elle se surprenait à sourire, et même à rire.

Antoine était quelque part en train d'essayer de fabriquer un berceau avec tous les morceaux de bois que Vianne n'avait pas brûlés durant la guerre. Il était évident aux yeux de tout le monde que Vianne n'allait pas tarder à accoucher ; elle se déplaçait lentement et semblait avoir toujours la main appuyée dans le bas du dos.

Les yeux fermés, Isabelle savourait la merveilleuse normalité de cette journée. Une cloche sonna au loin. Les cloches avaient carillonné sans cesse au cours de la dernière semaine pour annoncer la fin de la guerre.

Sophie se tut brusquement au milieu d'une phrase.

Isabelle crut lui dire : « Continue de lire », mais elle n'en était pas sûre.

Elle entendit sa sœur dire « Isabelle » d'un ton grave.

Elle leva les yeux. Vianne se tenait devant elle, son tablier ainsi que son visage pâle parsemé de farine, ses cheveux blond cuivré couverts d'un turban effilé.

— Il y a quelqu'un pour toi.

— Dis au médecin que je vais bien.

— Ce n'est pas le médecin.

Vianne sourit et dit :

— Gaëtan est là.

Isabelle eut l'impression que son cœur allait exploser à travers les parois de papier de sa poitrine. Elle essaya de se lever, mais retomba comme une masse sur le fauteuil. Vianne l'aida mais, une fois debout, elle était incapable de bouger. Comment pouvait-elle le regarder ? Elle n'était plus qu'un squelette chauve et sans sourcils auquel il manquait plusieurs dents et la plupart des ongles. Elle se toucha la tête et se rendit compte avec gêne, un instant trop tard, qu'elle n'avait pas de cheveux à remettre derrière ses oreilles.

Vianne l'embrassa sur la joue.

— Tu es très belle, dit-elle.

670

Isabelle se retourna lentement, et il était là, debout sur le pas de la porte ouverte. Elle vit à quel point il avait mauvaise mine – le poids, les cheveux et la vivacité qu'il avait perdus –, mais rien de tout cela n'importait. Il était *là*.

Il s'approcha d'elle en boitant et la prit dans ses bras.

Elle leva ses mains tremblantes et serra Gaëtan contre elle. Pour la première fois depuis des jours, des semaines, une année, le cœur d'Isabelle était une chose solide, palpitante de vie. Quand il relâcha son étreinte, il la regarda et l'amour dans ses yeux anéantit toutes les souffrances qu'ils avaient endurées ; il n'y avait plus qu'eux deux, Gaëtan et Isabelle, tombant amoureux dans un monde en guerre.

— Tu es aussi belle que dans mon souvenir, dit-il, ce qui la fit réellement rire, puis elle pleura.

Elle s'essuya les yeux avec le sentiment d'être ridicule, mais les larmes continuèrent de couler sur ses joues. Elle pleurait enfin sur tout ce qu'elle avait traversé : sur la douleur, le chagrin, la peur, la colère, sur la guerre et ce que celle-ci lui avait fait à elle ainsi qu'à eux tous, sur le mal qu'elle avait vu faire et qu'elle ne pourrait jamais oublier, sur l'horreur de l'endroit où elle avait été et ce qu'elle avait fait pour survivre.

— Ne pleure pas.

Comment pourrait-elle ne pas pleurer ? Ils auraient dû avoir une vie entière pour partager leurs vérités et leurs secrets, pour apprendre à se connaître.

— Je t'aime, murmura-t-elle en se rappelant ce jour lointain où elle le lui avait déjà dit, à une époque où elle était si jeune et resplendissante.

— Moi aussi, je t'aime, dit-il, d'une voix cassée. Je t'aime depuis le premier instant où je t'ai vue. Je pensais te protéger en ne te le disant pas. Si j'avais su…

À quel point la vie était fragile, à quel point ils étaient fragiles.

L'amour.

C'était le début et la fin de tout, les fondations, le toit et l'espace entre les deux. Peu importait qu'elle fût brisée, laide et malade. Il l'aimait et elle l'aimait. Toute sa vie, elle avait attendu – rêvé – que les gens l'aiment, mais elle voyait à présent ce qui comptait. Elle avait eu la chance de connaître l'amour.

Papa. Maman. Sophie.

Antoine. Micheline. Anouk. Henri.

Gaëtan.

Vianne.

Elle regarda sa sœur, son autre moitié, derrière Gaëtan. Elle se souvint de Maman leur disant qu'un jour elles seraient meilleures amies, que le temps allait lier leurs vies.

Vianne hocha la tête, elle aussi en larmes, la main posée sur son ventre rebondi.

Ne m'oublie pas, pensa Isabelle. Elle aurait aimé avoir la force de le dire à voix haute.

39

7 mai 1995
Quelque part au-dessus de la France

Les lumières de la cabine s'allument soudainement.

J'entends le *ding !* de l'interphone de bord. On nous annonce que nous entamons notre descente vers Paris.

Julien se penche vers moi, ajuste ma ceinture de sécurité et vérifie que mon siège est bien redressé et bloqué. Que je suis en sécurité.

— Quel effet ça te fait d'atterrir à nouveau à Paris, maman ?

Je ne sais pas quoi répondre.

*

Plusieurs heures plus tard, le téléphone sonne à côté de moi.

Je suis encore plus qu'à moitié endormie quand je réponds.

— Allô ?

— Salut, maman. Tu as dormi ?

— Oui.

— Il est 15 heures. À quelle heure veux-tu partir pour la réunion ?

— Allons nous balader dans Paris. Je peux être prête dans une heure.

— Je viendrai te chercher.

Je sors doucement d'un lit grand comme le Nebraska et me dirige vers la salle de bains en marbre. Une agréable douche chaude me fait revenir à moi et me réveille, mais c'est seulement lorsque je suis assise à la coiffeuse, en train de me regarder dans le miroir ovale cerclé d'ampoules, que je me rends soudain compte.

Je suis chez moi.

Peu importe que je sois citoyenne américaine, que j'aie passé plus de temps aux États-Unis qu'en France ; la vérité, c'est que rien de tout cela n'a d'importance. Je suis chez moi.

Je me maquille soigneusement. Puis je brosse mes cheveux blancs comme neige et les coiffe en chignon au niveau de ma nuque. Mes mains refusent de cesser de trembler. Je vois une vieille dame élégante à la peau veloutée et plissée, aux lèvres rose pâle et brillantes et au regard inquiet.

C'est le mieux que je puisse faire.

Me détournant du miroir, je vais à la penderie et en sors le pantalon d'hiver blanc et le pull à col roulé que j'ai apportés. L'idée me vient à l'esprit qu'il aurait peut-être été plus judicieux de choisir des vêtements de couleur. Je n'ai pas réfléchi quand j'ai fait ma valise.

Je suis prête quand Julien arrive.

Il me guide dans le couloir, m'aide comme si j'étais aveugle et invalide, et je le laisse m'escorter à travers le superbe hall de l'hôtel pour sortir dans la lumière magique de Paris au printemps.

Mais quand il demande au portier d'appeler un taxi, j'insiste.

— On va aller à pied à la réunion.

Il fronce les sourcils.

— Mais c'est sur l'île de la Cité.

Sa prononciation me fait grimacer, mais c'est ma faute, à vrai dire.

Je vois le portier sourire.

— Mon fils adore les cartes, dis-je. Et c'est la première fois qu'il vient à Paris.

L'homme hoche la tête.

— C'est loin, maman, dit Julien en s'approchant pour être à côté de moi. Et tu es…

— Vieille ? dis-je sans pouvoir me retenir de sourire. Mais je suis aussi française.

— Tu portes des talons.

Je répète :

— Je suis française.

Julien se tourne vers le portier qui lève ses mains gantées et dit :

— C'est la vie, monsieur.

— Très bien, dit finalement Julien. Marchons.

Je prends son bras et, pendant un merveilleux instant, alors que nous nous engageons sur le trottoir animé, je me sens à nouveau comme une petite fille. Les voitures passent à toute vitesse en klaxonnant avec des crissements de pneus ; des garçons en skate-board se faufilent sur le trottoir parmi la foule de touristes et de Parisiens en cet après-midi radieux. L'air est plein de fleurs de châtaignier et chargé d'odeurs de pain frais, de cannelle, de diesel, de gaz d'échappement, de pierre chaude – des odeurs qui me rappelleront toujours Paris.

À ma droite, je vois une des pâtisseries préférées de ma mère, et je me souviens tout à coup de Maman en train de me tendre un macaron.

— Maman ?

Je souris à Julien.

— Viens, dis-je d'un ton impérieux en le faisant entrer dans le petit magasin.

Il y a une longue file, et je prends ma place au bout de celle-ci.

— Je croyais que tu n'aimais pas les biscuits.

J'ignore sa remarque et contemple la vitrine pleine de beaux macarons colorés et de pains au chocolat.

Quand vient mon tour, j'achète deux macarons – un à la noix de coco, un à la framboise. Je plonge ensuite la main dans le sachet et tends celui à la noix de coco à Julien.

Nous sommes de nouveau dehors en train de marcher quand il mord dedans et s'arrête net.

— Ouah ! fait-il après une minute. Ouah !

Je souris. Tout le monde se souvient de sa première bouchée à Paris. Ce sera la sienne.

Une fois qu'il s'est léché les doigts et qu'il a jeté le sachet, il me reprend le bras.

Devant un joli petit bistrot donnant sur la Seine, je dis :

— Buvons un verre de vin.

Il est 17 heures à peine passées. L'heure de l'apéritif pour les gens distingués.

Nous nous asseyons en terrasse, sous une voûte de châtaigniers en fleur. De l'autre côté de la rue, sur les rives du fleuve, des marchands sont installés dans des kiosques verts et vendent toutes sortes de choses – aussi bien des peintures à l'huile que de vieilles couvertures de *Vogue* ou encore des porte-clés en forme de tour Eiffel.

Nous partageons un cornet gras de frites et sirotons du vin. Un verre se transforme en deux, et l'après-midi commence à céder la place à la brume du crépuscule.

J'avais oublié comme le temps passe en douceur à Paris. Aussi animée que soit la ville, il y règne une sorte de calme, une paix qui vous appâte. À Paris, avec un verre de vin à la main, on peut tout simplement *être*.

Le long de la Seine, les réverbères commencent à s'allumer et les fenêtres des appartements se dorent doucement.

— Il est 19 heures, dit Julien, et je me rends compte qu'il a surveillé l'heure et attendu pendant tout ce temps.

Il est si américain. Pas question pour ce jeune homme qu'est mon fils de se livrer à l'oisiveté, de s'oublier. Il m'a aussi laissée me mettre à l'aise.

Je hoche la tête et le regarde payer l'addition. Lorsque nous nous levons, un couple de gens bien habillés, qui fument tous deux une cigarette, se faufile avec grâce pour prendre notre place.

Julien et moi marchons bras dessus bras dessous sur le Pont-Neuf, le plus vieux pont traversant la Seine. Au milieu de celui-ci se trouve l'île de la Cité qui fut autrefois le cœur de Paris. Notre-Dame, avec ses murs élancés couleur de craie, ressemble à un gigantesque oiseau de proie en train de se poser, ses magnifiques ailes déployées. La Seine capte et reflète des taches de la lumière de fin de journée, le long de ses rives, des couronnes dorées déformées par les vagues.

— C'est magique, dit Julien, ce qui est tout à fait vrai.

Nous marchons lentement, traversons ce pont élégant construit il y a plus de quatre cents ans. De l'autre côté, nous voyons un marchand en train de fermer sa boutique ambulante.

Julien s'arrête, prend une boule à neige ancienne. Il la retourne et la neige tourbillonne et tombe en bourrasque dans le globe de verre, voilant la délicate tour Eiffel dorée à l'intérieur.

Je vois les minuscules flocons blancs et je sais que tout est faux, mais cela me rappelle ces atroces hivers où nous avions des trous dans nos chaussures et où nos corps étaient enveloppés de papier journal et de tous les vêtements que nous trouvions.

— Maman ? Tu trembles.

— On est en retard, dis-je.

Julien repose la boule à neige et nous nous remettons en route puis, finalement, contournons la foule qui attend pour entrer dans Notre-Dame.

L'hôtel est dans une petite rue derrière la cathédrale. À côté de celui-ci se trouve l'Hôtel-Dieu, le plus ancien hôpital de Paris.

— J'ai peur, dis-je, et je suis moi-même surprise de cet aveu.

Je n'ai pas le souvenir d'avoir reconnu une telle chose depuis des années, bien que ça ait souvent été vrai. Il y a quatre mois, quand on m'a annoncé que mon cancer était revenu, la peur m'a fait pleurer dans la douche jusqu'à ce que l'eau devienne froide.

— On n'est pas obligés d'entrer, dit-il.

— Si.

Je mets un pied devant l'autre jusqu'à me trouver dans le hall, où un panneau nous oriente vers la salle de réception au quatrième étage.

Quand nous sortons de l'ascenseur, j'entends un homme en train de parler dans un micro qui à la fois amplifie et brouille sa voix. Il y a une table dans le couloir, sur laquelle sont étalées des étiquettes avec des noms. Cela me rappelle cet ancien jeu télévisé : « Concentration ». La plupart des étiquettes ont été prises, mais il reste la mienne.

Et je reconnais un autre nom, l'étiquette qui est sous la mienne. À la vue de celle-ci, mon cœur se serre un peu, se contracte. Je ramasse l'étiquette qui porte mon nom. Je retire la protection et la colle sur ma poitrine affaissée, mais pendant tout ce temps, je regarde l'autre nom. Je prends l'autre étiquette et la fixe du regard.

— Madame ! dit la femme assise derrière la table.

Elle se lève, l'air troublé.

— Nous vous attendions. Il y a un siège…

— Ça va aller. Je vais rester debout au fond de la salle.

— Hors de question.

Elle me prend par le bras. Je songe à résister mais n'en ai pas la volonté à cet instant. Elle me fait traverser une foule nombreuse, installée de toutes parts sur des chaises pliantes, en direction d'une estrade sur laquelle trois vieilles dames sont assises. Un jeune homme vêtu d'une veste en tweed bleu fripée et d'un pantalon kaki – un Américain, à l'évidence – est debout derrière un pupitre. À mon entrée, il arrête de parler.

Le silence s'installe dans la pièce. Je sens tout le monde qui me regarde.

Je passe furtivement devant les autres vieilles dames sur l'estrade et m'assieds sur la chaise libre qui se trouve à côté du haut-parleur.

L'homme au micro me regarde et dit :

— Nous avons une invitée de marque parmi nous ce soir.

Je vois Julien au fond de la salle, debout contre le mur, les bras croisés. Il a les sourcils froncés. Il est certainement en train de se demander pourquoi quelqu'un me ferait monter sur une estrade.

— Voulez-vous dire quelque chose ?

Je crois que l'homme au pupitre m'a posé cette question deux fois avant que je saisisse.

La salle est si calme que j'entends les chaises grincer, les pieds qui tapent sur la moquette, les femmes qui s'éventent. J'ai envie de dire : « Non, non, pas moi », mais comment pourrais-je être si lâche ?

Je me lève lentement et marche jusqu'au pupitre. Tout en mettant de l'ordre dans mes pensées, je jette un coup d'œil à ma droite, en direction des dames assises sur l'estrade et je vois leurs noms : Almadora, Éliane et Anouk.

Mes doigts se cramponnent aux bords du pupitre en bois.

— Ma sœur, Isabelle, était une femme passionnée, dis-je doucement pour commencer. Tout ce qu'elle faisait, elle le faisait en fonçant tête baissée, sans freins. Quand elle était petite, on s'inquiétait tout le temps pour elle. Elle n'arrêtait pas de fuguer des pensionnats, des couvents et des écoles de savoir-vivre en se glissant par les fenêtres et à bord des trains. Je la trouvais inconsciente, irresponsable et d'une beauté presque aveuglante. Et pendant la guerre, elle s'est servie de cela pour me duper. Elle m'a dit qu'elle se sauvait à Paris pour une histoire d'amour, et je l'ai crue. Je l'ai *crue*. Après toutes ces années, cela me brise encore un peu le cœur. J'aurais dû savoir qu'elle ne suivait pas un homme, mais ses convictions, qu'elle faisait quelque chose d'important.

Je ferme les yeux un instant et me souviens : Isabelle qui tient Gaëtan dans ses bras et le regarde avec des yeux brillants de larmes. Brillants d'amour. Puis elle ferme les paupières, dit quelque chose qu'aucun de nous ne peut entendre, rend son dernier souffle dans les bras de l'homme qui l'aimait.

À l'époque, cette scène me semblait tragique ; à présent j'y vois de la beauté.

Je me rappelle chaque détail de ce moment dans ma cour, avec les branches de l'if déployées au-dessus de nos têtes et le parfum du jasmin dans l'air.

Je rouvre les yeux et regarde la deuxième étiquette dans ma main.

Sophie Mauriac.

Ma jolie petite fille, qui est devenue une femme grave, réfléchie, qui est restée toute sa vie près de moi, qui s'est toujours inquiétée et empressée autour de moi comme une mère poule. Effrayée. Elle avait toujours juste un peu peur du monde après tout ce que nous avions traversé, et cela me mettait en rage. Mais elle savait aimer, ma Sophie, et quand le cancer est venu la prendre, elle n'a pas eu peur. À la fin, alors que je lui tenais la main, elle a fermé les yeux et dit : « Tante Isabelle… te voilà. »

Bientôt, ce sera moi qu'elles attendront, ma sœur et ma fille.

Je détache mon regard de l'étiquette et le tourne à nouveau vers l'auditoire. Ils se moquent que j'aie les larmes aux yeux.

— Isabelle, mon père, Julien Rossignol, et leurs amis ont mis en œuvre le dispositif d'évasion du Rossignol. Ensemble, ils ont sauvé cent dix-sept hommes.

Ma gorge se serre.

— Isabelle et moi ne parlions pas beaucoup durant la guerre. Elle s'est tenue à l'écart pour me protéger du danger qu'impliquait son engagement. Je n'ai donc pas su tout ce qu'Isabelle avait fait avant qu'elle revienne de Ravensbrück.

Je m'essuie les yeux. Il n'y a maintenant plus de grincements de chaises, de gens qui tapent du pied. L'assistance est totalement immobile et a les yeux rivés sur moi. Je vois Julien au fond, et la confusion se lit sur son beau visage. Toutes ces informations sont nouvelles pour lui. Pour la première fois de sa vie, il comprend le fossé entre nous, plutôt que le pont. Je ne suis désormais plus simplement sa mère, un prolongement de sa personne. Je suis une femme à part entière, et il ne sait pas bien quoi faire de moi.

— L'Isabelle qui est revenue des camps de concentration n'était pas la femme qui avait survécu aux bombardements à Tours ou traversé les Pyrénées. L'Isabelle qui est revenue était brisée et malade. Elle avait des doutes sur beaucoup de choses, mais pas sur ce qu'elle avait fait.

Je regarde les gens assis devant moi.

— La veille de sa mort, elle s'est assise à l'ombre à côté de moi, elle m'a pris la main et m'a dit : « V, c'est suffisant pour moi. » Je lui ai demandé : « Qu'est-ce qui est suffisant ? » et elle m'a répondu : « Ma vie. C'est suffisant. » Et ça l'était. Je sais qu'elle a sauvé certains des hommes présents dans cette salle, mais je sais que vous aussi vous l'avez sauvée. Isabelle Rossignol est morte en héroïne, mais aussi en femme amoureuse. Elle n'aurait pas pu faire un autre choix. Tout ce qu'elle voulait, c'était qu'on se souvienne d'elle. Alors je vous remercie tous d'avoir donné un sens à sa vie, de l'avoir poussée à donner le meilleur d'elle-même, et de vous souvenir d'elle tant d'années plus tard.

Je lâche le pupitre et recule.

L'auditoire se lève comme un seul homme et applaudit frénétiquement. Je vois ces personnes âgées qui pleurent et je prends soudain conscience que ce sont les familles des hommes qu'elle a sauvés. Tous ces hommes sont rentrés dans leur pays pour fonder une famille : autant de gens qui devaient la vie à une fille courageuse, à son père et à leurs amis.

Après ça, je me fais emporter dans un ouragan de remerciements, de souvenirs et de photos. Toutes les personnes présentes veulent me remercier personnellement et me dire à quel point Isabelle et mon père ont été importants pour elles. À un moment donné, Julien vient se poster à côté de moi et devient une sorte de garde du corps. Je l'entends dire : « On dirait qu'il y a beaucoup de choses dont il faut que nous parlions », et je fais oui de la tête et continue d'avancer en le prenant par le bras. Je fais de mon mieux pour représenter ma sœur et recevoir les remerciements qu'elle mérite.

Nous avons presque fini de parcourir la foule – qui se dissipe à présent, les gens se dirigent vers le bar

pour boire du vin – quand j'entends quelqu'un dire
« Bonsoir, Vianne » d'une voix que je connais.

Malgré toutes les années qui se sont écoulées, je
reconnais ses yeux. Gaëtan. Il est plus petit que dans
mon souvenir, légèrement voûté, et son visage hâlé est
profondément marqué par le temps et la vie en extérieur. Il a les cheveux longs, presque jusqu'aux épaules,
et blancs comme des gardénias, néanmoins, je l'aurais
reconnu n'importe où.

— Vianne. Je voulais que vous rencontriez ma fille.

Il fait signe derrière lui à une jeune femme d'une
beauté classique, qui porte un élégant fourreau noir et
un foulard d'un rose éclatant. Elle s'approche de moi
en me souriant comme si nous étions amies.

— Je m'appelle Isabelle, dit-elle.

Je m'appuie lourdement sur la main de Julien. Je me
demande si Gaëtan sait l'importance que cette évocation aurait pour Isabelle.

Bien sûr qu'il le sait.

Il se penche vers moi, m'embrasse sur les deux joues
et me chuchote : « Je l'ai aimée toute ma vie » avant
de s'écarter.

Nous discutons encore quelques minutes, de tout et
de rien, puis il s'en va.

Je me sens tout à coup fatiguée. Épuisée. Je me libère
de l'étreinte possessive de mon fils et m'éloigne de
la foule pour me réfugier au calme sur le balcon. Je
sors dans la nuit. Notre-Dame est éclairée, et son éclat
colore les vagues noires de la Seine. J'entends les clapo-
tements du fleuve contre la pierre et les grincements
des cordes des bateaux.

Julien apparaît à côté de moi.

— Alors, dit-il. Ta sœur – ma tante – était dans un camp de concentration en Allemagne parce qu'elle avait participé à la création d'un itinéraire d'évasion pour sauver les aviateurs échoués au sol, et cet itinéraire impliquait qu'elle traverse les Pyrénées à pied ?

C'est aussi héroïque que ses mots le font paraître.

— Pourquoi n'ai-je jamais rien entendu à ce sujet – et pas seulement de toi ? Sophie ne m'en a jamais dit un mot. Bon sang, je ne savais même pas que des gens s'étaient enfuis en traversant les montagnes, ni qu'il y avait eu un camp de concentration réservé aux femmes qui avaient résisté aux nazis.

— Les hommes racontent des histoires, dis-je, et c'est la réponse la plus vraie et la plus simple à sa question. Les femmes continuent d'avancer. Pour nous, ça a été une guerre de l'ombre. Il n'y a pas eu de parade pour nous quand ça s'est fini, ni de médailles ou de mentions dans les livres d'histoire. Nous avons fait ce que nous devions pendant la guerre, et quand elle s'est terminée, nous avons recollé les morceaux et recommencé nos vies. Ta sœur avait tout autant que moi envie d'oublier. C'est peut-être une autre erreur de ma part – de l'avoir laissée oublier. Peut-être que nous aurions dû en parler.

— Donc Isabelle était partie sauver des aviateurs, papa était prisonnier de guerre et toi, tu t'es retrouvée seule avec Sophie.

Je sais qu'il me considère déjà différemment et se demande tout ce qu'il ne sait pas.

— Qu'est-ce que tu as fait pendant la guerre, maman ?

— J'ai survécu, dis-je doucement.

À cet aveu, ma fille me manque de manière presque insupportable, car en vérité, *nous* avons survécu. Ensemble. Envers et contre tout.

— Ça n'a pas dû être facile.

— Ça ne l'a pas été.

Cette phrase m'échappe, me surprend.

Et soudain, nous nous regardons, mère et fils. Il m'adresse son regard de chirurgien à qui rien n'échappe – ni mes dernières rides, ni la façon dont mon cœur bat un peu trop vite, ni la pulsation dans le creux de ma gorge.

Il me touche la joue avec un doux sourire. Mon garçon.

— Tu penses que le passé pourrait changer mes sentiments pour toi ? Vraiment, maman ?

— Madame Mauriac ?

Je suis contente de cette interruption. C'est une question à laquelle je ne veux pas répondre.

Je me retourne et me trouve face à un bel homme qui attend pour me parler. Il est américain, même si cela ne saute pas aux yeux. New-Yorkais, peut-être, avec ses cheveux grisonnants coupés ras et ses lunettes branchées. Il porte un blazer noir ajusté et une chemise blanche de qualité, ainsi qu'un jean délavé. Je fais un pas vers lui, lui tends la main. Il fait la même chose en même temps, nos regards se rencontrent et je fais un faux pas. Ce n'est que ça, un faux pas parmi les nombreux que je fais à mon âge, mais Julien est là pour me rattraper.

— Maman ?

Je dévisage l'homme qui se trouve devant moi. Je distingue en lui le garçon que j'ai tant aimé et la femme qui était ma meilleure amie.

— Ariel de Champlain, dis-je, et son nom est un murmure, une prière.

Il me prend dans ses bras, me serre fort et les souvenirs reviennent. Quand nous nous séparons enfin, nous pleurons tous les deux.

— Je ne vous ai jamais oubliées, Sophie et vous, dit-il. On m'a demandé de le faire, et j'ai essayé, mais je n'y suis pas arrivé. Je vous ai cherchées pendant des années, toutes les deux.

Je sens à nouveau cet étranglement dans mon cœur.

— Sophie nous a quittés il y a quinze ans.

Ari détourne les yeux. Puis, doucement, il dit :

— J'ai dormi avec sa peluche pendant des années.

— Bébé, dis-je en me souvenant.

Ari plonge la main dans sa poche et en sort une photo encadrée de Rachel et moi.

— Ma mère m'a donné ça quand j'ai eu mon diplôme.

Je regarde la photo à travers mes larmes.

— Sophie et vous m'avez sauvé la vie, dit Ari d'un ton neutre.

J'entends Julien retenir sa respiration et je sais ce que cela signifie. Il a des questions.

— Ari est le fils de ma meilleure amie, dis-je. Quand Rachel a été déportée à Auschwitz, je l'ai caché chez nous, même si un nazi cantonnait à la maison. C'était assez… effrayant.

— Votre mère est modeste, corrige Ari. Elle a sauvé dix-neuf enfants juifs pendant la guerre.

Je lis l'incrédulité de mon fils dans son regard et cela me fait sourire. Nos enfants nous voient de manière si imparfaite.

— Je suis une Rossignol, dis-je. Comme ma sœur, à ma façon.

— Une survivante, ajoute Ari.

— Est-ce que papa l'a su ? demande Julien.

— Ton père…

Je marque une pause, prends une profonde inspiration. *Ton père*. Et voilà, le secret qui m'a forcée à tout lui cacher.

J'ai passé une vie entière à le fuir, à essayer de l'oublier, mais je me rends compte maintenant que c'était peine perdue.

Antoine a été le père de Julien par tous les aspects qui importaient. Ce n'est pas la biologie qui détermine la paternité. C'est l'amour.

Je lui touche la joue et le regarde dans les yeux.

— Tu m'as ramenée à la vie, Julien. Quand je t'ai eu dans mes bras, après toutes ces atrocités, j'ai pu respirer à nouveau. J'ai pu aimer ton père à nouveau.

Je n'avais jamais pris conscience de cette vérité auparavant. Julien m'a ramenée à la vie. Sa naissance a été un miracle en plein désespoir. Il a permis à Antoine, Sophie et moi de redevenir une famille. Je lui ai donné le prénom du père que j'ai appris à aimer trop tard, une fois qu'il était parti. Sophie est devenue la grande sœur qu'elle avait toujours voulu être.

Je vais enfin raconter ma vie à mon fils. Raviver ces souvenirs va me causer de la peine, mais aussi me procurer de la joie.

— Tu vas tout me raconter ?

— Presque tout, dis-je en souriant. Une Française doit avoir ses secrets.

Et ce sera le cas… Je vais garder un secret.

Je souris à mes deux garçons qui auraient dû m'anéantir, mais m'ont en fait sauvée, chacun à sa manière. Grâce à eux, je sais maintenant ce qui importe, et ce n'est pas ce que j'ai perdu. Ce sont mes souvenirs. Les blessures cicatrisent. L'amour perdure.

Nous demeurons.

Contents

Dear Reader,

I have really enjoyed writing the Chance, Texas series. I've had so much fun creating characters that seem like a few of the people I met while living in Texas. I *heart* Texans! Thanks also to many of you for writing to say you have loved reading these stories.

Just a little background on the Chance family: after finishing high school, the youngest Chance brother, Colt, decides he hates living on the family ranch. He leaves, becoming a federal attorney, and vows to stay away from Chance, Texas, and the Bar-C ranch for good. But there are still a few mysteries for Colt to solve in Chance. Eventually, he's driven to find out who really murdered his mother and framed his father. He also wants to know why his high school sweetheart left him without a word of goodbye.

And finally there is one last puzzle for the Chance family to solve. What happened to the kidnapped baby sister they'd named Cami and lost when she was only four?

Last Chance Reunion is organized a little differently than the other books. I wanted to share these last two stories of Colt and Cami together, so I put them both in one book.

Enjoy your reading!

Linda

Texas Cold Case

To Patience Bloom, a terrific editor.
Thanks for believing in these stories and thanks
for all that you do!

Chapter 1

Could that be her? Naw. Too much of a coincidence.

Junior justice department attorney Colt Chance stepped out of hiding and into a patch of bright sunlight filtering down onto filthy sidewalks. He squinted, turning his gaze in her direction. The young woman was walking down the other side of the street in the middle of a crowd and he needed a better look.

Just yesterday his brother had faxed a computerized, age-enhanced photo of their little sister, Cami, gone since the age of four. And the woman he'd just seen seemed a perfect match to that photo. She'd stood out in the middle of the group of Mexican-Americans who had appeared to be traveling together down the busy barrio sidewalk. Her lighter skin color and more updated clothing made him take notice.

Forgetting for the moment that he was supposed to be in the middle of a three-agency government sting, he

chased the moving tangle of people down the block—
though his orders had been to stay put.

His family had searched for any sign of their kidnapped baby sister in the Southern California area for
the past twenty-odd years. And if this could possibly
be her, Colt refused to miss his opportunity to find out.

Not that he had seen that much of the rest of his family in too many years to count. But he still cared about
them and stayed in contact. His ugly hometown memories were what had kept him away from any reunions.
He hated the tiny town of Chance, Texas, and the Bar-C
Ranch, and he despised everything they reminded him
of and stood for.

But getting a lead on Cami might go a long way toward easing the many mysteries still lingering in his
mind about his childhood.

He dashed down the street, heedless of the very real
confrontation about to take place. At that moment Man-
uel Villegro, the federal prosecutor that the justice department secretly had been keeping under surveillance
for many months now, pulled his Hummer up to the
alley entrance and stopped right next to their informant.
Colt's unit had designed this sting to gather evidence
proving Villegro had been taking bribes—and it was
going down now.

Paying little attention, Colt turned the corner, trying
to keep one eye on the crowd ahead and one eye on the
action behind him. But when he looked up, the group
of people he'd been chasing had evaporated. The barrio's streets were suddenly deserted.

Hesitating where he stood and wondering what had
changed, he spotted two pickups loaded with men moving ominously in his direction. He got a better look,
taking note that the men appeared dangerous and car-

ried long-barreled guns. He figured they must belong
to the international arms cartel that had been allegedly
bribing Villegro.

Realizing a little late that the inter-agency's sting
had probably become a double cross, Colt turned on
his heels and started running back toward the other
members of his team who'd been waiting in the shadows. The pickups' engines gunned right behind him.

He wouldn't make it back in time.

"Abort the operation," he shouted as he ran and
waved his arms above his head. "Get off the street now.
Move. Move."

He never heard the first sound of gunfire when the
bullets struck him in the back. But pain became his entire focus as he tried to take a few more steps.

The next thing he knew rounds from illegal weapons
started echoing off buildings everywhere and the stench
of gunpowder irritated his nostrils. A smoky haze settled over the entire scene, making it tough to see who
was who. Several bullets found their marks then and
took him to his knees.

Damn. He'd screwed up. Lost his chance.

His last thought, before everything went black, was
now he might never find out what had happened to his
baby sister.

Colt woke up from the nightmare soaked in sweat
and breathing hard. The same way he came awake every
time he'd suffered through that damned old dream.

"You okay, little brother?" Sam, his eldest brother,
leaned over him, a look of deep concern spreading
across his face.

God, how he hated this. Hated being thought of as an

invalid. Hated being forced to come back to his home-town—to the Bar-C Ranch.

The early-morning sun beat down against the wooden porch where he sat, giving everything a false golden hue.

"Just great." Colt couldn't avoid a grimace as he slowly straightened up in the rocker and then came to his unsteady feet beside his eldest brother.

"That same nightmare again?"

"Yeah," he admitted. Only it wasn't a nightmare. He'd lived through every second of that whole nasty scenario six long months ago.

"You sleep in that chair all night?" Sam studied him with serious intent. "Something the matter with the perfectly good king-size bed inside this old mobile home? Travis and I worked our butts off stuffing the danged thing into the place and setting it up alongside Mama's old office furniture."

"I haven't been sitting in the chair for long," he answered reluctantly. "And there's nothing wrong with the bed. I woke up early, came out for air and fell asleep again waiting for sunrise." Only a slight exaggeration. He'd been out here on the porch since 3:00 a.m.

Sam gingerly sat on the porch's top step and gazed at the sunrise. "We're worried about you. Living out here on the range in this temporary mobile Mama used to use as an office is crazy. And you're not entirely healed yet—only one month out of the rehab hospital. It's not right."

"Grace sent you." It wasn't a question. Colt knew who worried the most in his brother's family.

Sam huffed under his breath. "I'm every bit as worried as my wife is. Maybe more. I know how it feels to be suspended from your job.

"What the hell are you doing, Colt? Why not work harder at getting well so you can go back and fight for your job?"

"I'm not sure I want my job back." Well, damn. That was the first time he'd admitted such a thing out loud.

He knew their conversation was far from over, so he folded up his tall frame and sat next to Sam. Figuring his admission would trigger an interrogation, he rested his elbows on his knees and waited.

It didn't take his eldest brother long. "No? Then what do you want?"

May as well say it. "Answers. I want to know what happened to Cami. And I intend to find out who really killed Mama." There was one more thing he'd like answers about, too. But Colt wasn't quite ready to admit that one yet.

"Well, yeah." Sam turned his head, staring at him with another thousand questions in his eyes. "The rest of us want those kinds of answers, too. Gage perpetually searches the internet for any word on Cami. And I've combed that barrio where you think you spotted her every time Grace and I take the kids out to Southern California to visit her grandmother. We all want the same things, so what's different now?"

"*Now* is different because I intend to prove that our father did not kill our mother. Once and for all, I want to clear his name."

Sam's lips tipped up at the edges like he was about to smile, but he stayed sober and thoughtful enough to say, "Man, that's a real cold case. Almost twenty years ago. Going to be tough tracking down any new evidence."

Thank goodness Sam refrained from mentioning the fact that Colt was not the most skillfully trained investigator in the family. But if desire and heart counted

for anything, Colt would get the job done where others may have failed.

"You don't believe Daddy did it, do you?"

Sam rubbed at his chin for a moment. "Naw. I don't guess any of us thinks that. But do you have any other suspects in mind?"

Colt knew what his brother was asking. Nearly twenty years ago the Chance County sheriff had rushed through their mother's murder investigation, convicted their father and sent him off to die in prison. And every one of the Chance boys had wondered about his true motives then—and now.

"Austin McCord still sheriff in this county?" he asked by way of answering Sam's question.

"Yeah, he is. Just older. And even pricklier, if that's possible. Gonna be tough getting any information from him."

"Don't think I'll be asking *him* for info anytime soon." Colt intended to begin in a much more indirect way rather than by head-on assault. "There're plenty of people from back in those days still living in Chance that I can interview, aren't there?"

"Some. But you'll still need to see the old files, if any of them still exist. It'll be important to take a look at the forensics done at the time and to read the sheriff's interviews. Time dims memories. Eventually you'll have to go through the sheriff to look at whatever he kept."

The idea actually brought a smile to Colt's lips. "Eventually. Maybe. In the meantime, I have a few ideas on how to get information that don't include asking."

Sam got to his feet and drilled him with a steely stare. "None of Chance County's files from that long ago were ever put on computer. So I'm guessing I don't want to know what else you have in mind, do I?"

"Probably not, big brother." Colt stood, too, and even managed a half smile. "So, tell Grace I'm just fine. I'm healing nicely and plenty happy about not having anyone around to bug me."

"I'll tell her. But look, we're actually flying to California with the kids tomorrow and staying with Grace's grandmother for a couple of weeks. Why don't you move to our house while we're gone?"

Sam and Grace and their two little ones were living in the old Chance homestead, where the family had been raised. And where their mother had died. They'd remodeled the old place some, but as far as Colt was concerned the ghosts remained.

"I don't think…"

"Tell you what, I'll leave you my key and the security code. You'll be a heck of a lot more comfortable at the house than you are here. And the hands will be available to cook and clean. No one will bother you. I promise."

When Colt remained unconvinced and let it show, Sam added, "I haven't had time to go through all of Mama and Daddy's papers since we moved in. Daddy's old combination library and office is still just like he left it. Maybe you can find something to help in your investigation there."

Sam screwed up his mouth and then went on, "And everything you find in our house will be obtained legally."

Colt held in the grin and nodded. "Maybe."

But meanwhile he intended to work his own version of an investigation. Doing it legally was the least of his worries.

Deputy Lacie McCord stretched and yawned as she left the Chance County sheriff's station for the night,

heading out across the nearly empty parking lot toward her car. She'd just pulled a double shift, thanks to the Yardley boy who'd started a fire in his neighbor's barn. And she was filthy and exhausted.

She didn't really mind doing the extra duty. The sheriff's staff and volunteer fire department both being short-handed was the reason she'd managed to snag this position in the first place. Her stepfather, the sheriff, would never have hired her had he not been desperate. The two of them hadn't spoken since the day she'd fled town right after high school. Not until she'd applied for the job.

He didn't hide the fact that he'd never much cared for her, and the feeling was mutual. But hating her stepfather with a passion that bordered on obsession hadn't stopped her from wanting to work for him.

Too many questions remained unanswered in Lacie's mind to stay away from Chance forever. And when her mother was committed to a nursing home after a diagnosis of Alzheimer's and the deputy's job happened to come up at the same time, she'd finally accepted that the only way to live a full life would be to return home and find her answers.

Settling into her ancient Subaru and belting in, she turned up her nose at the way the interior smelled. Like barbecue brisket and garden mulch. Not such a pleasant scent, but there wasn't much she could do about it.

Next to her car, the sheriff's department pickup she'd used on patrol today sat parked and locked for the night. It was a strong temptation to change over to the better-smelling county-owned vehicle for the ride home. Chance County only employed four deputies and three part-time dispatchers, and all of them but her drove county vehicles to and from work.

But to her mind, it just didn't seem right for the sheriff's stepdaughter to drive a county car for personal use. What would the townspeople think?

If she had to work for the bastard, which it seemed at least temporarily she did, no one would have a reason to complain about nepotism. Not if she had something to say about it.

She cranked the key while staring out the bug-ridden windshield toward the long, low brick building housing the sheriff's department. When she'd come back to town to take the deputy's job, she'd learned the "new" building had been erected five years ago. Constructed courtesy of Travis Chance, the head of the Bar-C and owner of much of the land in Chance County. His donation, in addition to a massive fundraiser the town had put together, gave them enough money to modernize the whole sheriff's department.

Computers and air-conditioning and brand-new patrol trucks. Chance County had updated their sheriff's office as if it were a department as large as one in the city of Houston. She knew about one of those, as she'd been employed there for the past few years before coming here.

Her Subaru wheezed, hesitated and finally rumbled to life. But still she sat and stared. Something seemed off.

Only Louanna, the part-time dispatcher, should be in the building at this hour. Yet a light had just gone out in one of the storage rooms in back. If it was Louanna moving around back there, that would mean she wasn't doing her duty at the front desk. Didn't sound like the woman.

Lacie tried to focus on the outside perimeter of the building, though deep pitch-darkness everywhere but

at the front kept her from seeing too clearly. Was that something, or someone, moving through the shadows in back?

On pure instinct, her right hand went to the gun at her hip. Now she felt sure something was wrong.

Leaving her car running in Neutral, she quietly stepped out and headed across the parking lot toward the rear of the building. If this was an employee coming back to retrieve something they'd left at work, she would apologize and feel foolish.

But if this were someone breaking in…

Breaking into the sheriff's offices? Who would be stupid enough or drunk enough to do anything like that? And why?

Adjusting her eyes to the low light coming from the stars and half-moon, Lacie bent at the waist to make herself a smaller target and started through the sage and brush surrounding the building. She heard a slight rustling, and then footsteps against the hard, packed ground. Finally she saw the silhouette of a man, creeping along the edge of the building.

"Hey, what are you doing?" Guess the perpetrator took that as a rhetorical question, because he took off running as if he'd been shot.

Ah, hell. After a day of physical strain doing her job, now she was forced to chase down an intruder?

From what she could see, he was a big guy. But with a lean build. Just her luck, he'd probably be a runner.

"Stop!" Another seemingly useless statement, as he never slowed down. So she set off to catch him across the darkened fields.

Praying to be spared the ankle sprain that could come from accidently stepping into a prairie-dog hole in the dark, she ran full-out. She pumped air into her lungs

as a cool night breeze stirred her hair. She pounded across the arid soil.

Soon she was gaining ground on him. But catching up this fast seemed rather odd considering the differences in height and stride. As she closed in, she realized the man had a decided limp to his gait. Thank heaven, or she might have had to face a lot of ribbing from the male deputies when she came up empty-handed.

When she looked up, the guy had disappeared in the darkness. What the heck was he up to?

Just then, she lost her footing and stumbled down an embankment that had appeared out of nowhere. The surprise brought a high-pitched squeal from her mouth and a certainty that her man would be long gone by the time she stopped.

Swallowing her frustration, she tried digging in her heels to stem the fall—without much luck. Then suddenly her forward momentum stopped abruptly. She'd run right into a broad chest and muscled arms.

"Whoa," a deep voice said out of the night. Was this the same guy she'd been chasing?

Whoever her savior was, he grabbed her upper arms and held her close to stop her from sliding farther down the embankment. "Are you all right?"

In seconds she had her body under control and found purchase in the slippery dust. She pushed back from him, checked the weapon in her holster and then went for the flashlight attached to her belt.

Who was this character? "I'm uninjured," she mumbled. "I'm the sheriff's deputy. Identify yourself. Now."

"Sheriff's deputy?" The deep voice sounded vaguely familiar, like something out of a dream.

She clicked on the light and shined it up into his face.

Gasping at the sight of him, she then found her voice had deserted her.

When she forced enough air back into her lungs to speak, she squeaked, "Colt? Colt Chance, is that you?"

Colt's voice, the warm, strong voice she'd sworn to always remember, sounded unsure. "Lacie? It can't be. Did you say *sheriff's deputy?*"

His question brought her mind back in focus as she reached for her weapon. "Yes. And you have a lot of questions to answer. You are under arrest."

Chapter 2

Colt slowly raised his hands above his head. "Whatever you say, Lace."

But he couldn't keep the smile off his face as she pointed her big ole six-shooter in his direction. Of all the people to run into after breaking into the sheriff's office. The only non–family member in Chance, Texas, that he'd ever cared about, Lacie McCord was the last person he'd expected to see.

When he'd heard her yelling and realized his pursuer was a woman, he'd dropped into this dry resaca to hide. But when she'd come tumbling after him, he'd had no choice but to stop her fall. Now he was glad he had.

"Stop grinning, Chance. This is not funny." But she lowered her gun barrel. "Are you armed?"

"No, ma'am." The easy grin kept creeping across his face no matter what he did. "I'm not crazy about guns."

"Hmm. Just keep your hands where I can see them for the time being."

"Sure thing, Lace."

She cleared her throat but kept her distance. "What are you doing here at this hour? I didn't even know you were back in town."

Lacie McCord. One of the biggest mysteries of his entire life. Hell. Every cell in his body yearned to drag her close and put an end to the distance all their lost years had created between them. When his eyes finally got used to the low night light and he could see her better, he found himself braced against a dry north wind, utterly speechless and staring.

They'd been close once. At least he'd thought so. The best friend he'd had in high school. But right before graduation he had decided to make them more than friends—to take their relationship to another level. He'd kissed her—a lot. As he recalled, both of them had liked where their new status was headed.

But before he'd had a chance to suggest more, she'd disappeared. Up and left town without a word. He'd always wondered if it had been something he'd done—or not done.

Tonight's dark and moonless sky made it difficult to see her expression. To judge her thoughts. But it was not so dark that he couldn't see how her body had turned out after ten years. Even in the stiff long-sleeved uniform shirt and heavy khaki pants, it was clear she'd filled out nicely.

The womanly curves that had been only hinted at as a teenager were now vividly apparent. He had dreamed of her, what she might look like all grown up. So her curvy female form didn't feel like much of a surprise. He'd known in his gut she would turn out to be a beautiful woman.

But that she stood there in a deputy's uniform and

holding a gun on him was another matter. The sight of
her uniform, knowing she was working for her stepfather, triggered a cold shudder inside him. The questions
he'd always had about her disappearance were suddenly
magnified by brand-new questions.

He cleared his throat and straightened up. "I've been
in Chance for about a month. Came home to heal."

"I noticed the limp—*when you were running the
other direction.* What happened to you?"

"It's a long story. But the injuries have put my career
on hold, so…I decided to find out what's new in Chance,
Texas." He took a breath, giving himself a moment to
get his head back in the game.

Lacie—in league with Sheriff McCord? That came
as a bigger shock than discovering she'd become a deputy sheriff. His first impulse upon seeing her had been
to skip all the questions and to jump ahead and ask for
her help. But maybe that idea would need some revision.

The brisk late-winter winds whirled dust and dirt
around them. "Could we take this reunion somewhere
else?" He forced another half smile, trying to make her
feel more at ease.

It seemed to work.

She holstered her gun. "Back to the office. We can
talk there and you can convince me not to throw you
in a cell for trespassing."

Lacie tried to calm her hammering pulse as she es-
corted Colt across the empty fields to the parking lot.
She shut off her car and gave him a light frisking backed
up against it. Touching him had been hard…difficult.
No, *hard* was the perfect word to describe coming into
contact with his body during the pat down. She did everything in her power to do the job right. Though really,

it never occurred to her that he might be lying about having a weapon.

Colt had been her dearest friend and her only regret once upon a time. He never lied about anything. But she needed to maintain her professionalism here. Being a good cop was all she had to fall back on.

She let him lead the way to the sheriff's office across the deserted parking lot. The beam coming from the flashlight she carried winked up and down, catching weeds and then sky while she fought to stem her trembling hands.

Her shakes and breathless condition came from encountering the one person who'd meant the most to her in this small town. Her savior. Her hero. The boy who, at the age of ten, had taken the new girl in town under his wing and protected her from the bullies who'd been dying to get the best of the sheriff's stepdaughter. Much later, Colt had even tried to take on her stepfather all by himself. Standing up to him and always getting in his face.

He'd taken the pressure off her at a time when she'd needed it the most. And she'd idolized him for it.

All these years later, she didn't know how to remain steady and outwardly in control while in his presence.

Colt didn't appear to take notice. Or if he did, he never said a word. He looked calm and collected. Not much different from the boy she'd left behind ten years ago. As a teen, he'd been sure of who he was and what he wanted. Then as now, he'd always seemed so cool.

And still the handsomest male she'd ever laid eyes on. Broad shoulders. Trim hips above a mighty fine, tight butt covered in denim. The nights of her senior year came to mind as she remembered how his lips had

sent chills down her spine with her first real kiss. She'd never forgotten.

Stumbling slightly, she came to the conclusion that she'd better stop ogling the man before breaking her neck and embarrassing herself beyond hope.

She touched the radio control at her shoulder. "Louanna? I'm coming inside. Bringing a man with me. Buzz us in, please."

"Sure thing, Lacie. Are you okay?" The dispatcher answered with many more questions brimming over in her voice.

Lacie wavered, wishing she had someplace else to question Colt. But it was well past midnight in a town that buttoned up at 10:00 p.m.

Luckily, Louanna knew the value of keeping her mouth shut and staying out of other people's business. The middle-aged woman made a terrific night dispatcher because she only asked the questions she was paid to ask. Still, Lacie would have to come up with a good reason for bringing Colt into the station at this late hour.

The front and back doors were kept locked and alarmed after hours. As Louanna buzzed them inside the front, Lacie thought about seeing that light wink off inside the back room right before she spotted Colt. He did have some explaining to do.

Instead of introducing Colt to the dispatcher, Lacie said, "I spotted this man on foot outside and I thought we'd have us a chat. We'll use the break room. Is there any coffee?"

"Just made some." Louanna squinted up at Colt's face. "Do you know him? He looks like one of the Chance family. You're related to the Bar-C Chances, aren't you, son?"

Before Lacie could stop him, Colt nodded and took off his Stetson.

"We won't be too long, Louanna," Lacie hurriedly mumbled. Grabbing Colt by the elbow, she dragged him down the hall, turning on lights as she went.

"You need me to notify the sheriff?" Louanna called after them.

"No need to wake anyone. But thanks. This is not a big deal."

Once inside the break room with the door firmly shut behind them, Lacie took a deep breath and tilted her head toward the small table and chairs. "Sit down. Want coffee?"

"Nope." Colt propped his hat on the back of a chair and tucked his tall lean frame into another one. "You always offer coffee to suspects?"

"You are *not* a suspect." She poured herself a mug and sat across the plastic tabletop from him. "Well, on second thought, you do need to explain yourself. What were you doing hanging around outside the sheriff's offices in the middle of the night?"

Under the harsh break room fluorescents, Colt's features were razor-edged, more adult than the teenager she remembered. But his stormy blue eyes were still as clear and intense as when she'd left town. He studied her with a piercing gaze. It made her squirm, wondering what he was thinking.

Straightening her shoulders to give herself a lift, she tried to regain control. But soon she found herself thinking that the creases at the edges of his eyes and the darker stubble on his jaw made him much more interesting and appealing than he'd been as a kid.

Stop, she cautioned herself. She needed to stop noticing now.

He didn't answer her directly, but linked his fingers together on the tabletop, stared down at them and asked his own questions without looking up. "How long have you been back in town, Lace? And what made you become a deputy?"

"You're answering a question with more questions. That doesn't bode well for this conversation."

"Is that what we're having? You sure this is a conversation and not an interrogation?"

Sighing, she rolled her eyes and prayed for patience. "All right. Fine. We'll get reacquainted first."

After gulping down a slug of hot coffee to give herself a jolt of backbone, she gave in and answered his questions. "I've been back in Chance for about six months. And being a deputy is something I've wanted for a long time. I spent a couple of years as a rookie on the force in Harris County and then came here when the sheriff advertised for help."

"Houston. You came back to this half-baked town from the big city? Why?"

She held her tongue and stared at him. Oh, how she would love to tell him everything. To go back to being close, the way they used to be. But though he'd once taught her the meaning of justice, she hadn't told him everything then, and she wasn't about to spill her heart to him now. Not when she didn't even know who he was anymore.

"I finally realized I liked living here," she answered truthfully. "I spent most of my childhood in this town and missed it."

"Seriously? You like Chance, Texas? Why?"

The complete truth was that she'd missed *him*. She'd been more than a little disappointed after arriving in

Chance to find out he'd been gone from town almost as long as she had.

"It's a nice place," she finally answered. "Small enough that everybody knows everybody else. Puts me at ease. The town is laid-back and friendly." Well, almost everyone was friendly, with the one big exception of her boss and stepfather. But she didn't want to talk about him right now.

"You can have the whole damned place," Colt said with a shake of his head. "I've always hated it here. I can talk on the phone and over the internet to my brothers anytime from anywhere. I never would've come back to this dump if it weren't for my current condition."

Without being completely aware of what she was doing, Lacie reached out and gently touched his folded hands. "Tell me what happened. How were you injured?"

Well, hell. Why not tell her? It wasn't as if it was any big secret. Besides, Colt figured he wouldn't get her talking if he didn't also open up.

He needed her help. Without it, he would never get the information he needed. That had become abundantly clear when he couldn't access the locked file drawers earlier. But he was worried about her shift in loyalties. When they'd been kids, she couldn't stand the man that was her stepfather. She'd never talked much about him, but the hatred always seemed clear in her voice.

Colt hadn't been prepared to see her again and everything about her shocked him. He also hadn't been ready for the sizzle he'd been experiencing in her touch.

Carefully, he eased his hands back and let his gaze drift from her eyes to the base of her neck and the pulse beating overtime there. Before he could wonder why

she seemed so out of breath, his glance slid down to her heaving chest and he got caught by the sight of her full rounded breasts. A shot of pure lust rode through him, leaving him breathless, too.

Tearing his eyes away, he opened his mouth and blurted the first thing that came out. "I screwed up. I'd spent months gathering evidence to present to a grand jury in order to indict a federal prosecutor. And instead of nailing down the bastard with the last bit of evidence needed, I ended up blowing the whole sting and getting myself shot up but good in the process."

"What happened?"

Releasing a breath he hadn't thought he'd been holding, he said, "Do you remember that our family lost a baby sister? That she was kidnapped as a four-year-old by our crazy, drug-addicted aunt?"

"Yes, of course. We talked about it back when...we knew each other. The FBI found your aunt dead of an overdose, as I remember. What does that have to do with...?"

He held up a palm and went on. "Well, my brothers and I will never give up looking for our sister. The trouble started when I thought I spotted a woman who looked just like Cami might've looked today."

The rest was an embarrassing thing to have to admit, but he hoped it would give Lacie reason to trust him enough to open up. "I let my attention lapse for just long enough to get me shot in the back. And to ruin the whole frigging sting we'd set up. Worse yet, my loss of focus led to the death of another federal agent that I'd talked into helping with the sting."

"Oh." Her eyes drifted down to her coffee mug. "I'm sorry," she whispered.

"Me, too. It's been six months and I'm still work-

ing the physical-therapy exercises, trying to beat the doctors' predictions and bring my body back to full strength." But his guilt might never be conquered.

"Are you staying with one of your brothers?"

He was glad for the change in the conversation; her sympathetic expression suddenly gave him hope. He caught the first real hint that he was talking to the same girl he used to know—just all grown up.

"No. I'm living alone in my mother's old office trailer on the Bar-C. Remember?"

She nodded and her eyes went all gooey, lost in a shared memory of their last kisses. But he still couldn't accept that the same girl he'd been infatuated with was now working for the same man she'd hated only ten years ago.

This beating around the bush, being careful of every word he said until he felt completely sure of her loyalties, was not his style. "Why are you working for your stepfather?" His usual style tended to be blunter.

Her eyes widened and she scooted her chair back. "You still haven't told me why you were sneaking around the sheriff's offices late at night."

Mexican standoff. Neither of them was willing to completely trust the other. At least not yet.

"It's still late." He softened his voice and tried to let his eyes telegraph his trustworthiness. "And getting later. Will you trust me enough to finish this interview tomorrow? I promise not to leave town."

Lacie stood and paced to the door. "Maybe. Promise me you won't sneak back here until we talk again?"

"Definitely."

"I'll drive out to your mother's trailer right after daybreak. Will that do?"

Colt didn't figure he would get much sleep anyhow. "That'll be fine." He stood and limped toward her.

When he got close enough, he took her hand in his. "I'm really glad to see you again, Lace. I've missed you."

Her eyes went dreamy again and her upper body leaned toward his. "I...uh..."

He caught himself leaning, too, and drawing in the same scent of gardenias about her that he remembered so well from all those years ago. His mind went blank.

Lacie blinked once then pulled her hand away and straightened her spine. Lifting her chin to look up at him, she said, "Don't say anything on the way out. Just keep your mouth closed. I don't want Louanna wondering if anything is amiss."

"Why?"

She bunched up her mouth and narrowed her eyes. "You've done nothing wrong so far. Don't make me regret not throwing you in a cell and asking questions later."

"No, ma'am." But he thought that all in all, he'd been getting the right kind of vibes from her.

Tomorrow morning would tell the tale. And just maybe he would end up with a new partner in his investigations—and give them both a finish to old business he'd left half done all those years ago.

Chapter 3

Lacie drove along the caliche road that crossed the range on the Bar-C through a dusky pink sunrise. She hadn't come this way in over ten years but still could've negotiated the route blindfolded.

She would never forget those days gone by, afternoons spent with the boy who'd held her heart in his hands. Back then he'd been both a dream and a brilliant reality all wrapped into one. More important than being a rich and sexy cowboy, every teenage girl's wish come true, he was the very first person who'd ever cared about what she thought and who she was inside.

This morning, negotiating her beat-up hatchback over cattle guards, a dry wash and past horses grazing in their pasture, she let her mind drift back. Back to those terrible teen years when the world had seemed determined to make her life miserable and every day looked darker and bleaker than the one before. It seemed

everyone and everything had been set against her then, save for one bright and shining star. One person who kept her sane and alive through it all.

Colt Chance.

Last night she thought she'd been seeing ghosts when he appeared out of the darkness. But as she'd touched him and felt that same old sizzle, it'd been clear she wasn't dreaming. Her past came back with a resounding thud, reminding her of the many questions that still had no answers.

It seemed Colt had his share of unanswered questions, as well. Last night his eyes had filled with curiosity every time his gaze turned in her direction. And she had noticed that he'd asked a lot more questions than he'd answered.

When his mother's old office mobile home came into view under a stand of winter-whipped cottonwoods, Lacie thought of what she'd learned after spending a couple of hours on the internet last night. The first thing she'd looked for was evidence of Colt having a wife—either current or past. Nothing came up except pictures of him attending society events with various debutantes. Never the same one twice.

She'd also discovered that Colt had become a big-shot lawyer working for the justice department. Not so much of a surprise, as she'd always known he was smart. A "boy wonder," some news article from a DC paper had called him. No doubt that was why he'd considered himself entitled to ask all the questions. Asking questions had been what he'd done for a living before his department's sting went so horribly wrong.

But being a sheriff's deputy gave her the right to a few questions of her own. In fact, in Chance County, her questions took priority.

Streaks of reddish-gold shot above the horizon and across the prairie as she pulled up next to a pickup she recognized from last night as being Colt's. Instead of just watching him walk away after they'd left the sheriff's office, she'd volunteered to drive him the half mile down the highway to the truck he'd hidden behind a couple of dried-up mesquite trees and a boulder. Obviously he hadn't wanted anyone to spot him coming and going. But she still didn't know why.

He had a lot to answer for this morning.

After turning off her car, she hopped out and headed for his door. But as she put one foot on the first step of the front porch, a noise originating in the side yard caught her attention. Something—or someone—had to be back there.

Out this far from civilization it could be anything. A coyote. A giant coon. Or maybe Colt had a pet dog. But she wanted to double-check before she went inside. Just to be on the safe side.

Carefully rounding the corner with her hand resting on her weapon, Lacie felt her heart skip a beat when she discovered what was there. Before her stunned eyes stood Colt, naked to the waist, straddling a bench and working out with a barbell. Earplugs, probably connected to music, had kept Colt from hearing her or her car's approach.

Thinking she'd be unobserved, she let her gaze roam freely down his sweat-glistened chest to the dark hair that arrowed past his waistband and disappeared beyond his jeans. Heat flooded through her veins, bringing dampness between her breasts and at the apex of her thighs.

She wasn't a naive young girl. She'd seen plenty of men working out, with and without their shirts, and

never thought a thing of it. But the sight of Colt using his chest and shoulder muscles, bunching and rolling, left her stupefied and panting like some preteen girl.

He looked up just then and his gaze arrowed straight to her face. His eyes met hers and darkened as though he'd known exactly what she'd been thinking. He set the weight down, pulled the earplugs free and lifted his chin.

Her pulse began to race. "I…uh…" She knew her face had gone beet-red, but she couldn't put a coherent thought together.

"Morning. You're very punctual." He grabbed a sweatshirt off the bench. "Go on inside. Coffee's hot. I'll be there in a sec."

She turned tail and hustled into his kitchen, grasping for both air and calm. What was her problem? An old boyfriend, accent on the *old,* should not shake her up this way.

By the time Colt arrived and pulled a bottle of water from the fridge, Lacie more or less had her nerves under control. She'd come here to find out what was going on with him and why he'd been sneaking around the sheriff's office. Not to start up anything between them.

Colt probably wouldn't be interested in a relationship with her anyway. He'd been living in the big cities, the way he'd always claimed he wanted, and, according to the papers, had plenty of sophisticated girlfriends. Women who knew all about how to please a man.

As he took a long swig from the water bottle, her eyes locked on his mouth and throat. The blast of heat inside her ignited again and branded her as an idiot for a second.

She tore her gaze away and coughed. "You look pretty healthy to me." *What?* That wasn't what she'd

wanted to say. "I mean, it's good you work out. You'll get back to health sooner that way."

Colt set aside the water and took a deep breath. "My upper body never was a problem." He didn't want to talk about this with her. "It's the lower body that may never heal. There was a time when the doctors claimed I would never walk again. Now they say the limp might be the best I can hope to achieve."

Well, hell, he shouldn't have said that much. "I've come this far. I'm not ready to give up yet." Something about her felt so comfortable. So right.

"Good." She moistened her lips and swallowed hard, and his body hardened in response. "We need to talk about last night. You have to tell me what's going on."

Jumping into things without thinking them through was one of his bad habits, and a tough one to break. But this time, his gut told him everything would work out all right. She hadn't changed that much. So, she was a deputy. She hadn't told anyone about last night, had she?

He pulled out a chair and sat down. "My career, the one I screwed up, was as an investigator for the…"

"Justice department. Yes, I know." She sat at the table across from him.

He let a big, sloppy grin cross his face. "Been checking up on me, Deputy?"

"It's my job."

Before she could say anything else, he plowed ahead. "The job made me the inquisitive type. Do you ever wonder about things from our childhood? Things that never seemed quite right back then?"

"Stop doing that." She screwed up her mouth and narrowed her eyes on him. "This is my time to ask questions."

God, she was beautiful. Not classically gorgeous or

sophisticated in her uniform and with a gun on her hip. But he'd always thought she was the most alive and vibrant person he'd ever known. None of that had changed.

"No, really," he said, ignoring her complaint and urging her to answer. "Anything still bothering you about the past?"

"I'm a little curious about a few things." She frowned but added, "That's at least partially the reason why I came back to Chance—to exorcise old ghosts."

The way she said that last sentence made him wonder if *he* counted as one of her ghosts. "Yeah, me, too. The thing that bothers me the most is wondering about what really happened that day when my mother was murdered." He tipped the water bottle to his lips again, but watched for her reaction over the top of the rim.

"I don't remember much about the murder," she murmured quietly. "You and I were only ten at the time. It really made a major difference in your life, though. I do remember that."

"Yeah." Colt stood but had to hang on to the back of the chair to keep his balance. "Losing Mom was hard enough. God, I thought the pain in my heart would never go away. But within days, we'd lost Dad, too, when your stepfather had him arrested for the crime. There were lots of times those first few weeks when I wished I'd died along with Mom."

Shaking out his leg, he felt a familiar twinge. He gritted his teeth and began to pace like a caged animal, determined the pain would not slow him down. "You were the only one I could talk to. Do you remember that?"

"What does any of this have to do with last night?"

Colt reached the sink and spun back around. "Now you're doing it. That was a question not an answer. But

I never believed my father could murder anyone. Especially not my mother. He loved her. I know he did."

Nodding, Lacie seemed to agree. "I remember you saying that back then. All this time and you still think the same? Both your parents are gone now. What difference could it possibly make at this point?"

Limping over to the table, he stood beside her. "I have to know for sure. You can see that, can't you?"

He laid a gentle hand on her shoulder, gazed earnestly into her eyes and pleaded his case. "Help me, Lace. Together you and I can find the truth. I know we can."

"Ah." It hit her then—at last. "You were inside the sheriff's office last night looking for old case files. Your father's murder case." She was shocked. "How in the world did you manage to break in?"

"Uh…I didn't exactly break in."

"But then how—" Amazed she hadn't thought of it sooner, the answer came instantly. "*Louanna.* Our night dispatcher let you in. Why? Did you offer her a bribe?"

He backed up, ran a hand through his shaggy hair and ended up making it messier than ever. "She's a second cousin. My aunt asked her do it for me. Seems everyone in town owes my aunt June for one thing or another."

His expression changed suddenly—darkened. "You won't mention that I told you? And you won't turn her in to your stepfather? Louanna needs her job. I didn't get a chance to find the files before you arrived."

Lacie popped up out of her chair. "I won't do anything to endanger Louanna's job. Besides, nothing was taken or destroyed. Why can't you talk to the sheriff about the old murder case? He was there and participated in the first investigation. He should…"

She lost her train of thought as she remembered finding Colt in tears behind the school one afternoon right after his mother died. Her heart had gone out to him then and there. Come to think of it, she may never have gotten her heart back. Not to this very minute.

But she couldn't let him know that. They were not those same two kids. Far from it.

Colt took her by the elbow. "Can you really picture the sheriff helping me? You know he's never been too crazy about the Chance family." Touching her was making him crazy as the electricity between them zinged through his veins.

"True," she said and suddenly looked uncomfortable. "I do remember my stepfather never liked it when you were hanging around. And he hated when I went to the Bar-C."

She glanced down to where his hand was holding her arm. Trying to pull free, she drew in a breath. "I won't say anything to the sheriff."

At this point he almost didn't care. All he cared about, all he'd ever cared about, was being with her.

But she went on to explain, "I make it a habit not to speak to him unless I'm forced to. We aren't exactly a close-knit family. What would you need me to do?"

Hearing that should have relaxed him. "I knew I could count on you." But there was no relaxing when her eyes grew wide and she licked her bottom lip.

A war was going on inside him. He needed to kiss her more than he needed to breathe. But he didn't want to scare her off. He needed her help.

Sidestepping closer to her, he backed her against the kitchen counter. "Be my partner in the investigation," he murmured against her lips.

Tightening both hands on her shoulders, Colt couldn't

help himself. He pulled her against his chest and leaned in even closer. "Be my *everything*—for now."

He whispered a kiss over her lips. Instead of pulling away, she pressed against him and wrapped her arms around his neck. A dark lust roared in him. And when she moaned, he deepened the kiss.

Shuddering with need, his erection grew hard against her belly. He cupped her bottom with both hands and growled, deep and low in his chest. He couldn't catch his breath. Had stopped thinking minutes ago.

"Wait a moment." Suddenly she lifted her head and pushed at his shoulders.

He was too far gone to understand the change in temperature between them. Dipping his own head, he went back for another taste of those sweet lips.

"Whoa," she said past a raspy voice and stepped out of his reach. "I… I'll help you with your investigation because now I'm curious, too. But as far as—" she waved a hand between them "—anything else…it's a no go. I don't know who you are anymore. And you don't know me. This isn't happening. Not now. Maybe not ever."

Much later that day, while Lacie finished up her paperwork, she found herself still mulling over everything she'd said to Colt. At that moment, kissing him, she'd wanted exactly what he wanted. The need had been racing headlong through every cell in her body. But she'd put a stop to things between them before they went too far. And she knew why.

She'd been scared. Afraid of getting too close. The two of them had changed. Maybe they could be friends again, and work together for answers, but any more than that and her heart wouldn't stand it.

After he healed and did a little investigating, he would be going back to his previous life. He'd always hated the small-town ways of Chance, Texas. His talk about leaving had given her the backbone to leave town herself at the age of eighteen. But she'd tried the big city and found it wasn't for her. She wanted to stay in Chance.

She'd get her questions answered—and now Colt's questions, too—but after that she would be making a permanent home here. Colt would be long gone.

Her shift now over, Lacie filed her forms and stretched her cramped limbs. No one was left in the station but her and Louanna. Deputy Robert Lopez, the man who'd been the sheriff's assistant for as long as she could remember, was in his cruiser, spending his shift making passes through town and waiting for any calls.

This might be a good time for her to do a little digging for Colt. Earlier today she'd asked the day dispatcher where the old case files were stored. Apparently, when the new station had been built, the old files were either destroyed or put in storage boxes and stashed in a closet. They'd all be put on the computer someday—when the county could afford the help. But as of now, they were just catching dust.

Heading down the darkened hall and turning on lights as she went, Lacie wondered what she would find in the Chance murder file. She remembered the day of the murder, though she'd been quite young. But she remembered it vividly because things in her own home had changed forever that day, too.

Flipping on the overhead light in the oversize closet, Lacie glanced around at dozens of cardboard boxes. They didn't seem to be in any order. No wonder Colt

hadn't had the time to find the file last night. It might take weeks to sort through all this stuff.

She'd been at it for almost an hour when she heard a noise behind her back. Jumping up, she swung around, expecting to see Louanna.

"What are you doing, Deputy?" The sheriff's deep voice startled her.

"Oh, nothing, sir." She folded her hands together behind her back and stood at attention to stem her shakes.

"Your shift is over. And I don't remember assigning you or anyone else to a cold case. Why are you in here?"

The sheriff's face had developed soft edges and craggy lines over the years. His eyebrows grew together over his nose to the point where you couldn't tell where one began and the other ended. Lacie remembered a time when he'd been handsome. Her mother's idea of the man of her dreams.

To Lacie, he'd been anything but a dream back then. Today she wasn't sure what he was—beyond being her boss.

"I heard this closet was a mess," she began as the words just spilled out of her mouth. "I thought I'd spend some of my free time straightening out the boxes and making them ready for entering on a computer someday."

"Uh-huh." The sheriff glanced around the room and then let his dark gaze land on her face. "You know I only hired you because of your mother. Why don't you spend your free time going to visit her?"

The nursing home where her mother was a patient was a good two hours away. "She doesn't know me. She doesn't know anyone anymore. Even if she did, I doubt she would want to see me. They take good care of her. You shouldn't worry."

"I know what kind of care my wife receives. I do visit her. That's not the point."

Lacie wondered what the point was. And why the sheriff had chosen tonight to return to the station at this late hour.

"Go home, Deputy." He swung his arm toward the closet door as though waiting for her to leave ahead of him. "I got a call saying lights were on in the station when no one but the dispatcher was supposedly on duty. I didn't hire you to help in the storage closet. There's nothing here of interest. This stuff is ancient history."

She scooted out the door and waited for him to follow. "I was trying to be helpful."

"Just do your job. That's enough." He turned off the lights as they left together. "And go visit your mother."

Giving up, Lacie turned to leave, but her stepfather caught hold of her arm before she went very far. "You heard about that Chance boy being back in town? The one you used to be so crazy about in high school?"

"Yes, I know Colt's living on the Bar-C."

"Well, stay away from him. I didn't like him when he was kid and I doubt he's changed much. According to the record, he lost his job over a major screwup. His mistake. And it wouldn't do your career any good to associate with someone like that."

Her stepfather was checking up on Colt? Weird.

"Do you read me, girl?"

Angry now, and more curious than ever, Lacie pulled her arm free and fisted her hands. "I heard you, Sheriff."

She stormed down the hall and outside to the parking lot, a sense of unease riding high in her chest as she headed for home. Nothing would stop her from helping Colt Chance find his answers.

Nothing and no one.

Chapter 4

Colt heard a vehicle approaching as he stepped out of the shower. Lacie wasn't supposed to arrive until later this afternoon after her shift. This visitor could be one of his brothers, he supposed, but they were supposedly either working or out of town. And if something bad had happened to his family, they would've called first.

No good reason he could think of for anyone to drive clear out to this remote part of the ranch.

A chill ruffled the hair on his arms while he quickly dressed and stepped into his boots. Something felt wrong about a visitor coming so early.

Running a hand through his wet hair, Colt headed for the door just as someone knocked. He took a quick glance out the front window and saw the sheriff's SUV. What the hell?

"Hello, Chance," the sheriff growled as Colt swung open the door. "Heard you were living out here."

Colt set his jaw, wondering if Lacie had lied to him after all. But after a moment's consideration, he refused to believe she could be capable of that kind of betrayal.

"Nothing to say?"

Colt had plenty to say but he was trying to hold his tongue. "You drove way out here for some reason. What do you want, Sheriff?" He stood squarely in his doorway, not budging an inch. No way would he invite the bastard inside.

"Just checking up. I understood you were seriously injured awhile back and that's why you've come home to the Bar-C. You planning on staying in Chance for good?"

The anger surged from his gut to his throat, but Colt knew better than to let it show. "None of your business." He stepped back and took hold of the door, ready to slam it in the old man's face. "Now if that's all, I'm busy."

"Hold on there. I have a couple of things to say." The sheriff casually laid a hand against the gun at his hip and squared his shoulders. "I'd hoped you'd changed since you left town. But it looks like you're the same as always. Trying to get your own way, and everyone else be damned. Wanted you to know things are different in Chance now."

"Oh?" The old man didn't scare Colt but whatever he had to say might be interesting. "How so?"

"For one thing, my daughter is now a deputy sheriff for Chance County. She's the law. You'd be smart to leave her alone."

"You mean your *step*daughter, Lacie? We were good friends once upon a time."

"I do remember you dogging around her when you two were in high school." Though he was shorter by a

couple of inches, the sheriff looked down his nose at Colt as though he was eyeing a bug. "She's changed. Grown up. Stay away from her."

"Who I see and don't see is also none of your business." Colt tried to close the door again but the other man put his foot out to stop him.

"Listen, Chance, you were good for nothing back in the day. Asking questions about things that had nothing to do with you. I would've hoped that as an adult you'd grown smarter than that." The sheriff raked a pointed gaze down to Colt's injured leg. "But maybe not."

"I still have plenty of questions, old man." The pent-up bitterness got the better of him. "For one thing, I still don't believe that my father murdered my mother. You know I never have. And I intend to make a formal request to reopen the case."

The sheriff's dark brown eyes grew black as he glared at Colt. "See there? That's what I'm talking about. The case is closed. Has been for nearly twenty years. Everyone involved is dead now."

"I'm not dead. And neither are you. That's reason enough to review the case."

Taking a threatening step closer, the sheriff narrowed his eyes. "There's dead and then there's *dead*. You ever heard the old saying about curiosity killing the cat, boy?"

"That is the worst possible old cliché to use on me, Sheriff. If you want to issue a threat, say so."

Sheriff McCord drew himself up and stepped back. "Not at all. Just letting you know how we take care of legal questions in Chance County these days. Trying to save you the wasted effort."

With the sheriff's foot out of the doorway, Colt

stepped back, too. "I'd say your trip here today was the wasted effort. And we'll just have to see how the legal system is handled in Chance County these days, won't we?"

As the door slammed in the sheriff's face, Colt paced toward the kitchen, determined to stem his anger and direct the energy toward solving the crime. It was time to draw up an action plan. The sheriff was hiding something. And now Colt felt more curious than ever.

"I think the first thing we'll need is a list of people who might have had a motive." Lacie jotted a note on the yellow pad sitting on the table in front of her.

Colt's anger had almost settled into resoluteness six hours after the sheriff's visit. He and Lacie had joked about the sheriff's nasty warning and about her own confrontation with her stepfather. Colt knew he would find his answers—all of them—no matter what or who stood in the way.

But when he glanced over at Lacie across the table, he couldn't help wondering if she was the one big question that would never adequately be answered. Why had she left town so suddenly right after high school?

She looked delicious today, dressed in her casual jeans and T-shirt. He could almost gobble her up like an ice cream sundae. She made his mouth water. The auburn hair he remembered as being soft and silky was still as big a temptation as ever, even though it was cut shorter. His fingers itched to touch. To glide through that sensuous silk.

But he sat on his hands. While they worked together on this cold case, he wanted the two of them to grow to be friends again. At some point, he hoped they'd be

close enough that she wouldn't mind if he asked the most difficult personal questions.

But he would have to work up the nerve first. When she'd disappeared without saying a word to him, she'd broken his heart. He'd been positive the reason must have had something to do with him.

He planned on making sure they became friends again. But then did he have the guts to chance having his heart handed to him all over again?

"Colt? What do you think? Since we can't get to the old case file yet, should we work on finding other suspects?"

"Yeah, we should. Neither you nor I were old enough at the time to remember my parents' contemporaries. We need to check with people who were around at the time."

"Do you remember the names of any of your parents' friends?" Lacie turned her beautiful hazel eyes in his direction and the sympathy in them worked to calm him down.

"Not really." He turned his head away when her expression suddenly became more sensual than sympathetic.

He couldn't keep his hands to himself while she looked at him like that. "But we should go see my aunt June. She wasn't living in Chance when the murder happened, but she hadn't been out of town for long. And she was my father's sister—only a couple of years older. She'll remember who was who."

"Good idea. Can we go to your aunt's house now?"

Lacie's gaze seemed so earnest and hopeful he nearly reached out to pull her close. But he checked himself and folded his arms over his chest instead. She'd pushed

him away the last time he'd tried getting close, saying it was too soon.

Maybe she'd been right, but it didn't feel too soon to him. He vividly remembered their past and the way she'd felt in his arms back then. Time and another opportunity were all he needed to make her remember, too.

He stood, telling himself to have patience.

"Now that you're on your feet, let's go." She smiled, grabbed their notes and headed for the door.

A little unsteady, he braced himself and followed. He'd worked for hours this morning on strengthening his leg muscles, but it seemed he still couldn't keep up with her. Damned spectacular woman.

Lacie sat quietly as Colt drove them into town to visit his aunt. She'd volunteered to drive because of his injuries, but he would have no part of that. Darned stubborn man.

"You sure you don't want to duck down while we head through town?" He kept his eyes trained out the window, but his tone was full of concern.

"I already told you I don't care if anyone sees us together. We're not doing anything wrong." Folding her arms across her chest, she lifted her chin. "If the sheriff thinks he can fire me for simply seeing you, let him try."

"Stubborn." Colt's voice might be hard but the grin on his face told another story.

Funny, she'd just been thinking the same thing about him. Maybe they had more in common than she'd thought. Turning to look out the window, she found herself grinning like an idiot the very way he had.

A few minutes later Colt's aunt June let them into her two-story clapboard house and led the way into a gigantic old-fashioned kitchen.

"I'm so glad to see y'all," June said and pointed to chairs around a huge table. "Have a seat. I've been meaning to come out to your mother's old office and check on you, Colt. But it looks like you're doing fine."

"Not exactly fine," Colt began as he sat in one of the chairs. "But better every day. You remember Lacie McCord?"

"Of course. I remember that you and Lacie went to school together. And these days I keep running into Lacie around town now that she's a deputy. Nice to see you again, sweetheart. Are you two hungry?"

"No, thanks," Lacie answered.

"Yeah, we could eat," Colt said at the same time. "Something smells good."

"That's rude." Lacie elbowed him in the side.

June laughed and shook her head. "Nonsense. I have a brisket sitting on the counter that's done and resting. I was going to slice and freeze it, but I'd rather serve meat right after it's been cooked. Give me a few minutes."

"Can I help?" Lacie asked.

"Set the table, please. Silverware is over on the other counter with the napkins."

Spinning, Lacie set to work. "Can I get you something to drink, Colt?"

He grimaced and drew a breath. "Just a glass of water. We can talk while you work, can't we, Aunt June?"

Lacie had a feeling Colt wasn't thrilled about sitting while the two females worked around him. He rubbed absently at his thigh and made a face.

"Sure," June answered as she opened a bag of lettuce greens. "What's up?"

"We've decided to review my mother's murder case. We..."

"Not for one minute did I ever believe my brother could've killed Ellen." June interrupted him on a strong note. "Maybe he was tough but never mean. And he loved her."

She hesitated and took a slow, deep breath. "Oh, how Jake loved that woman. More than his own life. They fit together like they were made for one another. I was always jealous of their kind of love. Wished I could've found someone who loved me like that."

Jealousy was known to be one of many good motives for murder, Lacie speculated silently. But then she looked at the unshed tears in the older woman's eyes and thought June wouldn't be capable of killing anyone.

A little later as they sat at the table eating, Colt asked his aunt quietly, "Would you help us make a list of people who were in my parents' same circle? People who might know something about the murder?"

June set down her fork and gazed into the distance. "It's been so long ago. And I was living in Boston when it happened. I'm not sure I can help."

Lacie reached out and touched her shoulder. "Anything you can remember could help. Ellen must've had friends. People her same age."

June turned to her with a sad smile. "She was fairly close to her sister. But that won't help you, since Marla's been dead for years, too."

Oh, yes. Lacie remembered that Marla was the aunt who'd kidnapped Colt's little sister after the murder and then overdosed in California.

"And I do believe Ellen and your mother were friends, dear."

"My mother..." Lacie wasn't sure what to say. "She can't help us."

June nodded. "Yes, I've heard. I'm very sorry." She patted Lacie's hand and then turned to Colt. "Your father and Austin McCord always seemed to be buddies. It was a shame Austin had to be the one to arrest Jake. I know it must've killed him."

Colt's expression turned hard. "Nope. He's not dead. Sheriff McCord is still alive and as mean as ever, unfortunately. And still causing trouble."

"Trouble?"

Lacie jumped in. "It's nothing, June. My stepfather doesn't believe we should be opening up the old case. That's all."

"I can understand his point." June shrugged. "At the time of Ellen's death rumors and innuendos flew everywhere. Each citizen in Chance took some kind of position on who could have done it. It wasn't particularly pleasant here that year. I was glad to be needed elsewhere."

"We needed you here." Colt's voice carried a tone Lacie had never heard before—somewhere between a whine and anger.

June's face turned ghostly pale. "I...I know that now, son. I'm sorry I wasn't thinking clearly back then. My brother had been accused of murder. And I...I...

"But I did come home when your brothers begged for help after your sister disappeared. And I stayed." She tilted her head as though to clear it. "I don't understand something. You were the one son who seemed to be getting along so well then. No trouble in school, no major

breakdowns. You were the steady son. It surprises me to hear you sounding bitter."

Colt stood and ran a palm down his jean-covered thigh. "I'm not bitter. Anyway, it doesn't matter now. Didn't matter then either. This town and most of the people in it are not worth bothering about. I wouldn't be in Texas at all if it weren't for being injured."

Lacie's heart turned over and sighed. He still hated it here—after all these years. She'd so hoped things would change.

She and June both got up from the table to join Colt. The older woman clasped her hands together, looking flustered. Lacie wasn't sure what she should do. The atmosphere had grown tense.

"If everyone's done eating," Colt began, turning his back and reaching for the plates, "I'll do the dishes."

"There's no need." June held a tentative hand out toward him. "I can do them later. Just leave the mess."

Colt sidestepped so she couldn't touch his arm. "It's the least I can do after ruining your good dinner."

Gathering up the dirty dishes and utensils and dumping them in the sink, he moved like a man on an urgent mission.

Lacie went to June's side and slid her arm around the other woman's waist. "Let him do it. It'll make him feel better. Why don't you and I go into the front room and talk?"

June looked numb but agreed.

After they settled on the sofa, June said, "Do you think he's in pain? Is that why he's so touchy?"

"Maybe. But he'll never say so."

"When he was a kid, he was always the one with the questions." June folded her hands in her lap. "But he was so good otherwise, we just seemed to ignore

him. Like he wasn't there. Maybe that's why he says he hates it here."

Lacie wanted to say that she never ignored Colt. To her, he was impossible to ignore—then and now. But she didn't say anything and only nodded her head to let June talk it out.

The two of them spent the next quarter of an hour talking about who, of the many citizens of Chance, might be considered the biggest gossips in town. Both of them were much calmer by the time Colt ambled out of the kitchen, rolling down his long sleeves.

"All done. You ready to go, Lacie?"

She and June stood. Lacie found her coat on a peg behind the door.

June cleared her throat. "Thank you for cleaning the kitchen. But really, it wasn't…"

"No problem," he mumbled. "I didn't mind."

"Son," June began as she took his arm, "you know how happy your brothers and I are that you came to us for help. We've never stopped hoping you'd come home for good. We love you, Colt. Your family will always be here for you."

Colt's cheeks turned slightly pink as he straightened his shoulders. "Yeah. I know. I love you back and I'm sorry for being an ass. But I can't stay in Chance for good, so don't get your hopes up."

Lacie stood back as the two of them hugged and June wished them good luck with their investigation. "You'll get to the truth," she said as they walked toward Colt's truck. "I have faith in you—both."

After they climbed in and Colt turned the engine over, he put his foot on the brake and turned to her. "You want me to drive you home? Your car is still at my place, but it's late and…"

"I can't go home without my car. I have to go to work early tomorrow."

"Okay." Turning his gaze out the windshield, he put his foot on the gas.

They drove through the quiet town of Chance in total silence. It wasn't that late but she knew the town. Knew that people had to be up before daybreak for work, so they retired earlier than in the city. Did that bother Colt? Would he rather have the hustle and bustle of a bigger place?

He turned on the radio to fill the silence and she was surprised to hear country tunes. Listening to country radio didn't seem very "big city" to her. It seemed more like the Colt Chance she remembered from high school.

As she hummed along and kept her gaze on his profile, she went over what had happened at June's house. He said he still hated it here. Did that include her?

An ache developed in the vicinity of her heart and she absently rubbed at the pain. What was wrong with her? Why was she doing this to herself?

She'd always believed they were *meant* to be together. But that was ridiculous. Just because he'd been her first love did not mean he was somehow destined to be the only love of her life.

She was only twenty-eight. There would be other men.

But as she thought that, her stomach clenched. No other man could ever take his place in her life. That was as sure as tomorrow's rising sun.

Still, she shouldn't be sticking her chin out like this, just begging him to knock her down and leave her flat when he left town. Helping him, being with him, meant her job was probably on the line—and she liked this job. A lot. But if her stepfather ever decided she should

leave town, she would have to go. No question, if Sheriff McCord wanted someone gone, they would be gone before the next daybreak.

Well, tomorrow she would give Colt her thoughts on who he should seek out to question, and then she would just become too busy to go along. After a few days of not seeing him again, and not assisting his investigation, he would forget about her. And she would forget how badly she'd wanted him.

Oh, God. The mere thought of that hurt a lot worse than she'd expected.

"Hey," Colt said as he interrupted her thoughts. "Something's not right."

"What?" She looked around and discovered they were almost to the turnoff for the Bar-C. Everything around them seemed as dark and quiet as usual on the open range.

"Take a look out the back window and see if you think we're being followed." He picked up his speed. "Whoever it is has their headlights turned off. But I keep getting flashes of metal in the moonlight."

She swiveled to check and stared out at the lonely highway behind them. The sliver of moon hung precariously in the night sky above them like a big question mark. But it sent just enough light to make out a shape in the road.

"Yes, I think I see someone. What do you think they're doing on the highway without lights?"

"Following us?" His voice was dark and rough. "This isn't good. If we make it to my place, I don't think it'd be smart for you to travel back to town by yourself. You'll have to stay over."

"I have a weapon in my car, Colt. I can take care of myself."

"Still," he argued. "We need to find out what's going on before I'll feel safe. Stay." The tone of his voice got to her.

At that moment she knew things had gone too far. She couldn't stop helping him. Or doing anything else he asked.

No matter what it cost her in the end.

Chapter 5

By the time they reached his mobile home, Colt was reasonably sure they hadn't been followed across Bar-C land. But he still wanted Lacie to stay over. He would gladly take any extra hours with her that he could get.

"It's late," he began as they climbed out of the truck. "Will you stay?"

She turned to him, and he would swear the answer he wanted to hear was in her eyes. "There's no danger," she said instead. "And it's not really that late. I don't think it's such a good idea for me to stay."

"Stay anyway."

She took him by the hand and the electrical impulses between them ran up his arm. "Please, Colt. We hardly know each other anymore. And I'm pretty sure you are not the same young man who danced with me under the moonlight when we were kids."

He'd forgotten. And at one time, he couldn't imag-

ine ever forgetting that crazy night and their dance. No music. No dance floor. Just him humming some Western song, slow and easy, and holding on to her under the stars like she might disappear if he let go.

But that was just the thing. He'd had to let her go.

Pulling her close now, he murmured into her hair. "We haven't changed so much. I still remember. Dance with me again, Lace."

Actually, he couldn't remember which song he'd been humming back then. He thought of the slow one they'd just heard on the radio and began singing it under his breath. She slumped against him, and he wasn't sure what that meant. But when he slipped his arm around her waist, she let him narrow the distance between them to less than a whisper of air.

Laying her head against his shoulder when he began to sway, she followed right along as he took the first step. She smelled so good he forgot all about his game leg. He hadn't thought of gardenias once in the whole time they'd been apart. Now that scent surrounded him and took him back.

Back to their youth and the promise of a forever love. She'd been his best friend since the day his mother died. The one person he could confide in and count on. By the time they'd had their dance a few years later, he was sure the two of them would be together for the rest of their lives. He'd confessed as much to her that very night.

How young he was then. How terribly young and stupid. He should've known better. People didn't stay together forever. Something always happened to come between them.

His eyes clouded over and he felt a drop of regret as it dripped down his cheek. Holding her again this way,

kissing her again, might be too hard. He wasn't sure he was up to it.

Rearing back, he glanced down at her beautiful face in the moonlight but refused to let her go. She opened her eyes and looked up at him and he found himself gazing in amazement at tearstained cheeks. She was crying? Over a memory? Or over him?

"Lacie…" He was too choked up to say another word.

Instead he lowered his mouth and placed a gentle kiss against the satin of her lips. Salty kisses. Another memory to add to the rest. Whether he had the nerve or not for anything more, kissing her now was an imperative.

But a moment later, he got lost in the feelings and deepened the kiss. When he nudged her lips open with his tongue, she seemed eager to go along. Heat began rocketing between them, a drop of sweat appeared at his temple and his skin hummed with the blood bubbling in his veins.

When he slid his mouth along the edge of her jaw and headed for the sweet spot on her neck, she moaned and trembled in his arms. He struggled not to rush ahead, fought with the sudden and overpowering erotic urges. She'd said it was too soon.

Too soon. Too soon?

Dragging himself into the present and concentrating hard on the woman in his arms, he leaned back again and studied her face.

This time when she opened her eyes, she had a glazed, unfocused expression. But her eyes cleared and the swirling questions he saw in them pushed aside the desperate hunger that had been there only moments before.

"Um…" She cleared her throat. "Yeah, that makes it definite. I have to go home."

"Don't tell me you didn't feel the same thing I did. It would be a lie and you know it." A war was going on inside him, but he let his arms drop to his side and stepped back.

"I..." She coughed and started again. "You'll be okay for tonight. And I'll come out right after work tomorrow so we can begin our investigation. Maybe we should see old Mrs. Murphy first. She knows everything that goes on in Chance."

He figured she was babbling, and maybe at a loss for real words the same as him.

So he grinned and nodded. "Sounds good. At least what I got out of all that sounded good."

"I was rushing my speech a little, wasn't I?" She choked back a laugh.

"Maybe a little."

Her eyes went dead serious. "Can we talk about us another time?"

He took her hand in his. "Sure thing. As long as there will be another time."

"I'll be here tomorrow." She turned and went to her car. "Good night, Colt. Thank you for the dance."

Standing like some damned statue, he watched her start the car and drive away. *Our time will come, my love.*

He felt her temporary loss acutely, as though someone had died.

And that time will be coming soon. Count on it.

Colt came out of his nightmare soaked in sweat, once again. But the nightmare had changed. This time when he'd raced down that barrio street, it was Lacie that he'd been running to save. The idea of her in danger made his usual dream all the more terrible.

"You awake now, bro?" Travis tightened the grip on his shoulder.

"Jeez," Colt said as he straightened up in the old rocker. "There's one too many Chance brothers on this ranch. What the hell are you doing here at this hour, Travis?"

He'd fallen asleep sitting on the front porch again. The streaks of rose coming from the east were just breaking over the horizon.

"It's not that early. Not on a ranch," Travis replied. "I've been up for hours. You've just forgotten what it's like to live in the country.

"And I'm here to check up on you," he went on. "I heard you went to see Aunt June last night and that you and Lacie McCord are planning on taking a fresh look at Dad's murder conviction. That right?"

Travis ran the Bar-C for the family—and did a damned good job of it, too. But that didn't mean he could run Colt.

"Yeah, what about it?"

Travis eased his six-two body down on the porch's top step, the same as their older brother Sam had done a few days ago, and twisted to face Colt. "Good. If I'd had the time, I would've done something about it years ago. I've tried a couple of times to talk Gage into checking into the murder. But until he found his wife again, he was spending every spare moment trying to find Cami."

Gage, yet another brother, was the private investigator in the family. And Cami was their lost little sister.

"Now that Gage is getting remarried," Colt began, "I'm guessing he'll have less time than ever to do anything extra for the family. And I've got nothing but extra time for now."

Travis scrunched up his mouth and looked as though

he'd swallowed a lemon. "You have any suspects in mind? Any places to start looking?"

"If you're talking about Sheriff McCord, yes, I imagine in the end we'll find he either committed the murder himself or knows for sure it wasn't Dad who did it. But I intend to locate proof before I go around accusing him of killing Mom. I'm an attorney, remember?"

Travis nodded but then asked, "What about Lacie? He's not only her stepfather, he's her boss."

"She says it's not a problem. I'll keep an eye on her—make sure she's not caught in the middle."

Colt immediately thought of a question he'd had for a while and stood to ask it. "Say, how'd McCord get the job of sheriff anyhow? He's been the county sheriff for as long as I can remember."

"He's been sheriff longer than any of us has been alive. In Texas the job of county sheriff is an elected position. But Dad brought McCord to Chance County close to forty years ago and backed him for the job."

"So someone else could possibly run against him now?"

Travis's eyebrows went up. "Suppose so. You want the job?"

"Not even a little." Colt choked back a laugh and walked down the steps to face his brother. "But maybe someone like Lacie would be a better choice than what we've got now."

"That reminds me of the other thing I wanted to talk to you about this morning." Travis stood, too, shook out his pants' leg and walked to his SUV.

When he came back, he was carrying a 12 gauge pump shotgun and big box of shells. "There're rumors of illegal weapons coming through Chance County. And we've seen new evidence of illegal activity, pos-

sibly undocumented migrants but more likely gunrunners, inside the boundaries of the Bar-C."

"Have you talked to the sheriff?"

Travis gave him a sharp nod. "Of course, but he didn't appear too concerned. We can take care of our own problems on the Bar-C. But I'm concerned about the townspeople and the other ranchers."

Colt silently agreed with his brother. The citizens of Chance County were for the most part decent and hardworking. The reason they had a sheriff's department in the first place was to keep things peaceful and safe from outsiders.

"I brought this for you." Travis held out the shotgun. "Still remember how to shoot one of these? You used to be a sharpshooter in high school, but I haven't seen you with any weapons since you've been home."

"Don't like the things. Being shot in the back will do that to a man."

"Right. But do you think you could still use one if you had to?" Travis shoved the gun at him.

Colt took the shotgun, but just stared at it, feeling as though the weapon might burn right through his hand if he moved. "Maybe. But I'd rather not."

"Keep it handy." Travis held out the box of shells. "I'm not happy about you staying this far out on the range, all alone and without protection. You sure you wouldn't rather move into the main house with us?"

Colt had to chuckle at that one. "What I'm sure about is that your new wife and two little ones would not enjoy having their beaten-up old uncle moving in and cramping their style."

Travis gave his injured leg a pointed look. "You're walking better every time I see you. And Summer and the kids *would* love to have you. You sure…?"

Colt waved off the rest of his sentence. "I'm positive. Sam invited me to move in with him, too." He took the box of shells. "I'll keep the 12 gauge and stay put, thanks."

The thought of that car on the highway without its lights last night gave Colt another reason to keep a gun around. The shotgun would be going in the rack in his pickup as soon as his brother left.

It took a few more minutes to convince Travis he would be okay. But finally his brother climbed back in his SUV and headed off to work.

Colt wasn't worried for himself. He could handle anything that came up. But he still hoped to convince Lacie to stay with him. And though she was probably perfectly competent with her own weapon, he wouldn't be taking any chances. Not with the only woman who had ever meant anything to him.

"I don't remember old Mrs. Murphy," Colt said from behind the wheel of his pickup. "How long has she been in Chance?"

It was late afternoon and the sun hung low behind a spring haze as they drove through town. Lacie had been surprised to see a shotgun hanging in the rack behind Colt's front seat when he picked her up. But she hadn't made mention of it, hoping he would talk about it first. No such luck. So she kept her mouth closed on the subject and answered his question.

"You do remember her. She was the middle school teacher for forty years."

"That Mrs. Murphy? She's not teaching anymore? I always figured the principal would have to pry the chalk out of her cold dead hands."

Lacie couldn't stop the smile but she tsked at him.

"Colt, really. She retired about five years ago. Lives in the same house as always, on a little pension and her social security. She knows everyone in town. Taught most of them. And she knows nearly everybody's business, too. I think she'll be a good place to start."

"She has to be well over eighty. She knows we're coming?"

"I called her. She was surprised but willing to talk to us." Lacie figured the old lady would probably talk their ears off. The problem would be keeping her on track.

By the time they pulled up in Mrs. Murphy's front yard, a deep madras-blue sky was greeting both the North Star and the first tip of a waning moon. The older woman must have heard their approach because she came out on her porch to wait for them to climb from the pickup.

"Good evening, Mrs. Murphy." Colt tipped his hat as she led them through her front door. "It's been a long time."

"Colt, isn't it? You look just like your father did at your age. Jacob Chance was one fine-looking man."

They all sat down in her tiny front room. Colt looked uncomfortable perched on an antique straight-backed chair with his hat in his hands. But he'd plastered a grin on his face and never let on that he was anything but glad to be sitting right where was.

"May I offer you two a glass of sweet tea? I just made chocolate chip cookies."

"No, thank you, ma'am. We're fine. We just thought you might remember some things from years back in Chance history and hoped you'd be able to help us."

"My memory is fine, young man. Sharp as ever." She straightened her skirt along with her slightly stooped

shoulders. "I know, for instance, that you were in a big ruckus in California and came home all banged up."

Mrs. Murphy rolled her eyes and stared over the top of her glasses. "What is it that's so danged important to you now about the past?"

Lacie rushed to start the conversation, hoping Colt would not say anything to stir Mrs. Murphy's curiosity. "Since Colt has come home temporarily, we've been reminiscing about our childhoods. You know how that goes. We both remember things differently and we were hoping you could straighten us out."

Mrs. Murphy glanced over to Colt and frowned, but then returned an interested gaze toward Lacie. "Certainly. What do you need to know, dear?"

"It's about that time right before and after Colt's mother was murdered."

"I remember those days very well. It would be hard to forget something like that."

"Um…" Lacie wasn't sure how to ask. "Colt's aunt June said rumors were flying then, but she didn't remember any in particular because she lived in Boston at the time. We were hoping you might tell us what you remember."

Mrs. Murphy's watery eyes darted to Colt. "Are you looking into who else might've killed your mother? I remember you never believed Jacob could've done the deed."

"Yes, ma'am." Colt sat a little straighter. "I still don't believe it. But Lacie and I were too young to…"

"You might not want to hear what I have to say, Colt Chance. Some of the goings-on back then were…not for innocent ears."

Lacie leaned over and touched her hand. "We're not

young anymore, Mrs. Murphy. And not particularly innocent either. Please tell us what you remember."

The old woman huffed out a breath. "Very well. I
remember the year before the murder like it was yesterday. All the students I'd taught during my first year
in Chance had grown up and had children of their own.
Your mom and dad, Colt, were two of those that had
produced several new students for my classes. I saw
them frequently that year."

Her watery eyes glazed over slightly as she seemed to
be lost in the past. "The two of them always looked like
they were so happy. But rumors told a different story.
Some of the more nasty whisperings painted Jacob out
to be a real ladies' man. With secret girlfriends in at
least two counties. It was hard to believe when I saw
your parents together. But the rumors wouldn't stop."

Colt cleared his throat. "Is it possible those rumors
had anything to do with the murder?"

"After the murder," Mrs. Murphy began instead of
replying directly to his question, "the rumors got worse.
The one I heard most often was that your mother had finally confronted Jacob about his infidelities and a fight
ensued. Jacob killed her out of anger."

Lacie was afraid for Colt's sake to ask another question, but thought she'd better do it while the old woman
was delving into the past. "Were there any other rumors
flying after the murder that you might remember?"

Mrs. Murphy's expression changed as her eyes
moved between Lacie and Colt. "One that was even
worse. I refused to listen to it."

"But you do remember and can tell us?" Lacie knew
the old woman had probably committed the offending
rumor to memory years ago.

"Yes. I vaguely remember." Mrs. Murphy looked

uncomfortable but went right on talking. "That was the rumor about Colt's mother having learned of her husband's affairs and deciding to get even by having an affair of her own. Then supposedly the afternoon of the murder, Jacob must've learned about her cheating on him and killed her in a jealous rage."

Colt's mouth dropped open. "No way."

"I didn't say I believed any of the lies people told. But you asked me to tell what I remembered. Back in those days rumors of affairs and adultery were rampant in Chance County. I was glad to be a widow and well out of it."

Lacie popped up from her chair. It was time to get Colt away from here.

"Well, thanks for thinking back to those days." She dragged at Colt's arm and he rose to stand beside her. "And thank you so much for spending an hour with us. We really appreciate it."

Colt's expression was dark, brooding. He hadn't said a word as she pulled him toward the old lady's front door.

None of these rumors might be true. Or the truth might lie somewhere in between. But if Colt couldn't stand to hear rumors, how would he ever be able to continue their investigation?

That question made Lacie's stomach hurt. If he stopped the investigation, he would probably leave town at the first opportunity. And losing her second chance might be much worse than anything else she'd gone through.

No, she had to think of a way to keep their investigation going, to keep him in town. Her head might disagree but it was what her heart wanted most.

Chapter 6

Colt sat in the pickup still parked in Mrs. Murphy's front yard, idling the truck in Neutral, waiting for Lacie. The old lady had stopped them at the door and insisted on making up a package of cookies to send home. Lacie ordered him out here to the truck to wait.

Good thing. He hadn't been all that wild about visiting their former teacher in the first place. She reminded him of his middle school years. And that put him in mind of a trio of bullies who'd tormented him and Lacie from dawn till dusk back in those days.

His first memory of the three was when he'd decked the tallest for picking on Lacie. His first time in trouble with the teachers. But she'd been the new kid and her mom hadn't yet married the sheriff. The things those boys had called her had made him mad because they were hurtful. And his mother had backed him up, as he recalled.

Then later, after his mother was gone, the three bullies had come after him.

Colt Chance—stay away from him, went one chant. *His mother's dead and his old man's doing time for the deed. Apples don't fall too far from the tree.*

He would never forget how much their words had hurt. But he'd been so lost without his mother, he let it go. Turned his back and went off with Lacie. In retrospect, those bullies' lives had not gone well and he could only feel sorry for them. One kid spent a tour in Iraq and was killed by an IED. Another went off to the rodeo and within months was gored by a bull, effectively ending his career for good before it ever got off the ground. The third, who became a traveling preacher, ended up in jail for molesting a couple of underage members of his flock. Have mercy.

No, Colt would rather not have faced any of these memories at all. And he would certainly rather have skipped Mrs. Murphy's ridiculous rumors. His parents couldn't have been like that. It was stupid to think any part of those stories was true.

He glanced up just as Lacie came down the front steps, carrying an aluminum-foil-wrapped plate. Reaching over, he opened the passenger-side door for her.

"Thanks." Lacie leaned in and handed him the plate. "Take this while I get settled."

"I don't even like chocolate chip," he grumbled.

Lacie glared at him as she fastened her seat belt. "You do *not* want to make an enemy of that old lady. And baking is one of her only hobbies. I'll put them in my fridge. They should last awhile."

When she was done, he shoved the plate back into her lap. "Where to now?"

"Hold on a sec. Mrs. Murphy told me a couple of

other things while I was in her kitchen. Let's sit here so we can talk."

He took his foot back off the gas, and shifted his body under the belt so he was facing her. "Not sure I want to hear anything else that old bat had to say."

"You do want to continue this investigation, don't you?" For some reason she seemed to be holding her breath.

"Yeah, sure."

Lacie's expression cleared as though his agreement had meant something special. Interesting. But he would have to dig into that little puzzle later. One mystery at a time.

"We can't just dismiss Mrs. Murphy's rumors out of hand."

He started to put up an argument but Lacie held her palm out and continued. "I'm not saying they were a hundred percent true. But if everyone at the time believed them, it's possible that someone else, someone not directly connected to the family, decided to put a stop to the infidelity in their midst."

"So a rumor could be the reason my mother was murdered?" He wasn't sure he could stand knowing that in the end.

"It's happened before. I heard of a case just like that when I was on the force in Houston."

After slowly shaking his head, he leaned his forehead against the steering wheel and sighed. "How will we ever find the person responsible for that? Everyone in the whole town at the time could've been a suspect."

"We need more information. We should talk to more people who were here then. Mrs. Murphy gave me the names of three people, besides my parents, who she thought were good friends with your parents." Lacie

turned to look out the windshield. "We can talk to two of the three. Maybe still tonight."

"Why not talk to all three?"

"Because one of them is Robert Lopez, another deputy sheriff in Chance County. He and my stepfather are tight. And have been, I understand, for at least eighteen years."

"From the days right after my father went to prison? That does seem like a huge coincidence. Okay, not Lopez. At least, not yet. Who are the other two?"

Lacie turned back to him with a wry smile. "Macy James and Barrett Johnson."

"Your landlady and the foreman of the Bar-C? Wow."

"Yeah, wow is right. This is Macy's night off from the café she owns so she's probably at home. We can probably go see her right away. But why don't you call Barrett first and ask to set up a good time for us to talk to him?"

He pulled out the SAT phone Travis had given him when he'd first come home due to cell coverage being spotty on the ranch. It only took two buttons to reach Barrett.

The foreman agreed to meet the next morning near Sam's place on the Bar-C, where Barrett had been spending time getting ready for the spring cattle roundup. Before the other man hung up, he took a moment to warn Colt again about the danger of illegal activity on the outskirts of the ranch.

After Colt disconnected, he had to wait for Lacie to finish her own phone conversation with her landlady.

"Macy's at home," Lacie said when she hung up. "Her hubby is manning the café tonight along with a couple of their waitresses. What did Barrett say?"

"He'll meet us in the morning near Sam's place on the Bar-C."

"Good. Tomorrow's my day off. Drive me home now and we'll see Macy."

Colt put the truck in gear and eased his foot off the brake. "Barrett mentioned something else that I think we should talk about."

"Oh?"

"Yeah, Travis came to see me this morning and mentioned the same thing. Seems they've heard rumors about gangs of gunrunners coming through Chance County. Said they'd even spotted evidence of them on Bar-C land."

"Gunrunners? You mean criminal cartels trying to smuggle assault weapons into Mexico? That's odd. The sheriff's department hasn't been notified of any rumors like that. And you'd think we would be."

"Yeah," he agreed. "That's something the sheriff should know. You're careful on patrol at night, right?"

"Always." She grinned at him, then asked, "Is that why you're suddenly carrying a shotgun in your pickup?"

"You noticed."

She nodded but said nothing more.

He kept silent, too, wondering if her quiet meant anything. This new change of events, danger in Chance County, made him all the more determined to keep her close.

As he listened to the pickup's tires noisily rolling over cracked asphalt as they drove through the neighborhood streets on the way to her place, he made a promise to himself. He would find a way to stay by her side until the danger was gone.

No matter what she wanted.

* * *

Lacie slid to the ground, still carrying the cookie plate, the minute Colt shut off his truck. Looking up at Macy's house, she had to smile. Every time she came home, it was such a pleasure to be living here that her mood changed for the better.

There weren't any apartments in Chance County, no place for a single woman to stay and be safe. But Macy James had been a friend of her mother's a long time ago, and she'd volunteered to put Lacie up in the vacant mother-in-law cottage behind her big two-story house on a shady street.

Lacie loved this place. Her cottage was tiny, but that was all she needed. The street was one of the quietest in town, only a few blocks from the main street through town, and Macy the most wonderful landlady ever. Half the time she brought home leftovers from the café, and Lacie was the beneficiary. And Macy would let her use the laundry facilities and refrigerator anytime.

In fact, Lacie had already allowed herself to feel at home here. And was beginning to think of Macy as family—even though she really didn't have a clue how having a family should feel. As a little girl, when it had been only her and her mother, she'd longed for a father and maybe some brothers and sisters. She could never figure out why her mom seemed so distant and cold and why they never stayed in one place for long, but kept imagining that having a father would make all the difference.

When her mother had married Sheriff McCord, Lacie had been thrilled for the opportunity to start a new life in Chance. Finally, she thought, they would have a real home and become a real family. She'd even taken her stepfather's last name. But becoming a real family never

happened. Things only went downhill from there and if it hadn't been for Colt, she wasn't sure what would have become of her.

Now, even grown up, she still longed for a family of her own. And Macy James had given her a reason for hope. In her secret dreams, of course, Colt would've been another reason to hope for a family. But apparently she needed to stop fantasizing about any happily-ever-afters with him.

However, no matter what else she did or didn't do, there'd be no stopping her fantasies about the man himself. About kissing him. Making love to him. He turned her to mush with just a smile. Still, she needed to keep a steady head around him, as obviously he wouldn't be settling down in Chance. Not now. Not ever.

As she and Colt neared Macy's back door and the smell of bread baking lightened her steps, she had to admit that she'd done a bad job investigating this case so far. It hadn't even occurred to her that if Macy had been acquainted with her mother, she might also have known Mrs. Chance. But perhaps Lacie had let herself become too emotionally involved to think clearly.

That needed to stop. She let Colt and herself into the kitchen and called out to Macy as she set the plate of cookies in the refrigerator.

"There you are," Macy said as she came in from the laundry room. "What's up?"

"Macy, this is Colt Chance. He's home recuperating from injuries he suffered on the job. We have…"

Interrupting as she took Colt's hand, Macy gazed up into his face. "I remember the day you were born like it was yesterday. You look just like your father did at your age. Well, but with your mother's eyes. I would've recognized you anywhere, son."

Colt slid his hand out of hers. "Thank you, Mrs. James. You're not the only one who says so. Can you spare some time with us this evening?"

"Call me Macy. Everyone does. Have a seat." She gestured to the kitchen table surrounded by four chairs. "You two want a light supper? It'll just take a second to heat something up."

Lacie slid into a chair and answered, "Not right now. Maybe in a little bit. Please sit down."

Colt waited for Macy to be seated and then turned a chair around and sat facing them over the back. "We— that is, Lacie and I—are trying to find out about my parents. We were hoping you'd remember things from the time around my mother's death that you could share with us."

Macy gave him a weak smile, her eyes taking on a fuzzy quality. "Ellen Chance was my best friend. She was like the sister I never had from the time we were small. I still think of her every day. Why do you want to know about that terrible time now?"

Lacie was the first to answer. "Colt has never believed his father killed his mother. I tend to agree with him and we want to know who did."

"Oh, I never believed it either," Macy claimed as she turned to Colt. "Jake may have had his faults but he would never have hurt Ellen or you kids. Never."

"Then help us," Colt implored. "Doesn't it bother you that a murderer has been free for all these years?"

Macy hung her head. "Sometimes it's better to let old secrets stay buried."

Colt drew away and folded his arms on top of the chair back. "Not this one. I have to know the truth. And someone has to pay."

Macy flicked a glance toward Lacie. "Not all truths

are created equal. Are you sure you want to be involved with this?"

Lacie's stomach turned queasy. She'd known all along that the answer they sought would probably involve her stepfather—right up to his neck. She braced herself for the worst. He was a terrible man, that much she knew. But a murderer, too?

And would uncovering his involvement in the murder also uncover some other truths, more personal ones, she would rather stay buried for good?

"I'm positive this is the right thing." She tried a brave smile for Macy's sake. "If my stepfather was involved, we need to know."

Macy took a long, deep breath and rolled her shoulders. "Well, you probably know that Jake Chance hired your stepfather and brought him here to keep the peace in Chance County before either of you was born."

Her expression changed, became wistful. "I was young and single and thought seriously about dating Austin McCord. But Jake's older sister June got to him first. Those two were quite the item for a while, but then Austin started running around on her—making passes at anything female—behind her back of course. Including me—and your mother, too, Colt. June got wind of it and left town. Went to take a job in Boston as far away from the embarrassment as she could get."

Lacie noted Colt fisting his hands and setting his jaw. She knew this must be hard for him to hear. But all this, all the ugly truths, were necessary to prove motive.

"Right afterward, Lacie, was when Austin brought you and your mother to town. I tried to stay away from him, but it didn't take long to see that your mother needed a friend. You remember why, don't you?"

"Yes, ma'am," she murmured when she found her

voice. "My mother wasn't the easiest person to get along with, but she didn't deserve the beatings he gave. Still, I didn't think anyone else knew. I just assumed she'd never complained or asked anyone for help."

"She didn't," Macy agreed. "I went to Jake Chance and told him what I suspected. He and Ellen and I had several conversations about what to do if your mother refused to ask for help. But unless someone saw him doing it or if your mom ended up in the hospital over a particularly bad episode, we thought our hands were tied."

"I saw him." Lacie couldn't believe how her voice all of a sudden sounded like the little girl she'd been in those years. "I saw him hit her lots of times."

Macy's gaze grew softer. "Yes, we figured you had. But you were underage and couldn't testify. Jake went to talk to Austin but got nowhere. And then suddenly my best friend was dead and her husband sent to prison for the crime. It all seemed to happen so fast."

"Wait a second," Colt injected. "Are you saying you think Sheriff McCord may have killed my mother and sent my father to prison for the crime just to stop you three from turning him in for domestic violence? That seems extreme. And…weren't you afraid you'd be next?"

"I was, actually." Macy turned to Lacie and her expression begged for forgiveness. "Without my best friend, I was a coward. I stayed in the house all the time and prayed I would be safe.

"Then six months after Colt's father was convicted," Macy went on quietly, "my old high school boyfriend came home to Chance after a long hitch in the marines. He'd been injured in the line of duty and badly needed me. I'm afraid I used him and his condition as an excuse

to ignore you and your parents, Lacie. And then later we married and opened the café and got busy—and it was just so easy not to think about you and your mom."

Colt stood up abruptly but held the back of the chair for support. "You didn't think of us either. Your best friend's children. We went through pure hell."

Macy's whole face sagged. "I'm so sorry. Really. But remember, Austin was—is—the sheriff. Who would I have told? Besides, I didn't have any proof. And when June came back to help with you and your brothers, I didn't think there was anything I could do."

"And you were still terrified," Colt spit out.

Macy stood, too, but Lacie noticed her hands trembling. "Yes, that, too. Terrified for all of us. Lacie especially. I was afraid she would get the brunt of anything I tried to do. I still don't think it's a good idea to cross him. You two may be picking open a scab that should stay closed. It's dangerous."

Lacie rose to her feet, swearing she could almost see steam coming from Colt's expression. But he kept his mouth shut. She was glad, because she couldn't bear any more trouble to come between the two people in the world who meant the most to her.

"I'm a cop now, Macy," she told the other woman with as gentle a tone as possible. "I can take care of myself. And Colt, too. It's past time all this came out. I doubt we could stop it even if we wanted to."

Macy reached out and pulled her close. "Oh, sweetheart, I couldn't stand it if something happened to you. The guilt in my heart over not helping you as a child is already sometimes more than I can bear."

"She'll be okay," Colt grumbled as he started for the door. "I'll see to it. And we will get the proof we need to put that bastard where he belongs."

Lacie tenderly pulled away from the older woman. "It'll be all right. Really. And when it's over we'll have another nice long talk. I promise."

Macy nodded and swiped a palm under her eye. "Be careful. Please."

Colt held the door open and Lacie followed him out into the crisp night air. The neighborhood seemed especially quiet. No dogs barking. No televisions blaring. A few lights blinked through the shrubs and trees, but without benefit of a moon it was tough to make their way to her cottage and the light over her door.

"That's enough for one night." She was exhausted. The stress of that last conversation had taken its toll.

Colt touched her elbow. "Go pack an overnight bag. We have some talking to do. You're coming home with me."

She started to tell him no but then realized protecting her heart was not nearly as important as protecting his life. "Okay. It'll only take me a second."

"I'm coming in with you." The two of them went inside after she unlocked the door.

But he didn't fit in her little place. He seemed bigger than life and her cottage felt like a dollhouse with him in it. She hurried and in less than ten minutes was ready to go.

Taking the keys from her hand, he locked up while she stood waiting on her tiny stoop. He had just finished when shots rang out. Automatically reaching for her weapon, she belatedly remembered it was in her purse. She shoved him aside just as a bullet struck the door's wooden threshold above his head and splintered it into shrapnel.

No!

Chapter 7

"Take cover!" With gun in hand, Lacie hunkered down then started out into the night. "Stay here."

She'd shoved him off balance or else he might've been hit. "Not a chance. Wait for me." As Colt regained his feet, he was determined not to let her out of his sight.

Just then the sound of a truck engine turning over echoed through the darkness. Lacie took off at a run toward the rumbling noise and disappeared. He managed to make the dash to his pickup, pitch her bag behind the seat and rip the shotgun out of its rack in the back window all in record time.

As he turned to follow, he spotted her jogging back toward him.

"Get in," she yelled while jumping into the passenger seat. "I need to get a better look at that truck."

Despite the ache in his thigh, Colt climbed easily into the driver's seat and handed her the shotgun. "What direction did they go?"

"North. Toward the main highway."

After his pickup groaned to life, he muttered, "They'll be long gone by now. But I know from the sound their engine made that the truck had to be a big dual cab. Did you get any other description at all?"

"Too dark to see a color and too far away to catch the make. Darn it." Belting in as he drove off, she turned to him. "Are you okay? You weren't hit?"

"Not a scratch. Thanks to you. But the next time worry more about yourself."

"Colt, protecting people is my job. I'm the one with training, who carries a weapon. I can't just stand by and not do anything."

He fought back the angry, pure-male retort that wanted out of his mouth and pushed his old pickup to go faster. But by the time they reached the ranch-to-market road, the highway was empty in both directions.

"Now what?"

She sighed and sat back. "Now nothing. Our only choice is giving up for now and driving to your place. But we should keep our eyes open."

"If they were aiming at us, that was danged good shooting for such a dark night, don't you think?" He turned on to the highway and carefully maintained the speed limit.

"Yes, it was. Someone must've had a nightscope on that rifle. And not just everyone in the county would have access to such a thing."

"The sheriff's department does."

When she stayed quiet too long, he turned to check on her.

She looked uncomfortable for a second, but then nodded. "That's true. But a gun cartel might also use that

kind of equipment. Maybe we got caught in the middle of someone else's fight."

"Not a chance. And you know it. That attack was aimed at us and there can only be one reason. We're asking too many nosy questions."

Another long silence made him think over more carefully what he'd said. "But how would anyone know we've been asking questions?"

"Please don't suggest that Macy would've said anything." She folded her arms over her chest. "I don't want to hear it."

"All right, I won't. But there's also Mrs. Murphy. You said yourself she was a major gossip. I'll bet she was on the phone before we were out of her yard."

"I guess so." She didn't sound happy about agreeing with him.

He knew how she was feeling. None of this sat well. To think of their neighbors and friends working against them, willing to let them be killed, was extremely difficult.

The miles ticked by in silence and they never spotted as much as a single truck on the road as they neared the Bar-C.

Turning on to ranch property, Colt thought back to the things Lacie and Macy James had been talking about. "Why didn't I know about your mother being beaten?"

Lacie sat a little straighter in her seat. "The worst of it tapered off as my mother's mind began to go when we went to high school. And the troubles you experienced after your mother died seemed so much more important than mine."

He'd thought he'd known everything about her back then. Thought they'd been as close as two friends could

get. But this one important thing she'd failed to mention. His feelings were hurt, he decided. What else hadn't she told him?

"Did he ever hit you?" His fingers tightened on the steering wheel, as he expected his worst fears to be confirmed.

"No."

"Please don't lie to me." It would kill him to think she would.

"I'm not. Mother stayed at home, but I was going to school. I think he may have been afraid someone would notice the bruises on me."

He released the breath he'd been holding. "How can you work for the man, knowing what you know about him?"

"It's not always easy. And now after Macy's story, it'll be a lot worse. Do you think he could've killed your mother?"

"Don't you?"

"I suppose. But I'm having trouble with motive. The one Macy came up with doesn't sound plausible. Remember, your mother fought with her assailant and was hit over the head with a heavy object. That has always sounded like a rage killing to me."

Turning down the rutted ranch road that led to his trailer, Colt agreed. "Yes, that's what they claimed at the trial. The theory then was that my father and mother had a huge argument and my father killed her in a ferocious rage.

"But that never sounded like my old man," he added as the pickup bounced over the first cattle guard. "I remember him as seething when he got mad, never raging. He was the kind of guy who liked to micromanage everything around him and insisted on keeping a tight rein

on himself. An out-of-control murder like that would've been out of character."

"But rage sounds like exactly the kind of reaction my stepfather would have," she admitted. "Except, I just don't see a cover-up as a good igniter for rage."

Colt thought about it for a moment. "Is it possible he came on to my mother a little too strong and killed her when she resisted?"

Even through the low light coming from the dashboard, he saw Lacie shooting him an odd look that he couldn't understand.

"It's a thought," she said after another moment. "But I'm still not sure we can prove it. We need those old files. I want to know if the forensic techs took scrapings from under your mother's fingernails."

"For DNA samples? Good idea. Especially if she fought with her murderer. I know they kept DNA back then but the technology was new and not used much."

Lacie huffed out a breath. "I'm not entirely sure the files will contain the information, unfortunately. Keep in mind, it was my stepfather who conducted the investigation."

Frustration set his nerves on end. "Dammit."

They rode on for another mile in silence, and he figured she was as frustrated as he was. She was staring out her window into the darkness.

The range tonight seemed eerily dark without the moon's illumination. Even the stars weren't shining as brightly as usual. Good thing he knew his way to the mobile home by heart. He'd spent so much time coming across these fields and pastures as a teen, to talk to his dead mother and to secretly meet with Lacie, that he could've found the route blindfolded.

"Colt, look." She was pointing out into the pitch-black of the night beyond her window.

A set of truck lights bounced over unpaved road about two miles in the distance. The Bar-C hands would never be using one of their small cattle paths at this time of night.

"That's not anyone from the Bar-C, is it?"

"No," he agreed. "Think it might be gunrunners?"

"We'd better call Travis and Barrett." Lacie absently fingered the shotgun lying across her lap.

The headlights in the distance winked out just about then but he couldn't be sure if the truck had dropped into a gully or stopped. "I agree but we're almost there. Let's do it from inside the trailer, where we'll be safer. I don't like the idea of cartel members being so close by."

If Lacie hadn't been with him, he might've turned and chased after those headlights. But he couldn't take any chances with her in the truck.

He pulled across the dry wash and up the little hill to park in front of the trailer. "I've got your bag," he said as he turned off the pickup. "Bring the shotgun."

In a couple of minutes they were standing on his front porch and he was digging in his jeans' pocket for the house key. Grateful for remembering to turn on the outdoor lights before he left, he tried to hurry but fumbled the key in his haste to get her inside.

Lacie's focus centered on Colt's hand and key. Something seemed off about him. He hadn't even suggested they go after whoever had been illegally driving across Bar-C land. Under ordinary circumstances, it was in his nature to have turned the truck around and chase over the open range trying to catch them. Instead, his hand trembled and he had trouble unlocking—

"Stop!" By sheer luck she'd spotted the tiny, twisted

pair of wires attached to the doorjamb. "Run, Colt. Run!"

Placing an iron grip on his arm, she spun them both around and leaped off the front porch steps. Maybe she'd been wrong. But after she'd dragged him for a few yards across the dirt, the ground shook and the whole world behind them suddenly split apart.

One moment she had hold of his hand, the next she was flying. She remembered hitting the ground on her hands and knees, then everything went black.

When she came to, the heat and deafening snaps and crackles of fire at her back told her she'd been right. Someone had set a trip wire for a bomb under Colt's trailer.

Colt!

"Lacie, where are you?"

She couldn't catch her breath. Coughing and sputtering, she rolled to the sound of his voice and inched through the dark, black smoke trying to find him. Struggling to stand while searching the ground nearby, she made it to her feet just as she found him crawling toward her on all fours. Thank God.

He pushed up on muscled forearms and sat back on his knees with a heaving chest. "Let me help you," he rasped.

His eyes were watering and she figured he'd be hard-pressed to even help himself.

"We have to get out of here." Shouting over the noise of the fire, she pulled him to his feet. "We're too close. The propane tanks may go next."

The two of them managed to stagger down the hill, half carrying one another, just as a couple of more deafening explosions rained pieces of house siding and broken furniture over a hundred yards in all directions.

They both ducked their heads but no debris made it to where they were standing.

"My truck," Colt mumbled.

"Yeah, I think that's the least of your worries." She patted out the smoldering material at the elbow of her coat.

He turned a dazed look in her direction. "Are you okay?" His question sounded rough, ragged through his panting breath.

"I'm fine. And you? Any still-burning spots on your clothing?"

He opened his mouth to answer when a jangling sound came from inside his jacket. "My phone?"

"Answer it."

Pulling his SAT phone free, he handed it to her. "You talk."

She answered and discovered Travis on the other end. "What happened?" he asked, sounding breathless. "We heard an explosion and can see the flames from here. Are you at Colt's? What can you see?"

"Colt's trailer is no more. Someone planted a bomb and we were nearly trapped inside at the time it went up."

A moment of heavy silence told her Travis was at a loss for words. "Are you sure it was a bomb? You two okay?"

"As for the bomb, I'm positive. It was set with a trip wire to kill us. And as for our condition, I'm not totally sure yet. But I know Colt's pickup will never be the same. Can you send someone to drive us?"

"Hang on. I'll be there. Do either of you need a doctor?"

"We'll need more light to be absolutely sure, but we're both on our feet."

She shut off the phone and handed it over to Colt. "Your brother is on the way."

He took the phone from her but she noted his hand was still shaking.

"Let's sit somewhere while we wait." She hoped to hell he wasn't going into shock.

The fire still lit up the night skies while she turned in circles looking for somewhere flat. She found a boulder that was flat enough and dragged him down to sit beside her.

Colt settled, then shifted to look back up the hill at the slowly dying fire consuming his home. "Son of a bitch. Someone tried to kill us. Twice in one night."

"Yeah." She really wasn't ready to talk about it yet.

Apparently neither was Colt. They sat in silence, listening to the fire popping and crackling on the hill above them. But it took only about ten minutes for Travis and his hands to arrive.

Soon the place swarmed with vehicles. Barrett Johnson came first and quickly ushered the two of them into the backseat of his SUV. When other Bar-C hands came roaring up, several of them jumped from the backs of pickups, ready to shovel dirt on the fire.

The Bar-C had its own brand of fire department. But there was nothing left to save.

"Man, someone did a number on Colt's mobile home." Standing to the side of the SUV beside their open door, Travis lifted his Stetson and blew out a breath. "You two need to be checked out at the hospital?"

Colt found his voice first. "No. Take us to Sam's. I have a key and I know the security code. We'll be okay there."

Barrett walked up to the SUV, gingerly holding her

slightly singed duffel with one hand and Colt's shotgun with the other. "Not sure these are worth saving, but maybe you can salvage something."

"Okay," Travis agreed. "We'll all go to Sam's for now. At least to get you cleaned up and checked out." He spun toward his SUV but then turned back to say, "And I want to know who you think did this."

Lacie knew Travis was thinking of her stepfather, because he'd never once volunteered to call the sheriff's department to report the bomb or fire. This investigation of Colt's had gotten out of hand. But maybe, just maybe, it would be for the best.

Stir a beehive and you could end up with honey. If they'd made people nervous enough, maybe they would finally get to the bottom of the murder. All they had to do was live through it.

Several hours later, Colt stepped out of his second shower of the night. Travis had called Sam in California earlier to explain what happened, and their oldest brother volunteered his house and hospitality.

In moments Colt had dressed himself in Sam's borrowed clothes. He'd had to roll his brother's jeans hem once and the only shirts of Sam's that fit him were loose T-shirts. His oldest brother was a couple of inches taller and a lot leaner around the chest. But Colt felt much better because at long last he'd managed to get rid of the pungent smell of smoke that had permeated his entire body since the blast. The clothes he and Lacie had been wearing would be consigned to the trash heap.

By the time he walked into Sam and Grace's kitchen, he felt better and found Travis cooking bacon at the stove. The smell coming from the perking coffeepot made his stomach growl. Two o'clock in the morning

and he'd just remembered he and Lacie hadn't eaten a thing since early yesterday.

She sat at the kitchen table with Barrett and looked up when he came into the room. "How're you feeling?"

With a bruise on her cheek and her hair singed at the ends, she was still the most beautiful woman he'd ever seen. He breathed a little easier every time she was close.

"Like someone beat me up. But nothing serious." He had a bruise on his back the size of a baseball and a small cut on his chin that would make shaving difficult.

Still, they were alive with no broken bones and that was the best he could've hoped for.

Before he eased into a chair at the table, he asked, "You need any help, Trav?"

"Got it handled."

Lacie watched him carefully as he sat down. "He wouldn't let Barrett or me help either."

"No need," Travis said as he brought a couple of plates to the table. "I'm the best bacon-and-egg cook around. You guys can't compete with my skills."

Colt nodded as his brother set a plate before him but held in the smile. "I remember your cooking skills, bro." He turned back to Lacie. "Maybe bacon and eggs are within his range, but don't ask him for anything complicated."

After their mother's death and father's incarceration, all of the Chance boys had been forced to learn to cook. It was the only way to survive. Oh, they'd taken a few lessons from a bunkhouse cook. But if they'd wanted to eat, they had to feed themselves.

Travis set the last two plates before Barrett and himself then sat down. "Right. So you and Lacie managed to live through two attempts on your lives. You think

this was related to your private investigation? Or are you more of a mind that these attacks are coming from the gunrunners we believe are occupying our county?"

Colt could only shrug. "I really don't know. But if I had to guess, I'd put money on it being the investigation."

"Hmm." Travis appeared thoughtful as he chewed his food. "Either way, tomorrow I'm giving my friend Jeff Duncan at the Texas Rangers a call. We need their help."

"Will they come without the sheriff knowing?" Lacie broke in with a good question.

"Jeff will be willing to conduct a quiet investigation of his own on the gunrunners." Travis tilted his chin toward her. "We'll see what he thinks about the other thing."

Colt wanted to talk about something else. "Barrett, while you're here, can you tell us what you remember from the time right before my mother died? We understand you were good friends with my father. What do you know about Sheriff McCord during that time? Did he ever come on to my mother?"

Barrett set his fork on the empty plate before him. "I worked for your father, with him, to build up the ranch and save the land he'd inherited. But I also partied with him and Ellen on occasional Saturday nights. I remember the sheriff making a fool of himself lots of times. He was pushy and a bad drunk, especially after he'd married Lacie's mother. I remember that real well."

"So you were good friends with our father? You knew him well?" Colt worried about asking this next question in front of Travis, but it had to be done.

Barrett nodded and took a slug of coffee.

"Tell us the truth. Did you ever hear of my father

cheating on my mom? And do you think he could have killed her in an angry rage?"

The whole table got quiet and suddenly no one paid any attention to their food.

Barrett hung his head and stared into his coffee mug. "This ain't easy to say. But there was a time when Jake, uh, might've strayed a bit. Him and your mother went through a bad patch. Happens in every marriage, I understand."

Barrett shot a glance over toward Travis, whose mouth was hanging open, then looked at Colt. "Your mother knew. I think he must've confessed to her. And she forgave him. Can't say I knew it to happen more than the once."

Colt's throat was so dry he had to clear it twice to speak. "And how about the angry rage? Does that sound like my dad?"

"Not a chance. You remember how he was. When Jake was mad about something or someone, he got real quiet. If it was bad, he plotted to get even. I never saw him show his anger. Never."

Not knowing what to say to that, Colt absently shook his head but couldn't seem to move otherwise. He was getting some of the answers he needed. But this might be more information than he and his brothers could handle.

Lacie scooted her chair back and stood. "Thanks for telling us, Barrett. Is everyone done? I'll do the dishes." She started collecting plates.

Barrett was on his feet in an instant. "Oh, no, ma'am. That's my job." He took the dishes from her hand and strode to the sink.

Travis was next up. He put a hand on Colt's shoulder and gave him a supportive squeeze.

"You're doing the right thing, brother," he said in his quiet way. "You need to ask these questions. But you also need to watch your back. It's all right if we have to give up some of the memories of our parents. There'll still be plenty good times to remember. But it's not all right for you or Lacie to become martyrs to the cause. Stop pushing so hard and let the rest of us help you."

Colt drew in a deep breath and stood. "I can't stop pushing. Not when we're getting close. I need to clear Dad's name."

He turned to address Lacie. "So he strayed once. That doesn't make him a monster. Or a murderer. But it's up to you, Lace. If you want out, for any reason, just say the word."

Lacie walked over and took him by the hand. "We've been through a lot today. I'm not sure we're thinking clearly. Let's get some sleep and talk about it more tomorrow."

Thank God for her. Somehow she always knew the right thing to say. He'd been holding his breath and now released it and stood a little taller.

Travis broke in, saying he'd help dry the dishes and then he and Barrett would let themselves out. "Get some rest. I'll station a couple of hands as guards. And call me tomorrow. We'll talk about where to go from here."

Arm in arm, he and Lacie climbed the stairs he remembered so well from his childhood. "Want to take a spot in my bed?" he asked as they reached the guest rooms. "I'll rest easier knowing you're okay."

"You won't get any rest at all if we're in the same bed. I'll stick to my own for tonight."

She was right about that. Like she was usually right about everything. But he didn't have to be happy about it.

But she did say *for tonight*. It was enough to give him hope. And that would have to do for now.

Chapter 8

Lacie opened her eyes slowly, took a moment for things to orient themselves and remembered she had fallen asleep in a guest room at Colt's brother's house—their family homestead. Sitting up, she tried to clear the cobwebs of a nasty old dream out of her head.

But echoes of the dream, nightmare really, refused to die. And she knew why.

They were closing in on her stepfather's motive for killing Colt's mother. Being this close to arresting and finally putting the man where he'd belonged after all these years had stirred up her ugliest memories.

She sat at the edge of the bed, gazing out the window to find the first faint glow of bluish light announcing dawn. *Too early.* But there would be no more sleep for her now.

She couldn't rid herself of the dregs of a nightmare she hadn't had for years. Despite her efforts, the sights

and sounds of her childhood came back to haunt her in a big way.

Don't worry, Lacie, her stepfather had said after she'd put her mother to bed one night long ago. *Your mother will never remember any of this. But I'm here to take care of you.*

Even as a naive preteen, Lacie had known what he'd really meant. That night she'd locked herself in her room and listened terrified a few hours later as he'd tried the door handle.

He would take care of her all right. But not if she could help it. And not if he couldn't reach her. She'd managed to avoid him for several years after that.

Until the night after graduation when she'd been awakened by the feeling someone was in her room. *Lacie. Lacie,* were the deep whispers that came through the darkness.

Before she could think, a rough, calloused hand landed on her arm. *You graduated from high school today, little girl. And I intend to help you celebrate. It's past time you had your first lesson in real life.*

Lacie would never know how she managed to escape the house that night. Or how she found her way outside with only a blanket around her shoulders. But she'd taken cover in a clump of bushes next door. All through that night and part of the next day she stayed put until she saw her stepfather leaving for work.

Regretting so much. Not saying goodbye to Colt. Not being able to care for her slowly fading mother. She'd had little choice but to sneak back into the house late that afternoon, to hurriedly pack a bag and grab her little bit of savings before leaving Chance for good.

Hitching a ride out of town was easy. Finding a way to live after that, not as much.

But she'd done it. With help from so many people. Thank heaven for the kindness of strangers.

The only way she knew how to pay them all back was to become the best sheriff's deputy she knew how to be. And she had. So why then had she come back to Chance?

Colt was the reason she'd given herself at first. And he was a big part of it. But deep down, she knew better. She'd come for justice.

But getting justice could not mean risking Colt's life in the bargain. She loved him. Had always loved him. And she would rather her stepfather get away with murder than cause any serious harm to Colt.

How could she make everything turn out right in the end?

The more she thought of Colt, the more confused she became. All she knew for sure, all she could think about, was that she didn't want to go one more day without making love to him.

He wouldn't be her first, the way she'd always dreamed. No, a really good-looking but self-absorbed guy in junior college had taken care of that little chore. Maybe her relationship with Colt wouldn't last, but the thought of the two of them making love was one dream she wanted to make come true.

Wearing only a sweatshirt and underpants, she tiptoed out of the room and padded down the hall in her bare feet. Colt's door was standing open and when she peeked in, she discovered his bed empty.

She checked the kitchen and front room and, finding nothing, began to worry. The last place she thought to look was on the wide, covered front porch. She hadn't expected to find him outside, but there he was, sound asleep in the double-wide swing.

With her heart pounding triple time, she went to him. Had his mind been as jumbled as hers during the night? Was he out here because he couldn't sleep and sought refuge in the cool early-spring air?

Kneeling beside the swing, she gazed at the man she'd loved for most of her life. They were alike in so many ways. Too bad they weren't of the same mind on the important stuff.

Still, she refused to spend the rest of her life wondering what it would be like to make love to him. She reached out and touched his shoulder.

Colt woke up when someone took his shoulder. Opening his eyes and sitting up, he was ready to clock whatever brother felt it necessary to show up again this early.

But when he focused, he was stunned to find Lacie bending over him. "What's wrong? Why are you awake?"

He was on his feet with his hands on her shoulders in the next instant. Checking her over in the dim light, he didn't notice anything amiss in her expression.

"Nothing's wrong. I couldn't sleep. Why are you outside? Are you okay?" She stood gazing at him in her bare feet, sweatshirt and—*underwear?*

He ran a hand through his hair, trying to understand. "I'm fine. Like you, I just couldn't sleep in that bed."

She tilted her head up, and the look she gave him changed everything. Suddenly he wanted her. Lord have mercy. He wanted her more than he'd ever wanted anything in his life.

And the expression in her eyes said she wanted him, too. He'd dreamed of this, of the two of them together,

since he'd been fifteen years old. Now that the time seemed right, he didn't know how to make the first move.

Thankfully, he didn't have to.

She looped her arms around his neck and moved in close. "Last night reminded me of how short life can be," she whispered against his lips. "Make love to me, Colt."

He couldn't have said no if he'd had a gun to his head. Nothing stood in his way now, so he gave in to both their needs and opened his mouth over her plump, sensual lips. Desire. Healing. Giving her everything he had. The growing hunger nearly cost him sanity.

"Please," she begged while he desperately tried to douse the heat long enough to keep them safe.

Just a moment more, my love. "Come back to bed," he urged as he pulled her toward the front door.

Somehow he managed to get them inside and lock the door behind them. But their climb up the stairs was a blur of desperate kisses and silken touches. Nothing seemed real as they removed each other's clothes and made it to his queen-size bed. He even managed to find the condom he'd been saving for just this occasion and suited up before finding himself on his back with her kneeling above him.

He reached hands out to the lush curves he'd needed to touch for so long. The woman of his dreams: warm, naked and more than willing. Vowing to absorb every moment, he reveled in stroking his fingers across her satin skin while watching her expression for any signs of distress.

What he saw was her need, matching his. When he hefted her delicious breasts and bent double to taste the tips, she closed her eyes and moaned.

It was all he could do not to roll her over and take

what he desired most with one swift thrust. But when she opened her eyes again and gazed at him with ecstasy written on her face, he realized what he should've known when they'd begun. Her needs came first. He loved her. And if she needed to take control of their lovemaking, he would gladly turn it over to her.

She reached out to run her fingers through the hair on his chest. And he hung on, biting the inside of his mouth to keep still.

Putting aside the odd thought of loving her enough to give her everything, he gave her this. This wonderful, most erotic night of their lives.

She bent over him, licking a path from his chin, down his neck and chest to his nipples. He groaned, more enthralled by the lost look of pure need on her face than by his own growing hunger.

Beginning to pant and moan softly, she lifted her hips while he helped position his rock-hard erection at her moist core. Lord, she was beautiful. Everything she did, every move, was perfection. Better than his wet dreams as a kid, that was for sure.

She sat back a little, giving his tip permission to enter her tight but welcoming opening. She held still then, frozen in place while he hung on the edge of ecstasy. Neither of them took a breath and both tensed their muscles to the breaking point.

Stand your ground, he cautioned his nearly out of control body. Just because he'd wanted her for what had seemed like a lifetime did not mean he would ruin her dreams. He vowed to make this first time for them exactly right for her, the way it would be for him no matter what.

Finally. Finally, she relaxed and he jerked home.

"Lacie." He called her name on a tortured breath, begging her to pick up speed, to end his need.

But that wasn't best for her and soon he knew it, too. Tightening a grip on her hips, he lifted his own hips and began to move, building a slow, even rhythm. This was his Lacie and he would give her everything. Anything.

He let her know by each smooth stroke and every velvet touch that he cherished her beyond reason.

As her breathing picked up, he swore he could feel her heart pounding in her chest. She shifted her hips, encircling him with relentless friction and heat, and his torment grew.

When he thought he could stand no more and would explode with the very next move, she finally increased the speed and started pounding her hips against his. Hanging on to his command by a slender thread, he finally dug his fingers into her luscious hair and let her do the work.

The pleasure was all his. Heaven.

Right up to the moment when she cried out, exploding around him. Pulsating internally. Throbbing. Milking him with silky suction. He couldn't stop a blasted thing then, and came like a volcano explosion. Control was a lost cause.

After she collapsed against him, both of them sweaty and still breathing hard, he wrapped his arms around her waist and rolled to their sides. Cocooning her precious body with his own, he held her tightly against the pounding beat of his heart.

"You are so beautiful," he murmured. "Rest for now, love. But we are not done here."

She chuckled, and he actually felt the humor rolling through her as it rumbled against his chest. "More? How can you think of that? I can't breathe."

"I can think of plenty more. Next, it's my turn."

He amazed them both by being ready again in record time. She'd done something weird to him. Made him feel like a horny teenager again.

For the next couple of hours he took his time, finding everything there was to know about her body. What moves she liked best. Where she was most ticklish. He memorized it all.

While licking the mole on the inside of her upper thigh, he discovered she would squeal with pure delight when aroused. And that made him determined to taste every inch. To illicit every sound and sigh bottled up inside her.

As a lonely teenager, he'd dreamed of the two of them making moves like these. She was his fantasy come to life. And it was all much, much better than he'd ever imagined.

Awakening on his back to bright sunlight coming through the window, he cleared his eyes and glanced at the bedside clock, which said twelve o'clock. He rolled over and found Lacie lying on her side with eyes wide-open.

She gave him a shy smile. "Hi. About time you woke up. I'm hungry."

Reaching a hand out, he pushed aside a stray strand of hair covering one of her eyes and grinned. "Saying uncle? Giving up?"

She frowned in silence, and he couldn't stop himself from cupping her cheek with his palm.

"All right, darlin'. Maybe I could use some food, too. And a shower." Pulling her up beside him to sit at the side of the bed, he confessed, "But I want to say something first."

She leaned in against his chest and put an arm around

his waist. "If you're going to say you love me, I know. I could tell with every move you made this morning. I love you, too. I guess I have since I was ten years old."

Her confession sent a thrill up his spine and he leaned down to place a tender kiss against her lips. But right away he realized the true meaning of what he'd left unsaid. Things would be different from now on. He wanted her in his life for good. And protecting her had just become the most important thing in the world. Much more important than anything else in his life—past or present.

Leaning his chin against her hair, he said, "Let's give up this investigation and leave town. Now. Today. I'll contact my former boss and try to get my job back. It doesn't matter where we go. As long as we're together, we can be happy anywhere."

She leaned back and gave him one of those half frowns slash half smiles he was learning to recognize. "That sounds like you—but no. We're getting too close to an answer. I don't want to leave. It would feel like running away. Besides, I have a job here. And friends. For the first time in my life I belong."

Suddenly in a panic about the possibility of someone really hurting her, he slid to his knees in front of her. "Marry me. I love you. I'll make you feel at home somewhere else. Anywhere. Come away with me, please."

She scooted back and stood. "I'm not giving up the investigation, Colt. I have to know the truth. If you want to leave, I'll find a way to go on without you."

The sudden ache in his chest nearly doubled him over as she turned her back and walked to the bathroom. He'd asked her to marry him, something he had never pictured himself doing, and she turned him down. His love wasn't strong enough to keep her safe.

But he loved her, damn it. He could not—would not—allow her to come to any harm. It would kill him. If she wouldn't go now, he had to stand beside her, in front of her if necessary, and make sure she lived through it.

Then, she would come away with him. She couldn't turn him down after her stepfather met his justice. After their investigation revealed the truth and everything had been finished and done, they would find a new home—together.

Feeling stronger, more sure of himself and his ability to keep her safe, he strode toward the bathroom, too. Maybe she would invite him into the shower with her. That just might take away some of the sting of her rejection.

Happier and pleased his leg no longer hurt this morning, he began humming a little song. Everything would be fine. After all, it had only been a temporary turndown.

She'd said she loved him. He would get the girl in the end.

After eating, while still sitting at the kitchen table, Lacie felt relieved that Colt was no longer insisting they leave town. He'd actually said he would stay in Chance to continue their investigation. She wanted to spend as much time with him as possible before he left.

She sat watching him finish his meal, searching his face for any clue to what he might be thinking. Torn between wanting him to stay and wanting to keep him safe, she wished to hell he wasn't so tempting.

Things were infinitely worse now that they'd made love and she loved him more than ever. "What did Tra-

vis say when you called to tell him we would keep up the investigation?"

"He suggested we go through Mom and Dad's papers. Sam apparently stashed most of them in file boxes in Dad's library upstairs years ago. I'd almost forgotten that Sam had mentioned them to me."

"That's a good idea. You never know what we might find. Can we go up now?"

Colt scraped back his chair. "Might as well. Travis said he'd be sending another truck for us to use later this afternoon. We'd have to stay put until then anyway."

The two of them stood side by side next to the table. She felt a little uncomfortable with him now that she'd told him she wouldn't be leaving Chance. But he seemed to have settled into the idea better than she could've hoped.

She took his hand. "Did he mention anything else about the Texas Rangers?"

Colt led the way toward the stairs. "Oh, yeah. His friend the captain and a few of his men are already here. Seems they'd been following the trail of these gunrunners for quite some time and had chased them down to the next county over."

Lacie didn't like the idea of Texas Rangers showing up in Chance County without the sheriff's department being informed. It went against all her training. But she bit back the urge to call the information in and followed Colt to his father's office on the second floor.

In a few minutes they'd found what they sought in a storage closet and had several of the boxes already opened. Folders and papers were spread all over the room.

With a file in hand, Colt asked, "What should we be looking for?"

Her previous investigative training gave her a head start on their search. "Skip bills and anything that looks like accounts pertaining to the ranch. But double-check any legal papers and especially look for personal correspondence. We're most likely to find anything that looks odd there."

Colt nodded and sat down at his father's desk with a storage box full of files on his lap. A ray of sun from the open window caught in his light brown hair and shot reddish highlights through to the shaggy ends.

She tried to keep her breathing even, but for a moment she could only manage to sit and stare. The man she'd longed for, prayed for, dreamed about for as long as she could remember, now claimed he loved her. That idea seemed almost too painful and ironic when she also knew they would never be together in the end.

He was only beginning to see that the two of them wanted different things from life. But that was something to deal with later. For now, she would keep him close to her heart. Nothing would happen to him just because she refused to run away from her stepfather's secrets.

Bending her head to her own file box, Lacie prayed to find a smoking gun among these papers. Something to legally require reopening the case.

A couple of hours later, she heard Colt getting to his feet and coming toward her.

"I need you to look at these," he said as he held out several yellowing sheets of paper. "I think I know what they're saying, but I... Give me your opinion, please."

She took them in hand. "Where'd you find them?"

"In a file labeled in my mother's handwriting and marked *Correspondence*."

The minute she looked down at the scratchy writing,

she knew what they were. "Letters. From my mother to your mother."

"That is your mother's handwriting then?"

"Definitely." She remembered learning how to make these same scratches on notes supposedly from her mother to the high school. "It's still as illegible as ever."

"I managed to decipher a few lines. They're not dated, but clearly sent before my mother died. Can you read them?"

Clearing her throat, she picked the one on top and began to read aloud.

"Ellen Chance,
Stay away from him.
You have so much. Money. Land. A man and children who love you. Don't take the one thing I've ever had for my own.
Leave him alone!!!
Mrs. Edith McCord"

Lacie wanted to scream. Instead she said, "My mother thought your mother was trying to steal her husband."

"Check out some of the others."

Reading quickly through them, Lacie found other notes with much stronger sentiments. "She threatened to kill your mother to keep her and my stepfather apart. God, she was crazier than I realized. And I thought her only cold and absentminded. She was really nuts."

Colt came to stand next to her chair and placed a strong arm around her shoulders. "Remember all those rumors? I'm sure she must've heard them and her imagination ran wild."

"No wonder she and my stepfather got into so many

arguments. Do you think he might've ended up believing the same thing? That your mother wanted him?"

With a deep sigh, Colt shrugged a shoulder. "It's possible. And that could also be why he came after my mother that day. To make her confess her love for him."

"And when she didn't, he killed her in a rage? That sounds a lot like my stepfather."

"I'm sorry." Colt pulled her up into his arms. "I thought it would feel great to find proof he killed her. But now... It's only sad."

Leaning into him, Lacie buried her face in his neck. "This isn't the smoking gun we were hoping for, Colt. It's not proof. My mother was and is insane. She can't help us. And whatever she wrote at that time was the raving of a lunatic."

He gently patted her on the back. "It's enough to confront him. If we take him by surprise, he might give us something better."

"Uh, that's too dangerous. He'd as soon kill us as not."

"But we'd be ready for him, and we'd be wearing wires like they use during justice department stings. We'll have plenty of backup."

Typical Colt. He didn't know what was involved but would jump in headfirst anyway. Oh, how she loved him.

"Call your brother," she said against her better judgment. "We need to meet with the Texas Rangers."

She wanted her stepfather put in jail badly enough to chance dying for it. But what about Colt? Somehow she would find a way to leave him out.

He must stay safe. He must.

Chapter 9

"I could've driven myself, you know." Lacie sat in the passenger seat of his new SUV, staring out into the darkness past the windshield at Bar-C ranchland.

"I know." Colt was not letting her out of his sight from now on. "But this won't take long. We'll be in town for only enough time to pack a few more of your things and then we'll be on our way. Nothing to worry about. We're not supposed to meet with Travis's Texas Ranger buddy for another couple of hours."

She'd folded her arms across her chest, her duffel sat at her feet. Even dressed in her sheriff's uniform, because she had nothing else left to wear, Lacie looked like a sexy dream. He'd never thought of making love to a lawman before. But right now that was all he had on his mind.

"I want you to remember what we talked about," she said as she turned her head. "You are not trained

in law enforcement. Whatever sting we can arrange with the Rangers to corner my stepfather, you have to stay out of it."

"Uh-huh."

"Colt, I'm serious. Let us handle it."

He kept his mouth shut and continued driving. This sting had been his idea. He would be participating no matter what she said. He wanted Sheriff McCord to face justice more than anyone.

"Well...hey! Just look at that." She was pointing out the window. "It's that same light we saw the other night. Do you think that could be gunrunners on the Bar-C?"

"Let's find out." He cut the wheel and downshifted into four-wheel drive, heading out across the open range.

"For heaven's sake," she muttered while hanging on to the handle above the passenger door. "Just call Travis or Barrett and have them call the sheriff's department. If this is some kind of criminal activity, we are not equipped to confront them."

"You're armed, aren't you?" He located the gravel utility road he'd been looking for and doused his headlights. "And my shotgun is behind the seat. Besides, I don't want to confront them. I just want to find out what's going on."

"Stop. You can't drive across open range at night with no lights. Cattle could be lying in the road and you'd never see them. Anybody raised here should know better than that."

"What I know is there aren't any animals being kept on this part of the range because it's been so dry. The Bar-C moved them all farther south to preferable pasture weeks ago." Still, he let up on the gas, belatedly thinking of the potential for wild animals crossing the road.

Despite not being able to see very well, he kept the SUV inching toward the spot where they'd last noticed the lights disappear.

"You think the gunrunners know that, too?"

Ah-hah. He'd finally gotten her attention. "Probably. It's no secret around Chance. Everybody knows the ranchers are hurting and that any Bar-C business concerns the whole county."

When he reached the spot he'd been seeking, he brought the SUV to a stop, put it in Neutral and pulled on the brake. "We shouldn't drive any closer. I'm already worried that they might have heard our motor running. Let's get out and walk from here."

"I don't see any lights." But she reached into the duffel at her feet and pulled out her gun and holster.

"There could be a good reason for that," he offered. "The cattle road they must've been using runs right through an old dry creek bed. If I remember right, the bottom of that wash is probably ten to fifteen feet below the surrounding range. And it's nearly a half mile away from here."

"What do you think they're doing there?"

He opened the driver's door and quickly doused the overhead light. "No telling. Camping. Meeting up. Could be anything. No one from the Bar-C has been across that land for weeks." He grabbed his shotgun before easing the door shut again.

Lacie climbed down on her side, while at the same time buckling her holster around her waist. "We can't make any noise. Sounds travel long distances at night on the range."

Smiling to himself, he nodded but was sure she didn't see him. His eyes had adjusted well to the low light coming from just the stars. Hers soon would, too.

In a moment she walked up to stand beside him with her gun drawn. "You lead the way," she whispered low. "I'll stay close."

He was concerned about walking on the caliche gravel due to any noise the soles of their shoes might make. So he led her into the dusty dirt and weeds at the side. They would be able to stay close to this narrow road for several hundred yards, at least until it ran along the top of the dry bed where they could see better.

As they got closer, he began to hear voices.

Lacie must've heard them, too. She put her hand on his arm and signaled that she would lead the way from here.

All righty then, Miss Deputy Sheriff. He followed, close enough to feel the heat coming from her body.

When they reached a point where the voices grew louder and he could actually see a faint glow coming from some sort of light down in the wash, Lacie went to her knees. He joined her. It was tough going while keeping hold of the shotgun, but together they crawled to the edge and looked over.

Below them they saw two pickups. The one big dual cab with a tarp partially covering the bed looked familiar. The other truck had a prefab metal cover over the truckbed, making it look more like a van. That truck sported Mexican plates. Between the vehicles, two men were transferring long, narrow boxes from one truck to the next.

Lacie tilted her head in their direction and indicated she would be going into the wash. She obviously wanted him to stay put.

Not likely.

Seconds later she walked into the glow of light made from the trucks' headlights. "Sheriff's department.

Stop. You are under arrest. Put your hands in the air where I can see them."

Colt stayed out of the light but racked the shotgun's pump to announce his presence nearby. The loud, unmistakable sound would be clear to anyone familiar with guns.

But neither of the two men looked terribly concerned. They didn't raise their hands but turned to Lacie with quizzical looks on their faces.

"Hands up," she ordered again.

One of the men, the one who wore clothes that looked shabby and dirty even in the low lighting, finally raised his hands to his face. Colt felt sure that man was a Mexican national and might not understand a lot of English.

The other man, well-dressed in his Stetson and lizard boots, remained unmoved and said, "What are you talking about, lady?"

"You are under arrest." Lacie's voice grew lower and more forceful.

That man finally began raising his arms. "Okay. But why? We're only doing what we were told to do."

She called back over her shoulder. "Colt, keep your weapon trained on these two while I cuff them."

He moved in closer. "You got it, Lace."

As she holstered her gun and pulled a pair of cuffs from her utility belt, he made sure she didn't step between his line of sight and either of the men. "What was that guy saying?"

She cuffed the mouthy man first. "What's your name? And what'd you mean by 'doing what you were told'? Told by whom?"

The man frowned but raised his chin in defiance. "Richard Stanton. And I was told by the sheriff. We paid him good money so we wouldn't be arrested. I even did

the bastard a favor or two in the bargain. Just so we'd be safe doing our business here. Why don't you ask him?"

"Which sheriff?" Lacie shoved the guy up against the truck, made him spread-eagle and then patted him down. "What's his name?" She didn't wait for an answer but started cuffing the other man once the mouthy one was secured.

"Oh, you know. That old dude. McCord's his name. Ain't he your boss?"

She didn't bother to answer but finished taking care of the second guy. Lacie impressed the hell out of Colt with her quiet professionalism.

When she seemed satisfied they were both in custody, she turned to him. "Got your SAT phone handy?"

"Sure. But…"

"Call Travis. We need the Texas Rangers. Now."

"What about your stepfather? And the other deputies working in your department? What are we going to do with these two?"

Lacie jerked the two men to attention and shoved them in front of her. "That's one of the reasons we need the Rangers. Since we can't know who to trust in Chance County, we're going to have to take them to the sheriff in the next county. Make the call while we walk these characters back to your SUV. We need to move off the range to where we can watch our backs."

Colt wished they could've thought of another way. The sheriff in the next county over was supposedly a good friend to Sheriff McCord. And had been for twenty years.

But Colt couldn't see that they had much of a choice. So he shut up and made the call to his brother.

* * *

Lacie didn't like any part of this. While Colt drove, she sat swiveled around in the passenger seat with her weapon trained on the two she'd secured in the backseat. But what choice did she have? The Rangers should only be fifteen minutes behind them.

Still, driving along ranch-to-market roads at night in Chance County without an escort could be a dangerous move. And worse yet, she'd been forced to let Colt help out by being the driver. Involving him in something this risky was exactly what she'd vowed not to do.

How had she ever arrived at this point? When she'd first come back to Chance and taken the job as deputy, she'd hoped her stepfather had changed—become the sheriff his constituents in Chance County assumed him to be. She'd secretly interviewed every preteen girl in the vicinity, without letting on why she was interested in who they might be afraid of.

She'd found nothing and assured herself that he was a changed man. It had never occurred to her to look into his other dealings. That the man might be a common crook in disguise. Knowing that he was for sure now, she couldn't look away. He would go to jail. But not for anything he'd done in the past. The idea gave her a chill.

"You okay?" As he concentrated on the road, Colt's voice was tender, loving. Without him having to say it, she could tell he cared for her. She'd never experienced anything like that before and wasn't sure how it made her feel.

One thing for sure—he shouldn't be here. Her stepfather was *her* problem. But she couldn't figure another way to keep these men in custody.

"I'm fine." Suddenly tall headlights appeared in the

back window and the truck they belonged to was coming up fast. "Are we running into traffic?"

"Some. There's a car or two ahead of us and one about to pass."

Uh-oh. "Colt..."

Before she could issue the warning, he tapped his brakes several times and swerved the SUV toward the side of the road. "What the hell? Hang on!"

The taller vehicle behind them bore down and she waited for the inevitable crash. "Brace!" she shouted at the men in custody in the backseat.

Their eyes were wide as they grappled for a way to stabilize and hold on. But they were shackled and cuffed and had nowhere to turn.

Flipping around under her seat belt, Lacie froze at the sight of two cars blocking the road ahead. Colt expertly guided their SUV to the side of the road and drove on the shoulder, kicking up rocks and dirt in a rooster spray behind them as they went.

"Colt, don't stop." They were being ambushed and had no way out. "Keep going. Try to get around them."

Just as she'd said it, the truck that had been following roared up directly behind them, driving on the shoulder, too. Before Colt could do anything about it, the crazy driver closed in too tight and tapped their bumper. The jarring noise as the two bumpers collided sounded exactly like the ruthless crack of rifle fire.

These crazy bastards were not trying to stop them. They were trying to kill them.

Colt pulled hard right at the wheel again. But this time, with one more push from behind, he lost control and everything broke loose. The whole world turned upside down and then without warning went to black.

* * *

Colt came to slowly, unable to figure out where he was or what had happened. Nothing seemed in focus and he felt numb and strange, as though gravity had been revoked.

"Colt!" Lacie's voice cut through the fog in his brain.

Where was she? Just as he began to understand that their SUV had rolled and was sitting on its roof, and the only thing keeping him in place was his seat belt, the sudden sound of breaking glass captured his full attention. Rough voices began demanding that he do something he couldn't understand. At the same time strong arms wrenched him free of the belts and out the windshield before he could even object to the pain.

"Lacie?" He tried to get his bearings as someone dragged him to his feet.

"Shut up, Chance. She can't help you." The voice behind those words sounded familiar.

Sure enough, when his eyes cleared, he found himself staring at the bastard Sheriff McCord. "Where is she?" he heard himself demand. "What have you done to her?"

"I'm here." Lacie's voice came from only a few feet away, though he couldn't see her through the dust that still floated in the air from their accident. "But I don't think either one of us was meant to live through that crash."

Unable to move due to someone holding him back, he couldn't go to her. "Are you injured?" He would kill McCord if anything happened to her.

"Stop talking. Both of you." The sheriff appeared in the light coming from several sets of headlights illuminating the area. "I don't give a crap about either

of you. I'm trying to think of a way out of this mess you've made."

Mess? "This was a terrible accident. I suspect we both need a hospital, Sheriff. Call my brother."

"Shut up, I told you." The sheriff came in close and sneered, a look of contempt clear on his face. "You're a better driver than I would've guessed. Too bad. Now I have to think of another way. And fast."

"You've stopped traffic in both directions." Not a question, Lacie's voice seemed steadier though her tone cut through the night like pure ice.

But Colt still couldn't see her as she added, "It won't matter. Texas Rangers are in Chance County and they're coming this way."

"Too bad—for you. There's been a couple of terrible traffic accidents on this main road tonight," the sheriff told her smugly. "No one, not even Rangers, are getting through. But the Chance County Sheriff's Department is on the job. We're handling it."

"We didn't die." Lacie finally came into his view as she spat out the words. "No matter how you kill us now, it will clearly be murder."

She had blood on her face and was holding her arm at an odd angle. A deputy he didn't recognize stood behind her and kept her upright with a hand under her other shoulder. She'd been injured.

He tugged at his captor's arms, but the man behind him had him firmly in his grasp. "The sheriff wouldn't dare kill us now. He'd be forced to cover up too much and too many people would know about it."

The sheriff's hand moved quick and struck him sharply across the face, nearly knocking him to his knees. "I told you to shut the hell up, Chance. This

won't be the first time I've covered up a murder. But I'm good. No problem there."

Colt couldn't believe what he'd heard. The sheriff was so convinced they were about to die that he was willing to confess?

"Are you saying you covered up killing my mother by making my father look guilty?"

Instead of another slap, the sheriff slowly grinned. "I figured that's what you and your little girly friend here were doing. Trying to uncover something I buried long ago. I said I was good. You'd never have found anything concrete."

"We had some good leads." Colt couldn't help himself. The man was so smug. "So you really killed her in a rage?"

"I didn't say that." The sheriff pulled his revolver. "As a matter of fact, it won't matter what you know now."

He turned the gun on Lacie. "Your mother was the one who killed Ellen Chance, girly. She got it in her head I was cheating on her with the woman and just wouldn't let it rest."

"My mother?" Lacie's eyes were wide. "But how?"

"Turns out she was a lot stronger than she looked," he answered with a chuckle. "But you can thank me for cleaning up that mess up for her. This one won't be any trouble either."

"You're going to have to shoot us." Lacie's voice sounded weaker and Colt wondered how much blood she'd lost.

"Me? Naw. Them two gunrunners you captured are going to do it. And then they're going to die in the resulting shoot-out with the Chance County Sheriff's Department."

Colt looked around for the two men who'd been in the backseat before the crash. He spotted them lying flat out on the ground next to the wrecked SUV. If he had to guess, they weren't dead yet. But they weren't in stellar condition either.

He hoped to buy a little more time. "Any decent autopsy on those two will prove they couldn't have shot anyone. Look at them."

The sheriff shrugged but kept his gun trained on Lacie. "Guess who will be conducting the autopsy, boy? I told you I was good."

His gun hand came up. "Step away from her, Deputy Lopez."

Everyone's attention turned to Lacie. Colt didn't take time to think it through. He couldn't watch her die.

Jerking out of his captor's grip, he closed the distance to where she was standing in an instant and crashed into her with enough force to take them both to the ground. From somewhere in the distance behind him, he heard a gun go off and braced for a hit. When it didn't come, he rolled her under him as more shots rang out.

He figured they were both dead.

But he was still breathing a few minutes later when he heard the rumble of pickups starting up. Keeping his head down, he was surprised to hear men nearby yelling and running. Curious, but with little choice, he held tight to Lacie. He could tell she was still breathing, but didn't know if she was conscious.

It seemed like forever, but probably was only ten minutes later, when the commotion around them ended and he finally lifted his head.

"Colt!" Travis's voice cut through the darkness. "Are you all right?"

Appearing through the dust at his side, his brother

bent down and held out a hand as though to help him up. "It's over. The sheriff didn't make it. He's dead. But the Rangers have the rest of his men in custody."

Lacie. Ignoring his brother's offer of help, he lifted her in his arms as she blinked open her eyes and looked up at him.

She was alive. Thank the Lord. Nothing else mattered.

Chapter 10

Lacie figured out a way to slip into her boots without needing to use her absolutely useless left arm. The sling had only been on that arm for a few hours, but she was learning to deal with it.

As she sat fully dressed on the side of her hospital bed, she thought about Colt. She wanted out of this hospital today, and he said he would come by to pick her up. She intended to be ready.

Spending twenty-four hours in this place, a hundred miles from Chance, while they'd set her arm and stitched her forehead would've been bad enough. But then waiting a few more hours for them to cast her arm had seemed outrageous. Chance needed its own urgent-care facility in the worst way.

"Hey." Travis stuck his head in the door. "Can I come in? You sure look a lot better than the last time I saw you."

"Come in." She rolled her eyes at his comment, just imagining the frightful state of her hair and the pale, washed-out color of her face. "Colt should be here soon." And she hadn't had the energy to spruce herself up for him.

"Yeah. I spoke to him. He asked me to come by and talk to you both. I have a little more info about the sheriff and then a question or two for you."

She wasn't ready to talk and when she did, she would have a few questions of her own. But not yet. She needed to go back to work first. Too many things she should be doing.

"What's happening at the sheriff's department?" That was the one question she couldn't wait to ask.

"The governor issued an order putting the Rangers in charge temporarily." Travis leaned against the wall next to the door and crossed his arms over his chest. "My brothers, Sam and Gage, are helping out there, too. They both have law enforcement backgrounds. Sam as an MP before joining the U.S. Marshals Service. And Gage in college and as a detective before he became a P.I. Actually, I was…"

Colt interrupted his brother's thought by striding through the door and going to her side. "Hello, beautiful. You almost ready to blow this place?"

He leaned down and swept a kiss across her lips. "Are you in a lot of pain?"

The tender look he gave her made her heart beat faster. She was madly in love with this man who had saved her life. Fatally in love. It was going to kill her when he left. And she knew that time was coming soon. She could feel it in her bones like a blue norther, the wind that blew in a nasty storm. He'd be packing up and

ready to go before long and she'd never get the chance
to just be in love with him.

"I'm okay," she answered with a sigh. "Now that the
arm is in a cast the pain is minimal."

"Good." Colt turned to Travis. "So what else do you
have to tell us?"

Travis straightened and took a step closer. "For one
thing, we found out how McCord knew you two were
conducting a private investigation involving him. Seems
Aunt June told her good friend Eva Lopez, Deputy Robert Lopez's wife. But June had no way of seeing that the
information would get back to the sheriff. She'd known
Robert Lopez all of her life and had never imagined
he'd been in on McCord's conspiracy to convict our
dad from the very beginning."

Lacie was secretly relieved to know that the leak
had nothing to do with her friend and landlady Macy.
"I haven't heard how your Ranger friends knew to go
past the roadblocks the other night, Travis. You made
it just in time to keep us alive. I'm grateful."

Travis stuck his hands in his jeans' pockets and
stared the floor. "That one is on me. When my Ranger
buddy told me he'd notified the sheriff in the next
county that you were bringing prisoners over, I had
a gut feeling Sheriff McCord would know everything
within minutes. Sure enough, Sheriff Conners wasn't
all that happy about the Texas Rangers going around
any Texas county sheriff. The county sheriffs here are
territorial and tend to stick together.

"But to be fair," Travis added, "Sheriff Conners had
no idea McCord was in trouble up to his neck. He only
made a courtesy call to notify his buddy what was going
down in his own county. Just like he would want to be
notified."

"And you somehow just knew those roadblocks were fake?" Lacie was amazed that he'd been so clever.

"Yeah. Well, I'd sent a copter up ahead to keep an eye on you and Colt after you called. I didn't like the idea of you traveling that road without an escort. The pilot had you in view with night vision the whole time."

Colt shook his head slowly as though he could scarcely believe how close they'd come. "I owe you a lot for that, Trav. Without you…" His words ran out as he slid a protective arm around her shoulder.

Travis straightened and looked affronted. "That's what families do. They take care of each other." He tilted his head to take in Lacie. "And everyone in Chance County is like family."

Colt looked a little shocked but quickly recovered. "You can have the whole place. I'm counting the days until I see Chance County in my rearview mirror. Gunrunners and dirty sheriffs. I've had enough."

The sharp ache in the vicinity of her chest smacked Lacie with the hard reality that she'd really suspected all along. He still couldn't see it. That Chance was home. People here cared about each other. People here…loved him.

Travis broke into her thoughts. "I'm sorry you feel that way but I'm hoping Lacie feels differently. We're counting on her to take over the sheriff's department—become the acting sheriff. At least until we can hold another election."

"Me? But isn't there someone else with more seniority?" she asked.

Travis came closer as Colt sat down on the bed beside her. "Seniority has nothing to do with it. You're the best man—uh—person for the job."

He sneaked a glance at Colt then went on. "Your de-

partment is decimated. There're only a few people left that weren't on your stepfather's secret payroll. You'll have to do a lot of hiring very quickly. But we're all behind you. Every able-bodied man in Chance County will pitch in when you need help. Just say the word."

A woman county sheriff in Texas? It took Lacie's breath away. Maybe it had been done but not too darned often.

"Lacie?" Colt's voice was suddenly sounding rusty. "You're not seriously considering this?"

Oh, Colt. It was not a good time for them to have this conversation. Not with his brother standing in the same room.

"I can't leave the department with no one to run it. Without protection for the county." She let her eyes plead with him to give her a little space and be reasonable. "Travis is saying it's temporary. I have to help out."

"But you're injured. Your broken arm. Let Travis and the Rangers bring in someone else to run the department."

"My injury is just a hairline break," she argued softly, knowing he was using it as an excuse to keep her free to leave town with him. "And the doctor said the cast could come off in a few weeks. In the meantime, there's a lot I can do in the office—like hiring new deputies and bringing in a technician to go through the files and upgrade our computers."

Travis's face broke out in a broad smile. "I knew you were right for this job. The Rangers thought so, too. And don't worry about the next election. No one else would waste their time running against you. Not with the Bar-C in your corner."

Colt's look of panic might've struck her as funny if she hadn't known his intentions right from the start. He

expected her to pack up and leave with him. He hadn't heard a thing she'd been trying to tell him about them wanting different things.

He was so sure of her love. So determined to get everything he wanted in the end. She did love him. But apparently he didn't love her quite enough.

That knowledge hurt. Hurt bad enough that she didn't even want to look at him when she tried to explain again. Would an email or a letter do better? Probably not.

Devastated but determined to keep her chin high, she turned to face him as she slipped out from under his arm and stood. "I think it would be best if Travis drove me back. I need to stop at the sheriff's department and pick up a cruiser. Sheriffs' vehicles are mostly automatics and I can drive one even with this bum arm. I'll be staying in Macy's cottage when you want to talk."

The pain on his face nearly stopped her. But he masked it quickly and stood, too.

"If that's what you want." He turned to his brother. "You okay driving her back, Trav?"

Knowing he had just stepped into the middle of something that was none of his business, Travis nodded but hedged, "No problem on my end. You have any trouble with it?"

Colt jerked his head to say no, and then caught her by her good arm. "I'll see you before I leave town."

"All right." Her heart was bleeding, dripping with sorrow and loss, and it was all she could do to keep the tears backed up in her eyes.

His hand lingered on her arm. And as he gazed into her face, his eyes burned with hurt. She stopped breathing.

"I thought… But I was mistaken," he said under his breath.

Then without explanation, Colt released her and walked through the door and probably out of her life for good.

Colt didn't get it. He just didn't get why she wouldn't come with him. Lacie loved him. She'd said it more than once and had also showed it in so many ways.

Then why…?

Five days later and he was still waiting for her to call and apologize. Say that she was wrong and wanted to be with him always. But he hadn't heard a word from her.

He knew she was doing okay. Back to work according to Travis. His family and the townspeople had rallied around and given her all the help she could use.

She really didn't need him. The pain of that realization hurt worse than he'd ever expected. Damn her.

Pacing the kitchen floor at Sam's house, he figured he should stop this moping around and do something with his life. If he was leaving Chance, he needed to get to it. Sam and his family were coming home tomorrow. And though his brother had made it clear Colt was welcome to stay as long as he liked, Colt was finding it increasingly difficult to remain here in the place where he and Lacie had seemed so happy.

As it was, he'd only been able to sleep outside on the front porch. Most nights, he paced and sulked.

How could she have lied so convincingly? And how could he have been taken in like that? So, they hadn't seen each other for nearly ten years. So what? People didn't change their basic makeup, did they? But obviously she had. She must've been using him to get rid of her stepfather.

He'd made up his mind. It was time. Reaching for the phone, he dialed a number he remembered well.

In a moment, his superior at Justice picked up. When Colt identified himself, he received a surprise welcome.

"Are you ready to come back to work?" his boss asked. "'Cause we need you. If you hadn't called now, I wouldn't have waited long to get in touch."

"I'm not still on suspension, then?"

"You never were. You were placed on disability leave while we investigated how our sting went wrong. Want to hear what we uncovered?"

Colt wasn't too sure he wanted to hear anything more about that terrible day. Living through it had been life altering. Reliving it seemed like overkill. It would be especially difficult to take after having been so cruelly rejected by the first and only woman he had ever loved.

But still too curious to say no, he said, "Okay. What'd the investigation find?"

"Apparently our undercover agent, the one who died that day, was also on the payroll of the federal prosecutor we'd been investigating." His boss blew out a breath before continuing. "And it appears the drug cartel deliberately murdered him during the sting to make sure he kept quiet. They'd wanted his death to appear to be a coincidence. Dying in a hail of bullets made a good cover. The rest of the injuries our team experienced were only collateral damage. No one else died. Thank God."

Then it wasn't totally his fault for losing concentration as the sting went down? Nothing he could have done would've made a difference?

When he'd stayed quiet for too long, his boss asked, "So when are you coming back to work?"

"Next week." The words were out before he thought them through.

But going back to his job was what he'd wanted. Wasn't it?

After all, at least the justice department needed him.

"You're really leaving?" Travis stood with hands on hips, glowering at him.

"You knew I wasn't planning on staying forever." For some reason Colt felt guilty about going. But he couldn't figure out where such a feeling would be coming from.

"I thought maybe you might've changed your mind. Have you talked to Lacie about this?"

"No." And he had no intention of putting himself through that at this point.

Travis gave him an odd look. "I thought you two were... Never mind. She just told me she intends to run for sheriff at the next election. She'll need all the backing she can get."

"She'll have plenty of help. Lacie won't need me for anything."

"I had a long talk with her about the job yesterday." Travis hesitated, probably waiting to see what kind of response he would get, but Colt kept silent. "And also talked about our vision for the future of Chance County. The county is growing. People are actually starting to move in. We're going to need services. A real fire department. Our own doctor and clinic."

Colt turned his back. He didn't care about Chance County. It had never brought him anything but heartache.

"We really need a county attorney and a justice of the peace. Those positions have been vacant for years. You wouldn't happen to know anyone that would take on those jobs?"

Swinging around, Colt stepped toe-to-toe with his

older brother. "What are you doing? You know I've always wanted out of this county. Nothing has changed that."

"Nothing? You sure? 'Cause to my way of thinking there're a hell of a lot of people here that love you and want you to stay. Family. Friends. Even people like Macy James. She couldn't be happier about you finding the real killer of her best friend. Said to tell you she'd be proud to cook you supper at the café for free for the rest of your life."

Colt almost covered his ears. He didn't want to hear this. How could he stay knowing Lacie would be here? He couldn't face her every day with the knowledge that she didn't really love him. It hurt badly enough now to double him over when he gave it too much thought.

Travis put a hand on his shoulder. "You need to talk to Lacie."

"No." He couldn't. How could he face her rejection?

"Did you ever ask her why she left town right after high school? I remember you being mighty upset over her running out."

"No." He'd forgotten all about being curious. Now he was afraid to hear the truth.

Travis didn't seem to understand his reluctance. "Well, I asked her about it. Wanted to know why she left and why she came back before I gave her my complete backing for sheriff."

"Don't tell me." He slid out from under his brother's hand. "It's not important."

"Yeah. It is." Travis lowered his voice. "She left because her stepfather tried getting into her bed one time too many and she couldn't find a good way to fend him off. And because her mother was too afraid of him and too far gone by then to do anything to help her."

"What? That has to be a lie. She would've told me. I would've known."

Travis shook his head slowly. "I said that, too. Asked her why she didn't let you help. You two were fairly close back then."

"Very close. What'd she say when you asked?"

"The truth. Said by then you already hated her step-father and had told him as much. Had even been bugging him about the investigation into our mother's death and hinting that he'd done something wrong. She was afraid for you. As much as she was afraid for herself. The man was the county sheriff. That's a powerful position. She thought her only option was leaving town."

Colt couldn't catch his breath. He'd been holding it and now his lungs wouldn't work. Nothing was working. Especially his brain.

"And she came back for justice," Travis went on, watching him closely again. "To find a way to put her stepfather behind bars where she thought he belonged. And because of you, too. She came back hoping to find you still here."

The sudden adrenaline-filled anger caught Colt off guard, and he was unable to speak. He swung at his brother and missed, putting his fist through a cabinet door. Travis easily sidestepped the swing but never uttered a sound.

Pain resounded up Colt's arm and fortunately cooled him down enough to talk. "Sorry. But I asked you not to tell me. Now I'm done. I'll be out of Chance County by tomorrow. Tell Sam and Grace I'll pay the damages."

"Stay. Please." Travis's eyes glazed over. "I've only just got my brothers back together. I don't want to lose you again."

Damn, that was another blow to his heart. His love

for Travis, for all his family, had never been stronger. But he couldn't think about any kind of love. Not while he was still in Chance County.

He had to get out of here.

Lacie only went through the motions of being the acting sheriff from day to day. Her heart wasn't in it.

Three weeks had passed and she hadn't heard a word from Colt. He hadn't even bothered to talk to her before he left town like he'd said he would.

She'd picked up the phone a hundred times to call him. To make sure he was okay. She'd thought of putting everything in an email, all her hopes and dreams and hurts. But then decided she didn't want the dejection she'd face on hearing that it didn't matter to him. That he hated Chance more than he loved her.

His feelings seemed clear enough by the way he left without a word.

"Sheriff? You busy?" Louanna opened the door and stuck her head into the office.

Thank heaven for Louanna. She and a couple of other secretaries and two of the loyal deputies had saved her butt. She wasn't sure she could've gotten this far as acting sheriff without them.

"Come in," she said from behind her desk, and cringed at the weariness in her own voice. "Looks like I'll be busy for the rest of my life. But I can always take a minute."

"It's not for me." Louanna disappeared for a second then reappeared again. "Someone is here to see you. I hope it's okay."

Before Lacie could say a word, Colt came through the door. He stood just inside her office, holding his Stetson in front of him with both hands.

Too stunned to move, Lacie knew her mouth had dropped open but she couldn't have closed it if her life depended on it. She simply sat and gazed at the man who had become her whole world.

Well, maybe she was drooling just a little, too. Looking at him, at those stormy blue eyes and the light brown hair that had recently been cut, made her want to be with him. In his strong arms. In his bed. She craved the pleasure the two of them had found together.

But there was more to it than that. For weeks she'd been frantic over his welfare. How he'd been getting along since he'd been gone. She'd worried about him all alone in California with no one who cared about him. He was always so closed up about his feelings and wouldn't let anyone in.

And yet here he was. Looking more handsome and healthy than usual. He'd even shaved.

"How are you?" His question finally kicked both her mind and mouth into gear.

She stood and came around her desk to face him. "A little tired. But mostly I'm okay. How have you been?"

"I'm all right. I see your cast is gone. How's the arm?"

"Enough, Colt." She couldn't bear looking at him from across the room. Not when she hadn't seen him in weeks. "Why are you here?"

Colt took an involuntary step in her direction. Her eyes were full of emotions he couldn't—wouldn't— dare name. He wanted to hold her, soothe her, until he could make everything all right. God, what would he have done if she'd stopped loving him because he was a complete jerk who didn't know what he'd had until it was gone?

Stopping just short of having her in his arms, he

held on to his hat's brim so hard his fingers were going numb. "Travis said you might be looking for someone to take the jobs of county attorney and justice of the peace for Chance County. I was hoping to apply for the job."

"In Chance?" Her eyes went wide, then narrowed to disbelieving slits. "The right person for the position would have to live in Chance County. You do know that?"

She wasn't going to make this easy. But he owed her the right to be hard on him. He deserved this and much more.

"Lacie." He wanted to say so much, but he was a downright, dirty coward. "I finally figured out what was good about Chance, Texas."

"Oh? And what was that?"

"Darlin', please. I'm sorry I was such a jerk. But I need to know… Do you still care about me?"

"Oh, Colt." She just stood there staring at him.

His eyes filled up and he choked on his words. "I…I love you, Lace. I've never stopped loving you. I was wrong to leave. I see that now."

Taking a deep breath, he rushed the rest out before he chickened out. "Can't say I'm much of a prize, but if you'll forgive me, I want to try making you happy."

She remained where she was and he began to panic.

He couldn't stay still so he had her in his arms with the next breath. "Wherever you are. Any place you want to go." A drop of liquid regret escaped from the corner of his eye but he ignored it. "Chance, Texas…Nome, Alaska, or the moon. I'll be there. But if you don't want me—"

The idea of that almost took him to his knees but he managed to keep on talking. "I'm afraid I'll become the world's biggest stalker."

He could feel her smiling against his cheek. "Don't worry about that. I happen to know the sheriff."

"Thank the Lord." He covered her mouth then, letting all the desperation and need spill from him into her.

Here in his arms was everything. His whole world and all the love he would ever need. Always.

Epilogue

What a perfectly lovely day to be married on a hill-side overlooking the site of their new home. The sky, a deep cobalt-blue without a cloud in sight, had been a terrific backdrop for their wedding. A dry, crackling breeze had kept the temperature under control, and Lacie's three new brothers-in-law worked hard to keep the proceedings lighthearted and informal.

The four Chance brothers lifted a glass in toast to her. Such a good-looking family. Men, strong and tall and decent. She could only hope that any son of hers turned out half as well.

Nodding her head and smiling in appreciation of their good wishes, she felt her cheeks glowing pink. The acting sheriff of Chance County in a short ivory wedding dress and high heels. Who would've thought it?

Colt came to her side with a glass meant for her. "Hello, darlin' wife. Or should I say, Mrs. Sheriff Chance?"

"Well, I wouldn't want to be known as the *new* Sheriff McCord." The idea gave her chills. "Sheriff Chance or Sheriff McCord-Chance will do just fine."

He wrapped an arm around her waist and pulled her close. "God, I love you."

With a swing of his other arm, he indicated the place where the foundation for their new home had recently been poured. "Are you happy with how the house is coming along?" It was situated at the site where his mother's old office had stood.

He looked so proud of himself. And content. For the first time in her memory of him, Colt seemed settled. She couldn't help but think back to how he was as a kid, always ready to go. Jumping into things, either to protect her or finding justice for someone else.

She'd never believed he would be happy staying put. But she had always hoped. From now on it was her job to keep him busy saving others. Giving him lots of reasons to be happy he'd come back to Chance.

He'd made her life complete. And had given her what she'd wanted for as long as she could remember.

A real home.

After everyone had eaten their fill of barbecue, Colt watched Lacie playing with her new nieces and nephews. Her pretty ivory dress was about to be ruined for good. But she didn't look like she cared at all. Someone had already spilled barbecue sauce on the hem anyway.

His brother Gage walked up and put a hand on his shoulder. "Do you smell it?"

"What?" He lifted his head and checked the breeze. "Smoke."

"From the barbecue pit? Sure."

Gage shook his head and lifted his arm, pointing to

the north. "Brush fire in Jim Abbott County. They're afraid it's about to spread to the cedar forests. They say they'll be calling in Hotshot crews from all over the western U.S. at any moment."

"We've been in a dry spell for a long time. Is Chance County in danger?" Colt knew Lacie would jump into action at the first sign of trouble. And he wanted the two of them to take their planned three-day honeymoon trip.

"It doesn't look like it so far." Gage turned to face him. "I haven't had a chance to tell you how glad I am that you're staying. I've missed you like crazy."

Gage was only a year older and the two of them had been close as kids—before their mother died. Gage and his recently rediscovered wife and child had been gone on a family vacation for most of the past month. Getting reacquainted.

"I'm glad to be here." Colt meant every bit of that sentiment. Chance County was home.

"I wanted to say that I appreciate you uncovering the truth about Mom and Dad." Gage gave him an approving smile. "That's one huge mystery solved."

"And one more to go," Colt added. "You're still looking for Cami, aren't you?"

"All the time. Now you're back maybe you can give me a hand with that?"

"Definitely." Colt meant that sentiment, too.

His eyes were finally opened to who he really was. A man who cherished his family. A man who had lost his compass somewhere along the line but had finally found his way back home.

* * * * *

Texas Lost
and Found

Chapter 1

Fire exploded up the forty-foot cedar, snapping and cracking like a whip as it raced to chew off every living thing in its path.

Hotshot firefighter Nina Martinez struggled with the urge to hold still and ogle the magnificent flames—a firefighter's worst nightmare. Dropping your guard during a blaze, for any reason, could get you killed.

A little while ago she'd gotten caught behind the fire lines while stamping out hot spots on orders from her superintendent. But when they'd first arrived on-site in Texas, her super gave his crew the coordinates to safety zones and added tricks to finding natural escape routes. No need for her to be overly concerned yet.

Drawing on her three years of training for the IHC, Interagency Hotshot Crews, she turned her back to the searing intensity and ran for the nearest black, an already burned-out safety zone. Digging in and reposi-

tioning the eighty-pound pack on her back, she fought her way past spark showers, choking smoke trails and a blizzard of ash. After a few solid minutes of climbing haze-choked hills she found an old cattle trail, a natural firebreak, and sprinted down it toward the clearer air.

Tearing past dry cactus and mesquite not yet aflame but heating fast, she had to shift direction to miss a huge rattler in her path. After that scare, she hesitated at the top of a mesa, checking coordinates for the best course for rejoining her crew. But as she gazed to the east, she spotted a ranch house directly below her that lay in the current route of the now reigniting blaze.

Giving the house a thorough once-over with her binoculars, she tried to determine if the place had been evacuated. Thankfully it looked deserted. But as she slowly swiveled her head to find a different heading, two people standing close to a barn came into view. The male and female appeared to be having an argument and not paying any attention to the spreading smoke and flames.

Keeping them in her sights, she started downhill, prepared to give them a lecture about evacuating when told to do so. When she reached their position, there wouldn't be a lot of time left to move them out of harm's way.

She used her radio to raise her team, asking for ground evacuation support for the civilians. Her super was not happy about her situation and said to keep moving in and out of those coordinates as fast as possible. The fire was spreading from the west toward her position. But he agreed to spare someone to help with the evacuation if it came soon. The fire was moving fast.

Crackling fire echoed at her back, while swirling winds showered her with stinging embers. It was diffi-

cult not pausing to dig at hot spots. Her training wanted to overrule her conscious mind. But the two civilians had to be first priority.

She closed in while continuing to keep watch on the couple, but all of a sudden a shovel appeared in the man's hand. Before Nina could yell, he used it to bash at the woman's head. The female dropped to her knees.

"Hey!" Nina screamed at the top of her lungs. "Stop."

Ignoring the steep decline, she picked up her speed and raced toward the couple. "Put it down!"

The man hit the woman once again and the force of his blow laid her out on the ground. Only then did he look up toward the noises Nina was making. By that time she'd closed the distance to where he stood to a few yards. His gaze locked with hers and the deep anger in the man's eyes nearly caused her steps to falter.

But concern for the woman kept her going. Without pausing, Nina reached into her pack for a fusee, preparing to use it if necessary in her own defense against the man. But after she fisted her hand and took a few more steps in his direction, he finally turned and disappeared around the side of the barn.

Closing in on where the woman lay, still and unmoving, it was apparent to Nina that the female was already beyond help. The pool of blood surrounding her head seemed like more than any human could lose and still survive.

Nina's stomach rolled as she swiveled and made an effort to chase the man down. After turning the corner of the barn, she expected to see a car or truck pulling away. Instead, she found an open field full of boulders and mesquite.

She spent a moment wondering what direction the murderer had gone when a bellowing roar, sounding just

like a freight train, captured her attention. The winds howled, switching direction, and at that moment a sight she'd only heard about greeted her disbelieving eyes.

A fire tornado developed within half a mile of her current position and headed straight at her.

Too late to get out of its way. Within seconds the whirl was fifty feet tall and moving fast.

After dragging her face shroud across her nose and mouth, she grabbed her portable fire shelter by its handles and shook it out. Protecting her lungs and airways was the most important lesson to remember. Another lesson that could keep her alive was to strip off her pack. She pitched her gear as far away as possible, relying on years of training to do things by rote.

She tried to put as much distance between herself and the fire devil as possible in the few seconds remaining. How she prayed to find a good spot to hunker down as she leaped a few more yards away from the barn and into the boulder field. But the intensive heat soon became unbearable. No time left.

Diving for an indentation next to a huge boulder, Nina pulled the shelter over her body and curled up in a fetal position inside it. Facedown, she buried her nose and mouth in the air pocket at the base of the rock.

The ferocious shriek from above roared in her ears as the whole world narrowed down to her tiny space between the shelter's walls. The tiny space that might just save her life.

She should have known something like this would happen in Texas. For years she'd stayed away, only thinking about the godforsaken place in her nightmares. If her team hadn't been called in to give the Texas firefighters added backup during the worst firestorms in

the state's history, she never would have set foot inside the Texas state lines.

But wherever the team was sent, she went, too.

Mind pictures of the little bit she remembered of Texas from her early childhood came unbidden as she closed her ears to the wailing firestorm outside her shelter. Horses and saddles. The smell of hay. Kind eyes and soft hands. A woman calling her *Cami, love*. A male voice cooing, *Easy, little girl.*

That was always as far into the dream as she ever got before the memories disintegrated and turned to ash. Warm eyes turned cold as ice. Soft hands turned hard as steel.

Pulling herself out of that particular pit of depression, she tried turning her thoughts to something far more pleasant. Her Hotshot unit team. The only reason she'd agreed to this temporary deployment in Texas in the first place.

Her crew: Superintendent Ralston, the strongest man she'd ever met; her fellow firefighters Mad Mike, Geek and Alabama. And Doc, real name Josh White, the crew's medic with the sensual bedroom eyes.

As the walls of her shelter overheated, she allowed herself the luxury of concentrating on mind pictures of Doc and his sexy eyes—something she usually wanted to stop. Lustful thoughts of him had already invaded far too many of her daydreams during fire season. But she would never have let him get an inkling of how often she thought of him.

Simply picturing those eyes, green as spring grass and so full of expression, could make her melt with unfulfilled longing. Even in the middle of heavy training. Luckily, thoughts of his rip-cord-lean body, all muscle and strength, usually came into her mind during slow

times and instead of the nightmares, despite the fact that their relationship was nothing more than a nodding acquaintance.

Her imaginative thoughts now brought a frisson of awareness shooting through her. Being in the middle of a fire tornado was anything but normal, but those feelings for Josh were as familiar as breathing. She gave up trying to get him out of her mind now and focused on the memory of his eyes, ignoring as best she could the extreme heat and gas-filled haze filtering in through her fire shelter's walls.

Tightening her grip on the shelter's handles, she refused to consider her situation dire. *Don't think about it.* Thoughts of the sexy doctor Josh White were as good a way as any to spend her last seconds on earth.

Within moments, Nina found herself letting go and giving in to the impending doom. Instead of fighting to remain conscious as trained, she closed her eyes and fell into the deep, black abyss—with a picture of Josh the last thing on her mind.

Finally.
Josh "Doc" White clicked off his radio and circled the scorched barnyard one more time, studying wind direction. The fire tornado had moved on a while ago and then dissipated. In the meantime he'd just been given permission to land his helicopter in advance of the mop-up crews. His California superintendent needed him to check for any survivors.

Like everyone else on the Hotshot team, he'd heard both Nina's first call for help with evacuating civilians and her last mayday call in advance of a fire tornado. But unlike everyone else, while scouting Nina's last

known coordinates from above, he'd observed a charred skeleton lying next to the cremated remains of a barn.

But it couldn't be her. He refused to acknowledge the possibility that she might be beyond his help.

Already tense and bursting with adrenaline, Josh chose an adequate spot to put down. Landing a medical helo in the changing currents of fire-driven winds wasn't the easiest task he'd ever undertaken. But he'd learned to make similar maneuvers years ago as a medic on the wind-whipped slopes of Afghanistan. Today his battle with the winds didn't give him that much trouble.

Grabbing up his medic's kit, he was out of the helo long before the rotors stopped spinning. *Please don't let it be her.*

On rubbery legs, he darted across smoldering beams and yards of ashy rubble toward the spot he'd seen from the air. When he came close enough for his first clear view of the remains, he caught himself before sucking in smoky air in horror. The skeleton *was* female.

Oh, God, no. He held his breath and vowed to keep his mind focused on the task instead of on the possibilities.

After kneeling for a quick inspection, he discovered to his relief that the female's remains were the wrong height for Nina. Exhaling, he also noted the fact that the female skeleton on the ground had been murdered. Fire hadn't killed her. Some kind of heavy weapon had been used to cave in her skull. That had gotten the job done long before the body burned.

Relief mixed with anxiety. Where was Nina? Had she been a witness to a murder? Or had she been another victim?

If Nina had escaped both a murderer and the fire tornado, she would've already radioed in to their crew.

So what happened to her? With nothing to be done for this victim, Josh stood and looked around. There could be two more skeletons somewhere nearby. A murderer and Nina.

Shaking his head to get rid of the thought, he tried to imagine what Nina, an extremely well-trained Hotshot, would've done in the emergency. Presuming of course that she wasn't being chased by a murderer. Run for the open should have been her first response.

He checked the charred ground for traces of the fire's origins and noted the direction of the firestorm's ascent and which direction it had taken. Signs pointed the tornado's track straight into the field where blackened boulders and charcoaled tree stumps now stood as testament to the tornado's destruction.

Josh had only taken a few steps into the field when he found the burned-out shell of a Hotshot pack. Thankfully there wasn't a body nearby. Swallowing hard, he kept going, checking every inch of the field for any trace of Nina.

Within a few yards he finally spotted the sight he'd prayed to find. On the far side of an enormous bolder, stuffed into a small space at the base, lay a fire shelter— still smoldering but intact.

He was beside it without remembering how he got there.

"Nina?" Donning his fire gloves, he ripped at the shelter's fire-retardant material. "Nina, answer me."

Pushing aside the shelter's walls, he dragged her clear and pulled her into his arms. She wasn't responding. Quickly checking her vital signs, he found a pulse, weak and thready. She was still alive. But unconscious.

Thank God. Josh placed his portable ventilator over

her nose and mouth. She would survive this. He would see to it.

He noticed a couple of burn spots on her limbs, but they wouldn't kill her. It was smoke inhalation that could end her life.

Only moments after locating her and jumping into action, he loaded her into his waiting helo and strapped them both in. Being extracareful of her skin and of not jostling the ventilator, he lifted into the still-hazy sky.

Nina Martinez was too tough to succumb to a fire devil like this. He'd dedicated his life to saving others and he made a vow that the strong, vibrant woman would not be an exception.

Chapter 2

It had been a couple of days since Nina's nearly fatal encounter with the fire tornado, and Josh's pulse still pounded whenever he thought of how close she'd come to dying. The mere thought of her death unnerved him. He couldn't lose her. Especially since he had not yet been able to break through the frosty shell of reserve she always held to her like an oxygen mask. What if he'd never gotten the chance to loosen her up? Or to find out what kind of relationship he could build between them?

By this afternoon, she would be off the ventilator and able to talk and receive visitors. He wanted to be first in line. There were so many things he needed to say.

A nurse stopped him at the desk of ICU. "Ms. Martinez's visitors must be limited, Dr. White. But you were the first person she asked to see. Her doctor has added you to the approved list, but do you know the basic rules?"

"I do."

"Good. I don't think you'll be able to have much time with her anyway. The sheriff and several others have requested to see her today. They have a lot of questions."

"Has her doctor approved all these visitors—in her weakened state?"

The nurse smiled, but the look was pure steel. "Ms. Martinez is much stronger today. She's already sent word to the sheriff that she doesn't remember getting caught in the fire tornado. I'm afraid she won't be able to give them many answers. And I'll be here to make sure no one overstays their time."

"Mind if I stick around, too? Just to be sure she's okay? I'll stay out of the way."

The older woman gave him a half scowl, half knowing smile. "Seeing as how you're a doctor—and you did save her life out there—I guess it would be all right. Just don't say or do anything that I'll regret."

"Never." He gave the nurse a wink before walking into Nina's room.

He stopped just inside the door. She looked so vulnerable lying in the big hospital bed with an IV fluid drip in her arm. He'd always thought of her as mentally strong and tough. She kept herself in tip-top physical condition, the kind of woman who could outthink, outrun and outwork just about any person on the Hotshot crew—male or female.

She was curvy in all the right places, too. Maybe a little tall for a woman, but he liked that about her. Come to think of it, he liked everything about her.

But today, today she looked rather small—or maybe it was because she was lying there so still.

"Hi." He moved closer to her bedside when she opened her eyes.

Her smile grew wide and she reached out a hand to him. He didn't waste any time but took it in both of his.

"How are you feeling?"

"The doctor says I shouldn't talk too much." Her voice was raspy, weak and thready.

"He's right. Does it hurt?"

Shaking her head, he could tell she was putting effort into getting the words out. "Thank you for saving my life. You're my hero. I had to say that much if nothing else."

Her thank-yous were not the sort of words he wanted to hear. He'd just been doing his job.

His background snapped into his conscious mind without warning, reminding him that for the rest of his life he should never accept any accolades for saving a life. There had been a time in his past when his own survival meant someone else could not. From then on, nothing else that happened, nothing he did or didn't do, would ease his conscience.

He pushed the rough thoughts back out of his mind and eased down to sit at the side of her bed. "You're welcome. But it was you who did everything right to save yourself. You've worked over the years to make your training and equipment the best there is."

Grinning at her, he went on, "Are you doing as well as you look?" He didn't wait for an answer. "Your pulmonary specialist believes you probably won't be bothered by the asthma that's usually a by-product of this kind of event. I'm hoping that's true."

"You've been checking with my doctors?" Her eyes were wide with curiosity. "Hanging around the hospital?"

Not sure how much of his true feelings to reveal so soon, Josh tried to sound casual. "I was the one

who brought you in. So I needed to make sure no one screwed up the job and lost you after all my hard work."

She graced him with a smile before turning serious again. "What about the Hotshot team? Don't they need you?"

That was an easier question. "Our California crew packed up and returned to base yesterday. It was time for them to rotate out of this particular fire. But Superintendent Ralston didn't want to leave you behind without someone here to watch over your recuperation. I was elected."

Actually, he'd lobbied hard to be the one to stay.

She looked as if she wanted to say something more, but put a hand to her throat instead.

"Don't say too much if it hurts." But he did need a couple of answers and hoped he could get them without hurting or frightening her. "Just nod yes or no if you can't talk. The local lawmen apparently plan to question you today about what you saw. Do you really not remember?"

Her mouth formed a tight line and she blinked without answering.

"My guess is you saw who killed that woman. Can you identify him?"

Nina drew in air. "Yes, unfortunately I can. And he got a good look at me, too. But I'm afraid to talk to anyone local. This is Texas and I don't want to... Never mind. I'm just afraid to say anything to people I don't know."

Smart. She was ahead of him already.

"You saw a murderer. You could be in danger." He'd been afraid of that right from the get-go. "What are you going to tell the sheriff when he shows up?"

"I can't lie to his face. But, I don't want to talk about

it." The moment those words were out of her mouth her expression changed. Her eyes lit up like she'd just thought of something brilliant.

"What?"

She put her hand to her throat again and whispered, "Can't speak. Doctor's orders."

That wouldn't be enough to keep her safe.

"That's a good idea. But you can't stay here and silent forever. Not speaking won't stop the danger if the murderer knows who you are." Her photo had been in the local papers.

She looked pointedly at the IV drip in her arm. "How soon can I get out of the hospital?"

"Let me check with your pulmonologist." It didn't really matter what her doctor said. If she was in more danger in the hospital than out of it, he would find a way to make her safe.

She nodded but gripped his hand tighter. "Thank you…for everything."

He wanted to take her in his arms and tell her things would be all right. Nothing…no one would hurt her. They would have to go through him first.

But she was trying hard to stay strong, he could tell. So he went against his gut feelings, left her side and temporarily walked away—leaving her to handle the lawmen on her own.

Sheriff Lacie Chance edged around Sheriff Hunt from Jim Abbott County as she walked into the wounded female firefighter's hospital room. It appeared Sheriff Hunt was just leaving. He looked frustrated, and as he left he muttered something about the young woman not yet being able to speak.

Lacie figured the woman could at least nod her head. That was all she needed her to do at the moment.

"Good afternoon, Ms. Martinez. I'm Sheriff Lacie Chance from Chance County. That's the next county over. I won't keep you long. And I understand you can't speak yet, but I need to have a few words with you. Would you mind giving me some signal if you understand?"

The beautiful young woman lying in the bed blinked a couple of times and then nodded her head. She was younger than Lacie had thought she would be. Probably in her early twenties. Much too young to be such a fierce firefighter.

And much too pretty. Lacie gave her the once-over. The light brown hair with copper highlights and cornflower-blue eyes gave her the appearance of a typical girl-next-door. It was the eyes that were her most memorable feature. At least they were to Lacie. And at this moment those eyes were giving Lacie the once-over right back. They seemed to see to her very soul.

"I hope it's okay for me to call you Nina?"

The young woman nodded. Her eyes narrowed to tiny slits as though she was concentrating on every word.

Somewhere. Lacie was sure she'd seen this girl somewhere before. She couldn't quite put her finger on it yet. But she would. She was good with faces.

"Okay, you stay quiet. Let me do the talking." Lacie came closer to the bed. "The murdered woman you found was the wife of one of my deputies. Even though the murder did not take place in my jurisdiction, to my mind that makes it my crime to solve."

Nina was watching her so fiercely, so obviously full of apprehension that Lacie nearly backed off to give her

space. But she'd come for a valid reason and refused to leave until she'd finished what she started.

"That particular day I had sent Deputy Jonas to Austin to testify on a case we'd solved a few months ago," she began. "He believed his wife was staying with her sister in New Orleans and was well out of danger from the fires."

Nina pressed her lips together as if she would like to say something to that. But still she remained silent.

"We were all surprised to learn Mrs. Jonas had stayed at home. That was their house—the one where you found her. It burned to the ground." Lacie straightened, drew in a deep breath. "You saw who did it, didn't you?"

Those wide blue eyes grew wider. But Nina didn't signal yes or no to the question. Instead she drew her shoulders up and froze in place.

"You don't have to answer. But for your info, I'm sure the man you saw could not have been my deputy. There are courtroom photos of him testifying during that same morning. He couldn't have been at both places at one time."

Still not getting much acknowledgment from Nina, it occurred to Lacie that the young woman must be scared.

Good thing. She had reason to be.

Lacie moved to stand directly beside the bed so she could keep her voice down. "Did you know him?"

Still no sign that Nina understood the words.

"If you saw the murderer, you might be in danger. You would do right to keep quiet with most strangers. And I understand. But since the victim was my deputy's wife, I very badly want to catch the guy. I can help you. Keep you in protective custody until we get our man."

Still no sign of acknowledgment came from Nina.

Lacie needed this woman's help. Perhaps if she could get through to her, the young woman wouldn't mind talking to a police forensic artist so they could obtain a drawing of the murderer.

The idea of a police artist's sketch suddenly made another drawing of a young woman with wide blue eyes come to mind. Somewhere recently Lacie had seen an artist's rendering of Nina. She was sure of it. And not that long ago. Was this pretty young woman firefighter wanted for a crime somewhere?

Shaking her head to rid it of the crazy notion that Nina might've had something to do with the murder, Lacie tried again. "I know you're scared." She also knew for certain this woman had not had the time to kill the victim herself due to the GPS time stamps on her communications to her crew. "I don't blame you. But I can help. Really."

A blank expression on Nina's face was all the response she received.

Lacie took a card from her breast pocket and handed it over to the girl. "If you need anything. Anything at all. I promise to give whatever help is in my power, no questions asked. Just call."

There was something about Nina that seemed so familiar. It brought out the protective instincts in Lacie.

Turning and walking out of the hospital room without getting one single yes or no reply, Lacie's mind raced. First off, she knew she would drive herself crazy until she figured out where she'd seen Nina's face before.

Second, Lacie hated leaving someone so helpless in danger like this. It went against everything she stood for.

She could almost feel a net of menace closing in around the young woman. And it gave her such chills to

the point where she vowed to help Nina until the killer was captured. Lacie straightened her spine and headed back home to Chance to do some good old-fashioned police investigating.

Something awoke Nina. A noise. Someone in her room?

Sitting up in bed, she pressed the bedside buttons for the light and the nurse at the same time. The nightlight blinked on, revealing no one there.

A shift in the air. A subtle smell of the outdoors. All the signs told her that somebody had just left the room. Someone unannounced had come into her room while she'd been sleeping. A nurse? She doubted it.

The reality of who it might have been made her body begin to quake.

She hadn't meant to fall asleep. She'd been waiting for Josh to return. He'd told her to get ready to leave. That tonight they'd be sneaking her out of the hospital. And she was ready to go. But it had been so quiet in the room that her weakened body had betrayed her by giving in to her ongoing need for sleep.

Now she was wide-awake. She threw her legs over the side of the bed just as the door opened again.

"What's wrong?" Josh hurried into the room, closing the hallway door behind him. "I was on my way in when I heard your call. Why'd you call the nurse? Are you okay?"

Her pounding heart began to settle at the sight of him. "I'm okay. But there was someone in my room while I was asleep. Who do you suppose…?"

Josh had his arm around her shoulders and pressed her close to his warm chest. "Maybe it was nothing. Just someone with the wrong room."

Nina felt pretty sure that was not possible. "Oh, Josh, it's like the warning that nice lady sheriff gave me is coming true." She shook her head, trying to fight off the sudden terror of the unknown. "Someone doesn't want me alive to identify the murderer?"

"Easy there. That's why we're leaving. We can do a better job of hiding you than any local lawman can."

Nina wasn't so sure of that. "You didn't meet her. Sheriff Chance seemed pretty tough and determined. I hated not telling her the truth."

There had just been something about her that seemed trustworthy. Nina felt as if she'd known the young female sheriff all her life in only a few minutes.

Of course, truth be told, she didn't know Josh all that well either. Only the rumors and stories she'd picked up from the other guys in their unit. But he'd saved her life once and she was ready to give him a second shot.

"We had a plan," he reminded her. "We're better off sticking with it until we can get you out of the area."

He stepped back and held out a hand. "Do you need help standing?"

She slowly came to her feet under her own power. Josh had removed her IV hours ago. Nothing stood in the way of leaving now.

"No, thanks. The nurses have been getting me up since the day I arrived. I've walked down that hall to the inhalation therapy room more times than I can count."

"We'll be going the other way. To the service elevators. It's break time, so there's only one nurse at the desk. We can get around him easy enough. Let me take your things."

She didn't have much with her. Just a few personal items. Her super had packed her other clothes and com-

puter and left them with Josh to return to her when she got out of the hospital.

"We'll need to be quiet until we reach the SUV. Okay?" The grim set of his mouth reminded her of how difficult their situation could become.

She swallowed hard and nodded at him. She was too scared to say anything anyway. The idea that someone might be out there—in the night—waiting for her, made her too shaky to think straight.

For as long as she could remember, she'd been living a lie. Hiding from the world. Now, just because she'd seen a murder committed shouldn't make any difference at all to the way she went about her business. She needed to recapture her composure. To find her center and return to the masquerade that had become her life.

Digging deep for fortitude, she took Josh's hand and walked with him down the hall.

A couple of hired men stood in the shadows of the hospital building, watching the back as the girl and the man helping her came through the doors and climbed into an SUV.

"I knew he would be sneaking her away soon enough," said the man in a dark denim jacket. "Our boss'll be happy that I figured out who it was that would be coming for her."

The other man fidgeted, fingering the .38 in his breast pocket. "I don't understand why we didn't just kill the bitch while we had the chance. In her room—or right now, for that matter. Why let her leave the hospital alive?"

"She isn't going anywhere we can't follow." The man in the jacket elbowed his comrade with a wide smirk on

his face. "We do what the boss says. He says 'follow,' then we follow. Don't be stupid."

"But…"

"Shut up. Get in the truck. They're pulling away. We're out of here."

Josh wasn't sure how long he should drive before he found them a place to rest for the balance of the night. He didn't want to overtire her for the first time out of the hospital. But he wanted to be sure they were clear of the danger that he'd felt lurking around the hospital.

He'd only driven for an hour but felt certain that he'd lost whoever might have been following. He wouldn't take any chances, however. Turning to her, he noticed how pale and worn-out she looked.

"How are you feeling?" he asked gently. "I think we should stop for the night. How about it?"

Instead of answering she asked a question of her own. "Where are we going? I mean, I thought we were going to an airport."

He didn't want to tell her that he'd been driving in circles trying to lose whoever had been following them from the hospital. Someone had been back there at first. But he hadn't seen anyone for the past half hour.

"We are flying home. Soon. But it's a long way to a public airport in this part of Texas."

"I can't wait to get out of Texas." She closed her eyes and leaned back against the seat.

He'd heard her make comments like that a time or two, even before she'd witnessed the murder, and it had made him curious. What did she have against Texas? But he didn't think now was the time to make her answer questions. She looked so tired.

"It's late. And I'm hungry. Let's stop for a few hours. Okay?"

A little strip of businesses appeared about a quarter mile ahead. He could see signs for a motel and a gas station.

As she murmured her okay to stop, he drove into a wide parking lot and pulled in front of the motel. "Stay here. I'll get us a room."

"One room?" She opened her eyes and frowned.

No way was he letting her out of his sight. But how to tell her that without also giving her the truth of their situation? She was barely well enough to be out of the hospital. He didn't want to push her too hard too soon.

Terror had never been known as a good prescription for healing. And now that he had found a purpose in life again—keeping Nina safe and healthy until he returned her to California—he wasn't about to screw it up.

"I'll ask for two double beds," he assured her. "But I want to stay close to make sure your fever doesn't return in the night."

Slamming the door behind him before she could say anything else, he strode inside to register while keeping one eye on the SUV at the same time. She hadn't had a fever in several days, but he hoped that had sounded like as good an excuse as any.

From now on, no matter what it took, they would be tied together like conjoined twins. Her life had become too important to risk.

Chapter 3

Nina tossed her backpack on the closest bed and looked around the motel room. It wasn't much. But at least the place looked clean, if a little dingy.

They'd been lucky that the motel manager lived in a separate residence behind the motel. Josh had asked about storing their SUV there. He hadn't said it was to keep the vehicle out of sight, but she'd known why.

So she was first to the room. Checking the bathroom, she decided it wasn't too bad. Of course, since they hadn't gone that far from the wildfires, the whole place reeked of smoke. The same pungent scent that had fouled the range they'd driven through since leaving the hospital.

But it wasn't that terrible. Her job entailed working in smoke-saturated countrysides and she'd become accustomed to the smell of smoke clinging to everything and anything. There could be a lot worse things to smell, she supposed.

Before she'd left the hospital the pulmonologists had given her strict orders: no fighting fires for at least a month. She could go back to headquarters and back to training, but no actual firefighting, to give her lungs time to heal.

Fighting wildfires was the one thing that meant the world to her. Someday she would get used to being alone—not making friends and not letting anyone get close. That was just a sad fact of the kind of life she must lead. But she was good at firefighting and needed to go back to doing it as soon as she could. It gave her a purpose.

Sitting at the edge of the bed and waiting while Josh finished stashing their SUV, she tried to find a little perspective. She'd been afraid of shadows for nearly her entire life. Seeing a murder committed should not be too big a deal next to everything else she'd gone through.

But things seemed different now that she was totally alone in the world. Once there had been Yolanda and her son, Raul, who'd saved her and knew all about her background. Now they were both gone. Her dearest foster mother, Yolanda, had been killed in a robbery six months ago.

Everyone who could connect the dots about her past was gone. It made her isolated lifestyle feel so much more real and lonely.

She kept trying to tell herself that continuing on this way would be for the best. That she'd lived the bulk of her life in this same singular manner and shouldn't need to change anything now. She couldn't show any weakness. Or wish for anything more just because a murderer might be stalking her.

Yet Josh had saved her life—and he'd suddenly made her want something more.

Should she be upset about spending the night in the same room with him? Maybe. It was definitely not her style. But she didn't feel upset by it at all. She wondered if that might be because she thought of him as a doctor. Nope, upon due consideration, she did not. Not even a little.

Searching her mind she tried coming up with another logical reason why she wasn't upset about spending time with Josh. She tried telling herself that she didn't mind being alone with him because he'd always been a gentleman and clearly there was nothing to fear from him. Moreover, he'd apparently made up his mind to become her protector. She knew enough about him to understand he was the do-gooder type. Not a predator.

Though if she had to be truthful with herself, and she should, there was one overriding reason she was ashamed to admit—even to herself.

The man seriously turned her on. Weak or strong, his touch always gave her tingles. Whenever he spoke, her body betrayed her with the chills. Anytime she accidentally bumped into him, her body went immediately hot and wet.

So she shouldn't spend any more time than necessary with him. But she couldn't help it. She wanted to know more about him. Find out what made him tick. She wanted to get closer—emotionally.

Yeah, right. This had nothing to do with his extremely sexy body. Ha! If only.

No other man had ever had this kind of effect on her. And she'd seen plenty of sexy men's bodies. Men in her experience had always been firefighting comrades, competitors or sometimes friends.

Okay, she'd gone out with a few men in the past. But one kiss or one clumsy pass, and she'd been long gone.

She just couldn't let anyone get too close. Not physically or emotionally. Her life felt too tenuous. She had not wanted to care about another person.

Not until Josh.

Just then he let himself into the room. "Are you hungry?" He stood by the door with his hands in his pockets. "I think they sell hot food at the gas station next door. Thought if you wanted to shower or take a nap, I'd go check it out. I'll bring back whatever they have as fast as I can. Okay?"

"I probably should eat," she said offhandedly. "To keep up my strength. But you don't have to rush."

Then she really looked at his expression and saw something there that told a different story than what his words had been saying. "Or do you? You're worried. About me? I'm feeling stronger, so it can't be about my health. You must be afraid the murderer will find us here."

He scowled, but didn't deny what she'd guessed.

"You *are* concerned. How would anyone find us? You already hid the SUV. Right?"

Josh stood still, gazing at her without saying a word.

"You still believe we've been followed all this time?" A chill ran down her arms. "That someone is standing back and watching us from afar? Like bugs? It seems impossible."

He took a step toward her. "I didn't want to upset you. But I'm fairly certain someone was following our rental SUV when we left the hospital. I think I lost them. And finding a place to hide the SUV was good luck. But…"

All of her life she'd been afraid of being found out. But now, suddenly, the fear seemed more immediate.

And far more worrying. Trying to shake it off as she always had in the past, she lifted her chin and stood up beside him.

Unfurling her stiff five-foot-eight-inch body, she found she still had to look up to see Josh's face. "Go." The differences in their height and weight usually made her knees buckle but now she needed to stay strong. "We must eat. I'll be okay while you're gone. I know how to keep a door locked. It'll be fine."

Josh pulled the one small desk in the room partially in front of the door, leaving only enough space for him to squeeze out. "Are you strong enough to push the desk the rest of the way after I leave?"

"Go, Josh. I'll be okay."

Instead of leaving, he turned and came closer. Gazing at her with an expression in his eyes Nina didn't recognize, he gently palmed her cheek.

"Nothing can happen to you."

The way he looked at her did odd things to her gut. The tenderness in his voice reminded her of the tone of voice she'd heard Raul use a time or two. But Raul's gazes had been brotherly and Josh's current gaze was definitely something else. Not at all like a brother.

Whatever that gaze meant, it made her hot and itchy.

Laughing to cover her discomfort, she pushed at his arm. "If you keep standing there, we'll both starve to death. Get going. Bring me a hot dog. Two."

That broke the mood.

"Yeah, hot dogs are exactly what you need to maintain your strength." He chuckled and added, "Lock up behind me." Then he turned and slowly walked out the door.

After it closed, Nina drew her first real breath, wondering what on earth she'd gotten herself into.

* * *

Josh came back with his arms loaded down. The hot food choices had been limited at the gas station convenience store, but he'd bought some of everything in sight. Now he had to figure out how to get back in the room if Nina was in the shower or taking another nap.

He rapped his foot against the door and whispered, "It's me. Let me in."

Relief ran through him when he heard the chain and bolt being shoved away. In moments he was through the door and setting his paper sacks full of food on the tiny desk.

"Lock it up again," he warned her as he began dragging shredded barbecue beef tacos, fried chicken, and biscuits with sausage out of the bags. "No hot dogs. Sorry. But they had plenty of food. Dig in."

"Tacos. That's way better than hot dogs." Nina, with her hair wet from a recent shower and wearing comfy-looking sweats, took a couple of foil-wrapped tacos with her to the bed. She plopped down on the edge and quickly dug right in.

While he'd been gone, he'd given a lot of thought to her and to their situation. He'd come to the conclusion that they needed to become closer friends. Close enough so that she would heed his advice.

And his best advice would be to seek law enforcement help as soon as possible. He'd been thinking with the wrong body parts where she was concerned. His heart and gut were overruling his mind. But it was time to stop trying to shield her from the world and start making the right moves instead.

As she chewed her food, she watched him thoughtfully.

"What's on your mind?" he asked around a greasy chicken leg.

"I was just wondering about you. About your background. Who are you, Josh White? Where do you come from?"

Josh wasn't positive how to begin. But he was smart enough to know he must give up something in order to get what he wanted. He never talked about himself. Never. But it looked as though this would have to be the exception.

"You know I was a Special Forces medic in the Middle East, right?" He swallowed a handful of French fries and waited.

She nodded and spoke around a mouthful of flour tortilla. "Sure. The guys on the team say you were a hero in Afghanistan. Saved more lives than any other medic in your entire company."

"Don't believe everything you hear." He took another bite of chicken and changed the subject. "Before going into the service, I went to med school in Southern California. U.C. San Diego. I was raised near L.A."

"Yeah? Me, too. I mean, I lived in L.A. for a while and I also lived near San Diego after that."

Well, he was finally seeing a small break in that outer shell of silence of hers. If what he wanted was for her to open up, it looked as if he'd guessed right. His personal story should bring out more of hers. As much as he hated talking about himself.

"Tell me about your parents," she went on before he could ask anything. "Are they still living?"

"My mom is. And she lives in the same house where I grew up. I guess you could say I had the perfect American dream of an upbringing." Except of course for the

one failing that had set him apart and caused him to be different from every other kid.

At the mention of an upbringing, she'd nodded but suddenly there was no hint of a smile on her face. What was that about? It made him more curious than ever about *her* upbringing. But he figured it still wasn't time to try pinning her down.

"What made you decide to become a doctor?"

There it was. The question that usually turned him off. The one thing that he never wanted to talk about. But this time, for her, he would try to give a truthful answer.

While setting aside the rest of the chicken and wiping his sticky hands and mouth on a paper towel, he thought of how best to begin. He would rather skip this part of his story, but he couldn't think of an easier way of making her like him well enough to talk. So...he'd try giving her a reason to pity him.

Seemed stupid when he thought of it that way. But if it worked—

"I spent quite a bit of time in the hospital as a kid and idolized my doctors. They were like gods. Eventually, I decided that's what I had to be when I grew up." *If* he grew up. There'd been some question about that at the time, as he recalled.

She set her last half-eaten taco down on the nightstand and studied him. "Well? You can't leave it at that. Why did you have to spend all that time in a hospital as a kid? Was it cancer?"

"No, not cancer." Though that was what everyone he'd told always assumed.

There were times, during his darkest hours, when he'd almost wished he'd had cancer instead.

"I was born with a weak heart." *Weak* was the easi-

est way of saying it and usually sufficed as explanation enough. "For years I was in and out of hospitals. Having operation after operation."

"That must've been tough on a little kid."

He took a swig from his soda bottle to give himself time to prepare for the rest. "Yeah. It wasn't easy. I always wanted to be outside playing instead of being forced to lie in a bed all the time. I was desperate to participate in every sport. There wasn't one I didn't want to try."

"That doesn't sound like much fun." Her gaze raked down his body as she gave him the once-over, electrifying his every nerve.

"But I guess you found a way. You look plenty healthy now." Blushing, she nervously sipped her own soda.

Chuckling, he raised and lowered his eyebrows with a leering expression. "So glad you noticed."

"I didn't... I mean..." She scowled but ran out of words.

Her embarrassment looked so cute that it was everything he could do to keep from kissing her.

Letting them both off the hook, he gave up trying to stall and spilled the rest of the story. "I eventually had to have a heart transplant. It was a pretty big deal."

Nodding, she slid down the bed until her head rested on the pillow. "I can imagine. But then you were okay?"

He couldn't bear to watch her, looking soft and feminine lying there, so he turned his back. "Yeah, after long months of making sure my body didn't reject the heart."

Of course, that wasn't strictly true. His physical health had been okay, but the deep guilt he still felt over *not* dying continued to take a toll on his emotional well-being. He'd been gifted with some other child's heart.

A child that had to die so that he could live. The idea of that was what had driven him to save lives.

She stayed quiet for a long moment and curiosity made him turn back in time to see her eyes closing.

"I'll have to thank your doctors someday." Her voice lowered to barely a whisper. "They saved you so you could save me."

Watching as her breathing grew even and steady, he knew even from where he stood that she'd fallen asleep. He'd hoped to have a chance to get some answers from her and to talk to her about where they went from here. But she obviously needed her rest more.

Now that she was asleep, he allowed himself a moment to just stand and stare. Taking in the long, lean lines of her body and the rounded curves still visible under the thick sweats, he wanted her. Wanted her so badly that he was having difficulty keeping his hands to himself.

He'd already tried every trick in the book to put his mind on other things. Thinking about a murderer coming for her had done the job—most of the time.

Holding back the urge to climb into bed beside her, he tried to remember why he shouldn't.

Every man in her Hotshot unit was well aware that Nina got skittish when men came too close. In order to keep things running smoothly, they all respected her needs and kept her at arm's length. As long as the men treated her as a buddy and not as the attractive woman she was, everyone got along. A few jokes. Lots of competition on the training field. But no touching.

And she never talked about herself. Never.

Rumors about her past ran the gamut from her being an actress gearing up for a part in a movie to her being a criminal in hiding from the law. That last one nagged

at him because she'd been so secretive. But he really didn't buy it.

The only thing he'd ever heard for sure about her past was that she'd been somehow related to a firefighter named Raul Martinez, who'd died a few years back in the great Rocky Mountain blaze. The word was he'd been her brother, not her father or husband, but no one seemed positive about the relation.

Josh needed to know more. He'd like to learn everything about her. But for now, he just needed enough information to keep her alive. Did she have family? Where was she originally from? Could she count on others for help? Or were they going to be in danger, too?

Shrugging, he gave up wondering for tonight and dragged a blanket out of the closet, draping it over her sleeping body. He yawned and stretched in the dim light, figuring he could use a few hours of sleep himself.

He kicked off his boots and unbuckled the waistband of his jeans, then turned off the overhead light and climbed into the other bed. Maybe tomorrow she would be more amenable to talking about herself. And afterward, when he knew for sure she wasn't hiding from the law, he could try giving her advice on calling on them for help.

Whatever tomorrow might bring, and despite the regretful way his body kept reacting to her, he was still determined to keep her close. She was becoming more important to him by the moment.

Nina was out of bed and ready to leave long before sunup. But she had to wait for Josh to shower. That was all right with her. She could use the time to mull over the things he'd told her about himself last night.

With his heart problem, he'd had a different kind of

upbringing than most. Knowing that about him made her feel closer to him. No wonder he'd become a doctor. He'd probably spent more time with them than he had with his own family and friends.

It explained a lot. The man saved people. And she was one of those whom he'd saved.

That stray thought brought another one she wasn't thrilled about—he'd become her hero, her savior. But there it was. And why hadn't she seen things this way before?

She kicked herself for getting carried away with the romance of becoming the damsel in distress rescued by a shining knight. Pounding her fist into a pillow, she put such thoughts aside as she had done with other such childish ideas for the bulk of her life. No one would be saving her anytime soon.

She'd been foolishly daydreaming about her and Josh becoming closer—physically closer. For the first time in her life, she wanted a man to touch her. More. To show her all the sensual things she'd been avoiding. With him, she hadn't been afraid of letting a male get too close.

But now, if all she meant to him was just another human being to save, she'd changed her mind. She wasn't a distressed damsel. Far from it. She'd been taking care of herself just fine for many years, thank you.

Yeah, he might be a good guy. But not the guy for her.

While standing and doing a few deep knee bends, she made up her mind to get back to work and away from the temptation he represented as soon as possible. She made herself a promise to find a way around doctor's orders, get out of Texas and away from all her problems—fast.

Then the bathroom door opened and the minute Josh

stepped out, all six foot three of him, she promptly forgot her promises. Damned if he wasn't the sexiest guy she'd ever seen in his jeans and T-shirt. Still wet from the shower, his thick tousled hair looked darker than the usual mahogany-brown. This morning it was the color of a raven's wing. Lush and sexy. And his sparkling evergreen eyes even smiled slightly when he looked her way.

"You all set to travel?" he asked as he gathered up her bags along with his and headed out the door.

Drooling, she nodded and followed him to the SUV like an obedient puppy. So much for wanting to leave him behind. She would much rather be glued to his side for as long as he would allow.

It ended up that after they retrieved the SUV, they drove only as far as the gas station on the other side of the parking lot. While letting the gas tank fill, they went inside to grab a few egg tacos and coffee.

But something felt off to her. The sudden weird notion that someone was watching made her stomach turn. Tentatively looking around, she felt the hair on the back of her neck stand up.

She looked out the window toward the parking lot, then swung back to check out the convenience store. Both seemed crowded for this early hour. Outside, cowboys and truckers were either having a cigarette or talking on cell phones while they walked ankle deep in a snakelike early-morning fog that had mixed with lingering wildfire smoke.

The feeling of being stalked almost overwhelmed her until she turned back to Josh as he came toward her with his hands full. Taking their food and disposable coffee cups back to the SUV, they climbed in and locked the doors.

Josh downed his food in two big bites and cranked the engine. Once they were back on the road, she finally felt calm enough to eat.

A couple of hours and many miles went by before anyone spoke. Finally, she said, "Do you think we're still being followed?"

"Not at the moment." Josh kept his attention on the road ahead, though he periodically flicked looks in the rearview mirror. Traffic was heavy for so early.

"So we're on the way to the nearest airport?" Looking up, she noted they seemed to have left the highway and were driving down a side road that ran through ranches and farms.

"We're headed for San Antonio. It's the nearest big city and only a couple of hours away. They do have an airport there, but I'm starting to think that leaving the state may not be the smartest idea."

"What? Why not?" Surely he couldn't be trying to drag out this "rescue the lady" business, could he?

"Listen, Nina. Whoever is stalking you could have connections. What if he can find us just as easily in California? Flying back there may not be the smartest move. We could be walking into some kind of trap."

"Seriously? But the team needs us. We'll be fine if only we can get out of Texas."

"First, you are under doctor's orders not to go back to fighting fires for a while. And second, what's the deal with you and Texas? I've heard you say things like that before. What do you have against the state? Have you lived here before?"

"I don't remember if I did. The darned place is too big and too flat and—people die here. I want to go home."

"Easy does it. I need to know more about you in

order to help you. What *do* you remember about your childhood?"

She was still shaking her head without answering when a giant white pickup all of a sudden came out of nowhere and roared past, barely missing them by inches. It was a surprising move, and dangerous on this narrow country road. Josh cursed and slammed on his brakes. She held her breath and stomped her right foot to the floorboards in a useless attempt to help him stop.

The bastard in the truck threw on his own brakes, fishtailed on the asphalt and ended crossways a few yards ahead. Stopped, but blocking both lanes of the road.

"Josh!"

"I don't like this." He dragged right on the wheel and stomped on the gas. "Hang on. We're not stopping."

As their SUV flew by the truck, squeezed too close to a barbed-wire fence, Nina prayed. "Please, God, let me live long enough to get the heck out of Texas."

Chapter 4

When Nina opened her eyes again, Josh was bringing them to a stop. Both the unreadable expression on his face and the whiteness of his knuckles clutching the steering wheel told her he was as rattled as she felt.

"Someone is after us." She fought to regulate her breathing.

He pulled off to the shoulder and put the SUV in Neutral. "We've gone several miles down the highway and no one is back there. Maybe that truck blocking the roadway was nothing, but the whole scenario looked too much like a trap." His voice was husky, rough and far too low.

Throwing her a cautious, too-sober look, Josh reached out and took hold of her hand. "Nina, I…"

The second she felt his touch her entire body began to tremble. Everything seemed crazy and out of whack. A murderer might really be after her? And what about

Josh? He could be killed, too, and it would be all her fault.

"I need air." She flipped off her seat belt and swung out the door and onto the gravel and grass.

"Nina, wait."

"Give me a moment." Standing beside the SUV, she bent over and propped her hands on shaky knees.

The need to run nearly swamped her. But running seemed out of the question due to her not getting enough air into her lungs. Instead, she began to pace, trying to force her traitorous body to respond on demand as usual.

"Nina." Josh was there, wrapping his arms around her and pulling her close. "Don't panic. Calm down. We'll find a way out of this."

Too close. He'd barged inside the space she kept all to herself. The space a man never entered.

Startled, she gazed up at him and blinked back the dregs of panic that had only begun to subside. When their eyes met, an electric charge jolted between them.

Josh must have noticed it, too. Dropping his arms, he took half a step back and looked shaken. Again, just the same as she felt.

But the realization that he was unnerved, too, somehow made her want to be reckless. She'd dreamed about a sexual encounter with him. And the heat she felt igniting between them now was strong enough to light anyone's bonfire.

Josh gazed at her as if she were going to be his last meal on earth. His eyes caressed her face. Breathless, she waited for the kiss she could see coming in his eyes. But he stood his ground instead and slightly shook his head. Maybe he didn't really want to kiss her. Or maybe he was a lot stronger than she felt.

Right. He'd be smart to back away from the temptation. This was too fast. Too crazy. Too foolish. After all, just look at their situation right this minute. They were standing by the side of the road in broad daylight with a murderer chasing them.

They could die for lack of paying attention. Furthermore, she could think of a million other reasons why kissing him would be a bad idea. Not now—not ever.

Yet neither of them moved. Her entire focus soon narrowed down to his lips. She'd never wanted anything quite this much.

"Josh, you're driving me nuts." Her knees went weak and she gripped his arms for balance.

But her touch seemed to break the spell as he reached out a hand to palm her cheek. "Nina, I… We…" Then he pulled her tightly against his chest once again.

She held her breath. Hoping. Wishing. Forgetting everything.

Finally, at long last, he covered her mouth with his.

His lips felt heavenly. Gentle yet firm while his strong arms held her cocooned within his warmth. She felt his heart beating in time with hers, hammering out an erotic tempo.

A kiss full of promise. Worth dying for. All the things she'd dreamed about. Wayward thoughts like those raced through her mind until she felt herself sinking even further into him and stopped thinking altogether. She let the tingling feel of blood pulsing through her veins totally consume her.

More. She was desperate for more of him. Needing to be as close as possible, she leaned in and felt the hard length of him pressed against her belly. He wanted what she wanted.

So when he lifted his head and whispered, "Easy there," she couldn't make her brain start working.

"Josh?"

He took a step back but held her firmly by the shoulders. "That got a little too intense." The look on his face spelled pure frustration. "I won't say I'm sorry we let it get out of hand, but unfortunately we have to move. Get off the highway and back to the SUV. Now."

Josh was in big trouble here. The woman of his dreams as close as this, obviously wanting him, and he had to find a way to back off? He dredged deep for fortitude, reminding himself how vulnerable she was at the moment. He wanted her to want him, but not now. Not here.

Breathe. Think.

He dragged her back with him to the SUV and waited until she'd buckled up. Then he climbed in behind the wheel, cleared his throat and stepped on the gas.

"We have to change the way we've been doing things." He didn't mean about the kiss. He hoped to hell *that* would continue.

"Change what?"

"Grab the map out of the glove box. I think there's an interstate not too far ahead. We've gotta find a way to become less identifiable. We shouldn't have left the crowded highway full of traffic—and other black SUVs. And our next move has to be a change of vehicles."

He waited for her to open the map, meanwhile trying to get his bearings. But it was tough to concentrate when her kiss still lingered on his lips.

"How can we change the vehicle we're driving? You're not planning on stealing a car, are you?"

He swallowed back a chuckle. "That's not a bad idea. I think I could probably make a good car thief. My

brother used to restore old cars and taught me a lot about them."

Grinning, he raised and lowered his eyebrows but didn't get a smile out of her. "Remember, our Hotshot unit rented this SUV. We'll hole up somewhere and call the rental agency. They can bring us another vehicle."

"Hole up somewhere? Where? In Texas? How long?" She seemed a little breathless and the panicked look was back in her eyes.

They needed to talk. He had to find out about this obsession she had with Texas. It didn't seem likely that it was connected to the murder, but he needed to know everything about her. For more reasons now than just saving her life.

Without answering her directly, he urged her to focus on one task at a time. "How far to the interstate?"

The traffic seemed a lot heavier on the interstate than Josh had noticed before. It made him wonder what was going on. But he was grateful for a chance to get lost in the crowd.

Within a half an hour, he drove them into a gigantic truck stop parking lot. The whole while since he'd driven away from the side of the road, Josh had been kicking himself for being stupid. He must've lost his mind when he'd kissed her.

Actually, he must've plain lost his mind entirely. If he'd had use of all his senses, he should've thought of changing vehicles sooner. And why had they been driving in broad daylight instead of waiting for dark?

The most seriously stupid move so far was failing to talk Nina into calling in help from law enforcement instead of kissing her. They couldn't handle this kind of threat all by themselves.

Convincing her of that had to be his second order of business.

He parked between two temporarily parked semis: a tractor with double trailer and a large over-the-road moving van. Both trucks rumbled, their engines running, but both were locked up tight while their drivers took a break. This hidden spot between them should keep the SUV out of sight until they could change it out.

"Hungry?"

Her eyes were wide as she stared out the window at the reverberating behemoths. But she managed to shake her head as an answer to his question.

"Well, I am. And truck stops supposedly have terrific food. Let's go find out after I call the rental company."

Nina waited impatiently for Josh. She'd already been seated in a booth in the back of the truck stop's restaurant for a good twenty minutes. He'd insisted she order something to eat for both of them while he went off to call the rental company.

She didn't feel much like eating. Sitting with her back to the rest of the restaurant, she slid down in her seat and hoped that would be far enough to keep her out of sight.

The place was crowded, but most of the patrons appeared to be ordinary truck drivers. Still, all these strangers coming and going made her nervous.

Josh appeared back at the booth before the food arrived and slid into the seat opposite her. "We have trouble."

"What?" Visions of men chasing her with shovels in their hands entered her mind and made her hands tremble.

Josh pressed his lips together and then forced a smile, obviously trying to calm her. "It's not that bad. But

most of the airports in this area are shut down due to poor visibility. Smoke coming from the wildfires is screwing up all sorts of local transportation. Apparently everyone who was supposed to fly has rented a car, truck or van instead. That's why the roads seemed so crowded earlier."

"So we can't fly. But we can drive out of Texas like everyone else, can't we?"

"Well, no, that's the trouble. Seems our rental agency doesn't have any vehicles left to rent. I even waited on the phone while they checked with other companies. Nada. There's not a car or truck to be had in this half of the state."

"So, we stick with the SUV. We can still drive that."

Josh reached across the table and took her hand in his own. "Nina, there has got to be some reason why we can't seem to shake our stalkers. And my best guess would be it's our SUV that's betraying us. After I hung up with the rental agency, I went outside and checked it over, thinking our stalker might have bugged it somehow. But I couldn't find anything."

He hung his head and stared at the water glass sitting on the table before him. "Still, the bad guys must have managed to peg that vehicle as uniquely ours and keep finding it no matter what we do to hide. We just can't take the chance of driving it anymore."

"What are we going to do? Walk?" She threw a glance over her shoulder at the rest of the people sitting in the room. Every male in the place seemed to be staring at them.

Josh chuckled again and squeezed her fingers, seeming to want to transfer his strength to her. "I talked the reservationist at the rental car agency into finding us any means of transportation today. I explained how

desperate we were and that if she came up with a car for us, they could end up getting our SUV back to rent out again. She said it might take a few hours but she promised to locate something. We'll be okay here in the meantime."

"Not here. It feels too out in the open. Please."

Just then the waitress arrived with their food. Josh let her hand go but kept his gaze focused on her face.

When the waitress finally left the table, he said, "Let's eat and then we can get a room in the motel next door until our new transportation arrives. We really shouldn't drive the roads until after dark anyhow."

She blew out a breath. "Another motel room?"

When he only shrugged in answer, she gave up worrying about their near future. "Fine. I guess we don't have much of a choice."

Whatever happened, happened. Spending an afternoon in a motel room with Josh, hidden from their stalker, wouldn't be that bad at all.

Josh was still determined to get Nina talking about her past. He just couldn't do it while she fidgeted nervously with her food in the restaurant.

They finished their meal without much in the way of conversation and then registered for the motel that was located a few hundred yards from the truck stop. On the way there, they stopped at the SUV and picked up their bags and personal things.

"You want me to carry the heavy stuff?" he asked as they relocked the SUV's doors.

"I've been handling my own stuff for most of my life. I don't need your help."

He wanted to say that he'd be willing and able to help her with anything, everything, from now on. But

right then a dry wind ruffled her hair and blew a stray strand across her face. With both of her hands full of bags, he used the excuse to touch her again and gently tucked the errant strand behind one of her ears. But his rebel fingers did the predictable thing, lingering against her cheek. He couldn't help himself, couldn't seem to move a muscle, just openly watched as her face heated in response to his touch.

The flame off that heat damned near burned his fingers. Quickly withdrawing his hand, he brought it back to his side and cursed under his breath.

Man, this afternoon of conversation between the two of them might turn into the biggest trial of his life. He couldn't touch her like that again. Any more skin-against-skin contact would drive his body beyond control.

While they trudged across the hot asphalt, she turned her head to look in every direction. Then as they climbed the outside staircase to their room, she nodded toward a couple of cowboys strolling across the lot toward a row of pickups.

"Have you noticed those two guys before?" she asked.

"Can't really say. They could be every cowboy or truck driver we've run into all day."

She stood aside as he unlocked the room. "I think I've seen them today. A couple of times. But maybe I'm just on edge and thinking that every man I see is watching me."

He didn't like the sound of that. Turning again, he spotted the two just as they climbed into a pickup and drove off. He memorized the make and model just in case.

Smiling to put her at ease, he let her into the room.

"Wouldn't doubt for a moment that every man we run into is watching you. You're a beautiful woman. I'd do nothing but watch you, too, if I thought I could get away with it."

That brought a smile to her lips and lit up her whole face. Whew! Enthralled by how beautiful she looked as she smiled, he almost tripped over his own feet. Now he'd have to think of lots of other ways of making her smile.

Their room wasn't much, but he hoped they wouldn't be there for long. A double bed. One chair. A shower stall and toilet. It would do.

Closing the blackout drapes, he shut out the hot afternoon sun. The airconditioner grumbled, groaned to life and blew cool air into the room.

After stacking their things in a corner, he waited for her to choose a spot to sit. She picked the chair. Probably just as well.

He smashed a lumpy pillow behind his back and made himself as comfortable as possible on the bed. "You need anything?"

"Not a thing. Except a ride out of here, I guess."

"It's coming." He noted that her fingers strummed against her thighs. "Impatient, aren't you? You sound like my big brother, all the time wishing for his life to run faster and faster. We're safe here temporarily. Can't we just sit quietly for an afternoon and get to know one another?"

She lifted her chin and looked down her nose at him. "I would bet your brother doesn't have a murderer stalking him. That makes a big difference in how long I'm willing to wait."

Drawing in another breath of air, she pursed her lips as if in thought before going on. "You've mentioned hav-

ing a brother once before. Do you have many brothers and sisters?"

"Just the one older brother and a younger sister. They both have big families of their own now. But every time I see my brother, he still fidgets whenever he sits, and runs everywhere instead of walks. Having his own business and four kids hasn't changed him a bit."

"But you still see him. That's nice."

At last. An opening to get her talking about her past.

"So, do you have brothers and sisters?"

Her face grew dark, her eyes sad. "I had a foster brother named Raul. I cared about him more than I can say. I even became a Hotshot because that's what he loved doing. He was killed fighting the great Rocky Mountain fire."

She looked so forlorn he almost went to her. But he stopped himself in time. These few precious minutes had to be reserved for talking.

Still, he wasn't at all happy about causing her pain, even *remembered* pain. This was no way to keep the smile on her face.

No wonder she seldom talked about her past.

But he must plow ahead. He had to know the rest. And just maybe she needed to talk about the rest. Get it out so she could move on and stop being ridiculously afraid of an entire state.

"You said Raul was your *foster* brother? Does that mean you're a product of the 'system'? What about your real parents? Where are they?"

"That's a long and not very interesting story."

"What else have you got to do?"

For a moment, her gaze darted around the room like a cornered animal that was desperate to run from a dangerous situation. Damn, he didn't like doing things like

this to her. It made him feel like scum. But that couldn't be helped. He needed this information too badly.

So, he waited.

Finally she settled down and apparently gave up her reluctance to talk. "Since you did save my life, I guess I have to trust you. But if I tell you this, you must promise not to tell anybody. Not *anyone*. And not ever."

"I promise." How bad could this be?

His imagination had been running wild for days now. Had she been arrested in Texas once? Was she running from the law and that was why she didn't want to call them for help?

"Okay," she began hesitantly. "But first I need a glass of water."

"I'll get it." He went into the bathroom and was pleased to find machine-wrapped plastic cups instead of glass. At least that would be a little more sanitary.

Good grief, he thought as he disposed of the paper. He'd obviously let himself become far too involved in this business of being a doctor when he couldn't even get a drink of water without considering the germs.

Disgruntled but still determined, he filled the cup and gave it to her. As she thanked him, her mouth turned up at the corners in a half smile and his heart skipped a beat.

It seemed impossible to conceive of this beautiful woman being wanted by the law. That just couldn't be true. *Not his Nina Martinez.*

She took a long, slow sip of water and then a deep breath. "Well, first off, I've been using an alias since I was a kid. My real name is not Nina Martinez."

Chapter 5

Nina was tired of keeping secrets. Pushed to her limit and not able to use her body as usual to power through, she needed to confide in someone. And Josh—Josh made her *want* to trust someone.

He looked stunned by her admission that the name she'd been using had been made up. "What name were you given at birth?" He sat straight up and glared at her.

His reaction made her wonder if trusting him really would be her smartest move. But she'd already started this and needed to share with someone. No, not just with someone—with him.

"Um…I don't know." His expression turned serious, hard, so she tried again. "I mean, I know what my first name used to be—or at least what I was called as a baby. But I never learned my real last name."

"I thought you were going to tell me the truth."

It was her turn to sit up straight, but her move was

meant more as a pleading gesture. "I am. I will. Wait until you hear the whole story as I know it before you form an opinion."

"Just tell me straight off if you have a criminal background and are running from the law."

"No. And yes."

He grimaced and folded his arms over his chest.

She held her hand out, palm up, begging him to reserve judgment until she finished. "Listen to what I have to say. I'm not a criminal. But I don't have any real memories of my early childhood. Nothing much before the age of six or seven. And what I do recall is fuzzy and not so good. The only thing I can tell you is what I've been told."

"What are your first memories?"

"A woman named Yolanda was my housekeeper and nanny. She's the first person I can really recall. Yolanda was good to me. But she only worked for my adoptive parents and didn't have any control over what happened to me."

"Okay. What was your adoptive name then?"

"The couple that adopted me called me Courtney. They lived near L.A. and their last name was Chandler. But Yolanda always called me *niña* when it was just us. That name means *little girl* in Spanish and it kinda stuck."

Josh's expression began changing from wary to curious. "So Courtney Chandler is what you went by in school?"

"I didn't go to school. I had home tutors. My adoptive parents were always too afraid to send me to regular school."

"Why afraid? You're going to have to explain that."

She wasn't too sure she could ever explain the Chan-

dlers or why they did what they did. But she supposed
she'd gotten this far into the story and should try.

"The Chandlers told me I couldn't go to school like
other kids because I didn't have the right papers. I've
never had a birth certificate."

Josh twisted up his mouth for a second. "Come on.
You had to attend college to be accepted into the Hotshots. They wouldn't have taken you without proof of
birth."

"That comes later in the story." She felt herself grinning. "Patience, Dr. White. I'll get to it."

His eyes twinkled for a second, but he still didn't
smile at her. "Tell it your way, then. What reason did
the Chandlers give you for not having a birth certificate
or some other proof of who you are?"

She hated thinking about this part of her story. It always gave her the chills. But…no choice now.

"The story they told was that I was adopted illegally. You see, the Chandlers were filthy rich and had
wanted a little girl so badly that they didn't much care
how they got one. Their lawyer found me through illegal channels, and saved me in the nick of time from
a very bad situation."

"That's quite a story." Josh took a deep breath. "Did
anyone ever say what kind of situation it was?"

She couldn't sit still anymore. Standing, she began
pacing the short distance to the door. The urge to run
was back and stronger than ever.

"The only thing I know for sure is that I originally
came from Texas." Vague memories, or maybe just
dreams, of horses and men with cowboy hats had convinced her that much of the story must be true. "And
the woman who turned me over to the lawyer for money

swore to him that I had been abused as a baby by my birth family."

"Who was the woman?"

"She claimed to be my aunt. My savior, she said." Nina moved closer to where Josh still sat at the edge of the bed. "But the Chandlers told me their lawyer believed the woman was a drug addict and couldn't be trusted to tell the truth."

Heaving a loud sigh, Nina tried to steel herself for telling the rest. "Their family doctor confirmed that I did show signs of being beaten. Unset broken bones and old burn marks on my arms. That sort of thing. So no one was too eager to check out my supposed aunt's story. They just wanted to keep me safe. And away from her and from Texas."

"Have any of you ever tried to verify any of this?"

"Uh…" She clasped her hands in front of her to stem the sudden shakes. "No. The Chandlers always worried about the law finding me and taking me back to Texas. They'd been told that the FBI was looking for me and would put them in jail for the illegal adoption."

Her whole childhood had been spent being petrified of discovery by her abusive family. Of being forced to go back to them. Of course, no one could force her to do anything now that she was an adult. But no sense stirring up muddy waters. She never wanted to see or hear from any of those people.

"Have you talked to the Chandlers about this recently?"

"I can't. They died in a car accident when I was ten."

"No way. Really?" Josh didn't wait for confirmation but held out his hand. "Stop pacing. Come sit next to me while you finish the story. You're starting to make me nervous."

Nina only hesitated for a split second. Convinced Josh was completely trustworthy—she'd never felt so safe with anyone in her life—she moved closer. Besides, this might be as good an excuse as any for touching him again.

Climbing on the bed, she cuddled up close. He pulled her in to his chest and put an arm around her shoulders. Their position should feel intimate, sexy, but she was too tense to feel anything but comforted. Comfort, a friend, would have to do for the time being.

"There you go," he said when she'd settled. "Now tell me the rest of your story. What happened after the Chandlers died?"

"Yolanda worried that the law might come and take me back to Texas. Plus, she was nearly hysterical about being sent back to Mexico herself and never seeing me again. She quickly packed us up and moved to a San Diego barrio where her son had been living with relatives. One of those relatives made both of us fake documents. I was finally given a birth certificate in the name of Nina Martinez."

There. That was the bulk of the story. She'd been ashamed to tell some of it. Ashamed that she hadn't been strong enough to confront her past before now.

Closing her eyes, she drew a deep, clean breath. Amazing how telling her story had made her feel a kind of lightness. It was as though sharing her past had been like sharing a heavy burden. She sure hoped Josh didn't mind taking part of her load.

"There's a lot more story to hear, I'll bet." He lowered his voice to a whisper. "But you sound exhausted. You should rest. I've got you and we're safe here. Why not take a short nap while we wait for the rental?"

"Maybe," she murmured, already close to dropping off.

"Just one more question." He urged her to snuggle closer. "You said you remembered a first name from your childhood. What was it?"

"A funny name." Suddenly so tired she could barely talk, she managed to utter a few more words. "Cami. Isn't that an odd one?"

Taking one more shallow breath, she finally released the rest of her tension and dropped into a deep, dreamless sleep.

Meanwhile in Chance County, Sheriff Lacie Chance stepped out of her cruiser and headed for the political fund-raiser in the barnyard at her brother-in-law's enormous main ranch house at the Bar-C. Before she'd gone very far through what seemed like a forty-acre pasture of trucks parked around Travis Chance's place, her wonderful husband, Colt, met her with a cold soda in his hand and a sexy smile on his face.

He kissed her and Lacie immediately forgot about everything else but how much she loved her new married life.

After a long, warm kiss that left her breathless, Colt stepped back and handed her the soda. "You look exhausted. You're working too hard. Or, maybe you need more help."

"A few more kisses like that one and I might skip this fund-raiser and forget about going back to work if you'll take me home to bed."

Grinning, he slipped his arm around her waist. "Sounds perfect. But I know you better than that. We've already had to shorten our honeymoon because you couldn't take that much time away from the job."

"I know and I'm still sorry. But I continue to have concerns about the wildfires burning in counties near

to ours. State officials are calling them seventy percent contained in the next county over. And the wind has shifted away from Chance County. But you never know with wildfires." She took a sip of soda and began strolling arm in arm with Colt, through the meadow toward the barnyard and the fund-raising party.

"I wish we could find a professional fire chief to head up our volunteer fire department," she told him wistfully. "Travis is willing to come up with the money to pay someone, but no one qualified wants to come to a place as isolated as Chance County, Texas."

"Is that what's been occupying all of your time?"

"No." Lifting her chin to look up into the face of the dearest man she'd ever known, Lacie went on. "I've been investigating the murder of Deputy Jonas's wife. And since the deputy is still on leave, taking care of things with his family, I'm also still short a man on the force."

Colt slowed, tugged her close and whispered, "I'm not convinced that you shouldn't be leaving this whole murder investigation to Sheriff Hunt. After all, the crime took place in his jurisdiction."

Lacie stopped walking and lowered her voice, too, so no one could overhear. "Sheriff Hunt doesn't seem to care a thing about the investigation. Whenever I ask, he says nothing has turned up at the crime scene. Well, no kidding. The whole place was scorched beyond recognition."

"You think he could be doing more?"

"Sure. For one thing, I'm apparently the only one that's been interviewing the neighbors. Rumors are rampant in that part of the county about Mrs. Jonas supposedly having an affair with some local big shot."

She took another sip of soda and leaned in closer.

"Secret affairs can be good motives for murder. Especially if the woman involved threatened to tell. I'm trying to get a lead on who the big shot might be."

Colt slowly shook his head and the perpetual smile he wore disappeared. "His wife's affair is gonna be bad news for your grieving deputy. But…uh…have you considered the possibility the big shot might've been Sheriff Hunt?"

"Have you *seen* Sheriff Hunt?"

That brought back Colt's smile. "He's here. Seems he's a big buddy to our state senator. But I take it you consider him too old and…uh…too rotund to be a secret lover?"

"Definitely. I'm just hoping the murderer does not turn out to be one of Travis's friends. He knows all the big-deal ranchers in the surrounding counties."

Colt grimaced. "After running the Bar-C and most of Chance County for so many years, my brother knows everyone who is anyone in Texas. Any prominent person around here will turn out to be somebody he knows."

Turning them back around toward the party, Colt continued walking. "Can I help you? Is there anything I can do? I hate to see you wearing yourself thin like this. Maybe you shouldn't have come to this fund-raiser. You don't even know Richard Perez, our illustrious state senator."

God, how she loved this man. "You're sweet to offer help, but you have your hands full starting up the new county attorney's office. Actually, I didn't come to meet the candidate. I was hoping your brother Gage would agree to lend me a hand."

Gage was a professional private investigator and had access to internet search engines and other programs that her department couldn't afford.

She went on explaining to Colt what she wanted from her brother-in-law. "I'm hoping we can use his police artist friend to draw a sketch of the murderer from the witness's description."

Lacie had lost touch with the witness, but she'd been doing some checking into the firefighter's background. She had a gut feeling that was going to be a whole other story when she had the time to dig deeper. But meanwhile, she felt sure she wouldn't have any trouble locating the witness when the time came for her to be questioned.

"He'll do it," Colt agreed. "Gage has already said he'd be glad to help us out any way he can. Would you want him to call the sketch artist tomorrow?"

As they rounded the corner of the barn, the first person she spotted at the party was the brother-in-law in question.

"Gage." As she got closer and looked up into his expectant face, the thing that had been bothering her for days suddenly snapped into place. "Oh. My. God. That's it!"

"What's it?"

"I know where I saw the sketch of that witness's face. You gave it to me."

Gage's eyebrows rose. "Huh?"

"Quick," Lacie urged. "Do you have one of those age-enhanced renderings of your lost little sister on you?"

Gage dug in his pocket. "I carry one all the time. What's going on?"

He unfolded the paper and handed it over.

When Lacie looked again at the sketch, she was almost speechless. "You are not going to believe this,

but I spoke to this woman not more than forty-eight hours ago."

Turning back to Colt, Lacie gazed into her husband's dear face and saw traces of a truth she'd not fully taken note of at the time. "The murder witness. That young woman Hotshot firefighter—"

She touched Colt's cheek. "Your family's most distinctive features appear on her face, too. For instance, this dimple on only one side." Moving her finger to trace his left eyebrow, Lacie added, "And the funny way your eyebrow peaks just so. She's a dead ringer for you and your brothers—and this sketch. I'm pretty sure she'll turn out to be your kidnapped little sister, Cami."

Josh slowly came awake from the most erotic dream of his life. He would rather not have had to stop the dream. But no matter how hard he tried, he just couldn't keep his eyes closed.

When gradually he became cognizant of his surroundings, he found himself lying in a bed, though unfortunately he was completely clothed. Looking down, he also discovered his body had become entangled with Nina's. Legs intertwined. Hands and body parts that shouldn't be touching were casually placed at precarious positions. Oh, man, just like in the dream.

Except that in reality a fully clothed Nina seemed to be sleeping soundly and peacefully. After a moment to clear his head, he remembered that he had fallen asleep as he'd been holding her and watching her sleep. But in his dream she had been wide-awake and doing things that he was sure she had never even imagined doing.

Lying back against the pillow, he stopped struggling with his conscience and relaxed long enough to enjoy the feel of her in his arms. Soon enough he would need

to disentangle and move away. But for now he could just soak in the rush of sensation that touching her brought.

Turning his head to study her face, he found her breathing slow and steady. He remembered all of it now. After telling her story, she'd trusted him to just hold her while she slept. That made him proud. He'd taken care of her and was finding little ways to help her body heal.

But while he stayed this close to her reclining body, his own body had begun pulsing and sending need to his groin. His lust came roaring back to fight for his attention. Maybe she shouldn't have trusted him quite so much. Within seconds he found himself struggling for control as that rush of heat blossomed, became darker and more intense. He wanted her and if he didn't back away now, he would want even more to be buried inside her.

Move, he demanded of his sluggish body. As he slid a leg out from under one of hers, he thought back to their earlier conversation. About all the struggles and conflicts life had thrown at her and demanded of her. And a wave of tenderness washed over him.

Gently, he lifted her arm from across his shoulder and slid out of bed. When he was free, she stirred and whimpered but didn't awaken from her sleep. Rolling over, she let out a deep sigh but then settled down and didn't stir again.

As he stood above her, stretching to remove the kinks from his limbs, he began mentally flipping through his many new thoughts of her.

It made him wonder what the hell he'd been doing to really help her so far. He'd let his lust and some kind of savior complex push her to the limits of her emotional endurance. He'd made demands of her without fully

knowing what that might mean. Now that he knew about her past—now what?

He still wanted her. In fact, he was having a devil of a time looking but not touching. He would give anything to ease back to bed, kiss her awake and caress her into arousal. If she awoke at this moment, with one look toward his groin she'd know right away how he felt on that score.

But something else was happening to him. Something new. Tender feelings, sentiments he couldn't remember experiencing before, kept twisting him around.

His whole life had been wrapped up in becoming a physician, and he could scarcely recall being any other kind of person at all beyond that. But during those years of becoming a doctor he'd learned to bury all feelings while treating patients. Eventually, he'd learned to set aside every *normal* emotion when dealing with people. Somewhere along the line, he'd apparently forgotten how to truly care for another human being.

Rubbing a hand across his jaw, Josh fought to balance his raging desires with the sensitive emotions he suddenly felt toward her. He had empathized with her when she'd told him how everyone in her world had taught her to fear. They'd terrorized her into believing she couldn't trust a living soul. People who'd supposedly cared about her, and people who probably didn't, all of them gave her seemingly valid reasons to fear exposing herself. Hiding was all she'd known.

He'd also felt a kinship of sorts to her as she'd explained how really isolated she'd been from others for most of her childhood.

They had that much in common. He'd been alone, too. All those years of not being able to go outside to play. Of having to remain quiet. And then those long

months of lying in a hospital bed, in isolation so the body would not reject the brand-new heart.

But *he'd* had support. A family. And a history of people who'd cared about him. He couldn't imagine what he would've done without knowing they were there.

He was beginning to see his lack of emotion toward his own family as the selfish side to him that he'd never realized he'd had. For so many years he and the family had been totally consumed over making him well. For his part, he'd allowed his fear of dying to take over his life and had totally forgotten to be appreciative and treat his family with the love they deserved.

All of a sudden, Nina made him realize it wouldn't be the end of the earth if other people didn't care more about him than themselves or if they stopped believing that he was special. He didn't want the accolades anymore.

Those selfish emotions needed to be behind him. Now he felt real empathy for Nina. He hurt for the kind of life she'd been forced to lead.

Before she'd told the story of her life, he'd wanted to save her. Heal her. Make love with her.

And if he was truly honest with himself, those feelings had been purely selfish. He'd wanted her to admire his skills and to be concerned about his welfare. To love him.

As he began to come to terms with the fact that he cared about another person more than himself, his only desire was to give her a different kind of world to live in. And the kind of life he'd had but never valued. A life filled with love.

And family.

He did not believe for one moment the story that everyone in her immediate Texas family had been abu-

sive. Someone had cared enough to want to bring her back. They'd come after her and supposedly contacted the FBI to find her, hadn't they?

That seemed like a lot of trouble to go to just to abuse her again. No. She'd been acting on childish terror for so long she couldn't think straight. He knew that part of the story had to be all nonsense. Someone had abused her, but he had a feeling it wasn't her Texas family.

There was a lot more to this story than she knew.

He turned his head to the pile of their things he'd dumped in the corner. Somewhere in that mound of cases and packs was a laptop, and all he needed was a connection to the internet that this motel did not have in order to begin a search for her real past.

They couldn't leave Texas at least until he had a chance to do a little research. He wanted to find the truth.

While still protecting her. The only way to ensure her safety would be for law enforcement to find the murderer. And they needed her witness testimony to do that.

Her safety and health must come above all else. He'd have to think of an excuse to give...

His thoughts were suddenly interrupted by the ring of his cell phone.

"What...?" Nina sat straight up in bed and blinked the sleep out of her eyes. "What's going on? Who would be calling us?"

He smiled at her and answered the call. The woman from the rental car agency was on the other end. They talked for a few minutes while she explained that she'd found an alternate means of transportation. And that someone was on the way and would deliver it to the motel within fifteen minutes.

He wasn't too crazy about her agency's idea of *trans-*

portation at first. But the more he considered it, the better he felt about the whole thing.

Hanging up, he turned to Nina. "Can you be ready in fifteen minutes? We have a new ride coming."

He smiled as he said it, but he had feeling Nina wasn't going to like this ride one little bit.

Chapter 6

"You cannot mean it." Nina gazed up at a motor home, one of those gigantic over-the-road houses on wheels that seemed as long as one of the biggest triple tractor trailers. "You expect us to travel in this thing?"

"It'll be great." Josh beamed and put his arm around her shoulders.

"Seriously. How are we supposed to hide in a huge, splashy-looking vehicle like this? We'd be better off in a truck."

Josh grinned and gave her shoulders a squeeze. "Maybe. On the other hand, who would ever think to look for us in one of these?"

He might have a point, but she didn't have to like it. "Do you even know how to drive an RV? They have to be difficult to negotiate. Look at how big it is."

"No problem. I can handle just about any method of transportation you can come up with. Over the road.

On the water. Or in the air." He was still grinning as he dragged her closer to the door. "The guy who delivered it gave me a rundown while he was here. We won't have any trouble."

She hung back, wondering how someone would park anything this big at an airport.

"Wait until you see inside." Josh opened the door, and steps automatically lowered so she wouldn't have to climb up to enter like in most trucks.

"It's as big as a studio apartment." He went on with his sales pitch. "If we get stuck on the road for another day, we won't need to rent a motel room. Or stop to eat at a restaurant. We'll be carrying everything we need along with us."

She inched out from under his arm and put her hands on her hips. "But surely we won't be out on the Texas roads for another day. I need to get back to training. We will find an open airport tonight, right?" She didn't want to spend one more day in this state.

Josh turned his head so she couldn't see his expression. "We need to talk about that. But why don't we go aboard and check it out first?"

He urged her up the stairs. Reluctantly, she went inside and was surprised to find it really wasn't that bad. She could even call it comfortable, and not a bit like the tiny, cramped trailers her team slept in while on the fire lines.

"All right with you?" Josh asked as she looked around.

"It's okay. Kitchen and bathroom seem fine. Bigger than I'd thought. There's only the one queen-size bed, but that shouldn't be a problem since we will *not* be spending the night in Texas."

Without acknowledging her last statement, Josh

urged her to sit on the sofa that lined one wall behind the driver's and passenger's chairs. "I'm going outside to load in our things. Just get used to the place for a few minutes but try to stay out of sight."

With that, he disappeared through the door and down the stairs. She worked to keep her temper in check. But the frustration nearly overwhelmed her. As much as she loved traveling with him, touching him, kissing him, and as much as she owed him for saving her life and maybe keeping her alive since leaving the hospital, she'd had enough of his runaround about leaving the state.

Not being able to use her body as a defense mechanism as usual must be messing with her brain. But a little danger shouldn't cause her to totally lose her mind. Her everyday job was filled with danger, after all.

She decided to stop letting Josh call the shots. Yes, he'd been the one who'd received their orders from the Hotshot super and was acting as her temporary supervisor. But it was time she verified her actual status with the team commander.

Digging in her pocket, she came up with her cell phone. She hadn't used it since she'd been in the fire tornado but had secretly plugged it in this morning at the motel. It might not be politically correct for her to go over the head of the Hotshot unit's doctor, and checking out Josh's orders could cause her trouble, but she was dying to get out of Texas. It was time to contact her unit's superintendent and get a line on the best way to finally leave the state.

It didn't take Josh long to stash their few meager belongings in the giant storage hatches located below the main carriage of the RV. Afterward, he lugged their overnight packs and the laptop up the stairs. He was

more than a little pleased to see Nina still sitting where he'd left her.

But almost immediately, he could see that something was wrong. "What's up? Are you feeling all right?"

Her gaze snapped up to meet his. "You told Superintendent Ralston to take me off the Hotshot team roster. That my rehab would take weeks. And meanwhile I couldn't come back to California because I was needed in Texas. How could you?"

Ah, hell.

"Uh…" He turned his back and set their two packs on the dining table, using the few moments to pray for a brilliant answer.

Unfortunately nothing brilliant, or otherwise, came to him before he had to face the music. "You called Ralston."

It wasn't a question so she didn't need to answer.

"It's true I told him you'd need many weeks of rehab." He stared at the laptop case in his hand and hoped for the best. "You know I'm right about that. Of all the Hotshots you're the one who's best able to judge your own body's requirements. Tell me you really believe you could be cleared to go back to duty anytime soon."

She frowned and crossed her arms over chest. But she didn't say another word.

"I'm qualified as a medical rehabilitator and I'm willing to work with you." That was the brilliant idea he hadn't thought of soon enough. "It's time you accepted the fact that you might not make it back to the team for this fire season. You came as close to dying as I'd ever want you to go and it will take time. But the sooner you start working your body the better your chances will be."

Nina was still glaring at him.

"We should begin your training as soon as possible," he hedged, still hoping she could see it his way. "Maybe even later this evening. What do you think?"

She finally opened her mouth to speak but her expression stayed hard and unyielding. "I think it would be much easier to begin rehab in California. Why did you say I was needed in Texas when you know how badly I want out of here?"

At last he stopped toying with the laptop and set it on the kitchen counter, then he went to her side and sat down. "We've already had a couple of conversations about this, if you recall. You didn't just get injured in that fire. You saw a murderer—and he saw you. We can't prove someone has been following us, but we both believe it. Don't we?"

She nodded as he reached for her hand.

It was time for her to face the truth. "We can't tackle a murderer on our own. You should contact the law and ask for help."

"The *law?* Not the FBI—please. You know why I can't go to them." Her eyes filled with unshed tears.

He knew what she thought. That didn't mean it was based on the truth.

But he soothed her feelings anyway as he let his finger draw circles on her palm. "No. The FBI wouldn't handle a local murder. However, you could go to one of the two county sheriffs that came to interview you in the hospital. Or maybe to someone from the Texas Rangers. That's one good reason why we need to remain in the state."

A tear appeared at the edge of her eye and his heart clenched at the sight. He had to remind himself over and over that in the long run this was the best course for her to take.

"I know you're afraid," he said in the least threatening voice he could manage. "But we'll be careful. I promise. And anyway, no one could possibly find us in this rig. Don't you agree?"

She jerked her hand back out of his grip and stood. "We'll see."

Walking to the front of the carriage, she stared out the windshield. "It's time to use some of your fabulous driving abilities, Doctor." She nodded toward the steering wheel. "We've been sitting in this parking lot for far too long. We need to get moving."

Well, it was a start. At least she was willing to risk traveling in the motor home. He'd need to keep working on the rest.

They'd hardly been on the road for more than a few hours when Josh pulled their big rig into a park by a river designed especially for RVs to stop overnight. By that time the sun had completely disappeared and the evening stars began appearing in the cobalt-blue sky. Nina thought she'd spotted a few other recreational vehicles dotting the landscape in the park but none parked close enough to be a problem.

She was just glad to be off the highway and feeling somewhat safer. Before they'd stopped, they'd gone to a grocery store for supplies. Despite Josh's boasting, parking this rig in a lot made for pickups and cars had not been easy.

"I thought we were supposed to travel all night. But we quit early." She was talking to his back as he paced off the kinks from driving. "Did you have a special reason?"

"A couple." He went to a kitchen drawer and pulled out a few small tools. "This is the first place we've

been where the air isn't yellow with smoke. Did you notice? It'll be a good spot for you to begin exercising. Plus, we're not that far away if we want to talk to one of those county sheriffs."

"I guess. But it seems really isolated. And kinda creepy being so alone. What if someone sneaks up on us? How would we defend ourselves?"

Josh came to stand beside her. "I've done everything I could think of to make sure no one followed us. We'll call a sheriff first thing in the morning."

When she started to fidget again, he added, "Why don't you take a walk down by the river? I have to hook up the utilities so we can cook and shower, but it shouldn't take too long. After we eat, we'll begin your training. You'll feel a lot more confident once you get your strength built up."

He didn't have to ask her twice. She flew out the door and began moving. It wasn't exactly running. Not yet. But at least she could feel her calf muscles strain to do her bidding.

The park seemed dark and quiet. Cottonwoods and willows dotted the landscape, especially nearer to the river. As she walked, moon shadows cast by the trees' branches seemed to reach out as though to grab her.

It could've felt scary, being alone here. But by the time she'd nearly reached the river, she felt better somehow.

It was second nature for her to breathe deeply as she walked, and when she had, the lovely scents of sage and pine had filled her nostrils. The river seemed rather low, but the sounds of katydids and the tinkling water noises had combined to soothe her nerves.

She stood still for a moment, soaking in the peace, and then began stretching out her muscles. From some-

where off in the distance, she caught the soft noises of cattle settling down for the night. Surprisingly enough, this part of Texas didn't seem too bad to her.

"Hello."

Spinning at the sound of a male voice she didnt know, Nina felt her heart pound double time. She wasn't sure whether to run or scream, so she froze.

"Whoa. We didn't mean to scare you." This came from a female voice. "You must be from the new RV that just pulled in."

As the man and woman came close enough to see them better, Nina realized they were an older couple and not particularly frightening. She quit holding her breath.

"We've been here in the park for a week," the man said. "I guess that makes us the welcoming committee."

"I…" Her voice sounded weak and she tried clearing her throat.

Josh suddenly appeared at her side from out of the darkness. "You all right?" He turned to the couple and held out a hand. "Hi. The name's Josh and this is…uh… my wife, Cami."

The older man shook his hand and introduced himself and his wife. He appeared nice enough as he said their names were Jim and Carol Reimer. And all Nina could think of was getting away from them and back to the safety of their RV.

It took a while for them to break free, because the couple was exceedingly chatty. They claimed to be "full-timers," people who had no homes but lived full-time in their motor homes. And they stood ready to give all kinds of advice.

Finally, Josh said, "We need to get back. Cami hasn't been well and needs her rest."

"Oh, dear," Carol began as she took Nina's hand in

both of hers. "If there's anything I can do, let me know. I'm a retired RN."

"Thank you." Nina tugged on her hand to free it and then intertwined her fingers to keep the older woman from noticing how badly her hands trembled.

Carol gave her a funny look. "Jim's a retired Dallas cop. No need to be afraid while you're staying here at the park. He can protect you."

Josh broke in. "That's very nice of you to offer. But it's not dangerous here."

Nina swallowed hard but managed a smile when the older woman smiled at her. Josh bid the couple good-night and the two of them walked toward their RV.

"Do you believe those people are for real?" she asked when they got back. She'd almost managed to calm her nerves and to still her quaking knees.

"Yeah, I think they were. Didn't seem to me like they were hiding anything." He let them inside the RV and went straight toward the kitchen.

"Then why'd you tell them I was your wife and that my name's Cami?"

Josh turned back to where she continued standing just inside the door. "Because it might be smart to hedge our bets with strangers. At least until we can check them out. Besides, your name is Cami, right?"

When she stayed silent, he added, "I'll do a little searching on the internet after we eat. Which should be anytime now. The eating part, that is. I'm starved."

Nina wanted to believe the couple was as nice as they'd seemed. It was entirely possible she and Josh might need help before they left this park, and an ex-cop would be good to know.

Still, she wasn't sure she should trust anyone.

Josh laid a hand on her arm. "You're awfully quiet. I could use some help with the cooking."

"Fine." She turned toward the kitchen, but he grabbed her hand and tugged her to his chest.

"It'll be okay, you know. *You'll* be okay." He bent his head and tenderly kissed her temple. "I swear. Nothing will happen to you with me around."

After they finished eating and cleaning up, Nina took a shower and changed into a T-shirt and sweats. Afterward, she felt too restless to sit, so she paced the length of the motor home.

Was she being hunted or not? If she thought about her situation for very long, she would never be able to sleep tonight. Sure that Josh understood how vulnerable she felt. She wondered why he seemed so quiet tonight.

He'd been using the laptop, but then he suddenly closed the lid and looked up. "I have an idea. Let's do a few special deep-breathing exercises. That should help prepare your lungs for when we start jogging in the morning."

"We're jogging in the morning?" Oh, thank God.

"Your body's ready to begin doing more. We just need to work on lung capacity and staying power. After the workout and breakfast we'll call one of the sheriffs. Come on." He pulled her toward the bedroom. "Sit on the edge of the bed. Back straight."

The first exercise he taught her produced not much more than noisy breathing through her nose, but she was thrilled to feel her diaphragm engaging for the first time since the fire tornado. It was exciting. Stimulating.

Her whole body tingled.

Exercises two and three felt more awkward, involving the tip of her tongue against the roof of her mouth.

But having that much air flowing through her lungs invigorated her.

"Change of exercise," Josh said at last. "Lie flat on your back and raise your knees."

She pulled her hair free of its usual ponytail and did as he directed. But when she looked up and found him looming over her, staring down at her torso over her knees, suddenly the atmosphere in the room changed.

Josh made no overt sensual moves. Nothing that felt particularly intimate. His voice retained the soft but strong quality it had had all along. But there was something different in his eyes, a darkening masculinity that made the blood through her veins heat and pulse.

"Now what?" she asked. Her voice sounded a little shaky. She had to clear her throat.

"Place both your hands on your lower belly, palms flat." She was surprised when his voice came out as rough as hers.

She tried to do as he'd asked, but apparently put her hands in the wrong spots.

"No, not that way." He inched closer, moved her hands and covered both of hers with his own. "Like this."

She gasped as the heat from his palms went right through her hands and arrowed straight to her core. A drop of sweat trickled down the valley between her breasts. And wetness developed between her legs.

"Deep breaths," he urged, but his voice had become a husky whisper. "Feel the movement of your breath all the way down your body until it lands beneath your hands."

She wasn't feeling much of anything except hot.

"You're much too tense," he murmured. "This exercise is supposed to be relaxing."

"Um…"

Removing his hands from her belly, he licked his lips. "How about a massage? Maybe that will help your muscles relax."

"I don't—"

Taking one leg in both his hands, he began kneading her muscles. His strong fingers tightened and then loosened, stroking each inch with exquisite care.

In a few moments he said, "This would work a lot better if you took off the sweatpants."

Without waiting for her to make the first move, he jerked at the thick material. "Lift your hips."

She did and within seconds the sweats were in a heap on the floor, leaving her in only a T-shirt and panties. Not breathing at all anymore, she stilled and waited. But his intentions seemed clear enough.

She'd wanted him for months, but had always been hesitant to make the first move. The kiss they'd shared the other day had stirred something in her that she wanted to further explore.

She shouldn't do this. She should sit up and stop the action right here. Never before had a man gotten this close, or made her feel so much.

Then she looked at him again and couldn't think of a reason why not. They were two consenting adults, and boy was she consenting right now. She'd hungered to find out if the sparks between them would ignite in much bigger fireworks than with their one kiss.

Josh took the decision-making chores in hand as he spread her legs and began crawling up her body. "I want you, Nina."

He nipped at her bottom lip. "And I want both of us naked."

"Oh, okay." That was the most she could say because she couldn't manage anything else.

A chuckle came from deep in his throat. Then he kissed her until her whole body began to flame and she felt like she was sitting on the verge of an explosion.

"We're both wearing too much." He leaned away but she wrapped her arms around his back to hold him close.

He couldn't leave her now.

Laughing, he gave her tiny, heated kisses on his way down her neck and chest. "Looks like you borrowed one of my T-shirts," he whispered against the rounded collar.

Her mouth suddenly went dry as his mouth covered one of her breasts. He suckled the tip right through the material. It was mind-blowing. Erotic. She arched her back while a scream threatened to erupt from her throat.

Sitting up before she could object, he ripped his own shirt up and over his head. "For months, I've wondered how it would be between us."

With one or two tugs his jeans disappeared into the same heap as hers. "Please don't tell me no now."

If her mouth had been capable of uttering a single coherent word while she stared at the startling perfection of him naked, "no" would have been the last thing she would've said. As she reached out for him, another word reverberated through her mind instead.

Yes. Yes. And yes!

Chapter 7

Josh fought with his desires. He shouldn't do this, not here and not now. He would much rather wait until they became more comfortable with each other as lovers. After lots more of those fantastic kisses. And maybe after having a real date. At the very least, they should wait until no one wanted her dead.

But when Nina's slender fingers raked down his chest as he rose over her, any guilt and resolve he might still harbor disappeared in a wave of heat so strong it took him by surprise. Without any more hesitating, he helped her out of the T-shirt and then sat back admiring one of the most perfect specimens of the female form he had ever seen.

He'd known that the heavy uniform shirts and sweats had been covering a rounded and womanly body. That much had seemed clear. But no one would ever have expected this lush goddess to be hiding under all that gear.

Reaching out for him, Nina signaled that she wanted to take her time in exploring his body. And he wanted to let her. Though, holding in his needs at this point might take some real determination. His body was already knife hard and too ready.

He closed his eyes and tried dredging up images from med school. Then from firefights in Afghanistan. Anything to stop imagining thrusting inside her and taking what he wanted most of all.

After what seemed like endless moments, her stroking fingers were replaced with a brush of wet heat against one of his nipples. Opening his eyes, he watched as she licked circles around his puckering tip. The pleasure written clearly on her beautiful face instantly brought back the flames.

When he couldn't hold in a gasp, her head rose and darkened gray-blue eyes met his with sheer passion and heat.

"Is this okay?" she asked breathlessly.

"I am at your mercy. Do what you will."

An almost playful smile appeared on her face and nearly broke him. This strong, serious Hotshot had a much softer side she'd never showed. He suddenly wanted to give her tenderness instead of the fever pitch he'd been dreaming of. Giving her long arms a light stroke, his hands found silk masquerading as skin.

He moved slowly, to keep from taking her out of the moment, sliding his palms around her ribs and lifting her breasts. The weight of them felt heavy and ripe for tasting in his hands.

"Wait." She sat back, pushed at his hands and frowned. "First, there's lots more I want to touch— to taste."

Something in the back of his brain flickered to life.

Wasn't she dragging out this one-sided sexual exploration game a little too far? Most women he'd known would've been desperate to be touched, fondled and stirred into frenzy long before now.

She came up to a kneeling position, leaned her palms against his inner thighs, much too close to his throbbing erection, and he completely forgot to pay attention to the little voice in his head telling him things with her didn't quite add up.

Looking contemplative instead of out-of-her-mind with the heat, she blinked once then calmly wrapped her slender fingers around his erection. His blood pressure spiked, but he bit down on the inside of his cheek and managed to remain frozen.

"Like steel," she murmured, eyes locked on her target. "And like satin at the same time." She stayed that way, staring and still, for much too long.

After hauling in a deep breath, he managed to utter a hoarse word. "Harder."

When her eyes rose to his, he saw confusion, but he refused to allow the meaning of that to register.

"Like this." He wrapped his hand around hers and squeezed. "Men's bodies need more pressure to feel good. See?"

As her eyes lit with a new kind of fire, he shuddered and removed his hand.

She drew lazy circles around the tip of his erection with her finger until a few drops of liquid appeared. "Oh, yes." Bending her head, she licked at the wetness.

A groan erupted unbidden from deep within his gut. "What are you doing to me?"

"Tasting," she answered but didn't lift her head from the task.

All of a sudden, he was filled with apprehension.

Nina wasn't like any of the women he'd ever known intimately. She was different, girlish. Still, her strange innocent act wasn't turning him off. It was turning him into a desperate man.

Digging his hands through her thick, loose hair, he held her to him. He clenched his hands on her scalp and guided her until she took him fully into her mouth.

And once again, he muttered, "Harder."

Nothing fazed her, it seemed. She held on to his thighs and sucked, moving her head up and down his jutting length. Making him crazy. Giving him more pleasure than he could've imagined. He tried not to shift his hips and push himself farther inside, but he was nearly lost in the intense sexual passion of the moment.

Close. Too close.

"Hold on." He gently pulled her head back. "My turn."

When she tried to focus on his face but could only grin like a naughty little girl, he knew he'd been right to halt the action. Just long enough to change their positions.

Before she could react, he'd flipped her over on her back and whipped the cotton panties she wore down her hips. The strong musky scent of sex coming from her was intoxicating. It was all he could do to keep from plunging deep into her wet center.

But his slow, lust-addled brain had at last begun to catch up. She didn't react like the others because she hadn't done any of this before. Sure, she'd been standoffish with the team, but he'd never suspected she would be this naive.

For one blazing instant, as he gazed down on her full, naked body, he considered calling it quits. He'd never been anyone's first. But then she raised her arms

to him, silently pleading for him to show her more, and he knew it was much too late to stop.

Panting hard, he found he needed a short halt in the action for long enough to grapple with his own control. *Remember: go slow. Easy.*

Using his fingers, he flicked at one of her breasts until the tip stood up hard and erect. With the other hand, he cupped her, leaning his palm hard on her lower belly while allowing his fingers to gently glide through the soft hair below.

She moaned and pushed against his hand, showing him that she liked what he was doing. Her growing desperation made him crazy with need. He stopped being tender and found her center, wet and swollen before he'd even touched her.

Glancing at her face, he saw the delicious look of pure, erotic ecstasy spreading across her features, her pleasure a sight to behold. Unfortunately, the gorgeous vision of her went too far toward building his own pleasure to volcanic proportions.

Oh, man, he had to make this good for her. Soon.

Changing the position of his hand slightly, he used one finger to slide inside her core. In and out. Once. Twice.

Her body trembled, then suddenly exploded in moisture against his hand. Covering her mouth with his own, he swallowed her erotic scream and reveled in her body's newly found sensuality.

Nina felt as though she'd gone over some kind of edge, violent and sizzling like fireworks, and she'd liked it. A lot. In fact, she wanted more.

The trouble was how to ask.

Wishing to appear sophisticated and knowledgeable in the ways of sex, she opened her eyes and met his

gaze. But the look in his eyes turned her breathless and quaking. Then he smiled as though he knew her thoughts and something deeper and more meaningful tried to push its way to the surface. She shoved whatever it was aside.

"Feeling good?" he asked.

"Very much." While enjoying the remaining aftershocks, her gaze fell to his full erection.

Trying to keep her eyes from widening with sheer disbelief at the size of him was futile. "Um…I thought that was your turn, but—"

She let herself stare, mouth open, and body yearning. If she hadn't already known his biggest flaw was the blazing need to be a hero, she might have backed off right there, worrying that she had not been enough to entice him to finish. Or that her inexperience had totally turned him off and made him stop before being satisfied.

But the way he was still raking her body over with a hungry look that demanded something she wasn't sure she could give, made her willing to try.

"I was a little rough. Anything hurt?"

Leaning up, she spoke against his lips. "I liked rough. More rough, please."

Suddenly he was kissing her, pushing his tongue inside her mouth and tangling with hers. The kiss was all heat and fire and every inch of her body responded to him with an electricity that snapped and crackled like a thunderstorm. Digging her fingers into his shoulders, she pulled him down with her, without breaking the kiss.

His next move was as fast as lightning. Before she knew what had hit her, she was on her back. He'd wrangled a spot lying between her legs with his hard length

nudging the tender spot between her thighs. Grabbing her wrists with one of his big hands, he pinned them above her head.

And still they held the kiss.

The feeling of him, on her, with her, surrounding her, was all encompassing. She wanted him everywhere. If their bodies could meld together in this heat, she would die happy in the fire they'd created.

"This is going too fast," he murmured against her lips.

Fast? Was he crazy? If he didn't hurry up and soothe the building ache inside her, she might just go insane.

"I'm sorry, darlin', but slow will have to come next time."

One of his palms raked down her side, sending chills along her nerve endings. Sliding that hand beneath her lower back, he held her bottom still.

She gasped for breath, wanted to scream. *Now!*

His erection nudged a little harder against her opening and her attention to other details flew out the window. She hadn't wanted to miss out on any part of this. Wanted to take it all in and keep it in her memory forever, but right now her concentration seemed shot.

All she could do was feel. Feel, as his body began inching inside hers.

Slow. Exquisite. But still too slow.

Squirming, she needed to feel him deep, completing this extraordinary sensation of the two of them becoming one.

"Take it slow," he said against her temple. "This might hurt some."

She didn't care. A little pain would be nothing compared to the pleasure with him.

"Now." Frustration finally gave her a voice. "Please, now."

Wrapping an arm around her back to hold her close, he surged forward. And then there was nothing but the sense of fulfillment, tight and thrilling. Shivers and heat. But no pain.

He leaned up on his elbows and placed a hand on each side of her face to hold her in place. "Shush. Don't move yet."

Looking longingly into her eyes, he leaned down and gently placed butterfly kisses against her cheeks, her forehead, her lips. She could feel his heart beating against hers, another sort of butterfly kiss that tingled throughout her body and shot straight to her center. But it was the sensual look he was giving her, a wordless communication, that shook her the most.

Something in what he wasn't saying burrowed its way deep and landed in the vicinity of her heart. She sensed in his expression that he needed her more even than she needed him, and the concept sent shivers skittering across her skin.

Sweat appeared on his forehead and dripped down his neck, warning her that staying like this was as hard on him as it was on her. The instinct to move, to grind her hips against his, proved in the end too strong to resist.

Rotating her hips once, twice, was all it took to change the atmosphere. Josh began to glide in and out of her. His thrusts felt to her like a possession, every move a silent shout about having his own way. But as of now she *wanted* to be claimed as his.

The deeper he surged, the more of him she needed. She moaned involuntarily and circled her hips again, desperate to feel him to her very core. He surged, driv-

ing her past coherence as he pounded out his need to own her body.

More. More. More.

Until at last he reached between them, found her throbbing nub and caressed away the ache she hadn't even noticed. Firelights suddenly exploded behind her lids and a feral scream came from so deep it had to have originated in her gut.

With a groan, he grabbed her around the waist and moved fast and hard. She couldn't keep up because her body was already shattering around her like sparks from a fuse.

"Open your eyes," he demanded with a rasp.

When she fought to obey, as she tried to focus on his face, he let go. Shuddering and issuing a rough, all-male shout, Josh collapsed against her, his body a mixture of flame and shower.

"Nina," he groaned after a few moments of heavy breathing. "Are you all right?"

She might've known his only thoughts would be of her. Even when she'd wanted to be sure it had been good for him. But she couldn't help but love him for being who he was.

"Just fine." And that totally inadequate statement were the last words either of them managed for a long, long while.

Meanwhile, sitting in front seats of a truck idling across the highway from the park where the RV was plugged in, the same two hired men still watched and waited in the darkness.

"You're sure they're still in there?" The man who spoke unwrapped a brisket sandwich and got ready to take a bite. "We haven't actually seen the girl all day."

Fed up with all the whining, his buddy Curly growled an answer. "For the last time. See that blinking light there on the machine?" He pointed to the special computer their boss had installed on the dash.

Munching noisily, his comrade nodded but didn't speak.

"We've been following that light. Remember when we put a bug in the girl's computer case? It goes where she goes. And we go where it goes."

"But it ain't going nowhere," the other man slurred around a swallow. "I thought that broad and her boyfriend were supposed to be headed for an airport. Instead they've been driving around in circles and now they're asleep for the night. I'm bored and tired."

"Shut up. And finish that stinky food. It's smelling up the whole damned cab."

Curly remembered that their boss, the sheriff who usually paid so good, had given clear instructions. *Stick with her. Don't get spotted and don't lose her until she boards a plane.*

If this idiot he'd been saddled with couldn't understand even those basic orders, Curly might just have to dump the jerk off by the side of the road.

"I wanna be home in my own bed," the buddy whined as he rolled up the sandwich's plastic wrap and pitched it out the window. "Sleeping in this here truck sucks."

"Idiot. You're lucky you're not stuck standing watch in seven feet of snow. This truck seat is comfortable compared to some jobs I've had."

"How much longer are we supposed to watch?"

"If she doesn't move soon, we'll call the boss at sunrise."

And if this idiot didn't shut his mouth soon, Curly

thought, come morning he would be looking for another way home. Or maybe Curly would get smart, waste a bullet and send the turkey home in a box.

Chapter 8

Nina woke up alone when the gray light of predawn cracked through the window blinds. She and Josh hadn't had much sleep, but then she didn't seem to care. Sleep was not that important while in a bed with Josh.

She felt terrific. Healthy and full of life.

Josh had done that for her. With his gentle touches and devastating kisses. If she'd had any idea how wonderful a woman could feel during the act of making love and afterward, she'd have tried it long ago.

"Morning." Josh appeared at the bedroom door with a mug in hand. "Coffee?"

He wore jeans, unbuttoned at the waist. His chest was bare, the hair wet and curly from a shower. But as she stared, the line of a long, thin scar, looking whiter than the tanned skin surrounding it, suddenly appeared on his chest, reminding her of his early brush with mortality. The moment she glanced up, though, his hazel green eyes sparkled with humor—and deep desire.

On second thought, she was damn glad she'd waited to try this sexual stuff with Josh. The idea of doing the things they'd shared with anyone else seemed wrong.

Climbing out of bed, without giving a thought to her state of undress, she plastered herself to him. Then she stood on tiptoes and kissed him with all the pent-up heat she could muster.

He put his free arm around her shoulders, held her close and deepened the kiss. Gripping his waistband to steady herself, she let his passion and energy surge through them both.

Finally, he let her go and stepped back. "Here." He handed her the steaming mug. "We need to have a conversation before we begin your training. Come with me to the kitchen and down a few carbs while we talk."

"Shall I get dressed first?" The man was pushing her again. Doctor Do-gooder was back and her ornery pride wanted to stand toe to toe with him.

He gave her naked body the once-over. "Maybe you'd better cover up. I'm having trouble keeping my hands to myself."

Ha! That was all she'd wanted to know.

Shoving the coffee mug back in his hands, she edged past him and stepped into the shower stall. "I need a shower first, please."

He stood where he was in the hall right outside the bathroom and watched her carefully. She was dying to find out how far she could take him with her new-found sensuality. And the tight quarters of this RV made things easier for her.

She turned on the water and stepped in—slowly. After getting wet, she began running the soap over her body—slowly. Throwing him a glance out of the cor-

ner of her eye, very slowly, she experienced a thrill at seeing the desperate look of hunger in his gaze.

But he didn't move. Not one muscle. Just stood there staring, drooling, with a cooling mug of coffee in one hand.

She lathered the soap and began to wash. The pleasant ache between her legs, which she'd been enjoying ever since waking up, was nearly gone.

She heard Josh gasp, then he disappeared. One moment later he was back, naked and taking her in his arms.

"You are driving me crazy." He kissed her as though he would like to dive right inside her. "You've turned into a tease."

Hot. Steamy. Her blood pounded sizzling heat through her veins.

He said nothing more, but twisted her around until she faced the wall. Then he bent her over at the waist. Next thing she knew his fingers were sliding inside and the only sounds she heard were her own moans of pleasure echoing off the tile.

She couldn't see him but sensed his passion building behind her. His hands were everywhere, tantalizing her body, gliding over her wet skin.

Then suddenly he spread her legs wider and took her with one powerful thrust.

"Oh, yes," she screamed. This was exactly what she'd hungered for.

Leaning over her back, he murmured in her ear. "You feel so good, my darling. I won't ever get enough of you."

His hot whispers blended with the rush of warm water and sent erotic shivers running down her spine.

One of his hands palmed her lower stomach, the other found a nipple and squeezed. She pressed her bottom up to meet him as he kissed the back of her neck.

Sublime. This felt so good. So right.

He eased almost all the way out of her. The sensation was incredible. Slow. Intense. Erotic. But also slightly terrifying.

"Don't leave." She didn't know what else to say.

Plunging deep once more, he grabbed her hips and held her tight. "I'm right here," he whispered in her ear. "I'm not leaving you."

His words flashed through her mind for a second. Everyone she cared about always left—one way or another.

But when he picked up the pace, driving them both to the edge, she stopped thinking altogether. Instead she melted, braced her hands against the tile until she shattered into a million tiny sparks of light.

When every nerve ending was on an edge, she screamed his name. With one last surge, he moaned her name at almost the same time. Fireworks again. And showers of electrified light.

When the earthquakes were nearly gone, Josh pulled out of her, twisted her around and took her into his broad, muscular arms. Cradling her close to his chest, she felt his heart pounding in time with hers.

Keeping her close, he reached over and turned off the water. Then holding her face steady between both hands, he kissed her. The tenderness of his kiss shocked her almost as much as their intense lovemaking.

He swept her up in his arms and took her to the bedroom. "We'll talk later."

Nina had no urge to stop. She still hadn't had enough of this wonderful man.

* * *

Forty-five minutes later, she finally pulled a T-shirt over her head and slipped into her running shoes. Josh was making them breakfast.

Coming down the hallway, she saw him standing at the stove, hips cocked and back muscles rippling, and had to stop to catch her breath. She was in love. Of all the crazy things to have happen to her, falling in love was the worst.

Bad timing. Bad idea for a loner like her. And worst of all, he was the wrong man.

She might get past the bad timing. It didn't matter that someone wanted her dead, so what? People had been chasing her for most of her life.

And being a loner didn't seem to matter at the moment. She'd never been this interested in getting close to anyone before. All she could think about when she looked at Josh was getting closer.

But it did matter that he wasn't the right man for her. She couldn't bear to think of him getting hurt. If he stayed with her, and he was the kind of guy that would die trying to protect her, he would probably get hurt. Or die.

Her life wasn't really important in the big scheme of things. No one would care if she lived or died. But Josh—he was special. He saved people's lives. He'd been granted extra time with his transplanted heart for a reason—he did good things. And if that wasn't enough, he had a family that would grieve, miss him terribly, if something bad happened.

"Ready to eat?" He turned, grinned in that endearing way he had, and her heart broke into a million pieces.

No way she could stay with him and watch that gor-

geous smile disappear. She had to find a way to make sure he was safe.

Sliding into the kitchenette booth, she picked up her refilled coffee mug and forced her lips into a smile. "Didn't you say you wanted to talk, before we—um—before we'd found something better to do?"

Josh instinctively felt the change in her demeanor and attitude, even though her outward appearance and the things she said seemed normal enough. But something had changed.

He sensed her pulling away. Distancing herself, though he could still reach out and touch her.

For sure everything had changed for him. Before they'd made love, all through his years of med school, then residency and the years in Special Forces, sex had been quick and impersonal. But now he knew that never again would he see sex as just something to ease physical stress.

A sexual experience was supposed to be a life-altering deal for a woman. Instead it looked as though he was the one who'd fallen—and fallen hard.

Making love with Nina confirmed what he'd suspected all along. She was the one woman in the world for him.

Not sure he could adequately express his new feelings, he slid into the booth across from her and took her hand. He had to try.

"Before you got up—the first time—I was doing a little research on the internet."

Her eyes grew wide as she sipped her coffee. "You were out of bed long enough to do research? Didn't seem like the space next to me had been empty for too long."

"Yes, well, you were sleeping fairly soundly."

She gave him a wry smile. "You wore me out, I guess."

The electricity started up between them again and he was forced to drop her hand so he could concentrate on the important things he had to say.

"I wanted to check on our neighbors, the Reimers. Remember the ex-cop and the retired RN?"

She blinked and nodded. "I almost forgot about them. What did you find out?"

"They are exactly who they say they are." Josh wasn't terribly surprised. The couple hadn't seemed to be hiding anything. "In fact, Jim Reimer apparently was the police chief in a Dallas suburb for over fifteen years. He won awards for valor in the line of duty."

"That's nice. No need to be concerned about them, then." Giving him a quick grin, she began inching out of the booth. "Let's get training started. Sun's up."

He reached for her arm to hold her in place. "Hang on. I found out something else, too."

"Oh? What?" She settled but looked ready to sprint at any moment.

"I…uh… Well, I did a quick search through the websites of people looking to connect with lost relatives. And…"

"You did not." All the blood drained from her face. "Why would you do such a thing when I asked you not to?"

He took hold of her hand again, squeezed and tried his best to provide the strength she needed. "You've been living a life in the shadows for too long," he said gently. "Isn't it time you came out into the sunshine and began living life to the fullest? Aren't you the least bit curious to know where you came from?"

Jerking her hand away, she scowled. "No. Besides, a murderer is probably chasing me. Or have you forgotten? Now is not the time to come out of the shadows."

Sighing, Josh gave in for the moment. The information he'd come across would wait awhile longer. But it had seemed so coincidental that he'd wanted to share the amazing news with her.

He swallowed the information down and hoped the next part would go easier. "That's the other thing we need to talk about. It's time we contact the authorities. We can't keep dodging whoever is stalking us for much longer. Law enforcement can protect you, Nina. You have to give them the opportunity. And you need to do it today. This morning."

She crossed her arms over her chest. "I agree."

That was easy. Too easy.

"You do? Great. I know you've had some concern about which jurisdiction to contact and I've had an idea."

Pinning him with a strange look, she nodded. "Okay, let's hear it."

"I thought I would go talk to Jim Reimer while you eat breakfast. He worked in Texas law enforcement for many years. I'll bet he'll know which jurisdiction would be the best to ask for help."

Actually, Josh had his own preference of which sheriff to seek out. But that was for a very different reason and he didn't want Nina to feel that he was pushing her too fast. Better that he let a policeman give her advice.

She stayed silent for a long time, staring out the window as the sunshine slowly filled in the shadows down by the river. He wished he knew what she was thinking.

Finally, her expression softened and she gave him a real smile. "That's a great idea, Josh. When were you thinking of going?"

"Now. We can put off your training for a little while. Being sure you're safe is more important."

Surprised to receive a call patched through to her cruiser from the witness, Sheriff Lacie Chance did her best to keep the young woman who was going by the name of Nina Martinez calm and interested in staying on the phone.

"So, you're still in Texas?" she asked as pleasantly as possible. "Since we hadn't heard from you, I thought you might've gone back to California."

"No. My...um...my team's medic, Dr. Josh White, and I couldn't find an open airport to fly us home. Then after a while, we decided to stay until I got stronger."

"I wish you'd called me earlier," Lacie told her. "My husband's family owns a big ranch with a private airport. We could've flown you home if you'd needed the ride."

"Uh..."

Lacie could tell Nina was hedging. Something else must be going on in her head. Lacie reached the conclusion that she needed to bring the girl in. As fast as possible.

"Have you run into any trouble since you left the hospital?" She would've bet her life on it.

"A few things have happened that looked suspicious, yes." Nina's voice grew tense—wary. "Uh—I hate to be abrupt but I don't have much time. I want to come in and give you a description of the man I saw before my memory fades. But I don't have any transportation. Can you send someone to pick me up?"

Wow. Lacie couldn't have planned it any better. She needed to put this girl under protective custody. Soon. Before anything bad happened to her.

And—she wanted to give her husband and his brothers a chance to meet Nina. Just in case she really could be their lost sister.

"Tell me where you are and I'll come for you myself." She wasn't taking any chances.

Nina told her the name of the RV park where she was staying. Lacie was a little discouraged to find Nina was located in Jim Abbott County. That could present a touchy situation with Sheriff Hunt. But his county was huge in area, one of the biggest in Texas. And Lacie figured she could reach the girl before he could.

"Sheriff Chance?" Nina apparently had something else to ask. "Would you mind picking me up about a mile down the road? I need to stretch my legs and I really don't want to stay in this RV much longer."

"Sure. There's a bridge over a dry arroyo about three quarters of a mile south of you on the highway. I'll pick you up on the other side. Twenty minutes. Okay?"

Nina agreed and hung up. Lacie made sure she'd captured the girl's cell phone number then turned her cruiser to the north. Twenty minutes would be tight, but she wanted to reach Nina before the girl spent any more time than necessary out in the open.

When she was five minutes from the spot, Lacie called Sheriff Hunt to alert him that Nina had called and was coming in to give a statement. Out of courtesy, Lacie offered to let him sit in on any testimony and volunteered to give him a copy of whatever description Nina came up with.

Hunt was polite but distant. He didn't seem terribly eager to talk to Nina but thanked her for the notice.

After hanging up, Lacie began wondering about the other county sheriff. For an official who was supposedly

in the middle of a murder investigation, Hunt seemed too disinterested on the phone.

Sighing, she made a mental note to check out his reasons for inattention a little further. This whole investigation had so many twists and turns, she didn't want to lose any of the threads.

As Josh climbed the RV's stairs, he knew immediately that something was wrong. Things were too quiet. The place felt strange. Lost and abandoned.

Where was Nina?

Sixty seconds later, with the door still wide-open and a stiff breeze at his back, he'd searched every inch of the place. Nothing. Most of her things were still there but she and her backpack were gone.

Damn it. Taking the backpack meant she'd planned to go. That she hadn't just gone for a jog. But where would she go without him?

Standing in kitchen, blankly staring out the windows, Josh caught himself absently rubbing the center of his chest. The sudden, blinding ache he felt there nearly took him to his knees.

She'd gone. It almost didn't matter where. She was in danger and she'd left without telling him.

Obviously she didn't care for him the same way he cared for her. He would never simply disappear without telling her.

Drawing in a deep breath, Josh shoved aside the pain. His emotions weren't of paramount importance. He loved her and he was not about to let her get hurt.

Think. Where would she go on foot?

What if the murderer had somehow found out where they were staying and abducted her? That was possible, wasn't it? He needed advice.

Turning, he sprinted back down the stairs and headed for Jim Reimer's RV. The man had been full of good advice a little while ago when Josh told him their story and then asked for an opinion on where to go for help.

Banging on his door, Josh was nearly out of breath by the time Jim answered. "She's gone! Is it possible they took her?"

"Hold on," Jim said. "Breathe. She probably went to one of the sheriffs you mentioned."

"But she didn't leave a note. What should I do?"

"Did you try calling her cell?"

Josh shook his head.

Jim looked down at the toes of his boots for a few seconds. "Take one of my semiautomatics." He lifted his head and looked him straight in the eyes. "You remember how to shoot a gun from your time in the service, right?"

"Yes, definitely."

"Then take one just in case and go look for her. If she's on foot, she should answer your call. If not, drive to Chance. It's a town about an hour and a half south on the highway. Find the sheriff's office there and tell them the story and that your wife is missing. They'll help. And they can put out a missing person's bulletin after they're sure she can't be located."

Josh thought that was a terrific idea. He'd wanted to go see Sheriff Chance anyway. "Can you help me unhook the RV so I can leave here faster?"

"Sure thing, son. I hope you find her."

Josh was determined to find her. She might not return his love, but so what? That didn't mean he would ever leave her to be abducted or killed. His love was strong enough to keep them both alive.

Chapter 9

Curly, the hired hand who still waited in his truck by the side of the road, hung up his cell after talking with Sheriff Hunt. Curly was tired and more than a little frustrated by the sheriff's unclear instructions.

"Well?" His companion Buddy, sitting in the passenger seat, questioned him again in that whiny voice of his. "What'd he say?"

"The boss said the girl should be on the move any moment. Wake up and look sharp."

"That's not fair." But Buddy sat up, feet on the floor and chin raised. "I am awake. The light on that danged machine on the dash ain't moving. I've been watching. How's he so sure she's going now, anyway?"

Mercy, Curly wondered what he'd done wrong to be saddled with this idiot for so many days. "None of your damned business how he knows. Just pay attention."

Curly started up the pickup but left it in Neutral.

Buddy apparently wasn't going to let things rest. "But what are the orders? Just follow again? That's boring."

"Shut up. This time the boss says we shouldn't let them enter Chance County. We're to stop 'em if they head that way."

"But the county line's only about fifteen minutes down the road. And how are we going to stop that great big rig?"

Frustration rode up Curly's spine. "How am I supposed to know that? But when the boss says stop 'em, we find a way to stop 'em."

"Hey! Looky there. That light's finally started moving again. Here we go. Get ready."

Antsy and confused, Curly put the truck in gear but kept his foot on the brake until he found out which direction the big RV would take. He and Buddy were armed, but how the hell did a person turn around a thirty-foot rig? If they had another couple of pickups maybe they could stop them in a blockade. But it was far too late for that.

Maybe they would get lucky and shoot out the tires; there weren't many other cars or pickups on the road this early that would notice. But then what?

Was the girl supposed to die? Were they supposed to shoot her if she insisted on going to Chance County?

Damn it, Curly hated not having a plan. And he wasn't about to kill anyone on purpose without direct orders. Especially not a girl.

Josh pulled out of the RV park and turned south. He'd called and called but got no response from Nina's cell phone. He'd left her message after message to give

him a return call. If she didn't want him around, too bad for her. He was determined to find her—to help her.

He tried the cell once more as he straightened the big rig out and started down the highway heading for the town of Chance. This time on his last voice mail to her, he reminded her that she'd left behind the bulk of her stuff. Even if she didn't want to see him again, at least she should want her laptop.

Still no reply. Shoving the phone in his shirt pocket, he fought with his nerves. What if her stalkers had come for her? Would they kill her? Was she still alive right now but with them and in trouble?

A stray memory hit him then of shoving Jim's hand-gun under the driver's seat before he'd left the park. Instead of it making him feel stronger and better protected, it gave him a chill. He didn't want Nina anywhere near weapons.

The squeal of tires coming from behind him made him glance into the outside rearview mirror. A big white pickup was dogging him, pulling up too close and seemingly anxious to pass.

Josh hadn't been paying any attention to his speed. As he got lost in his thoughts of Nina, his surroundings had taken a backseat in his mind. Looking down, he discovered he'd been going way over the limit. He tapped the brakes, silently apologizing to the driver behind him, and eased off the gas.

But slowing the RV's speed didn't appear to satisfy the pickup driver. The guy stayed right on his bumper, every now and then peeking out across the yellow line to check for any oncoming traffic.

There wasn't any other traffic, not coming from either direction, at this hour of day. "Go around, ass," Josh muttered under his breath.

Glancing up ahead, Josh saw a narrow bridge coming up. He slowed even more, stuck his arm out the window and waved at the pickup to go around before they came to the bridge.

Once again the pickup poked its nose out from behind his bumper. But this time the truck roared up nearly even with the RV's driver's door and positioned itself there.

"Go around," Josh yelled as he stuck his head out the window.

That's when he noticed the man in the passenger seat held a weapon in his hand. Hey, weren't those two the same guys Nina had pointed out at the truck stop?

Suddenly what he'd seen registered. *Gun!*

Slamming on the brakes, he jerked the RV's wheel to the right just as the guy with the gun got off a round. A huge explosion, coming from directly under his seat, told him the idiot had managed to hit a tire.

Hell. Josh fought the steering, but it was too late. He'd already sent the RV into a slide that was impossible to correct.

The RV's two right-side set of tires went off the roadway then and sank into sandy soil beside its shoulder. Popping sounds of fence posts, pulling free and banging against the aluminum sides of the RV, made him cringe as the rig kept up its momentum, out of control and heading toward the bridge ahead.

Holy crap.

They were trying to kill him. He unlocked his seat belt and reached under the seat for the .38. After shoving the weapon in his waistband, he put a hand on the door latch and prayed for a chance to jump. No way he was just sticking around to be killed in the coming wreck—or to get shot in the meantime.

He cracked open the door just as the RV hit a bump.

The rig leaned so far right he knew it would probably be too late to jump. The RV was going over on its side.

Gravity fought against him as he tried opening his door wider. Air rushed in, along with the wail of aluminum crumbling under the pressure of rig against ground. Managing to put one foot outside on the running board, Josh took a deep breath and threw himself out the door.

Dust and gravel and who-knew-what-else blinded him. Wind rushed past until he finally hit—something. The thudding sound in his ears was very likely the sound of every bone in his body being crushed. But he was too numb to tell.

Air gushed out of his lungs, stunning him like someone taking a shovel to the center of his chest, and everything turned to black.

Nina felt antsy as she walked into Sheriff Chance's office and took a chair. It wasn't that the nice lady sheriff made her uncomfortable, far from it. But she'd been ducking Josh's calls for over two hours now. As impossible as it seemed, not talking to him, or seeing him, or feeling him sitting beside her, was driving her totally insane from loneliness.

After living most of her life in isolation, and being happy about it, she couldn't believe that after just a few days she could've become so close to another human being. She felt as if she'd known him for years and could instinctively read his mind and his heart.

That was why she'd left him behind when she'd called the sheriff and jogged down the highway. She'd known he would insist on tagging along, or rather, running the whole show. And she couldn't let him do that.

Couldn't drag him any further into her mess than he already was.

She'd left him a long note explaining where she was going and why she felt sure going alone would be for the best. But even after giving him all her reasoning and spending more time than she should have on trying to explain things the right way, he'd still called her cell before the RV had even disappeared out of the sheriff's rearview mirror.

He'd wanted to talk her out of it. She just knew it. And hearing his voice might've crumbled her resolve. She'd been forced to turn off her phone after not answering his call and without listening to his voice mail. He'd only try to convince her she shouldn't talk to the sheriff without him. And she was just as sure she should stand up and make this right on her own.

However now, even in the presence of a sheriff she trusted, and sheriff's deputies with guns, and a couple of secretaries who looked as though they could defend her with no trouble in the least, she missed Josh like she would miss her right arm if it'd been cut off. The whole world seemed to be closing in around her without him to help keep it at bay.

The sheriff stepped back into the room. "Sorry. I had to make a couple of calls. You want anything? Water? A soda?"

Looking up, Nina shifted her mind back to the present and shook her head. "No, thanks, Sheriff. I'm fine."

Or almost fine. She dug in her backpack for her phone and flipped the button that would turn it back on. Maybe he would still try to call again. But the phone showed at least six voice mails from him so far. Wouldn't he stop after that many tries? Shouldn't he stop?

How stupid, she chided herself. Nothing like being

a complete idiot and hoping a man would be ornery enough to keep calling when she'd plainly told him to stop. Well, maybe she would return his calls later tonight. They could talk things over. Eventually Josh would understand how she felt.

"Please call me Lacie," the sheriff said pleasantly, ignoring the phone in Nina's hand. "I have a feeling the two of us are going to get a lot closer before this murder investigation is over."

"Okay. Great." Nina thought she would like that. She'd never had a real girlfriend and she did like this young woman sheriff very much.

"Good. I've asked my husband to stop by for a few minutes because I wanted you to have a chance to meet him. He's the county attorney and we might eventually need his services in this investigation. Plus, I thought the more people you knew in Chance the safer you might start to feel."

"I'd like that. Thanks."

"Sure. And another thing, you might want to come out to the ranch and stay with us tonight after we talk about what you saw. There aren't any motels or inns anywhere near Chance."

"Oh?" A sudden chill ran up her arms.

Lacie tilted her head to look at her. "Were you considering going back to the RV for tonight? That might be a dangerous move."

"Dangerous?"

"Yes. Your stalkers could certainly know about the RV by now. And there aren't that many places to park one of those big rigs in the surrounding counties."

Oh. My. God. She'd walked away from Josh, left him in the RV, and now he might be in danger because of her? That was exactly the reason why she'd sneaked

off without him in the first place. Trying to keep him out of danger. How could she have been dumb enough to do anything so unthinking?

"Are you okay? What's wrong?" Lacie took a step closer but just at that moment a nice-looking, tall man appeared in the open doorway.

He began to say something, but Lacie put her palm up to silence him for the moment. "Nina? What's wrong?"

"I…I have to make a call." She dug out her phone again and hit the button to connect her to Josh.

"What's going on?" Colt stepped closer and Lacie took his hand.

"I don't exactly know for sure, honey. My witness apparently just thought of something, turned a sick shade of pea-green and made a call before I could ask anything."

"Lacie…"

His voice was shaky so she stopped staring at Nina and turned to her husband. He seemed focused on her witness and his eyes were the size of basketballs, his breathing labored.

"What is it?" She took his hand in both of hers. "You think you've seen her before?"

"That's her," he said in a hoarse voice and nodded to Nina. "That's the woman I saw on a crowded street when I was in that California border town. Seeing her changed my life. I'm not likely to forget. She has to be my sister. I would swear to it."

Lacie put her arm around her husband's waist. "Take it easy. We have no proof. She certainly hasn't made any moves that could be construed to mean she knows who *we* are. We have to go slow. I called Gage. He's on his way."

Colt fisted a hand and put it against his heart. "Is this really possible?" he whispered. "After all these years of looking for our baby sister, and Cami just walks right in the door?"

It did seem coincidental, but Lacie wasn't ready to accept or reject the idea. Not yet.

"None of this makes sense," she told him. "Let's not say anything for a while. Give Gage a chance to check her out. I did a little research myself and couldn't find any background for her beyond about the age of ten or twelve. Very odd. But Gage should have better luck."

Lacie patted her husband on the arm. "Calm down, dear. Remember I'm in the middle of a murder investigation and this young woman is my only witness. Give us all some time."

Colt stood frozen in place, staring at Nina. He seemed to be taking in every detail of her very curvy body. If Lacie hadn't known that he was probably trying to find a family resemblance, she might've been jealous.

Just then the young woman hung up the phone and looked up, her face the picture of distress.

"He didn't get my note." The quiver in Nina's voice told Lacie her witness was about to lose control. "He doesn't know where I am and now he won't answer his phone. What am I going to do?"

Lacie went to stand beside her chair. "Who? That doctor you said helped you leave the hospital?"

Nina gazed at her, her expression one of helplessness. "Yes. Josh White is his name. And he doesn't know why I came here without telling him."

Lacie slid an arm around her shoulders. "Hold on. I'm not getting the whole story here." But she could judge when a woman was in love when she saw one. "Where did you last see him?"

Nina's eyes filled with unshed tears. "The RV. Back in the park. Oh, Lord, you don't suppose something bad has happened to him?"

"No. Why would it? He didn't see the murderer, did he?"

Nina shook her head as tears began leaking from the corners of her eyes.

"See there. He's probably fine. Might he have another reason to be…uh…not answering your calls?"

Hanging her head, Nina murmured, "Maybe. His voice mails didn't mention my note. He could be furious that I left without telling him."

"Well," Lacie began, trying to find some way of calming down her witness, "how about if I call him? Then if he doesn't answer a call from the sheriff's office, I'll send a deputy out to check on the RV. How does that sound?"

"Okay." The word was shaky but the voice sounded stronger and the tears were gone.

Colt came up behind Lacie and whispered in her ear. "Wouldn't it be faster to ask Sheriff Hunt to check on that RV park? It's in his jurisdiction."

Lacie touched his cheek and whispered over her shoulder. "I'm not too certain about Sheriff Hunt these days. There's something not right with him. Can't put my finger on what but I'd rather not ask for anything just now."

Still searching for a way to keep her witness calm, Lacie turned back to Nina with a smile and turned her hand to indicate Colt standing right behind her. "I'd like for you to meet my husband, Colt Chance. He's the county attorney I told you about."

Nina gazed up at Colt through wet eyelashes. Her

expression suddenly switched from mildly curious to something close to alarm.

"Nina?" Confused, Lacie took the girl's hand again. "Do you think you've seen Colt before? You can tell me. I won't let anything bad happen to you."

"He's not the man I saw murder the woman if that's what you're asking." Nina's whole demeanor changed from open to closed.

"But you have seen him before?"

"No." The answer came out forced and far too fast. "I mean, I don't think so. He does look a little familiar, but I couldn't have seen him before, could I?"

Lacie wasn't certain what to say. But her gut instinct was to keep her witness calm at all costs.

"Colt's just leaving," she said instead of answering. "We'll see him again this evening at home. Maybe something will come to you by then."

"But I…" Colt's tone spoke of the confusion she knew he must be feeling, as he hadn't said a word about going.

"I'll find a portable office phone so we can call your doctor, Nina. And I'll see Colt out. His office is right next door if we need him." With that, she grabbed her husband by the arm and dragged him out the door.

"What was that all about?" Colt asked in a low voice once they were in the hallway.

"I think she must have felt something when she looked at you. Some familiarity, maybe. But it wasn't good for her. Did you see the look on her face? She was on the edge of panic, when I was trying hard to keep her calm."

"I'd like to stay and talk to her," Colt said in a hurt voice. "Why would she panic just by looking at me?"

Lacie rubbed up against him, trying to make him see

her point. "I don't know. But isn't it possible she doesn't remember her childhood? Doesn't remember any of you? And perhaps that whole time in her life scares her. I'd say she looked more terrified than anything else."

"You think? We never did find out what our aunt did to her after she took her away." He looked thoughtful for a second. "If she's blocked it out, we may never get her to remember us."

Lacie smiled at her husband and stroked the back of his hand. "I know patience is still not your strong suit, honey. But give her time. Give all of us time."

"Sheriff!" At that moment one of her dispatchers came running down the hall. "There's been a terrible accident on the ranch-to-market road, right at the bridge. Single vehicle. An RV. One of those big suckers, and they say it turned over and broke up."

Uh-oh. "Are Sheriff Hunt's people there yet? That's right on the county line."

"I guess so. No one has asked for an ambulance. Maybe it's not as bad as it sounds."

"Thanks, Louanna. See if you can find one of our deputies cruising in that part of the county who can go check on the wreck." The dispatcher nodded and hurried off.

Lacie turned to Colt and said, "Stand by, will you, honey? I don't like the sound of this and may need you."

Colt leaned down and gave her a quick kiss on the lips. "I'll go up front and wait for my brother. Gage should be here any minute and he won't like not being able to see our sister the second he comes through the door."

"Explain the problems, will you? Find out if he's contacted the forensic artist yet. And tell him I said for him

to stand by, too. Both of you practice a little restraint while I try to make sense of this."

Turning into her office, Lacie opened her mouth and tried to find the words to explain the situation to Nina. But before she could speak, the other woman's cell phone rang.

Nina looked at her phone. "It's Josh! Thank goodness. Can I have a moment with him, please?"

Lacie nodded and backed up a few steps. But before reaching the hall, she could tell something was not right.

"Yes, I understand if you're sure," Nina was saying to the person on the other end. "But why can't one of Sheriff Chance's deputies take me there?"

Hearing her name, Lacie raised her head and listened openly.

"All right. And thank you." Nina closed her phone off and slipped it in her backpack's pocket.

Lacie waited while the young woman stood and pulled her backpack over her shoulder.

"Oh, Lacie." She looked up at her as though she'd forgotten where she was. "Josh has been in a traffic accident. The sheriff from the next county just called me. It's okay, he said Josh isn't hurt. Just a little banged up. But he's asking for me. I have to go."

"Whoa," Lacie said as she stepped in her way. "Let's talk about this. Are you sure that was Sheriff Hunt on the phone? Why wouldn't he call me first?"

Nina looked a little confused, but she had an answer. "His deputies didn't know I was here. Apparently, Josh was knocked out and the deputies couldn't talk to him. So the sheriff found my number in his phone and…" She stopped talking and put a hand to her mouth in thought. "Josh was knocked out? But that sounds more serious…."

Lacie did not like this at all. Sheriff Hunt knew damned well where Nina was. She'd told him herself.

"Why don't you and I drive back there together and see what's going on?" she offered to the young witness.

Nina shook her head but screwed up her mouth in obvious confusion. "You don't have to bother. The other sheriff said he would send a deputy to pick me up. Josh is in an emergency center in his county. And the sheriff promised a ride would be here for me within the hour."

"Nina, we need more information about this. None of what the sheriff told you makes any sense. I'm afraid for you to go off alone just on the basis of one phone call."

"Uh… It doesn't sound right, does it?" Nina's face became a mask of fear. "What'll I do? Where's Josh really? I need to talk to him. Tell him… Tell him…"

Chapter 10

Ten minutes later Lacie came into the office where Nina was still waiting. "I have a plan. I just made a few phone calls and now I'm more convinced than ever that it would be foolish for you to go off not knowing all the facts."

Nina didn't care one bit what Lacie thought. Josh was in trouble and she was going. Period.

Lacie must've guessed what she was thinking. "I called the one urgent care place in Jim Abbott County and Dr. White has not been brought in. Also according to his dispatcher, Sheriff Hunt is unreachable. And as far as anyone in his office knows, none of his deputies are on their way here to pick you up."

Nina's nerves were hopping. She began pacing off the room, trying not to think about what kind of trouble Josh might be in. Where was he? If only she could talk to him. Ask his opinion of the smartest thing to do.

Lacie stopped her march with a hand to the arm. "I can't let my only murder witness be harmed. So—"

"But what about Josh? I have to find him and if driving off with someone we can't prove is a deputy is the only way to do that, then I volunteer. Follow us if you want. But I'm going."

"Nina, please." Lacie put both hands on her shoulders, forcing her to look straight into the sheriff's eyes. "Calm down and listen. You have to be tough to get through situations like this. And from what I can tell so far, you are plenty strong enough to take whatever comes your way."

Hell, yes, she was tough. Life had made her that way.

Lacie lowered her voice. "Josh may be already gone. Deep inside you know that. The crash could have taken his life. This whole deal with the sheriff may be just a charade to get you away from here—so the murderer can kill you, too. I can't let that happen."

"But…" The idea of Josh being dead made her legs wobble. Her hands began to tremble.

"I do have a plan." Lacie backed up a step and gave her the once-over. "We're about the same size. Maybe an inch or two difference in height is all. What if we change clothes and I go in your place? If Josh is alive, I stand the best chance of bringing him back to you."

Flustered by the sheriff's offer, Nina sat on the edge of the desk and tapped her foot. She had to think. Would she be a coward for not going? Or would she be smart?

What would Josh want her to do? The answer to that question seemed clear. Josh would want her to stay safe. That was all he ever talked about.

Still… "I'll change with you. You can go in my place. But I want to go, too."

"Oh, I don't know about that," Lacie hedged.

"Yes, you do," Nina shot back at her. "You plan to have someone else there covering your back. Right?"

She didn't wait for Lacie to agree. "I insist on going with the backup. I need to be there when you find out what happened to Josh."

A half hour later Nina stood in a hallway of the sheriff's station while Lacie handed shotguns out of a locked gun cabinet to the men gathered. Nina tugged at the neck of her sweatshirt. Turned out she couldn't squeeze into one of Lacie's uniforms so she'd donned the sheriff's gym clothes. And it was just as well. None of the men preparing to be Lacie's backup were in uniforms either. In fact, most of the men in the group were friends and relatives of the sheriff's instead of her regular deputies.

In a few minutes everyone walked out behind the sheriff's station. She let Lacie install her in the backseat of an SUV with some of the men. The two tall good-looking guys in front were Lacie's brothers-in-law. And the two men flanking her in the backseat had been introduced as another brother-in-law's hired hands.

Lacie disappeared from view as she walked back into the station to wait for the ride from the supposed deputy. Meanwhile, silence settled on everyone in the SUV as they listened to the sounds coming from a speaker on the dash connected to a hidden wire Lacie was wearing. The sheriff gave whispered updates and bulletins to her posse as the minutes counted down.

Boy, Nina felt a ton of choking testosterone rolling in this small space. Every man there was tense. Every man had a gun.

The two men in front, one named Sam Chance and the other called Gage, kept turning their heads to give her odd looks. Okay, she knew it might not be smart for

an unarmed woman to tag along on a dangerous plan like this. But she didn't care. She felt plenty safe with all these gun-toting men.

And besides, she was not the most important consideration here. Josh was. Nothing else mattered. All her old worries about him being too much of a hero had disappeared as she feared for his life. All her angst about being caught in Texas had also apparently dissolved by the side of the road in the heap of a trashed RV.

Oh, Josh. Hang on.

She closed her eyes and tried to pray, though it had been many years since she'd known how. *Please, Lord, just keep him alive until we find him.*

Josh cracked open his lids, ignoring the razor-edged pain behind his eyes, and tried to get his bearings. His head felt like someone had used a sledgehammer on it. Where was he?

Oh, yeah, the RV had crashed. He'd lived through that disaster? Amazing. But now what? He tried moving and another pain, this one both sharp and throbbing, nearly took his breath away. Shoulder. He could bet that much pain meant his left shoulder was dislocated.

An injury like that needed treatment by a doctor. He should be in an emergency room having a shoulder reduction. He managed to twist his body enough to sit up and look around. Well, this wasn't any hospital. He was on the floor in some kind of dusty storeroom.

But why? A memory of those two dudes with guns riding in the pickup that ran him off the road came back to remind him that he still might not live to see the end of this day.

He stopped panting through his pain long enough to listen to his surroundings. Someone was here. Distant

conversation could be heard through the closed door. The same men? Probably.

Now he fought to keep the pain at bay long enough to think. Why had they tried to kill him?

Nina! Of course. They must've thought she was in the RV when they caused it to crash. Thank God she'd already taken off on her own.

But where was she now? And was that why they were keeping him here? To lure her? He had to do something.

Biting down hard, he gritted his teeth and forced his feet to take him to a standing position. Damn, that hurt. Sweat ran out of every pore as he leaned over and put his head between his knees.

Once his stomach calmed, he held his arm immobile with the other and checked the room. No weapons of any sort. The .38 he'd stuck in his waistband before the wreck was long gone. But in a dark corner he found some things that might actually help—cleaning supplies.

A greasy rag was the first object he grabbed. It took him far too long, every second sapping his energy, to turn the rag into a sling and completely immobilize his arm. Once that was done, he sat on a stack of storage boxes for a few minutes to fight the pain and light-headedness. He even used a few minutes to try self-hypnosis, an alternative treatment for pain he'd learned in residency.

When the pain was at least manageable, his brain began picking up pieces of the very real trouble he faced. If he was the bait to bring Nina, then what would happen to her if she showed up?

Would she show up? Not since he'd had to trust a team of doctors to keep him alive and give him a new heart had he been forced to trust someone implicitly.

But despite her running off without telling him, in his gut he trusted Nina to look for him. It amazed him to feel absolute trust for her.

Now all he had to do was find a way to keep her alive.

Clearly the men would have to kill her if she saw them—kill both of them probably. Maybe her stalkers had some other kind of plan for her at first, but now they had gone too far and would have no choice.

Could he do anything to stop them? If he stayed quiet, they might not know he'd come back to consciousness. Surprise was always a good defense. And not a bad offense.

He couldn't sit quietly and wait for Nina to be killed. It simply wasn't in him. He had to know what was going on so maybe he could stop the worst from taking place whenever it was necessary.

Easing the door open a crack, Josh peeked out to see where he was. The adjacent room was dark, but it looked in the ambient light from the windows to be a tiny front room with the heavy door to the outside in the center of the far wall. He could hear the voices much more clearly, apparently coming from a kitchen off to the left. A dim glow illuminated that space.

He snuck into the darkening front room, leaving the door to the storage room ajar, and crossed it as far as he dared. The conversation taking place was finally clear enough to understand.

"I don't like this," said one of the voices. A male with a deep Texas accent. "It's already getting dark. Trusting Buddy to bring the girl here might not have been the best move."

"You don't get to decide," said another male with a much more authoritative voice. "I'm in charge here and

we do things my way. My friend is already unhappy about you forcing that RV wreck and causing the man's injuries. No one was supposed to get hurt. Those were my orders, Curly."

"I know, Sheriff Hunt. Believe me, I kept trying to tell that to Buddy, but he never listens. That's why trusting him to deliver the girl seems iffy to me."

"Shut up. You're the one who hired him. It's your responsibility. I'm here to fix things."

Silence settled between the men for a few seconds and Josh had a moment to let the truth settle. The man in charge here was Sheriff Hunt? One of the people he and Nina considered going to for help? Ah, hell.

The sheriff began speaking again. "If only that idiot woman had come to me like she should have instead of going off to that danged woman sheriff in the next county, everything would've been fine. I would've taken her witness statement and made sure she was on the next flight out of the state. No bother. No fuss."

So… As fuzzy as his head felt, Josh was building a picture of the situation in his mind. Sheriff Hunt was not the murderer, otherwise he would worry about Nina identifying him. And he wasn't. But apparently he was working for the murderer and knew who he was. Things were looking worse for Nina by the minute. Had she really gone to Sheriff Chance without him?

Josh had to hold his head up past the guilt and depression dragging him down. If only he'd swept her up and headed for California when she'd first asked, they wouldn't be in this situation now.

"Maybe you can still save things, boss." That hopeful note came from Curly. "When she gets here, you drive her to the urgent care center up north—real slow.

I'll stuff that broken dude in the other room in my truck and beat you there. She'll never know the difference."

Another moment of silence.

"Okay," came the hesitant response from the sheriff. "I suppose it won't hurt to try."

At that moment, light from a set of headlights broke the darkness in the front room. Josh carefully rushed back to the storage room, but left the door ajar again.

"I hear 'em, boss."

Josh watched the two men go to the open front window facing a lighted yard and look out.

"All right," the sheriff said. "Let's make sure Buddy got her here in one piece first. Then you sneak into the back room and wait for us to leave before taking that man in there to the truck. I'll go meet her outside. We won't even have to come back inside."

"Yessir."

"But you'd better get to the urgent care place in a hurry or I'll…" The sheriff suddenly stepped away from the window.

"Damnation." He pointed out the front window. "That ain't the girl. Your pal is dead meat. He brought the Chance County sheriff here instead of the murder witness. Don't he know his head from a hole in the ground? I may kill him myself."

"No. No. Wait, boss." Curly took a step toward the storeroom and Josh. "We can fix this yet. I'll go make sure that dude in the next room is good and dead. One bash in the head is the same as the next. We'll say he died in the wreck. You go on out and talk to the sheriff like nothing is odd. Say you were just trying not to tell the girl the worst until it was absolutely necessary."

"That don't fix nothing. My friend will still be vulnerable for the murder. But…but…" The sheriff twisted

his head to stare at the storage room door but he didn't wait long. "All right. This idea may just postpone the worst until I can get away. Okay. I'll go outside now. You hurry up and do the deed. Hell. It's worth a shot."

Josh closed the door and looked around for a weapon to protect himself. Nothing. Nothing. Then his gaze landed on the cleaning supplies again. Maybe it would give him enough time to make a break for it. He stepped to the corner and chose his weapons. As the sheriff had just said, *Hell. It's worth a shot.*

Wishing he had the full use of both arms, Josh steeled himself against the pain and picked up a broom, bracing it under his injured arm, then he opened a bottle and left it on the floor where he could get to it in a hurry. He crouched back against the wall right next to the door and waited.

Curly slowly pushed the door open a little and stuck his head inside. Josh didn't even breathe. When nothing seemed amiss, Curly rushed into the room.

Josh stuck the broom out low and tripped him up. Curly went sprawling on the floor, sputtering and yelling. Still holding his breath, Josh splashed ammonia across the other man's face and stood back.

The ferocious yowl Curly let out nearly stopped Josh in his tracks. His first impulse was to tend to a fellow human being in pain. But he caught himself in time and dashed around the man's failing body and slipped through the door.

Nina was bouncing in her seat. "Let me out. I don't see Josh. Let me out of here!"

She'd been locked in the backseat of the SUV, parked in the brush near the old shack where the car had stopped. Most of the men who'd ridden with them

had quickly piled out and hidden themselves in the bush to watch over Lacie. Only the driver, the Chance brother named Sam, remained sitting behind the wheel to guard her.

"Easy, little girl," he said as he turned her way. "Be patient while we listen in. You don't want to make any moves that might cause Lacie trouble, right?"

Nina slammed back in her seat and crossed her arms over her chest. She could hear Lacie and Sheriff Hunt greeting each other, but she still wanted to run into the shack to find Josh.

However, the real pulsating urge to go to him was not what kept running through her mind at all.

Easy, little girl. She'd heard those same words so many times. She'd dreamed of someone saying them for most of her lifetime—as long as she could remember. *Easy, little girl.* And they'd been coming from a voice exactly like Sam Chance's. Why did he sound so familiar?

Just then the radio on the dash came to life with shouting and she sat at the edge of her seat to listen.

"What do you mean by calling this here girl by the name of Sheriff Chance, boss?" That voice was a whiny male sound. "That ain't right. This here's the girl we been following. What's going on?"

Lacie's voice was the next thing Nina overheard. "Put the shotgun down, Bud. Don't be foolish."

"You tricked me?" the man she'd called Bud asked in a screech. "You made me look stupid in front of my boss?"

"Put that gun down now!" That voice seemed to come from someone else in charge. Maybe Sheriff Hunt?

"Where's Nina?" Another voice, this one coming

from farther away, was one she would recognize in an instant.

"Josh!"

Surprising sounds came from the radio just then. Gunshots. Several of them.

"Oh, God. Josh! Let me out of here. Now!"

Silence descended in the next moment and then Lacie's voice came spiking through the radio. "All clear. I have Sheriff Hunt in custody and the driver is down. Someone call for an ambulance."

Nina grabbed Sam by the arm. "Please. Help me. I have to get to him."

For a moment Sam gave her a strange look, then said, "I never could deny you anything." Unlocking the child-safety doors, he quickly stepped outside with a huge shotgun in his hand and stood waiting for her to jump out. "Stay behind me until we check the area. Make sure the shooting's really over."

The two of them made their way toward the shack. Nina's natural inclination was to run. But Sam Chance, a lot taller than she was, walked fast enough that she practically had to jog to keep up.

"Nina!" Josh's call reached her before she spotted him.

He was straightening up from a kneeling position beside a man's body. Meanwhile Lacie and the other sheriff, who was already disarmed and handcuffed, stood close by.

Josh turned to them. "This one is definitely dead. I'd say killed by Sheriff Hunt's bullet. But you'll need a forensic autopsy to be sure."

Nina jerked around Sam and ran for Josh. When she got close, she realized his arm was in a funny-looking

sling. But that didn't stop him from grabbing her around the waist with the other arm and pulling her to his chest.

"Thank God you're all right." He breathed deep and placed a kiss on her forehead.

She buried her nose in his neck and soaked up his warmth, so relieved he was alive that she could barely stay upright. "I'm sorry I left you, Josh. I never should have...." Her throat closed with the emotion.

"It's okay. It's okay," he murmured over and over. "As long as you're safe."

"You're hurt." She leaned back and studied his face, not his arm. "Did they call the ambulance for you?"

"Mostly the ambulance is coming for another one of your stalkers. I'm afraid I did a number on that guy. But I'll have to see a doctor, too. I need someone who knows how to return this shoulder back to its place."

Before she could say *oww* in sympathy, another Chance brother came up to Josh.

"Josh, isn't it?" Gage Chance seemed to look only at her as he talked to Josh. "My brother Travis is setting the helicopter down in a wide space farther along the road." Gage was the other brother who'd ridden out with them in the SUV. "He'll transport you and the other injured to urgent care. Can you walk that far? If not we can rig up a kind of backboard to carry you."

"Thanks, but no. I'll make it."

Nina clung to Josh, not wanting to let him loose. "Wait. You can't go yet. I haven't said... That is, I haven't told you I love you. Please don't leave me."

Gage stepped closer and placed a gentle hand on her shoulder. "I think there'll be room for you in Travis's helicopter. The rest of us will drive up there to bring you home."

Nina thought that was another odd thing for a

stranger to say. Man, these Chance brothers were a weird bunch. But weird in a good way. She felt easy around them.

"Let's go." Josh leaned against her side and the two of them followed the crowd of men carrying the injured stalker named Curly to where the helicopter waited.

"Nina," he whispered as they slowly made their way, "I heard what you said and I have something important to tell you, too. Something life changing. We need to talk before you talk to anyone else. Promise?"

"Of course, Josh. I'm not leaving you for any reason."

As slow as they walked, Nina felt as though she was walking on air. He was alive. And he loved her. That must be what he'd wanted to say.

And wasn't that what she'd longed to hear?

Chapter 11

Josh's frustration level was through the roof by the time they'd relocated his shoulder and filled a pain prescription at the tiny urgent care facility. But Nina never left his side during the ordeal. He'd had a chance to clean up and put on borrowed scrubs. Still, he would've rather had the extra twenty minutes to tell Nina the truth.

It was late by the time everything at the health center had been handled. So the Chances invited them to stay overnight at their ranch. Josh had a gut feeling that some of the Chance family must have recognized their sister, but none of them had said anything to her yet.

Travis Chance flew them in his helo to the old Chance family homestead where Sam Chance and his wife and kids were living. Lacie along with her husband, Colt, had taken Sheriff Hunt back to the Chance County sheriff's office to question him and to put in a

call to the Texas Rangers, who would come ask their own questions and issue any charges later tonight.

Josh looked down at Nina as she helped him out of the helo and dreaded telling her the truth of her background, knowing she might not take the news well. She'd spent so many years running from the idea of a family that finding them at this time in her life might not be easy for her to accept.

Still, she had to know. If nothing else, the Chances were sure to want a relationship with the sister they'd been searching for. How would she react to them?

He wanted to be the one to tell her. It was his duty. He hadn't been able to save her from her stalkers, her family had done that. And worse, he'd been the one who'd talked her into staying in the danger area. She should have left Texas long ago—murder witness or not.

The dull ache in his shoulder reminded him that she'd said she loved him. A day ago he would've given his right arm and shoulder to hear that from her. Though, truthfully, he doubted she'd known what she was saying at the time. Things had been a little intense just then. Now, as their time of truth loomed, he felt sure she wouldn't want anything to do with him afterward.

Sam picked them up in a Jeep and drove them to his homestead, where his young family had already gone to bed. As they tiptoed their way into the darkened house, Nina seemed too quiet beside him. Gripping his hand as though she never wanted to let go, he would swear she was holding her breath in terror. But nothing seemed the least bit threatening about the house. Far from it.

"Watch out for the kids' toys," Sam whispered as he showed them through the dimly lit living space to the base of the stairs. "We have a couple extra bedrooms upstairs. That okay? Or do you want to stay together?"

Suddenly Nina let go of his hand and Josh had to drop back to see what was the matter. How they spent the night meant nothing to him; his shoulder would be pretty touchy for a day or two anyway. If that wasn't what she wanted—

When he looked, Nina had already bent to one knee and was totally focused on a small rocking horse. The old-school plaything looked ancient enough to be an antique, but maybe it was just a too-well-loved child's toy. She laid a hand on its head, petting the mane as though the little wooden horse was a real pony.

After a second or two spent in silence, she turned her face and looked up at the man standing on the first step and gazing down at the scene. "Sam?"

"Yeah, little girl, it's me. Big brother Sam."

"And this is Snookie." Nina said the name as though it were fact and not a question.

"Yeah," Sam said hesitantly. "She's a bit the worse for wear after years of Grandpa Chance, then Dad, then you and now my son Mikey playing with her. But, yeah, that's your old friend Snookie."

"I…" Nina blinked a couple of times and looked around the space with a confused gaze. "And this is our house. I dreamed about this house."

She returned her gaze to Josh, whose chest was so tight he thought his heart must've stopped. "Do you know?" she asked with a raspy tone.

When he didn't answer right away, her voice cracked. "How could you? How could you keep this from me?"

He knelt beside her. "Yes, I know, my love. But I only found out yesterday on the internet."

"How?"

"Your family has been searching for you. They put a sketch of what you would look like now on a lost-

relative page and asked for any word of you. Apparently they've been trying to find you since right after you were taken."

"Taken?" Nina looked to Sam, who'd bent on one knee, too.

"Aw, Cami," Sam croaked, sounding as if a frog had taken up residence in his throat. "There's so much to tell. So much to catch up on. I wasn't sure you'd ever remember us. But give us a chance to talk it out. We've missed you so much."

She put a fist to her heart. "I didn't want to remember. It hurts too badly to remember."

Sam knelt beside her and put an arm around her shoulders. "Little sister," he began as he wiped a tear from her cheek, "we don't want you to hurt. We only want you to be a part of our family again. We've never stopped loving you."

Josh couldn't bear to see the pain written on her face. He turned his head as the tears leaked down his own cheeks.

He didn't deserve her. He'd thought he could be the one to give her the family she'd secretly desired. He'd been her superhero and was all set to save her from a life of loneliness. He had every intention of becoming her lover, her husband, her friend. Her everything.

But turned out, he wasn't any kind of hero. And now she had a ready-made family. Four brothers and their wives and kids. A gigantic set of close relatives able to provide all the love she could possibly need.

Josh staggered to his feet. There was no place for him here. And nowhere to run away and lick his wounds in peace.

"I can't…" He swiped at his cheeks. "I have to get

some sleep before I fall over. You two can stay and talk but point me at a bed, please."

"Upstairs. First door on the right. Bathroom is the next door down."

Josh turned his back to be sure he could walk away from her without breaking down. As he made his way up the stairs, a refrain kept rolling in his head.

She doesn't need me.

Nina stayed awake and talked to Sam at the kitchen table for the entire night. She couldn't have slept anyway. He told her about their parents' deaths and how Lacie and their brother Colt figured out who really had murdered their mother. Nina cried softly at the news; she could still hear her mother's voice calling to her through the years: *Cami, love.*

"Our mother's sister took you away after Mom and Dad were gone." Sam's eyes were misty, too. "I'm afraid that's mostly my fault. We didn't stop her. I was so overwhelmed that I… That I…"

Nina laid a hand over his on the table. "I don't blame you. I blame our aunt. My memories of her are not kind. Somehow during my time with her, I was physically abused. Still have a couple of scars to prove it. I plan on finding her someday and…"

"She's dead, Cami. Turns out she was a drug addict and her body showed up in a morgue about five years after taking you from us." Sam looked as stricken as she felt. "We'd have found her and made her talk if she'd been alive. We've been desperate to find you through all the years. Especially Gage. He never gave up."

Nina made them a pot of coffee just as the sun peeked through the window blinds. Minutes later, Lacie and

Nina's newfound brothers Colt and Travis showed up to tell her the news.

"Sheriff Hunt spilled everything." Lacie sat down beside her while Colt and Travis each got coffee. "He really hadn't wanted anyone to get hurt, but unfortunately he's been taking money from a local politician on a regular basis."

Lacie shook her head. "Money always spells trouble. Anyway, the politico murdered his mistress in a fit of rage to shut her up about their relationship—which is what you saw, by the way. Afterward, he insisted Sheriff Hunt find a way get rid of you. I think at first they just wanted you to leave the state, but things didn't turn out that way."

"Does this look familiar?" Travis handed her an advertising flyer for a local campaign with the politician's photo in the center.

"Yep. That's him. That's the man I saw."

"Damn." Travis's expression barely held in his suppressed anger. "I counted this guy as a friend. I actually helped him raise money."

At that moment, her other newly discovered brother, Gage, showed up with his and Travis's wives along with a pile of combined and related kids. It was overwhelming.

But through all the noise and clatter, she felt the warmth. The real love. Something she'd had precious little experience with in her life.

Only one thing was missing. Josh. She needed him to help her make sense of all this.

And she needed him—because she loved him. That was the only reason that counted. She just wanted him beside her to make a new life together. Would he want

to stay with her here in Texas for a while so she could build a new past—and future?

"Could you excuse me for a few minutes?" she said to no one in particular and to everyone. "I need to check on Josh."

She made it as far as the bottom of the stairs when she met Josh coming down. His expression was hard and somber. Even seeing her didn't change the defeated look in his eyes.

"How are you feeling this morning?" she asked as brightly as she could manage.

Was he in pain? Could that be why he didn't look directly at her?

"The pain's manageable. And someone rounded up clean clothes that almost fit. So I guess I'm good to go."

He looked delicious and fit to her. All she could think of was taking him in her arms and— "Wait. Go where?"

"Back to the Hotshot team. Well, maybe with a short visit with my brother first. I need to go back to work."

"You're leaving? So soon?" What she wanted to say was that he couldn't leave. They belonged together.

"Uh, yeah. But you'll be okay. They'll probably need you to testify in the murder trial. Your new family can take excellent care of you."

From somewhere in the back of her mind, she noticed that some of her new family had assembled at the door to the kitchen and were listening in to their conversation. She didn't care. She couldn't care about anything but the idea of losing Josh.

"No," she said like a volcanic eruption. "They can't take care of me the way you can. You can't leave me."

It wasn't in her nature to beg, but that was another thing she didn't care about at the moment.

"You said there was something for us to talk about,

remember? What were you going to say?" It had to be that he loved her. It had to be.

He stared down at his shoes. "Um, that was about your brothers. I wanted to tell you first but you remembered."

"Stop it." She stepped into his space and pushed the toes of her shoes against his toes. "That's not good enough. I told you that I loved you and you never answered me. Tell me how you feel."

Looking up at her with pain written across his face, he stepped back. "It's too late for that. You don't need me anymore. You have family and a place to call home. You'll be a lot better off without me."

She took another step closer, coming face-to-face with him. "Bull. Of course I need you. I still need physical therapy and training to get back in shape. Who's going to help me with that? And as much as I like and know I'll grow to love my brothers and their families, I'll need a place of my own soon enough. Who's going to be my roommate? My partner through life?"

He looked down at her with a thousand questions in his eyes. "You think you want to stay in Texas for good? And not ever go back to the Hotshot team? That's a big step for a woman who didn't want any part of the state only a few days ago."

Was that what she wanted? "Maybe."

"Um, excuse me." Travis, who ran the big conglomerate that was the Bar-C Ranch, took a hesitant step closer to them. "Couldn't help but overhearing and I have a proposition. I didn't want to say anything until you got used to the isolation of a place like Chance, but the town needs a new fire chief. The last one was a longtime volunteer and his doctor made him stop fighting fires about a year ago."

Nina and Josh stood speechless and staring.

Travis grinned. "The position doesn't pay much but there are perks. Like a fifth of the Bar-C Ranch and any of its vacant property that's suitable enough to build on. I've also been saving up a fifth of the ranch's profits in a trust for you, baby sister. That, along with your inheritance from Mom, means you won't have to work. But we sorely need a new fire chief, so I'm hoping you will."

It was too much to take in all at once. She needed Josh. Moving closer, she snuggled against his good arm and wished for a hug.

"Help me," she whispered. "Tell me what to do."

He didn't put his arm around her like she'd hoped. "Sounds like a hell of a deal for you. But I still say you don't need me. What would I do?"

Travis cleared his throat and inserted his own answer. "Well... Actually, this county also needs its own doctor. Its own clinic. New families are moving in every day. I'd be willing to arrange any kind of financing you'd need to make a go of it here."

"I..." Josh looked flustered. A tiny ray of hope seemed to light in his eyes. She wanted him to step up and be the superhero she knew him to be.

It was time to make him see the light.

She inched close enough to feel the warmth his body created, and the old zing traveled between them. "Travis will wait for an answer, but I won't. Look at me."

Gazing down at her, his eyes filled with wetness. But he remained motionless.

"Do you love me, Josh White? It's a simple question. 'Cause if you do, it won't matter where we live or what we do as long as we're together."

He studied her through glazed eyes for a second, then

wrapped his good arm around her and kissed her, his mouth desperate and hungry. The same way she felt.

"God, yes, I love you," he said at last. "I've been trying to find a way to tell you for days."

He kissed her again until her pulse sped up and her body shuddered. She felt herself grinning the way a kid would. The way she never had as a kid.

"Nina...Cami—whatever you want to go by, the amazing thing is I've discovered I *need* you. I need you to make my life worth everything I went through as a kid just to stay alive. Damned straight we'll do this together. Marry me and we'll be at home wherever you want."

She giggled. Imagine that. For the first time in her memory her life ahead looked bright.

"Cami Chance-White. I like the sound of it."

Josh leaned in to kiss her again. Her family in the background disappeared, leaving them alone for the moment.

Throwing her head back, she laughed out loud.

Her family. A real family of her own.

And the love of her life, who loved her back.

She couldn't ask for more. With Josh by her side, she had finally found her one true home.

* * * * *

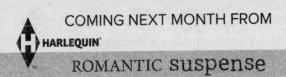

REQUEST YOUR FREE BOOKS!
2 FREE NOVELS PLUS 2 FREE GIFTS!

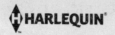

ROMANTIC suspense

Sparked by danger, fueled by passion

"Hang in there," Ashley repeated to the woman, raising her voice
so that the victim could hear her. The terrier was still barking
frantically. "They're coming. The ambulance is coming. They'll
be here any second. Just don't let go."

God, but she wished the paramedics were here already.
They were trained and they'd know what to do to stabilize
this woman's vital signs and get her to stop bleeding like this.

She refused to believe that the situation was hopeless. Despite
everything that she had been through in her short twenty-five
years, there was still a tiny part of Ashley that harbored optimism.

Ashley's heart jumped. The woman's eyelids fluttered, as
if she was fighting to stay conscious, but her eyes remained
closed. And then Ashley saw the woman's lips moving.

What was she trying to tell her?

"What? I'm sorry," she apologized, "but I can't hear what you're saying." Leaning in as close as she was able, Ashley had her ear all but against the woman's lips. "Say it again. Please, your dog's barking too loud for me to hear you."

She thought she heard the woman say something that sounded like "…stole…my…baby."

Ashley couldn't make out the first word and part of her thought that maybe she'd just imagined the rest of the sentence, but she was positive that she'd felt the woman's warm breath along her face as the woman tried to tell her something.

And then it hit her. What had happened to this woman wasn't just some random, brutal attack by a deranged psychopath who had broken into her apartment. This was done deliberately.

Someone had kidnapped this woman's baby before it was even born.

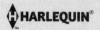

ROMANTIC suspense

THE DEADLIEST SECRETS CAN'T BE FORGOTTEN

Dead River Ranch is the end of the road for war correspondent Jagger McKnight. But a thirty-year-old mystery about a missing baby boy and a warmhearted nurse show Jagger it's just the beginning....

Look for
THE MISSING COLTON
by Loreth Anne White, the next title in
THE COLTONS OF WYOMING MINISERIES
coming next month from
Harlequin Romantic Suspense!

Available wherever books and ebooks are sold.

Love the Harlequin book you just read?

Your opinion matters.

Review this book on your favorite book site, review site, blog or your own social media properties and share your opinion with other readers!

ISBN-13: 978-0-373-27835-0

TEXAS COLD CASE
Copyright © 2013 by Linda Lucas Sankpill

TEXAS LOST AND FOUND
Copyright © 2013 by Linda Lucas Sankpill

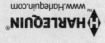

® HARLEQUIN®
www.Harlequin.com

Printed in U.S.A.

Last
Chance
Reunion

Linda Conrad

(H) **HARLEQUIN**® ROMANTIC SUSPENSE™

Books by Linda Conrad

Silhouette Desire

*The Gentrys: Cinco #1508
*The Gentrys: Abby #1516
*The Gentrys: Cal #1524
Slow Dancing with a Texan #1577
The Laws of Passion #1609
Between Strangers #1619
†Seduction by the Book #1673
†Reflected Pleasures #1679
†A Scandalous Melody #1684

*The Gentrys
†The Gypsy Inheritance
**Night Guardians
†The Safekeepers
†Desert Sons
‡‡Chance, Texas

Other titles by this author are
available in eBook format.

Silhouette Romantic Suspense

**Shadow Force #1413
**Shadow Watch #1418
**Shadow Hunter #1450
**Shadow Surrender #1457
**Shadow Warrior #1465
**Shadow Whispers #1481
††Safe with a Stranger #1517
The Sheriff's Amnesiac Bride #1536
††Safe by His Side #1553
††In Safe Hands #1558
‡Her Sheik Protector #1618
Covert Agent's Virgin Affair #1620
‡The Sheik's Lost Princess #1641

Harlequin Romantic Suspense

‡Secret Agent Sheik #1652
Desert Knights #1661
"Bodyguard Sheik"
Rancher's Perfect Baby Rescue #1692
‡‡Texas Baby Sanctuary #1702
‡‡Texas Manhunt #1705
Last Chance Reunion #1765
"Texas Cold Case"
"Texas Lost and Found"

LINDA CONRAD

When asked about her favorite things, Linda Conrad lists a long-time love affair with her husband, her sweetheart of a dog named Kiki and a sunny afternoon with nothing to do but read a good book. Inspired by generations of storytellers in her family and pleased to have many happy readers' comments, Linda continues creating her own sensuous and suspenseful stories about compelling characters finding love.

A bestselling author of more than twenty-five books, Linda has received numerous industry awards, among them a National Readers' Choice Award, a Maggie, a Write Touch Readers' Award and an RT Book Reviews Reviewers' Choice Award. To contact Linda, to read more about her books or to sign up for her newsletter and/or contests, go to her website, www.lindaconrad.com.

Le Livre de Poche s'engage pour
l'environnement en réduisant
l'empreinte carbone de ses livres.
Celle de cet exemplaire est de :
550 g éq. CO_2
Rendez-vous sur
www.livredepoche-durable.fr

PAPIER À BASE DE
FIBRES CERTIFIÉES

Composition réalisée par Belle Page

Imprimé en France par CPI
en novembre 2017
N° d'impression : 3025673
Dépôt légal 1re publication : octobre 2017
Édition 02 - novembre 2017
LIBRAIRIE GÉNÉRALE FRANÇAISE
21, rue du Montparnasse - 75298 Paris Cedex 06

Merci aussi au Dr Miriam Klein Kassenoff, directrice du Séminaire estival sur l'holocauste, faculté d'enseignement, université de Miami, Coral Gables. Votre aide m'a été précieuse.

Enfin, et surtout, à ma famille : Benjamin, Tucker, Kaylee, Sara, Laurence, Debbie, Kent, Julie, Mackenzie, Laura, Lucas, Logan, Frank, Toni, Jacqui, Dana, Doug, Katie et Leslie. Vous êtes tous des baratineurs. Je vous aime.